From Style to Huayi

Ruminating on Chinese Art History

从风格到画意

反思中国美术史

石守谦 著

生活·讀書·新知 三联书店

图书在版编目（CIP）数据

从风格到画意：反思中国美术史／石守谦著．—北京：
生活·读书·新知三联书店，2021.10
（开放的艺术史丛书）
ISBN 978 – 7 – 108 – 07247 – 4

Ⅰ．①从…　Ⅱ．①石…　Ⅲ．①绘画史－研究－中国
Ⅳ．① J209.2

中国版本图书馆 CIP 数据核字（2021）第 175625 号

© 石头出版股份有限公司授权
Simplified Chinese Copyright © 2021 by SDX Joint Publishing Company.
All Rights Reserved.
本作品简体中文版权由生活·读书·新知三联书店所有。
未经许可，不得翻印。

开放的艺术史丛书

从风格到画意：反思中国美术史

丛书主编	尹吉男
责任编辑	杨　乐　李学平
装帧设计	蔡立国
封扉设计	李　猛　杜英敏
责任印制	卢　岳　宋　家
出版发行	生活·讀書·新知 三联书店
	（北京市东城区美术馆东街 22 号 100010）
网　　址	www.sdxjpc.com
经　　销	新华书店
印　　刷	天津图文方嘉印刷有限公司
版　　次	2021 年 10 月北京第 1 版
	2021 年 10 月北京第 1 次印刷
开　　本	720 毫米 × 1020 毫米　1/16　印张 31.25
字　　数	547 千字　图 268 幅
印　　数	0,001 – 5,000 册
定　　价	98.00 元

（印装查询：01064002715；邮购查询：01084010542）

目录

自　序 　　　　　　　　　　　　　　　　　　　　　　　3

导　论　从风格到画意　　　　　　　　　　　　　　　　5

Ⅰ　观念的反省　　　　　　　　　　　　　　　　　　27

1-1　对中国美术史研究中再现论述模式的省思　　　　　29
1-2　中国文人画究竟是什么？　　　　　　　　　　　　49
1-3　洛神赋图——一个传统的形塑与发展　　　　　　　65
1-4　风格、画意与画史重建
　　　——以传董源《溪岸图》为例的思考　　　　　　89

Ⅱ　多元文化与文士的绘画　　　　　　　　　　　　　123

2-1　冲突与交融
　　　——蒙元多族士人圈中的书画艺术　　　　　　　125
2-2　元代文人画的正宗系统
　　　——由赵孟頫到王蒙的山水画发展　　　　　　　177
2-3　隐逸文士的内在世界
　　　——元末四大家的生平与艺术　　　　　　　　　193

Ⅲ　绘画与文人文化　　　　　　　　　　　　　　　　219

3-1　隐居生活中的绘画
　　　——十五世纪中期文人画在苏州的出现　　　　　221

3-2	沈周的应酬画及其观众	243
3-3	雅俗的焦虑——文征明、钟馗与大众文化	261
3-4	董其昌《婉娈草堂图》及其革新画风	291

Ⅳ 区域的竞争　　　　315

4-1	由奇趣到复古	
	——十七世纪金陵绘画的一个切面	317
4-2	神幻变化	
	——由陈子和看明代闽赣地区道教水墨画之发展	359

Ⅴ 近现代变局的因应　　　　383

5-1	绘画、观众与国难	
	——二十世纪前期中国画家的雅俗抉择	385
5-2	中国笔墨的现代困境	417

注　释	433
图版目录	471
论文出处	479
参考书目	481

自 序

将论文结集出书,至少对作者本人而言,提供了一个回顾自我的机会。能够有这种机会,不能不说是个人的幸运。

这本论文集中所收文章最早的一篇发表于1994年,最晚的是2007年,"导论"一章则完成于2009年初,中间跨越了整整十五年。在这十五年中,我的工作经过了很大的变化,心境也历经了激烈的动荡起伏。世事变幻,人情冷暖,看尽了,却也觉得不足多言。这本书中的文字可算是这个过程中留下来的记录,记录着我在不同阶段情境下对个人研究之中国绘画史的一些反省。"从风格到画意"的总标题便是在这个反省之下的一个选择。它一方面代表着我个人对画史关怀的一个发展,另一方面也意味着我对艺术之所以存在的那个根本课题,在体会上的一些转变。

绘画史研究之所以吸引人,现在回顾自己的过程,原来也十分的个人。三十五年前我因读了方闻先生一篇讨论山水画结构分析的文章,而决定选择走研究的路,后来我有幸成为他的学生,开始认真地以"风格"来了解中国画史。接着我又从方老师那里学到贡布里希(E. H. Gombrich)在《艺术与错觉》(*Art and Illusion*)一书中的见解,引领一窥风格史的堂奥,贡布里希也就成为我的学术偶像。再接着,我又读到帕诺夫斯基(Erwin Panofsky)那篇《作为人文学科的艺术史》名文,深为其中所引康德晚年如何以"人文"之坚持对抗肉身衰病的言语而感动,发现了艺术里头珍贵的"人文意涵"之确实存在,也让我开始注意到中国古代画史书中常常提到的"画意"概念。后来这个对"画意"的关注逐渐改变了我自己过去对作品的一些了解,也认识到原来最感兴趣的"风格",其实与"画意"有着解不开的关系。于是,在这十五年中,"画意"这个概念便以较高的频率出现在我有关画史的论述之中。本书副标题中所谓的"反思",原来只是源自一种自我检讨。

现在结集成书的这些个人反思的成果,除了师长的启发之外,我也必须承认,许多是得力于面对学生的压力。在我三十年的教学生涯中,我非常幸运地遇见了多位出色的研究生。他们或许常苦于我给他们的压力,殊不知他们给我的压力更大,这种压力来自我深感无力真正为其解惑。绘画史研究究竟有何意义?为了帮他们发现自己的答案,我也被逼着随时对已做过的工作进行反复的再思考。这本论文集的出版因此也可视为这一段师生互动过程的记录。当他们之中某些人读到此书,或将发现即使那个问题仍未能有肯定回答,继续问下去的坚持,可能才是这个过程真正值得记住的真实。

最后,我要利用这个机会向陈启德先生致谢,没有他全心全力的支持,这本论文集不可能出版。我也要感谢陈韵如、卢宣妃、林宏荧、张宝云、林宛儒、余玉琦、李欣苇、林容伊、陈亭蓉、祝暄惠长期以来在资料整理上的协助;石头出版社的编辑黄文玲、美编曹秀蓉在出版过程中的辛勤投入,亦将永远铭刻我心。

序于 南港

2010 年 1 月 12 日

导论　从风格到画意

从艺术的历史说起

　　艺术的历史是什么？它是怎么形成的？当一个人由他特定的时空回望过去的艺术，试图去描述、进而说明其历史之发展时，其实在同时进行着两个工作。一个是基于前人的研究成果之上，对这个历经长期积淀的知识传统进行融会贯通的继承。另一个则是由自己的立足点，向这个知识传统提出反思，并希望借之开展一些不同的探讨，以丰富吾人对艺术之史的了解。

　　艺术之历史有其变与不变的两面性格。其所以不变者，来自艺术作品的形式性存在。就是因为作品的实质存在，它们在时空坐标中便无论如何占据着固定的位置，这个坐标位置不但是作品之所以产生的根本，而在这些位置间所出现的单纯顺序，也成为艺术历史中不可更动的"时间感"之内在核心。相对于此，作品之间如何连贯，而产生对研究者有所意义的秩序，则是艺术历史中随时因人而变的表层样貌。因此，任何对艺术的历史理解，永远是一种研究者与作品对话的结果，是一种在"不变"的作品基础上进行"能变"的研究思辨的过程。如果二者缺一，则无所对话，思辨凿空，也就没有"历史"。道理虽然如此，但事实上，研究者与作品间却经常处在一种紧张状态中，如何纾解这种紧张关系，遂成为研究者必须首先有意识地面对的课题。研究者由己身脉络所开展的关怀与思辨，固然是产生历史理解的动力，但却必须尊重作品之实质存在，并受到那个基本"时间感"的制约；那来自"时间感"的制约不仅要求作品间前后顺序的确立，且对作品所产生之各自时空坐标连带地赋予对应的重视。这自然会对研究者产生令人不悦的束缚感,且势必压缩了自由发挥论述的空间。但如果不能坚守这个规范,其后果更要令人遗憾。

在中国绘画史的研究上,这个失衡的状态特别突显,近年来甚至变得颇为严重。它的起因在于绘画史中作品的"不变",至少从二十世纪中叶起,便受到研究者的质疑。在那个时候,中国绘画史方才由画家、藏家及艺术爱好者的文艺论述,转型成一个严肃的学术领域,一切的研究皆被要求奠基于"严谨"而"科学"的史料分析之上。中国绘画史研究此时立刻暴露了它的内在"弱点",不仅文字史料中多有代代传抄、语意隐晦不清之处,而且作品中充满仿作、伪作的问题,甚至许多传世古代名迹也无法自"后代摹本"及"伪托"的质疑中解脱。研究者自传统鉴定学所提供的资料中,经常无法找到"令人无疑"的"证据",来确定它们本被赋予的时空坐标位置。原来整个美术史领域仰赖科学考古所出资料来厘清、重整传统知识的途径,在绘画史领域中由于出土资料不多,即使侥幸发现一些墓葬壁画或图像,其质量也无法立即用来比对传世归为大师笔下的卷轴作品,因此显得捉襟见肘。一旦这种"疑古"风气扩散到整个绘画史的研究社群,原来之作品的时空基础便面临前所未有的崩解危机。为了解决这个内在危机,许多学者自二十世纪五十年代起,即试图以各种方法来"重建"此作品基础,其中方闻教授援用源自西方美术史学中的"风格分析"而提出的山水画结构发展序列,便是极为突出的一个成果。[1] 他们的努力虽然获得了一定程度的成功,但随即又在二十世纪末期各种"后现代"历史观的冲击下,受到了新的质疑。这些质疑近来甚至扩展至对于整个鉴定学传统的不信任。

鉴定学与风格史

对于鉴定学进行批判性的思考,从学术发展之角度而言,本无不可,亦有其积极价值。但当它对作品时空位置建立之可行性产生根本之质疑时,则必须慎重以对。鉴定学在中国已有长久之历史,原来作品的序列之所以建立,可说基本上得力于这个学术传统逐渐累积出来的权威性。但是,正如其他学术传统一般,它亦有缺陷。它基本上是一种经验之学,对某范围作品(可能是某人、某地、某时代等)所累积之经验知识愈多,判断就愈准确,反之则不然。它其实不在寻找跨越类别的普遍性规律,前一鉴定个案的经验,对于下一来自不同范围之个案而言,甚至可能毫无用处。这个特性在绘画史的领域中显得特别突显。大致说来,自十六世纪以来的鉴定名家,包括董其昌等人在内,对于元代以后作品的鉴定判断,因为所见较多,经验丰富,故多能取得较佳成果,形成有权威性的共识也较为容易。相比之下,宋代及更早时期之作品则因传世不多,真赝混杂,无法有效地累积鉴定所需之知识,因此所得既少又偏,更难形成共识,遂易演成无权威可依赖的乱局。然而,这个缺陷却不应成为放弃鉴定学的理由。即使今日绘画史学界对于许多传世名迹之时空位置,尤其是属晋唐五代者,几乎无法在鉴定学上形成定论,任何研究者皆无法对它置之不理。这些作品不仅是画史早期架构之所系,且为后世诸多作品之所依,更是历来多少画史论述之基础,如弃之不顾,画史的建构,不论有何创新史观,其弊亦可想而知。

传统鉴定学的瓶颈既然存在,研究者也不能回避。但是,它可以突破吗?答案其实十分乐观。近五十年来中国绘画史学界在这方面所做的努力十分可观,其中最值得重视的至少有两个工作。第一个是试图充实画史架构中的基准作品清单。这个工作得力于第二次世界大战后画作资料的逐步公开,其中举世最大最精的清朝皇室收藏尤其扮演了最关键的角色;另外在方法上来自风格学的形式比较分析,也提供了学术社群中较新而相对有效的讨论基础。经由这些途径,它的目标是逐步在各个时代中确定一些基准作品,作为未来整理其他作品时的比较"标本"。虽然它的成果距离理想尚有一段空间,但实已有值得肯定的收获。[2] 吾人只要回忆作于 1072 年的郭熙《早春图》在二十世纪七十年代时尚多有质疑之声,然今日则已为学界普遍接受为十一世纪山水画的基准之作,就可感觉这个工作得来不易的成就。第二个工作则是对各种特定风格之发展建立各自的系谱。原来传统画学中早有系谱之观念,但基本上是以画家为主,叙其传承源流,而此风格系谱则以作品为归,重在呈现某风格特征在各不同时期所出现的形式差异。由于这个工作基本上是单线性的,选择性也很强,大致上在山水画的领域中较多从事,所以尚难达到全面性的理解,也距其从事者期待由之综理出"时代风格"的理想目标颇远。不过,即使吾人今日或对"时代风格"不再抱持单纯的奢望,对于一些特定风格,如李郭、董巨、马夏等在宋以后的一连串形式的基本变貌,确已可有相当具体的掌握,这不能不归功于这个工作的成就。[3]

从基准作品之确认与风格系谱的建立,虽仍未能解决诸如晋唐五代名迹的鉴定纷扰，但就吾人尝试重建画史作品之基本架构的需求而言，却提供了一个较为坚实的基础，并为寻求更有前景之努力方向，起着有意义的参考作用。这两个重要工作的根本，其实都在于画面的形式分析。较之传统鉴定学之纯赖经验"归纳"，它除了因诉诸眼见为信的形式，而得以具有"合理"的说服力外，也运用"演绎"法则，可以从风格的内在原则推知某些形式之存在的可能性，不必拘泥于要求与某确定作品之比较，免除了早期作品无以为据的尴尬，因而显得更有发展潜力。在方闻教授对王维《江山雪霁》之研究中，即以此法重建一个前人所未知，且无作品可资比对的唐代山水横卷画的形式结构。这可以说是整个二十世纪中国绘画史研究中，运用风格分析最大胆而有创意的一个尝试。[4] 如此之研究，如果再审慎地结合各式各类风格系谱的一一建立，进而推论其早期风格之内在结构的可能性，研究者便可在诸多传世的晋唐五代作品中，筛检出合适的作品（或其摹本）来作为此期基准的候选，以逐步厘清各种混淆之异见，填补基准作品清单中这段关键的空白。

画意之见

然而，这个工作除了极具挑战性外，也潜藏着危机与陷阱。首先我们得意识到运用风格分析，尤其是从"归纳"进至"演绎"时，在中国绘画史领域中操作上的局限性。在西方美术史研究中，对于风格的探讨长久以来即与"再现"（representation）这个核心议题紧密地连在一起。简单地说，所谓"再现"即是以表现外在真实为艺术之终极目标。在历史的过程中，每一代的艺术家基于前人之努力所得，修正并改善其手段，以求更趋近于此目标。在这样的论述下，风格的发展便似乎具有一个历史命定的轨迹，步步朝此终极目标前进。这或许不失为理解西方艺术史的方便法门之一，但用之于中国美术则并不完全适合。即使以"状物"性格最清晰的中国绘画而言，"再现"很难说是它的最终关怀，西方风格史中所现"规律性"的轨迹，也不见于其历史之中。在此状况下，如果勉强地引用西方风格之规律，进行任何方向的"演绎"，当然不能成功。针对于此，解决之道或在于寻求一个（或多个）不再以"再现"为依归的，适合于中国绘画历史现象的发展轨迹。这也是若干学者在此领域中进行风格之形式研究时，不断努力从事的工作。

但是，如果不以"再现"为依归，中国绘画的终极关怀是什么呢？

它有那样的最终目标吗？这是一个不容易简单回答是否的问题。最主要的原因在于我们对画史中诸类科的理解尚不够透彻。如果只是大而化之地诉诸传统画学中经常标举的"道"来说明，固然不能说错，但实在过于笼统，无法以之为可以具体操作的目标。我个人因此认为可行之道应试图开始就不同类型的绘画，检讨其作品意图之特殊性，并由之反省我们在研究中常用来评价或引导思维的一些既成观念。我们或许可以暂时将传统的人物、花鸟、山水等分类放在一边，试着以作品与观众的互动关系来思考作品间之所以不同，并理解它们如何在时间之流中，形成所谓的"历史"。例如在一般所称的"山水画"中，虽然在表面上都是在画自然界可以看到的山、石、树木、流水等形象，但其实作品间在整体意涵上却颇有差异，对观者的诉求所在也大不相同。它们有的是公众性很强的太平意象，有的则是十分私人的情感寄托；有的时候虽然可与实际所游、所居之景致有关，但也经常超越现实经验，作为一种人对天地造化之领悟的抽象表现而存在。这些差异自然必须仰赖形象来呈现，但形象本身之制作，却不是真正的目的，因此去追究形象之真实与否，也就不是重要的问题。对于中国绘画而言，形象中的形式没有单独存在的道理，形式永远要有意义的结合，才是形象的完整呈现。这种了解下的完整呈现，用中国传统的语汇来说，就是各种不同的"画意"。它既来自于作者，也取决于观众，是在他们互动之间成形的。对隐含着这种多元的可能性之"画意"问题的整理与探讨，因此可以视为重新思考所谓中国绘画之"终极关怀"的必要前置作业。

观念的反省

以上述的思考为基础，本书的第一单元"观念的反省"收录了四篇文章来讨论几个我们在重建画史时常会遭遇的基本观念。第一篇《对中国美术史研究中再现论述模式的省思》旨在指出我们所继承的研究成果中，相当普遍地存在的，以"再现"为基调的论述模式，一方面对之进行回顾，另一方面也对其短长有所检讨。"再现"一词来自西方的 representation，意指"对外在自然的如实重现"的"艺术行为"。虽是一个西方观念，但在较早期的学术论述中则与传统的"写实"观合而为一，让"写实"在与"写意"的对立论辩中，配合着当时"批判传统"的学术思潮，取得绝对主导的优势。然而，从画史的发展来看，"写实"

与"写意"的二分是否过于简单?明清以来的绘画一直被简化为"写意",并被批评为中国绘画"衰落"之因,[5]这种看法会不会有所偏失?我在文章中提出一些初步的不同思考,基本上希望避去"再现"论述所带有的单线而具命定论色彩的历史观之陷阱,企图返回当时的历史情境,重新正面地理解时人在绘画上如何处理其与古代的关系,并求其自身之历史定位的课题。此文虽未及"画意"之具体讨论,但明清绘画中常见的"仿古人笔意"的宣示,实亦是"画意"的一部分,由之亦可思考它所形构的"历史"跟抨击其为"衰落"的发展,会呈现完全不同的样貌。

说到曾经饱受攻击的"写意",我们不得不联想到"文人画"这个自元代以来地位尊崇的观念。"文人画"这个观念表面上看起来似乎比"写意"多了一层来自社会身份的定义,可以修正后者只论风格形式的缺失,并对之予以更深层的解释。[6]但是,从史实来看,它的定义却未曾清晰地确立过。《中国文人画究竟是什么?》一文即在重新检讨这个有趣的历史现象。我基本上视"文人画"为各世代论者为了要与流俗区分而提出的一种"理想类型"(ideal type),系针对其特殊之时空情境而发,故无法求得一个有共识的定义,而近似一种"前卫精神"的宣示。但是,这并不意味着"文人画"观念无助于我们对作品历史的理解。即使所谓"文人"之社会身份的实质、"写意"之风格形式的范畴,确是因时而变,然而相关画作中如何经由形式之处理来进行"反俗"之"区别"工作,则可分析理得。这种与画中形象之直接指涉无关的表达,也可说是"象外之意",亦属"画意"之一层次。通过对此之考察,我们也可以对所谓"文人画"之历史进程得到一些不同的看法。本书第三单元之"绘画与文人文化"中所收的四篇文章,即是此种尝试。它们分别讨论了明代文人文化逐步成形的四个重点阶段,以杜琼、沈周、文征明与董其昌的不同类型画作分析为起点,探讨其如何借由特定画意之表达,来建立与其所设定观众的相互关系,进而形塑一种合于其生活情境所需的文人文化。

然而,"文人画"的议题在整个对"画意"的历史思考中所显示的概括性较高,基本上并不适合历史的陈述。我们过去习于将它的历史发展现象统称之为"文人画传统",但是,不论是在风格或内容表现上,它其实并未呈现固定而一脉相承的轨迹模式。这种性格的"传统",当然不是我们通常使用此一观念时的常态。历史的发展之所以产生某种连续感，基本上来自某些具体而可追溯之"传统"的存在。在画史的认知中，我们最常使用的大约可称之为"大师传统"。它主要依据风格形式相关性的排列，将不同时代的画家串联起来，并上溯及某位早期的重要大师。传统画学论著中常有"论师资传授"的章节，也可说明其通行于古今之一般状况。但是，那些"大师传统"很难说是我们所知画史的全貌。"画意"的传递其实更是画史中不可忽视的部分，尤其对于大多数论者仍标举"成教化，助人伦，穷神变，测幽微，与六籍同功，四时并运"为绘画之根本使命的近代以前之历史阶段而言，更是如此。但是，画意在时间之流中如何传递？它所形成的"传统"又以何种方式形塑中国画史的特质？这些问题都必须落实到个案研究中，才能逐步回答。《洛神赋图——一个传统的形塑与发展》即尝试提出一种"主题传统"来与"大师传统"对立，并以《洛神赋图卷》为其中的范例，说明此种传统的结构特色及其所形成的历史发展现象。这虽然只是一个个案所展现的意义，但由类似以同一主题为对象而行之创作，如"兰亭雅集"、"赤壁赋"、"归去来辞"等，其存世画作数量之多，也可想见此种主题传统在画史中所扮演的重要角色。

"主题"可说是"画意"中最容易为人理解的分类，尤其是与文学名作或久受传诵的故事有关的时候。"画意"的操作，当然不限于此。在许多时候，稍微宽广一些的"表现类型"也可助人在历史资料中梳理出连续的脉络。北宋郭若虚在《图画见闻志》中曾举出典范、高节、写景、靡丽、风俗等，为创作时可资立意的项目，他统称之为"图画名意"。对郭氏而言，它们不仅是画中的分科分目，而且是可以经由典型意境的归属，溯其源流，而至原始典范的确认，终之形成具有传递系谱的一种历史理解。就画史发展的实况而言，这种历史理解不仅是史家论述的重点，也对创作者有很大的作用。画家们在"立意"之际，不仅立即将自己安置在相关的历史系谱之中，同时也选择了承载该意境表现的风格形式模式。在如此形塑的历史传承情境中，古代大师名作的可及性对于创作者来说当然有其重要性，但也不绝对。当各种不同原因让此形式的传承产生缺口时，"画意"之追索可立刻取而代之，成为创作的依据。这种情况在十九世纪末画作复制品因科技之助大量流布之前，可说经常发生。《风格、画意与画史重建》即以此角度探讨"画意"在画史形成上的作用，并以传五代时董源所作的《溪岸图》为例，说明一种可以名之为"江山高隐"的表现类型在历史中的起伏发展。《溪岸图》的研究虽只是个案,但其颇能展现以"画意"论史时的特性,具有充分之代表性,亦可供作画史反思之用。

多元文化与文士的绘画

以"画意"观史之所以特有兴味,来自它本身的与时俱变。同一类型的画意自原初至后世的代代呈现,虽然基调一致,但总有细致而独特的变化。这是因为画意之形成除了关乎创作者之外,也赖观者的积极参与,而此两方面的参与者又都是在一个特定时空的文化脉络中操作其意义的生产。换句话说,画意的表现离不开作品存在的文化脉络。当文化脉络产生巨变时,画意的传承与发展也随之产生激烈的动荡。这种现象在改朝换代之际,尤其是非汉族势力入主中国之时,呈现得最为清楚。本书第二单元"多元文化与文士的绘画"所收的三篇文章即以元朝统治的十四世纪为讨论范围,意在借之突显此种世变对原有绘画传统的激烈冲击。元朝虽非中国史上唯一的非汉族王朝,但较诸契丹人的辽朝、女真人的金朝及满族人的清朝而言,其对中国原有的汉文化传统较不热衷,帝国内因多民族的并存,文化上的多元性也表现得更为强势。[7] 在此情境下的绘画艺术所遭受到的最大冲击应数其主流地位之丧失。以游牧文化为根本的元代宫廷,并没有延续宋朝宫廷对绘画的崇尚态度,却以织锦、金银器等精致工艺为重,这自然让关心绘画传统的汉族人士(尤其是如赵孟頫这类士人)感到被边缘化的危机。绘画艺术本身因之不但被逼出了"维系文化传统"的新的存在意义,也在风格上产生"复古"、"书法入画"等对传统典范进行新诠释、新整理的途径。对他们而言,绘画不仅是凝聚汉族士人阶层的媒介,也是向外争取非汉族人士参与、认同的利器,而他们在风格上的新取径,即后人论元代画史时引为革命性"写意"转向之所在,其实也就是这层新画意的实践方案。他们的风格之变,可以说根本上呼应着他们面对文化困境的需求而生,因此也必须从其多元文化之脉络来予理解。这便是《冲突与交融》一文的基本立意。在此文中,我对非汉族人士的回应作了些特别的强调。不论是作为推动的中介者,或是实际提笔进行创作,这些人的参与确实造成了元末动乱以前中国画坛的"多族"景观。他们之作为看来只是在吸收其原有文化中所陌生的汉族艺术(这在以往学界研究此议题时则称之为"汉化"或"华化"),但他们却因其特殊的异文化背景,对汉族的原有绘画传统，似乎反而可以免除一些沉重的包袱，而以一种较自由的角度去提出新的诠释。这不能不说是中国绘画传统，尤其是士人所从事之部分，拜当时多元文化脉络之所赐。而其之所以臻此，不能只归诸汉文化传统之内在魅力而已，如赵孟頫等人之努力向外争取认同，其实也起着重要的作用。

　　本单元中《元代文人画的正宗系统》与《隐逸文士的内在世界》二文则分别就风格的传承及画意的衍变作较为细致的分析。这两篇文章所讨论的作品，向来被视为明清所谓"文人画"（以山水画为主）的真正源头，具有典范性的地位。从赵孟頫到元末四大家的王蒙，他们所作的山水画，不但皆以隐居为其画意的根本诉求，而且在风格上形成一个具体可循、层次分明的系统，可说是建立了一个"范式"（paradigm）的基本架构。后来的文人山水画之所以发展成一个庞大但又旗帜鲜明的体系，基本上得力于此。[8] 我的这两篇文章，一方面说明自赵孟頫至王蒙的风格系谱的发展，另一方面则在指出各个画家如何在隐居山水的类型束缚下，仍能对画意作个人性的充分表达。对于前者，我个人认为这是"系谱"在画史中第一次有清楚意识且进行实质操作的展现，十分值得重视。它的缘起出于当时多元文化脉络中汉族士人对增强其群体内聚力的需求，并成功地在形式风格上发展出一套系统，让风格成为其画意的有效载体。这个工作在十四世纪中叶江南开始动乱以前已大体完成。动乱之后，南方士人活动圈随之更形紧缩，大部分文人成为"非志愿"的隐士。当他们在有限的社交活动中以隐居山水互相投赠时，稍早已成形的系谱关系反而得到更紧密的延续。至于此种隐居山水类型的个人化表现则是另一个值得特别注意的课题。一般所称之隐居主题，虽不似带有政治象征意味者那样具有十足的公众性，但当它一旦成为精英阶层普遍认同的价值之后，也立即变成抽象的格套表达。十四世纪的文士画家则未受此局限。从钱选、赵孟頫到倪瓒、王蒙的山水画虽皆不离隐居之事，但却出之于自身之生活情境，进入属于自我抒情的层次。这个进展之所以如此，当然还得回到蒙元的特殊文化情境才能理解。原来中国的绘画并非以个人的抒情感怀为主旨，只有在此种文化冲突深入到个人生活里层的时候，新的抒情之可能性才被逼发出来，也才能被朋侪所体会、接受进而呼应。如果从画意的历史来看，这是个人化画意在史上第一次蔚然成风，亦自此形成一个绘画的抒情传统，其重要性不言而喻。

绘画与文人文化

相较于蒙元时代，入明之后的文士身处的文化情境自有不同，而一个具有清晰自觉意识的"文人文化"也在此时逐渐发展起来。在这个发展过程中，绘画经常扮演着积极参与的角色，不仅在立意上展现了出自"文人"此一群体的主体性思考，而且通过投赠等社会互动行为之操作，具体介入到一种为"文人"所特有之生活风格的形塑过程中。我们一般所谓的"文人"虽然早已有之，但我认为一个自觉地将生活风格包含在内的专属之"文人文化"形式，却是在十五、十六世纪间才逐渐被一些"文人"意识很清晰的人形塑起来的。他们之运用绘画于社会互动之中，亦非创举，但至于刻意地发展专属于自我群体的风格以资与他群的区别，并用之来建构其有别于他人之生活行事，这则是连十四世纪时特立独行之高士倪瓒都没有想象过的。不过，这个发展过程并无法由所谓文人画的内在理路来予理解。整个文化环境的变迁仍然起着关键性的作用，因为那不仅牵动着创作者对绘画立意的选择，也影响到画家与观者间互动关系的定义，而那也正是"文人文化"之得以形塑，并在后来产生不同阶段变化的根本内容，而非只是它的副产品而已。本书的第三单元"绘画与文人文化"所收之四篇文章，便是以如此的角度，针对这个文人文化发展过程的几个重点阶段来观察与讨论。

在这四篇文章中，我对明代出现的文人文化，及绘画在其中所起的作用，特别着重在它的动态发展之分析。关于文人文化及相关绘画的特质，过去论者阐述颇多，成果斐然。他们大多数的做法是先拈出其中最重要的若干特点，并追溯各代著名的相关言论或作品，以证其实，较少视其发展过程本身为观察对象，且不以其中各阶段的转折为研究之要务。对于明代文人绘画的既有研究成果也非常可观，尤其在风格史方面，从十五世纪到十七世纪中的风格发展序列，由于自二十世纪六十年代以来东西方学者数十年之投入，可说已梳理得十分清晰。他们对此发展序列，特别举出沈周、文征明与董其昌为三个高峰，为其风格之传承与新变，做了详尽的说明。[9] 由于风格史研究相信风格本身即有自主发展的内在动力，因此对于几个高峰阶段间的描述，较重于渐进而非转折。有的阶段也因在此发展起伏线上位于低缓的区位，例如沈周之前或文征明与董其昌之间的部分，被视为"先行期"或"衰落期"，而未受青睐。在这个基础之上，我们因此可以进一步追问：沈周之前的阶段究竟发生了什么变化,让文人的绘画产生了不同于十四世纪中期的转折?那些不同于以往的绘画对当时文人的生活究竟又有何新的意义?沈周与文征明这两位要角在此发展中除了建立他们自己的艺术风格而取得大师的尊荣之外,就文人文化的形塑而言,又各有何贡献?我们又如何能借之窥测其时文人文化的期待与隐忧?至于十七世纪跃居文人画旗手位置的董其昌,其以"复古"为指归的风格新变,是在什么情势中推生出来的?又如何回应其时文人社群的心理需求?又会将文人文化带往哪个方向?这些问题都有其复杂性,或许不是区区四篇文章便可完整地回答,但是,如果能抛砖引玉,也算勉强有点价值。

士人阶层之成为历史的要角,一般皆认为起于北宋的以科举为选拔官员的主要通道。自此之后,士人的荣耀与屈辱便与政治结下不解之缘。我们虽然同情,且有时不免为其所受之自我或社会的制约发出些怜悯,但还是必须接受其为不争之事实。这种情况直至清末废除科举之前,基本上没变。但是,十五世纪所开始形塑的"文人文化",却以试图解脱这层政治枷锁而值得特别的重视。《隐居生活中的绘画》所讨论的就是这个"文人文化"开始形成的阶段,意在说明其之所以由沈周的师长辈——杜琼、刘珏等人发动,即在拒绝与政治的纠葛,而在十五世纪中期北京政局的动荡与其中各种不可测度危险的充斥,正是他们选择隐居的直接理由。他们的选择不仅是事业上的,而且定义在其艺术之上。他们画着与宫廷绘画南辕北辙的山水,并以之成为其隐居生活中不可少的内容。绘画及其相关知识在此种生活之中也被技巧地转化成物质性资源,直接或间接地涉入生计之中,即使他们之中有若干人并非必须赖此维生。这些现象可以说是奠立了足以独立于政治之外的文人文化的基本条件。后来数百年的文人画家的生活模式,大体上皆由此而来。

以隐居为志的文人画家既有生计考虑,便易引发是否像职业画师有艺术买卖行为的质疑。若干学者为此感到困扰不已;有人以为文人艺术家所标榜的不涉俗务的理念根本是建构出来的迷思,也有人认为过去习用的"文人画家"与"职业画师"之分实在过于粗糙,不适于学术研究之用。[10] 我认为这些考虑都有道理,但还需进一步的反省。文人与画匠之二分,本是扼要的分类,某个程度之灰色地带的存在,乃属正常,只要不影响分类的大体操作即可。若干研究虽然显示在历史发展中有些"文人画家职业化"或"职业画家文人化"的现象存在,但由人数比例及社会地位之差距而言,那个灰色地带的范围仍显相当有限,不致妨碍该分类在历史研究中的有效性。比较需要再思考的是视文人理念为迷思的批评。这个批评基本上认定文人画家的高雅标榜只是文字的言说，在行动上并没有实质的意义，或经常仅是相反行径的掩饰而已。对于这样的批判，固非全然无据，但也不能说符合历史的真实，而须再做进一步的分疏。如果详细检视大多数文人的创作个案，我们确实可以发现在许多重要作品的产制情境中，通常都包含着针对"超俗"而发的清晰企图，不但在风格上予以展现，而且刻意地营造某种其与观者的特定关系，以求画意的完整传递、接受与回应。不论其是否成功达到目的，这种不同于一般职业画师或宫廷画家的文人画理念确实曾落实到行动之中。在其中，真正会引起问题的则是所谓的"应酬画"。它可说是任何文人画家在其社交生活中的自然产物；随着声名的上升，社交圈也日渐扩大，以绘画作应酬的需求量亦愈高。一般认为应酬量的压力会导致画家之不堪负荷，因此会有请人代笔应付的现象；而且，为了让此显然已成劳务之活动能在社交网络中保证其顺畅地运作，直接或间接的财物报酬也必然出现，让这些作品的流动也变得像市场中的交易一般。假如真的如此，那么文人画家与职业画家又有何真正的区别呢？文人画家在处理应酬画时又有何其他的选择吗？这是我在第三单元第二篇文章中选了沈周的应酬画为探讨对象的出发点。沈周向来被认为是十五世纪后期文人绘画的代表性大师，但大部分研究皆将焦点集中在他的山水画；花鸟及杂画一般是应酬的题材，他其实也画得不少。《沈周的应酬画及其观众》一文即舍山水而就花鸟杂画，以之观察其中沈周如何以画意来安排其作品与观众间的关系。他的做法很有效，一方面以画应酬，一方面又在画中保有并表达自我，因之成功地让自己免于陷入完全无意义的应酬漩涡之中。他的这个模式，后来也为大多数文人画家所循，虽然不见得能够像他一样成功。对应酬画的深入理解，由此沈周之例来说，实不得忽视画意层次之分析，如果仅视之为社交行为，我们则无法真正掌握文人画家们勉力争取的那一点差异。

　　从文人文化的推动来看，十六世纪可说是进入了另一个更为全面的阶段。尤其在经济发展较高的江南地区，可以不仰赖仕宦收入而生活的文人在数量上也愈来愈多。他们在生活上也逐渐塑造出一种有别于一般庶民的风格，书画艺术在其中也占有着重要的位置。在这个发展中，文征明可说扮演着一个最为关键的角色。他的时代虽与沈周有所重叠，而且在书画创作上多有所继承，但他的性格远比沈周积极，不仅曾经努力想要去实现他的经世之志,甚至在他政治梦断,返家避居之后,还认真地扮演了文坛盟主的角色,具体地进行着文人文化的形塑工作;[11]并且,由于他的长寿以及领袖魅力,这个文人文化的形塑吸引了许多后辈崇拜者的呼应,因而造成一个日益扩大的文化社群。如与沈周相较,文征明显得更为乐于培养他的追随者。他的自书诗作之所以迄今仍有大量存世,即是当时经常以之作为礼物所致。而其之作为礼物,除作为书法艺术欣赏外,也在于提供、甚至传布其清雅之文化形象供崇拜者分享之用。文征明在北京朝中的诗作,便是在这种情况下,以大字巨幅的形式,进入许多希冀成为文人社群新成员的新贵之高敞厅堂中,一方面成为豪宅堂皇的装饰,一方面也是主人文化新贵的身份证书。[12]

然而,文人文化在形塑、扩张之际,不时还须面对与俗众无法划清界线的隐忧,甚至不得不处理可能反为大众文化同化的潜在危险。文征明的绘画艺术在此则较他的前辈们,如杜琼、沈周的作品,表现了更为清晰的意图。他的山水画虽然基本上不脱原有的隐居主题,但在风格的处理及画意的表达上,都更有意识地在进行一种专属于"文人"的定义行动。例如他在为友人送行时所作的山水画,便刻意地舍弃旧日画界(尤其是职业画师)习用的格套,改以与其同侪共有的生活记忆图像为赠别之礼。他最有特色的几件狭长的繁密山水,甚至是在直抒其红尘梦断后的幽微"避居"心境,一方面对知音者邀请共鸣,另一方面则以之为隐居心志的新形象典范,凝聚着当时日益扩大中的,以文化为志业的独立文人社群的价值共识。但是,从生活的层面来看,文人要将自己与一般民众完全分离,却不容易,而且也不实际。毕竟,文人们即使以隐士自我标榜,也不能不食人间烟火。他们的生活仍与其他人一样在同一个深层结构上运转着,共有着一些诸如健康、长寿、子孙满堂等等的生命期待,而那些也正是我们所谓"大众文化"的核心内涵。那么,文人终究还是无法拒绝大众文化的吧?!这倒也未必如此。它虽然造成了心理上的焦虑,但这种焦虑也驱使他们更有意识地去形塑一个有别于一般庶民的,特有的生活风格。《雅俗的焦虑——文征明、钟馗与大众文化》即聚焦在文征明的《寒林钟馗》一作上,来讨论他的这种努力。经由新画意的营造,文征明将一般人除夕时节使用的钟馗画像加以改变成期盼春光到来的文雅形象,也让文人书斋在新年的布置有了自己的讲究。它在这个进行雅俗区别的行为意涵上实与元旦试笔、清明茶会等其他反流俗、无实利功能考量的行事性质相近,而且都有一种在朋侪间互动、传布的发展模式,可说正是当时共同形塑文人生活风格的有机成分。

文征明所积极形塑的文人文化到了董其昌之时,则有另一波转向,这是《董其昌〈婉娈草堂图〉及其革新画风》的重点。该文虽然用了许多篇幅说明董其昌如何以其对唐代王维"笔意"之领悟,来重现他影响后世深远之革新画风的执行过程,但它的主要目的除了重新赋予董氏"复古"主张以其原有之实体血肉形质外,还在于指出以《婉娈草堂图》为代表的董氏山水画的新画意。他的山水画不仅意在转化古人风格,也转化了实景物象;既不为着记录他的任何游览,也不仅只在摹仿古人,亦非为着抒发他在现实中无法实现的隐居梦想,而只是以其自我笔墨企图现出一个以造化元气所生成的山水。这是一个既不为人,也不为己,毫无实利考虑的"超越性"画意。董其昌的革新画风因此绝对不能只视为形式上的创新,他对追求一个超越山川外貌而直指造化内在生命核心的画意,其实更为关心,那才是所有形式新变的目标,如果没有它的引导,便不会有后续在古代典范之中寻觅"理想"笔墨形式,以及其他相关结构法则的努力。过去的论者大多数对董其昌的这种形式上的"复古"努力较有兴趣,并试图以各种方式去说明他那个"师古求变"主张在表面上所显现的吊诡与矛盾。[13] 但是,因为忽略了这本是董其昌以追求"超越性"画意为目标的创作性行为,反而堕入了皮相上的"古法"与"新变"之间纠缠不清的争辩。对于董其昌而言,所有的古代典范,包括王维、董源、黄公望在内,都跟他自己所悟得者一样,都是造化元气的一种化现,既可说无古今之别,也可说是"一以贯之"。他们笔下所绘就的山水画,因此也超越了任何外在的山水奇景,成为可与天地生成过程相比拟的一次又一次的创造。如此的绘画境界,当然非以一般人为对象。如果以《婉娈草堂图》为例,董其昌所设定的观众,其实只有好友陈继儒一人而已。姑且不论这种极端精英式的主张在当时社会中实际执行的情况如何,它与较早时文征明诸人积极争取"同道"认同的心态相比,几乎可说是背道而驰。

董其昌所标榜的文人山水画不仅将理想的观众设定在数量极为有限、对绘画形式之鉴赏能力可堪匹配的上层知识阶级的成员,而且将其画意定位在一个全新而近乎抽象的层次,进一步提高了理解的难度,也将艺术见解上的"非同道"完全排除在外。这后来便形成了以文人画为"正宗"的论调,而他所"发现"的笔墨、构图等形式原则,则成为所谓"正统派"的风格依据。如此的发展可以说是文人绘画的极致。在其积极参与下,文人文化可以更有效地去进行另一波雅俗之辨的抗争，去对付社会上因商业化进展而产生的身份界线模糊化的恼人现象。不过，它的有效性恰亦是其心理焦虑的反映。正因为文人心理上感到的身份焦虑愈高，作为显示其文化优势地位的绘画便愈形深奥。从这个角度来说，董其昌所创的新画意山水虽然讲究超越一切表象，毕竟还是无法与现实完全无涉。

区域的竞争

文人阶层由于掌握了文字书写的能力／权力，很容易特别针对他们自己的文化进行报道、论述与传播，并造成一种文化"主流"的印象。中国画史发展自十五世纪中叶起既有日益蓬勃的文人绘画，留下来的文字论述也在质量上大为增加，遂使论史者引之为画史主流。这虽然不能径指为错误，但过度注重"主流"发展的描述，却易于牺牲对其他"非主流"现象的注意，因此削弱了对"多样性"在文化发展过程中重要程度的认识。相对于文人绘画的"主流"印象，一个修正性的角度似乎以选择与文人不同的阶层，如宫廷、民间的职业画师的艺术，来补充画史在"多样性"讨论上的不足，显得较为顺理成章。然而，如果仅止于此，我们会不会只是添增了一些"次要的"，甚至是"边缘的"画史内容，对实质的理解能有什么帮助？所谓的对文化"多样性"之思考，其实需要将原来区别主流与否的"主从之分"暂时搁置，平等对待其中诸多因子，考察其在文化发展中不同的作用力，且不计其大小、多少及成败，视之为整体中必要而不可或缺的部分来观察。如果是这样，那么我们不妨换一个模型来观察画史中的多样性发展。我个人以为"区域"的观点在此颇能提供一些协助，特别是在绘画史的研究上。中国文化之发展本即牵涉不同阶层、不同族群的参与，而且，更重要的，还因为各种人文环境的加入作用，具有明显的区域性差异。我们与其泛泛而论人群之间的多样性，还不如落实到区域之上，较微观地考察这个"中间层次"的"多样性"究竟如何形成与变化，或许比较能掌握其重要的历史意义。以文人画之作为"主流"而言，如果我们加入了这个"区域"的思考，便可以特别注意到它的发展，从杜琼、沈周、文征明到董其昌的几个阶段，其实是一个"江南"现象，或者说以江南为核心逐渐向外扩张的过程。在这个扩展过程中，文人绘画的江南区域性格逐渐被稀释，最后终于超越原来的区域，而成为全国性的文化现象。如此的发展大致上是在董其昌之后逐步形成，至十七世纪末则有王原祁的取得康熙皇帝的认可，进入北京朝廷核心，以其中央权威的高度引领全国艺坛，这可说是文人绘画完全褪除其区域色彩的最清楚指标。

文人绘画逐步"去区域化"的发展过程提示了所谓"区域"观点中非常重要之"竞争"面相的存在。在我看来，在艺术史中进行区域观点的探讨，并非只是将一个中国细分为几个较小而多数的"区域"来予观察而已，更重要的是去细致地理解区域间之竞争。区域特质或曰区域风格之有无，以及其实质之定义固然十分要紧，而且是确认"多样性"存在之第一步，但是，这种研究还是免不了受到"中心—边缘"观的掣肘，让人不易清楚感受到多样化的区域现象本身在整体文化发展中所参与扮演角色的无可取代之重要性。"竞争"面相的强调则可以一种较为动态的方式，来注意区域与区域之间的互动关系，以及区域内部因各种文化力量互动所形成的历时性的变化面貌。对我而言，区域现象最有趣的部分不在它历时不变的"特质"，而在于它在此基础之上随时而变的"转化"过程。它的不变"特质"，大致上由其自然环境与人文活动在长时间的积累中形成，而它的"转化"，则因与其他区域的竞争而来。中国的区域间永远存在着一种竞争关系，不仅在政治、经济资源上如此，文化上亦然。几乎没有一个区域在文化上甘于永远自居于一种"地方性"的次级地位。一旦条件许可，一个区域文化便试图扩大其影响力，去争取升级为更高等的中心位置，因而向外改变了另一区域的文化内涵。当然，在此同时，它也随时面临着其他区域文化侵入的威胁。一旦被侵入，区域内部便在竞争中产生质变，原有的一些特质不但可能受到冲击、转变，甚至彻底消灭。在如此的动态过程中，多样化的区域文化现象便不再是相互平行、互不干涉的个体，而是相互牵动，不断推挤、吸纳或切离动作中的有机部分。它们相互竞争的结果，也不一定会产生"定于一尊"的"正统"，即使如此，胜出的"正统"亦无法保证永远持续，一旦环境有变，新的内外部的竞争立即接踵而至，启动另一波的互动。换句话说，区域间的竞争虽然倾向争取"正统"的"一元性"，但同时也是"一元性"崩解的推手。正是因为如此机制的运作，区域文化的多样性就深刻地嵌入到文化之整体发展之中，即使在"正统"之建立与崩解过程中亦皆有不可忽视的作用。

本书第四单元的两篇文章即可说是这个区域观点的尝试之作。本来在传统的画史研究中，区域之分的考虑早有先例。明代画论中常言"浙派"、"吴派"之别,便是由画人里籍之地理位置所作的区分,而且刻意突显两者的对立态势。董其昌的"南北宗"也是如此,只不过将之扩大成更根本的整个中国文化的南北性格间之对比差异。二十世纪的研究者则倾向更明确的区域划分,尤其在关陕、齐鲁、江南的分区上,特别以自然地理为主,归纳中国山水画的不同"区域"传统,那则是一种将山水画视为与所在地景观直接关联的观点下所衍生的做法,带有浓厚的"再现"论述的色彩。古往今来的这些做法,原来都有其各自的问题关怀,亦有效地助成了它们自己的论述,但是它们却不适合用来探讨上文所提区域竞争之动态过程的课题。过去的区域观,相对而言,比较倾向以明显而固定的地理界限(有时辅之以人为的行政区划)来看待区域的范围。这虽然是区域的原始定义,也有利于研究者限定其讨论的空间指涉,但却有碍于对文化在竞争过程中所产生的扩大或萎缩现象的动态描述。如果要比较有效地对这个竞争过程进行描述,我个人以为,可以对区域采取一种相对弹性的操作方式,不必执着于一个确定不变的"区域"界限的定义方式,而视要讨论之"竞争者"的行动来规范一个研究的空间范畴。此时的讨论便可以解除过去那种地理区界限的限制,不拘泥于关陕/齐鲁/江南或华南/华北的区分,而可以视所需来调整"区域"之所指,有的时候它可缩小至一个较具体的城市,有时则可作跨越若干自然/行政区的较大范围区域之观察。本单元的两篇文章,一聚焦于金陵(即今日之南京),一则论闽赣一带的道教文化区,范围有大有小,也未依某单一标准来做区划,便是因所欲处理之竞争过程的性质不同而做的不同选择。

我所关心的区域竞争,样貌颇多,殊难一概而论。但是,如果从竞争本身的性质来说,则大约可区别为"都会型"与"非都会型"两种。"都会型"竞争基本上是城市间的文化对抗,近代时期的"京派"(北京)与"海派"(上海)之争,即是最易引人注意的范例。[14]这种竞争固然是两种异质文化风格的对立,但因为都会城市的开放性格本即易于吸引外来之文化,它本身文化风格中原属先天"本土"的部分相对并不明确,反而是在后天的"形塑"过程中展现的累积结果才是主体,因此之故,此型竞争的过程便比较突出地表现在都会内部的质变之中,反而不是在向外的部分。换句话说,"都会型"之文化竞争表现最激烈的地方是在都会本身如何自我形塑,以及如何抗拒被外来都会文化同化的过程。"非都会型"者虽说其区域本身先天特质较为明确,但各区域形显其特质的动力却经常互不相同,一般所注意的自然环境因素并不见得一定扮演关键性的角色。这便形成了"非都会型"区域文化的多样性。当这种区域文化互相产生竞争，它所表现出来的一方面是外向的空间之争，另一方面也通常牵涉到两种或两种以上完全不同类之区域本质的冲突。其竞争过程因此呈现了更多的优胜劣败的势力消长，也对区域的多样性本身产生质量上的实际改变。换句话说，"非都会型"区域文化竞争表现得最激烈的地方是在区域间的互斥，进行内在转化的可能性反而不高。

  第四单元的两篇文章即分别就这两种类型的区域文化竞争提出两种个案研究。它们的时代范围大致上与文人绘画单元中董其昌一文所针对者相去不远，都是在十七世纪前后不久的一段时期。《由奇趣到复古》一文所讨论的是明朝末期到清朝初期南方大都会金陵的绘画与文化转化。作为可与国都北京地位相抗衡的留都金陵，它的"大都会"文化性格使它的绘画发展在十五、十六世纪中已经出现清晰而又具极富转折的面貌，其文化表达因之亦有一段可观之"形塑"过程。[15] 而我之所以选择十七世纪这一阶段再予仔细观察，主要是因为此时不但当地文化人士已有清楚的"金陵意识"，而且其都会整体环境因政经因素的震荡也产生了激烈的变化，使得金陵绘画在文化表现上"拒绝被同化"及"自我转化"的两面过程，显得较以往更加快速曲折，因此也更为突出地展现了我所谓"都会型"的特色。金陵的文化竞争对手，一方面是北京，另一方面则是距离不远的文化城市苏州。不过，由于各种政经条件的配合，金陵的文化自十四、十五世纪以来即累积了一个较其他城市更为自由的环境，这便使其大都会性格在多样化的包容性上得到了较为特出的发展。然而，也是因为这个大都会特质，让金陵文化对整体环境的改变特为敏感，随之而引发的内部质变亦较其他对手城市更加强烈。金陵的绘画对于观察这个过程而言，具有特殊的优越条件。它不仅有突出的形式表现可诉诸视觉，而且在画意之表达上提供了可与当时文学相参照的资料，如说是十七世纪金陵文化领域中最具代表性的载体亦不为过。当然，在借之进行观察金陵文化之时，我的重点便不在于寻找一个可谓"金陵画风"的形式本质，而是通过风格形式之掌控，聚焦于画意表现之梳理，来呈现它与环境情势互动之际所经历的质变过程。

  《神幻变化》一文所针对的区域则是闽赣一带非以都会城市为主的较大范围。选择它的理由主要在于它是以道教为特质的区域，尤其是就水墨画这个文化层面来观察的时候，此种宗教性质显得特别明显。如此的一种以某宗教为特质的"区域"研究，相较以自然地理、经济网络为考虑者,过去做得实在不多。其中的原因或许很多,但多少因为它的区域范围必须仰赖对其传布情况的掌握方能清楚界定,而迄今为止的宗教研究,却尚不能充分提供如此细致的了解。虽然存在着这样的瓶颈,它在区域文化之理解上的重要意义却值得研究者为之另觅他途。我个人在本文中对闽赣地区道教水墨画的处理,便是在此不得已的状况下所采取的变通之道。我首先确定的是:由水墨画所见的这个闽赣道教区域,应以江西贵溪西南方的龙虎山为核心,它所涵盖的区域范围除了江西东部及福建武夷山至沿海外,可能也包括了安徽南部及浙江的邻近部分。在尚未能对此或称之为"龙虎山教区"的实际传布范围清楚界划之前,我个人认为仍可先厘清其道教特质在此区域绘画中的呈现,并选择观察它在扩张过程中,于北京、金陵与他质文化交锋时的相互竞争。对于这个竞争,过去艺术史学界基本上是以"浙派"与"吴派"之争来予认识,虽不无道理,却不免将之窄化到风格形式的表面而已,也不能提供合理的说明。即使将所谓的"浙吴之争"进一步引申为职业画工与文人画家之间的阶级对立,也因两者间势力本即悬殊,实际上很难进行任何实质的竞争行为,对于竞争之实质过程与结果当然都不能做有效的解释。经由探讨这个地区水墨画形式风格之外的画意,并将之与该区道教文化加以联系,便为此区的绘画表现赋予一个适合当时时空的宗教性定义。由此出发,它在北京、金陵的竞争对手则可不再笼统地称之为"某派",而是分别以宫廷、文人文化为基调的不同绘画样式。它们之间的竞争,因此亦可较为清晰地显示出异质文化间相互碰撞、摩擦、互动的过程。

以道教来定义这个闽赣地区绘画发展的特质,在艺术史研究上也有特别再加说明的必要。在过去五十年的研究史上,道教艺术如果相较于佛教者而言,较少受到重视。而在这少数的研究中,又以对全真派相关艺术的探讨为重点,这当然与山西芮城永乐宫壁画之得以完整保存息息相关。[16] 然而,对于其他同等重要之教派,如元明以来发展蓬勃的龙虎山正一派的相关艺术活动,则颇为冷漠。而且,在这少量的道教艺术研究中,研究者都聚焦在作品的图像解释或与宗教仪式之关系,甚少探讨到作品风格与道教内涵相关性的这个层面的问题,遂使得大家形成一种印象,以为在中国艺术形式的发展过程中,道教并没有直接参与而扮演举足轻重的角色。即使曾有学者试图就此提出修正,但也仅能止于将老庄思想视为中国"艺术精神"核心的抽象层次,或者进一步达到以道教为部分中国艺术形象之源头的资料层次,始终无法在风格的层次上得到根本的突破。[17] 经过对十六世纪闽赣地区水墨画之风格与画意的综合分析，我个人逐渐相信道教文化确实在中国绘画的风格发展中扮演了不容忽视的形塑角色，它的重要性要远远地超出主题的范畴之外。《神幻变化》一文的尝试只能算是重新理解道教与中国绘画关系的起步，将来还有更多的工作尚待开展。

近现代变局的因应

本书最后一个单元"近现代变局的因应"也像前一单元一样，属于尝试之作，一方面鞭策自己未来需做更多之努力，另一方面则期望抛砖引玉，邀请其他研究者一起投入对这个次领域进行反思。中国近现代绘画史虽然是个新兴的次领域，但已有许多学者以之为专业，并累积了许多成果。近年来更由于十九世纪末至二十世纪初的文献、档案及绘画作品的大量公开，资料量呈现大幅度的增加，提供了以往学者所无法想象的丰实基础，此皆有利于新投入的学人站在开拓者如苏立文（Michael Sullivan）、李铸晋等人的成绩上，开发另一番新的格局。[18] 处于如此一个新学术格局正待形塑的时点，研究者如何积极地反省这个次领域既有成果的优劣短长，并为未来规划新的进路与目标，实在是不能不承担的任务。回首前面四五十年的开拓期，中国近现代绘画研究的成果，从资料的由少变多，议题的由窄转宽，内容的由议论改向分析，其贡献自不容轻视。然而，如果要勉力在其中挑出可能存在之偏失的话，研究者普遍集中于关怀"中国绘画如何现代化"的课题，可能是一个值得检讨的现象。这个课题与其他有关"现代化"的研究一样，皆出于一种"西方冲击—中国回应"的思考架构。这个思考架构固然有其优点，尤其在呈现中国"现代化"过程中的坎坷与曲折、成就与失落上，最为引人入胜，但是平心而论，它却有潜在的缺陷。从绘画史的研究来看，这个架构在运用上经常显示了两个问题。第一是以来自西方经验的"现代化"来衡量中国的这段历史，而以西方之绘画为"现代化"的内涵。第二个问题则在于将"现代化"作为此期历史发展的唯一合法目标，并且设定中国绘画如何"西化"的进程为论述的要旨。对于这两个问题，自二十世纪末以来学界的讨论很多，在此毋庸重复。如果从艺术史的角度来说，它们的缺点也很明显。不要说"现代化"主要依凭的欧美经验现在看来其实相当"独特"，很难想象作为普世的标准，连所谓的"西方绘画"的指涉也十分含糊，即使在二十世纪早期中国主张"西化"的艺术创作者间也存在着认知上的差距，更不用说要以这种不明确的目标来设定某个进程去度量中国此期的绘画发展会是多么不适当了。对当时的中国而言，由于整个文化环境的巨变，文化界人士对于"传统"之变革的必要性都有普遍而确定的认同，但是对于尚待开展之未来的"现代"，尤其在绘画上，应是一个如何的面貌，却存在着高度的不确定性。在这个状态下，"现代"只是一个模糊不定的意象，而且充满着可以"形塑"的可能性。绘画的"西化"只是这诸多可能性中的一个选项，而且，考虑到物质、认知条件的限制，采行它的主张者所占的比重也属有限，不应做过度的夸大。[19]

在那个充满各式可能性的"形塑现代"之过程中，画界中人并不一定要针对"西方冲击"来反应，以做出他们的抉择。相较之下，针对着"内在脉络之变化"所呈现的"需求"如何因应，或许可以更贴切地说明他们真正的关怀所在。本书第五单元中的两篇文章便是以此命题所作的尝试性研究。第一篇《绘画、观众与国难》，基本上以中国近现代"国难"情境中的"观众之变"作为"内在脉络变化"的要项，来观察不同画家群体对由此而生之"需求"的因应。在他们的各种因应之中，感觉上属于新时代之"中西"的问题并未扮演主导的角色而影响他们所采取的对策，反而是来自传统文化的"雅俗之辨"，跨越不同群体而形成牢固的普遍情结，左右着他们对观众的认识与选择。对于这方面的探讨，我个人认为是中国近现代画史中极为关键的层面，也牵涉到若干过去以"现代化"为主轴所作论述中所未能解决的问题，值得未来多做努力。

《绘画、观众与国难》一文所处理的角度较广，"观众"议题也较为偏向社会面的"需求"，第二篇文章《中国笔墨的现代困境》则转向绘画创作者在个人艺术面上的考虑，而且聚焦在绘画中长久以来被论者视为"中国性"之代表的"笔墨"此一观念之上。中国绘画在进入"现代"之后的那一段形塑过程之中，"笔墨"之问题，相对于"西化"而言，应算是一个更广受关注的争议。正因为它是中国绘画与西方绘画间在形式上最易注意到的区别，很快地便被论者归为中国画之本质所在，同时也成为传统绘画形式的简易代名词。[20]因此之故，"笔墨"在中国绘画往"现代"的发展中应该占什么样的地位，遂亦立即引起所有论者的注意。坚信全盘西化者当然斥之为毒瘤，欲去之而后快，但是更多的持不同立场的论者，甚至包括革新派的徐悲鸿在内，则皆愿意积极地面对"中国笔墨能否向'现代性'转化"的根本问题。对于众多的创作者而言，这个问题更是无法逃避。"笔墨"不仅是他们制作绘画的形式手段，且早已承载了不少文化意涵，包括雅俗之辨、中国本质等等，随其选择而进入其画意表现的范畴。而他们的选择，不论相互间有多少差异，皆源自他们对其脉络环境所生需求的因应。从这个"内在需求"的角度来看，"笔墨能否向现代性转化"的问题，根本不应该有唯一而确定的答案。随着每一个人对"需求"的认识不同，每一个选择因应都是特殊而有意义，而且，由于整体文化环境的不断变化，创作者所考虑的需求与因应亦因之而变，不可能执一而终。即使到了二十一世纪的今日，这个问题仍在争辩不休，其理由只要回顾一下文化情境在整个二十世纪中由"国难"至"全球化"所经历的种种激烈变迁，便可大致理解。

《中国笔墨的现代困境》一文原来即是为 2000 年在香港举办的"笔墨论辩"学术研讨会而作。该研讨会的论题其实与二十世纪初时所论者如出一辙，其宗旨也是希望就笔墨是否能转化出中国绘画的"未来性"辩出一个结果。我的文章实则有负当时研讨会的期待，完全不能提供预测未来之用。作为一个艺术史工作者，我倒觉得二十一世纪的情境提供了一个新的机会，去理解二十世纪时创作者在面对相似之内在需求时，对笔墨问题所选择的自我因应方式。他们的选择形塑了中国绘画在二十世纪之"现代"的发展内容，并成为今日所感"历史"的部分。这个历史认知虽然不能为未来拟定发展策略，但却是理解当下任何情境（或困境）的必要基础。这对所有企图为中国绘画之未来提出主张的论者而言，也是必然的立足之处。

正如对中国绘画未来之思索无法与历史之反省完全切割，中国绘画史研究之往前发展也必须立足在对过去的不断反思之上。然而，我们也必须承认，每一个"反思"都有"个人性"存在，都是反思者在面对其所感之内外需求时所作的选择性因应。不过，历史研究仍与创作有根本的不同，不论反思的个人性如何真诚而迫切，最后还得回归到历史真实的规范。或许有人要质疑"历史真实"究为何物，但这对绘画史的研究者而言比较不是问题。只要回首画史，具体存在的一个个作品即是它的"真实"。我以上所做的和以下本书各篇文章所陈述的反思，如果要举出一个最核心的关怀的话，那便是这个作品的真实。从这一点说，我确实深受二十世纪艺术史学界先辈的影响。

I
观念的反省

对中国美术史研究中再现论述模式的省思

中国文人画究竟是什么?

洛神赋图——
一个传统的形塑与发展

风格、画意与画史重建——
以传董源《溪岸图》为例的思考

1-1 对中国美术史研究中再现论述模式的省思

任何一部美术史的论述，不论作者是否有所意识，必定依循着某一个理论模式来作层层的开展。而这个理论模式又通常是环绕着"艺术是什么"这种基本命题而建构起来的。本文所谓的"再现"，就是这种理论模式；它的核心即是将艺术定义为对外在（自然）之如实重现的观念。如此之观念，在西方之思想传统中，直可溯至柏拉图，可谓源远流长。[1] 其所依之架构起来的"再现"论述模式，在美术史学史上也早已形成强固的传统，直到近年才部分地受到基本的质疑与挑战。[2] 这个植基于西方思想传统中的美术史论述模式，虽有如此遭遇，但毕竟也对西方美术的历史发展之理解，提供了不少有效尝试。它的影响力甚至及于另一个文化传统中的中国美术史研究，自本世纪初以来即在研究论述中扮演着主导性角色。如此之情势，如果放到董其昌（1555—1636）的时代，一定让他感到大惑不解。

十六世纪末叶，天主教耶稣会（Jesuit）传教士利玛窦（Matteo Ricci，1552—1610）来到中国。他的任务是将中国改变为一个天主教国家，而他的办法是将吸引上层社会人士入教定为达到他目标的关键。他的传教工作虽未成功，但在此过程中，他接触了不少中国的文化传统，其中也包括绘画与雕塑。利玛窦对它们的观感是：

> 中国人广泛地使用图画，甚至于在工艺品上；他们在堂皇的拱门上装饰人像和兽像，在庙里供奉神像和铜钟。但是在制造这些东西时，特别是制造塑像和铸像时，他们一点也没有掌握欧洲人的技巧。如果我的推论正确，那么据我看，中国人在其他方面确实是

很聪明，在天赋上一点也不低于世界上任何别的民族；但在上述这些工艺的利用方面却是非常原始的，因为他们从不曾与他们国境之外的国家有过密切的接触。而这类交往毫无疑义会极有助于使他们在这方面取得进步的。他们对油画艺术以及在画上利用透视的原理一无所知，结果他们的作品更像是死的，而不像是活的。看起来他们在制造塑像方面也并不很成功，他们塑像仅仅遵循由眼睛所确定的对称原则。这当然常常造成错觉，使他们比例较大的作品出现明显的缺点。[3]

利玛窦在中国绘画及雕塑上所觉察到的"特质"，基本上即是以西方的"观看"方式为准则的。而在当时西方艺术对画面空间及人体造型的要求，不论采取哪种风格来表现，都是以"再现"为前提。艺术的形式在此被认为需要利用理性的计算，来克服因感官与材质而生的限制，以便能逐步接近了解自然真实的目标。一旦艺术家能掌握这种形式，他便能接近真理。不符合透视原理的画面以及谨守对称法则的雕塑，自然不能说完全与其自然的对象无关，但只能说是幼稚的模仿，不能据之以理解其精髓，因此由"再现"的标准而言，不仅"像是死的"，而且"常常造成（认识上的）错觉"。这种样子的中国艺术，如果放在西方一步步地去破除"再现"障碍的艺术发展历程中来看，实在也不得不给它一个"非常原始"的评语。

利玛窦的观感是否"正确"，其实并不重要，值得注意的则是当时他的意见是否在中国产生某种程度的影响力。这个答案基本上是否定的。当时整个中国艺术界的领袖董其昌，虽然也认得利玛窦，但似乎对他所带来的西洋艺术毫无兴趣。对利玛窦的中国艺术观感（尤其是绘画），董其昌自然毫不注意。对他而言，艺术并非追求真理的手段，而根本是真理的一种"化现"。他眼中的中国绘画传统，由于有历代文人精英的努力，已经建立一种高雅的典范，不仅能超越画匠拘泥于摹拟外在形象的庸俗技艺层次，而且能与造化的生机相互参证，达到一种类乎古圣先贤所追求的精神境界。对董其昌来说，他绝对无法想象在三百年之后，类似利玛窦的西方意见居然会在中国产生巨大的影响，甚至反过来将他所建立的理论彻底地贬为造成中国文化"腐朽"而"落后"的恶果的罪人。

从史学史的角度来看，十七世纪与二十世纪对中国绘画理解的极端差异，重点其实不在于利玛窦与董其昌的不同，更有意义的事是：中国知识分子在建构他们对中国绘画的形象时，表现了两种截然不同的思考方式。在十七世纪之时，董其昌完全在中国传统的自足体系之中建构他的理论。来自他文化的利玛窦的外来观点可说无关紧要。但是，二十世纪的中国知识分子则相反。不论个人之立场如何，所有的论述已经无法再于传统之体系中作独立的追求，而须与来自西方的外来建构形象进行迎拒的角力，或是不断的对话。本文之目的即在反省这些过程里的一些现象，并尝试检讨其中所可能产生的收获与缺失，希望能给未来的中国绘画研究之架构，提供一些参考。

西方的中国绘画观之所以在十七世纪时并没有受到中国学者的注意，这在当时的文化脉络中很容易理解。利玛窦以西洋文艺复兴以来再现艺术的核心关怀——如透视原理等——来检视中国绘画，发现其全不知重视这些技巧，故讥评为全无生气。其实此期中国的画家及理论家们所关心的问题完全不同。他们并非不知道利玛窦所说的那种透视法、明暗法等技巧的"再现"能力，以及可以得到的视觉效果。但对他们而言，制作物体或空间幻觉的画法，只关乎"形似"的问题，仅是工匠所从事的层次；而中国绘画如要能成为真理或"道"的"化现"，能达到参悟自然造化创造之妙的境界，还是得赖于笔墨与气韵的追求。[4] 换句话说，当在面对中国绘画时，利玛窦的"议题"根本与中国方面论者所关心的毫无交集。

双方之议题既无交集，如果还想要产生任何互动的关系，则只能求之于外在环境的推动，逼使一方愿意改变其固有的思考角度，尝试以他者的立场重新诠释其资料。但是，在十七世纪之时，这种环境因素亦不利于中西观点产生互动。此中之因素颇多，其中之一在于西方观点所托付的基督教在中国的发展规模过小，始终没有建立一个够广大的信仰群众。虽然当时基督教在中国也有教堂壁画以及版画等作为教义的宣传之用，但终究流行不广。其需要量既小，因而也只能吸引少数的画家投入其中。即使清初时在宫廷内有耶稣会的画家直接参与工作，并且训练了一些中国籍的画家，但其数量仍然不多，对整个中国艺术界的影响也不大。而且清代皇室本身对基督教并无太大的兴趣，这些传教士画家所制作的具有优秀的透视、明暗效果的欧风绘画，也只被当成某种"古风"的变形，或千百种"奇技"之一来玩赏罢了。[5] 在此状况之下，中国方面的论者自然不会注意到来自西方传教士的观点。

除此之外，中国本身的艺术论述传统在此时所形成的排他性，亦与此结果有关。自十一世纪的宋代以来，中国对绘画的论述已经由文人手中建立起了一个悠久的传统，他们所关心的是诸如笔墨、气韵、师古以及诗画关系等议题，而这些议题又都在最终可以归结到"雅俗之辨"的问题之上。换句话说，这个原已根深蒂固的文人论述传统的目标之一是：通过坚持其艺术活动（不论是创作、鉴赏或收藏）的某种抽象而智识性的品味表现，来确定地划分他们与一般平民大众的距离，以维护其"超俗"的社会身份与形象。耶稣会教士所带来的西方观点，其重点既在对物象景物之再现，实是中国文人眼中的"众工之事"，不但不能有助于达到文人的"超俗"目标，而且反而是背道而驰，严重地妨碍到文人对其"反庸俗"之形象的营造。如此的社会文化背景一日不改，中国的绘画论述便不可能考虑其中心论题的改变或转换。

十七世纪时中国文人对其绘画传统的理解形象，实际反映了他们自我的社会文化形象。二十世纪的论者亦是如此。只不过到了这个时候，他们的文化形象已经产生了巨大的变化。这个巨变首先可见之于中国传统文人文化地位的沦丧。在西方强势文化的压力下，他们被视为中国积弱的根源，他们原来所尊崇的文化价值，全面地受到随着坚船利炮而来的西方文化的质疑。他们之中许多人也还不愿承认本土传统竟然毫无价值，但是，随着中国沦为西方势力的半殖民地状况的一再恶化，也不得不接受残酷的事实。在此情境之中，如果知识分子还想保有原来在中国社会中的高层地位，势必得在这文化激烈冲击的局面中，被迫做出回应，提出一些符合社会上之改革心理需求的见解，以争取众人的共识。换句话说，在外力的逼迫之下，"救国图存"变成了文化界的时代使命；为了达成这个任务，知识分子不得不从旧的自足但封闭的文化体系中走出来，开始接纳意味着"进步文明"的西方观念，并以之回观、检视中国的旧有体系。

绘画艺术也不能逃过这个巨浪。中国国内虽然还有为数众多的人士仍然在追求笔墨、气韵的创造，欣赏传统文人画的境界，依旧使用董其昌的语汇来讨论中国绘画，但是，这些至多只能占有某种边缘性的地位。许多受到西方影响而起的观点，跟着"进步的"西方艺术盘踞中国知识分子的心中，是当日思考的主轴。此时中国文化界的主流已非传统形态的士大夫，而是一批受西方思潮启发的新的知识分子。他们不但急于了解、吸收西方文明，更希望由之找到中国积弱的病因，以谋求中国"救亡图存"的良方。对他们来说，艺术乃是民族精神的具体呈现，当然跟国家之强盛与否具有密切的关系。当时中国新式教育推动的主导人物蔡元培即在一篇讨论"欧战"（第一次世界大战）的文章中，公开强调说欧洲国家国力之所以强大，实源自于其美术之发达。[6] 由于这个看法，通过"发达的"西方艺术再来检视中国绘画的过去与未来，便成为当时以"救亡图存"为己任的中国知识分子在从事文化讨论时的重心之一。不论是对中国传统之现代前途抱着支持或悲观的立场，他们之间都有一个共同点，即以西方艺术的观点来形成他们对中国艺术的论述架构。三百年前利玛窦的意见，可以说至此时才出现了完全不同的文化意义。而这个意义的出现则源自二十世纪初中国新知识分子将自己定位于国家困境解救者的角色情境之中。他们的艺术论述之所以非董其昌所能想象，实在也部分地根植于他们之间绝不相同的社会文化形象之中。

  不过，在二十世纪初中国出现的论点，与三百年前利玛窦者还是有些值得注意的不同。许多想要改革中国画的论者虽然很直接地以透视或明暗、立体技法之有无来攻击中国画之"不合理"，但是他们也很快地发现这样的论点，实在经不起历史考察的检验。若干理论研究者在努力地搜索中国早期的论画文字之后，立刻注意到"在西洋透视法发明以前一千年"的宗炳，于其《画山水序》这篇论文中"已经说出透视法的秘诀"。北宋时沈括在其《梦溪笔谈》中评论宋初画家李成之画法时，也明确地显示出他对某一个程度的定点透视法的认识。不过，他们也都认为中国的画家始终不取这种透视法，是有意识地要自那"目有所极，故所见不周"的狭隘视野中解放出来，以游移式的视点来画出一种"无穷的空间和充塞这空间的生命（道）"。[7] 这种论点在上世纪三十年代的中国文化界中相当流行。它固然是对中国绘画的形象，在主张绘画革命者的各种恶评中，稍微有所救济，将一般西人所持的"中国画无透视"之刻板印象，修正为"中国画有另种不同于西方的透视"，但其得失之间却还值得争论。

  中国方面的论者虽然援引了西方的论点，认识到中国绘画中特有的"另一种"透视观与空间意识，但是，如此一来实无异于放弃了传统反对以"形似"论画的基本立场，而改以西洋画的"再现"议题为根本的论述中心。"再现"的议题一方面牵涉到透视等的技法问题；另一方面则要归结到绘画与"真实"（realism）间关系的哲学性思考之上。当二十世纪初期中国方面的论者发现了中国画有着"另一种透视观"之后，便立即须继续追问另一个问题：中国画究竟能不能描绘外在的真实？对于反传统主义者来说，中国画如与西洋画［他们不愿将马蒂斯（Matisse）、毕加索（Picasso）以下的现代艺术包括在内］比较，确实有严重的"不真实"的"病态"，而那也就是他们所要改革的对象。当然，事实并不如这些新艺术运动者所想象的那么简单。研究者既已发现中国画中的"另一种"透视，这不正意味着他们也有描绘外在事物如空间等的企图吗？由于西洋画确实较能引起立体及空间的幻觉感，当时所有的论者似乎都不得不接受中国画在表达真实的技巧上较为落后的事实。但是，即使结果不佳，这难道就可以全盘否认它的企图吗？在中国画表面上的"不够真实"之背后，是否也有着如西洋般将外在事物移入画中的企图？当时的论者以为，对这个问题的解答，应从厘清"中国画家是否在作画之前有充分观察外在事物的步骤"入手，而不应拘泥于其结果是否有如西洋画一般"成功"的讨论。

因此，西方的"再现"议题在二十世纪前半叶的中国绘画的讨论中，便引起了对"观察自然"此一问题的浓厚兴趣。学者从许多古代的文献中，果然发现了若干中国画家如何精密地观察外在自然的线索，其中最出名的例子便是有关北宋最后一个皇帝徽宗告诫他画院中的画家在画孔雀时须注意"孔雀升高，必先举左"的故事。[8] 这些研究很巧妙地将绘画里"写实"的问题，缩小到、集中到画家是否具有摹写自然的企图一点上，并由此肯定了中国绘画至少在精神层面上的"写实"。著名的美学工作者宗白华便因此在1943年第三次全国美展时为文宣称："近人震惊于西洋绘画的写实能力，误以为中国艺术缺乏写实兴趣，这是大错特错的。"他并以中国古代文献中如宋徽宗的故事，比拟为希腊画家宙克西斯（Zeuxis）画葡萄致有飞雀啄之，企图证明在中国画史中并非没有"写实"之艺术。[9]

不仅是由文献上取得证明，他们亦积极地由可知的画迹中寻找中国"写实"绘画的痕迹。重视师法古人、讲究笔墨气韵的元明清文人绘画，自然不合他们的标准，但是，在唐宋所存的作品中，却有不少令他们兴奋的资料。他们尤其对唐代人物画中所呈现的可与西洋典范比拟的肢体结构与量感，以及宋代花鸟画中精细而深入的写生细节，特别抱有兴趣。当时主张写实主义的画坛改革派领袖徐悲鸿便认为，宋代花鸟画既是中国绘画的最高峰，也是中国对世界文明的一大贡献。[10] 即使是一些与"写实"并无直接关系的名家风格,也经常被那些过度热心的论者加以附会到这个议题之上。例如北宋末米芾及其子米友仁所作的水墨云山,本来是因反对郭熙式的精巧、复杂的山水风格而生的"墨戏",但在1940年童书业的眼中,却是"极类云雨中的真景",乃"得力于摹写自然"才能得到的成果。[11]

如此的论述影响深远,使得中国一方面直到六十年代以前对中国画史的研究,一直偏重在唐宋时代,而对元朝以后的发展缺少兴趣。如果回顾一下在这段时期中出版的论著,以《唐宋绘画史》为名的书,所占比例极高,实在不得不引人注目。在唐宋之后的中国绘画,大致上说仅有十七世纪这一小段时期还吸引了较多论者的讨论。但是,即使如此,大部分的讨论仍然是站在一种负面的立场。他们一方面辩论董其昌以文人画为正统的"南北宗论"的缺乏历史根据,并对其在往后三百年中国绘画史中所引起的劣质影响,加以抨击;[12]另一方面则以惋惜的态度去探讨当时随耶稣会教士来华的西洋画风之所以不能在中国产生积极作用的原因,连带地也极力称颂稍后活跃于中国宫廷之内的教士画家郎世宁之成就,但亦将其之终不能将中国画导入似西洋一般的境地,视为预示着后来悲剧性结局的昙花一现。[13]

这种尊唐宋,贬明清,惋惜十七世纪的研究现象,基本上是呼应着"二战"前西方的中国艺术观的。三百年前由利玛窦所发出的意见,直到二十世纪仍在西方有普遍性的吸引力,尤其是对那些将文艺复兴艺术奉为典范的学者们来说,更是如此。此时英国最重要的艺术学者罗杰·弗莱(Roger Fry,1866—1934)便是一个很值得注意的例子。他基本上可以说是文艺复兴艺术的信徒,但也极为欣赏唐代艺术,当他面对唐代的作品,便处处发现有与文艺复兴艺术相通之处。罗杰·弗莱在晚年曾作一系列中国艺术的演讲;有趣的是:他的系列演讲只至唐代为止。这是否即意味着他那来自文艺复兴艺术的观点也使他觉得中国晚期艺术实在不值一顾?[14] 比罗杰·弗莱稍晚的西方中国画史权威奥斯瓦尔德·喜仁龙(Osvald Sirén)在其巨著《中国绘画:名家与技法》(*Chinese Painting: Leading Masters and Principles*,1956)中,虽然对晚期中国画的各种发展作了有史以来最公平而详细的探讨,但是基本上也免不了西方本位观点的影响。喜仁龙虽然也承认十七、十八世纪时中国所受西方绘画的影响,在当时并不重要,只能看成一种"孤立"的现象,但他在书中仍以一个专章来处理,这就透露出一种惋惜此中西交流未能持续而开花结果的心态。[15] 而在评述中国绘画的特有空间处理方式时，他则强调其中存在着一种由抽象渐往"对实际观点所得的较统一而具说服力的处理方式"行进的风格史。至于造成此发展的动力何在，他的看法倒与中国方面的论者相合，皆以对自然的观察来说明。而对十六世纪末以来的山水画，他则云："在当时重要画家的作品中，横向空间的延展常以一种类似西方的方式来处理，而较次等的画家，即使到了此时，或更后的时代，却仍停留在对传统的方法的崇信之中。"[16] 字里行间依然以西方之追求"再现"自然为中国山水画发展的"应有"归宿。而在此后，中国晚期绘画因不能善于把握西方传教士所带来的契机，遂而堕入"歧途"，喜仁龙的扼腕之叹，实不言可喻。

喜仁龙的巨著虽仍带有过去的包袱，但是综合整理大量存世画作的贡献，不仅值得肯定，也应被视为下一阶段西方研究中国绘画的重要基础。在他之前，西方的中国画研究的最大困境乃在于无法处理中国画中常见的作者真假以及时间断代的问题。他们虽然尊崇唐宋，但是博物馆中所收藏之唐宋画，其实多是后世的仿作或伪作，根本不能提供他们有关唐宋绘画艺术的正确资料。因此之故，他们当时所建构的有关中国绘画的印象，其实只有一个转换自西洋艺术史的外壳，而没有实质内容可以凭借。[17] 中国方面的论者在移植了这种观点之后所形塑出来的中国画史形象，自然也陷入类似的困境，而无法对历史的内容增进什么了解。然而，如此的画史论述，在中国居然持续存在了将近半个世纪之久，实在引人深思。如果去思考其中的原因，上文所及中国知识分子当时因受救国使命感的驱使，希望以西方为典范来改造中国文化的心态，可谓十分关键。换句话说，中国的论者在援引西方观点之际，其作为历史研究之有效性并不是考虑的重点，它如何能符合当时他们本身追求国家新前途之所需，才是终极关怀之所在。在此状况之下，他们对这个画史理解中所内含的问题，并不能主动地加以因应。喜仁龙的研究贡献，在当时的时空之中，因此可谓是站在最前锋的了不起地位的。

上世纪六十年代以来的中国绘画研究，在西方来说，确实是发生了一些明显的改变。相较于过去的研究，此期的成果似乎显示了较少的西方艺术史框架的影响，而能较为具体地试以传统中国观点来看待画史的资料。例如"复古"（archaism）的议题就被严肃地提出，作为中国美术史中的关键课题,以阐释其历史发展之有别于其他文明之一个重要特质,及其在创作实践上所引起的实质作用。[18] 当然,对于类似"复古"这问题的注意,并不是西方学者的创见,中国传统的画史论述中早就非常重视这种画家与传统之间的关系,并以之来建构绘画传统中的各个流派传承。我们几乎可以说这种重视跨越时代的流派观的存在,是传统中国对画史理解的一大特点。不论是创作者或是评论家,当他们尝试去定义某一个人之艺术表现时,总是以追溯其在唐宋时的大师典范,来宣示其在历史中的适当归位。与传统中国的这种论述方式比较起来,近代西方学者则表现了一些有意义的差异。除了指出某个风格的代代传承之外,近代西方学者更以其形式分析的专长,企图勾勒出同一传统内之各自不同的表现,并以时代风格的角度,配合来分析一个流派在不同时间内逐步演进的不同风貌。如此工作,不仅有助于解决同一流派中众多仿本的断代问题,而且可以将同一时期之不同流派作品并而观之,归纳出所谓的时代风格特质,而予以历史性的解释。[19] 传统的"复古"观念,在此风格研究的操作之下,被转化成能够具体掌握观察的,由一个风格原型出发,在时代条件之配合下,经过一次又一次的诠释与再诠释的历史过程。对于一个横越数百年的风格流派可以如此观察,短至数十年的个别创作者的一生画业,也可以仿此进行分析。从其早期作风开始,直至绝笔为止,个人如何面对一个或数个出自传统之典范做出其自我之诠释,在此研究观照之下,也都取得一种较前更为有力的内在连续性。出自西方研究中的风格理论虽然有一度受到研究中国绘画之学者的怀疑,但在经过一番调适后,终究还是起了一些积极的作用。方才所论之风格的内在连续性,即是风格论中很根本的要素之一。

自沃尔夫林(Heinrich Wölfflin)以来大行其道的风格论,本身内涵复杂,学者之间持论亦有差异,当然不是本文所谓"再现"论述模式所可涵盖,或者可以与之建立任何形式的对等关系的。不过,例如许多风格论者所热衷探讨的"时代风格"或"风格的连续性"等历史现象,实质上都与"再现"有着不可分割的牵连关系存在。一旦研究者试图要在横向的各种表现形式之中,或者是在纵向的时间轴上,探求一个普遍或一贯的风格共相,那么他必然要面对何以有此共相的问题。而在尝试说明这个问题之时,风格论者所依据的,事实上仍然是以"再现"为判断标准的比较模式,基本上都认定了不同时地的艺术家们会不约而同、但可能各以不同方式朝"完美的自然再现"这目标逐步前进,即使这所谓的"完美的自然再现"可以容许有许多不同的解释存在。不仅在西方美术史的研究上如此，在中国美术史的此阶段探讨中，亦复如是。即以方才所及对"复古"之研究而言，在此研究论述之中，古代的典范并非被视为一种值得追求的纯粹而独立的目标，反而是一种（或多个）已经完成"再现"自然真实使命的成果，而被认为值得再予阐释与宣扬。

这种认识之下的"复古"，是否真能切合中国文化中"复古"的内在实质，当然值得进一步讨论，但它却也带动了许多重要的研究，并有值得称述的成果。尤其是在元代绘画史上面，如李铸晋等学者在对赵孟頫、曹知白等重要画家作品的缜密分析之中，皆标举了他们在宋画达到"再现"的可能极致后，一反宋代汲汲于追求"改良技术和克服各种描绘的困难"的创作途径，转向古代典范学习，以一种近乎天真的方式再来观看自然，并以其笔墨来捕捉物体外形之外的内在气韵，为元代绘画之所以异于以往者，且系元代足称画史之革命时代的根本理由。[20]这不仅是首次对元代的"时代风格"作了一种定义，而且也为中国画史由宋至元的变化，作了一个关于"风格内在连续性"的巧妙说明。在过去的讨论中，宋后的绘画根本无足轻重，因为由"再现"的准则来衡量，它即使不能径视为"断裂"，充其量只是一段衰微的过程。但在这些较新的研究之中，"再现"的目标则有新的扩充，以复古及笔墨为手段的元代绘画反而可以视为"再现"传统的"再复兴"。李铸晋即特以"realism"来称之，以别于宋画的"较为概念性、理想化"地看待自然的态度。[21]

在如此修正了的"再现"观之中，"形似"的地位已非最关键的因子，亦非认识真实的必要媒介。中国画史的发展，在这个观点之下，如果说唐宋是在逐步地克服各种描绘物象的困难，那么元明清的后段发展，便可以说是在进一步解除"形似"束缚的演进过程。在这角度之下的研究，除了元画之外，明清画也取得了重要的成果。其中又以艾瑞慈（Richard Edwards）的工作最值得注意。自上世纪六十年代以来，他集中研究了南宋、明代吴派及石涛的绘画艺术，最后凝聚成 The World Around the Chinese Artist: Aspects of Realism in Chinese Painting 一书中的夏圭、沈周与石涛三讲。虽然讨论的画家不同，其风格之差异也极大，但艾瑞慈则试图将之纳于一个"画家与自然间关系之变化"的主题之下，观察这三个代表不同画史阶段的画家，如何"在此关系之下，持续地模仿其周遭的世界，只是多寡的程度有所不同"。沈周之透过其"静观"来描绘他的生活四周，石涛之让内在自我成为对自然经验的完全主控，这不仅代表着画家与自然关系的两种状况，而且也意味着由明至清的整体演变趋势。这个趋势之肯定，也印证着赖此再现之论述模式来贯穿整个中国画史的有效性。[22]

六十年代以来发展的风格研究，循着上一阶段的模式，立即影响到中国对画史的研究。不过，由于历史的原因，中国大陆与台湾地区因与欧美的关系的差异，因应的方式便截然两样。在大陆方面，自四十年代末至七十年代末，学界因应的是另一股外来的思潮——马克思主义的历史观。在其影响之下，"写实"仍然被标举为最高准则，群众的品味则特别被强调，文人画艺术的地位因此更显得无足轻重。但在台湾方面的研究则相反。由于其政治上与美国的关系日益紧密，文化交流亦逐渐频繁，美国研究中国美术史中新兴的潮流，遂也对台湾学界产生了相当大的刺激。再加上台湾此时与大陆政权的对立状态，在文化上产生了维护固有传统的需要，因此对大陆特别贬抑的文人画艺术便特别感到有加以维护的必要。台湾对中国绘画的理解，便是在这两个因素一起作用之下而产生的。

台湾本身本来没有任何研究中国绘画的传统。只有到了1949年，故宫博物院部分文物搬到台湾后，才算有了一些条件。台北"故宫博物院"初期位于台中的北沟。此期它的主要工作是收藏资料的整理与出版，其中在绘画方面最重要的是《故宫书画录》的编辑，以及绘画照片档案的建立。此时它努力地想要扮演一个国际性研究机构的角色，许多外国学者也趁着这些珍贵资料在多年战乱封闭之后首度开放的机会，到了台中，较为仔细地研究了他们原来较不熟悉的这个丰富的中国绘画资源库。《故宫书画录》与绘画照片档案基本上便是在此热络的国际学术交流气氛之下产生的。尤其是后者，基本上即是利用美国所提供的经费而完成的。它可以说是全世界第一个有规模的中国绘画的照片档案，后来也证明它确实有着带动中美双方研究工作的价值。

不过，这个刺激真正的效果要等到"故宫博物院"于1965年搬到台北之后，才明显地呈现出来。此时，1966年《故宫季刊》的创刊值得特别注意。这份分四季发行的刊物，不论从注释的格式、编排的形式来看，很清楚的是一份模仿西方学术期刊的出版品。它也时常刊载外国学者的研究成果，自然形成一个接受外来影响的通畅管道。在此情势之下，台湾的中国绘画研究开始采用形式分析的方法来研究重要的画家，并开始进行鉴定与断代若干传世重要作品的工作。这些研究主要的贡献可由两方面来看。一是采用形式分析的方法,将传统鉴赏学中以笔墨为主而依赖类比陈述的简约论述,转化成较具沟通能力的学术性论述,而使传统的鉴赏学得到一个全然不同的面貌。[23]二是这些研究大都集中在元、明以降重要的文人画家之讨论上,例如元四大家、明代吴派大师等研究,具体地改变了中国本土自二十世纪初期以来有意忽视文人画发展的偏颇见解。

在运用风格研究中的形式分析手法之时,这些研究者也多少继承了其中所隐含的再现论述模式,这尤其是在研究山水画这个以描绘外在自然为大宗之画科上,最为清楚。当李霖灿研究山水画史中皴法与苔点之演进史时,基本上即是以与自然物象之比对为依据,而来勾勒出其由起始至成熟的历史过程。[24]他虽然以元、明画家的皴苔为画史中之成熟表现,但似因"再现"理想之影响,却对由之结构而成的晚期山水画,总觉仍有欠缺,不能与南北宋的"黄金时代""白银时代"相提并论,而仅能称之为"青铜时代"与"白铁时代"的产物。[25]这其中或许仍有来自战前中国艺术学界以再现写实为尚的制约吧。相较之下,江兆申的形式分析则稍有不同,显示了其与再现论述模式的多变关系。

江兆申以其创作者之经验出发,特别着眼于探讨山水画中的构图意念之时代性。他将画中各部位的物象分别加以详细的观察,依其所现来判断画家当时可能采取的立足点,并由之说明在构成画面时画家意念的运作。例如他在范宽《溪山行旅图》之分析上,便得到一个概念:

> 画家在构成这一幅画的时候,他的观察点成梯形的上升。对所描写的对象,随时调整适当的距离,所以若从侧面去看,他上升的那条线是弧形的。但从正面看,他始终没有左右摆动的现象,保持着近景大石正中的中线部位。因此他把各种不同高度所见的景物,用自己的思想把它们镕铸起来,合理而协调地把它们表现出来,使人看了觉得异常亲切,但认真一想,又似乎世界上没有这么完美的景物。这是因为普通人看山,没有办法将连续的印象加以综合的关系;他的思想与眼光只能集中在一个点上,在同一刹那,他只能运用一个"能见度"……[26]

如此看来的宋代山水画,虽绝不能说是对自然的被动摹仿,但基本上在画家的主观运作中，仍存有相当程度对客观真实之重视。与此相较，元、明之后的"构图意念"则是朝"对自然主宰的主观观念更为增强"的方向演进。[27] 江兆申的结论，其实与艾瑞慈颇有相通之处，而他的观察也是采取一种类似西方定点透视的方法，其整个论述亦因此仍与再现的架构息息相关。

但是江兆申在处理唐寅之时，则又显出与再现论述无关的现象。或许由于如唐寅等吴派大师们的资料丰富，足以让研究者较为深入地探讨他们的内心世界，而中国传统又有画如其人的理念，故而较易于吸引研究者去关心画中"写意"的部分，而较无意于去继续思考另外的画家与自然间关系之问题，江兆申在对唐寅作品的风格分析之中，几乎不再触及任何形式与程度的"再现"议题，而完全集中于画家个人际遇以及其风格中师古、笔墨等现象间的互动。[28] 这或许也可以视为他对源自西方、而自己也采用过的再现论述模式的反省结果吧？不论如何，如江兆申的唐寅研究之出现，意味着原来中国极为尊崇的"写意"绘画传统，重新在台湾学界得到了重视。

"写意"在中国的脉络中可以大略定义为：刻意地不求形似，并尝试在超越形似之关心后，求与创作者内心之抽象意念得到共鸣。对于中国绘画中"写意"目标的重新肯定，一方面是对所谓中华文化传统的回归与复兴（尤其是相对于大陆之向旧文化进行革命而言），但是另一方面则不可讳言地是受到了当时西方现代抽象艺术大行其道的情势所影响。尤其是在美国，自上世纪四十年代以来，抽象派（Abstract Expressionism）成为现代艺术中最受注目的流派之后，现代艺术中的某些理论与实践，每每让中国的论者回想起中国古代的逸品风格，或所谓"禅画"的一些创作方式。不论事实上两者之间是否真的有关，[29] 这种相通的联想，确实让论者在颂扬中国这部分"非写实"的晚期传统时，感到一种"进步"的信心。这种心理需求的满足，对当时在各方面都想力求"现代化"的台湾来说，是十分重要，甚至是不可或缺的。

在如此情境之中，元代绘画所具有的关键性画史地位，因此也得到论者的重视。台北故宫博物院拥有丰富的元画收藏，因而很能够在此贡献一些成绩。尤其在元末四大家方面，条件最为优厚，足以进行深入的研究。对于他们处于蒙古政权下的生活、他们对古代大师风格的诠释，以及他们如何透过作品中的物象来抒发自我之情感等问题的讨论，可谓与对唐宋画之论述有决然不同的面貌。[30]"表现自我"至此似乎已成功地成为绘画史学界的另一中心议题。

对元代艺术中"表现自我"之探讨，欧美的中国画史学者所做出的贡献，自然不能忽视，[31]但是，台湾的学者在方法上则另有建树。平心而论，如果要探讨"表现自我"的问题，西方所擅长的形式分析并不能全然奏效，再现的论述更是无用武之地。它必须要有对画家所处时代、社会及个人周遭脉络的深刻而全盘的掌握，艺术创作的情感内容才能呈现出来。就这个目标而言，中国传统史学中的"长编式"编年体裁便很具有参考价值。这种"长编"的编写，是将同一时间中许多重要的政治、社会与文化艺术相关之事件搜集在一起，再按时间先后加以编排，十分利于读者掌握某一事件之所以产生的历史脉络，而许多表面上看起来不相干的事件间，也都可能在此"脉络"之中被察觉到意想不到的关系。美国的研究者，如高居翰（James Cahill）等人，虽然也曾主张"某些人有时候会指称，宋代的绘画气数已尽，多少注定要走下坡，即使宋朝国势仍然强盛，画风依旧有被取代的危险；这便是把艺术当作完全可以无视于历史影响，而独立发展。但事实上，元代画坛上的革命部分是由历史促成的"。[32]但是其文字论述本身所自具的单线性，却不易呈现绘画与其历史脉络的复杂关系，因此在效果上，如与江兆申或张光宾为吴派及元四大家所编年表相比较，便显得较为不足。[33]例如谈文征明风格发展中所蕴含的个人意义与当时发生于宫廷的"大礼议"事件间的关系，只有在长编式的年表中才比较有被发现的机会。[34]

再现论述模式在战后大陆美术史研究中也有一定程度的影响力。虽然有相当长的一段时间，大陆学界与欧美几乎完全隔绝，没有受到风格研究的影响，但是旧有的再现论述模式因为还能与马克思思想中对写实主义艺术的坚持相配合，故能继续产生作用，而且也在若干领域中，得到了值得注意的成果。其中在佛教雕塑方面，由于各地区石窟、造像之新调查与研究，成果十分丰硕，可以在此作为一个回顾的焦点，与三百年前利玛窦对中国雕塑的意见做个对照。

大陆地区对佛教雕塑方面的研究，战前由于各种政经条件的限制，可说根本没有开展。五十年代时虽然开始做了一些调查，但不久即因"文革"而又告停顿。直至八十年代以来，随着各处考古、调查工作的逐渐蓬勃，对于以佛教题材为主的中国雕塑史研究也累积了可观的成果。这时的研究,除了对佛教题材内容的讨论之外,对雕塑艺术本身发展过程的理解,较之前期,确已有所差别。过去在再现的准则衡量之下,唐代总是被视为巅峰,此时之探讨基本上固未就此翻案,但处理得更为细致。即以技法方面而言,论者甚至颇为严密地观察了包括色彩、光线、线条的状况。如孙纪元在论敦煌盛唐彩塑时便说:

> 为了让雕塑的作品能在不同的光线下,呈现相异的外观,所以,工匠对于光线照射进来的角度方向,非常重视。……也有不少的塑像,是位于背光的位置,或阴暗的地方,对于当时的雕刻工匠来说,这是非常不利的情况,于是他们就将塑像施以色彩,以弥补光线不足的缺点。像第248窟菩萨的眉、眼之间,以及人中、颈部的描线;第194窟力士像结实、隆起的肌肉,以浓淡不同的色彩晕染,都是最好的例子。……又第130窟在唐朝开元年间(713—741)造的弥勒像,高达二十六米,脸部恰好和第三层的光线窗相对,工人将此像的眼、口,用少见的特殊方式表现,就是将上眼皮和紧闭的双唇线条,向内部刻进去,正面受光线照射时,就会产生一条阴影,使眼、口的轮廓和表情,更加逼真。[35]

如此的观察分析,很精彩地为唐代雕塑之具有巅峰地位,增强了说服力。

可是,旧的问题仍未解决。宋、元以后的雕塑难道真的只是蹩脚的再现艺术吗?有的中国学者确实也还存着如此的"偏见",只不过是常常因为有着史学工作者的身份,不便于公开而明白地作此宣示罢了。[36] 不过有的学者则从"世俗化"的现象,为宋元明清的佛教造像找到了与外在真实的接通点。他们发现此期"如女性化的菩萨,力求妩媚动人,而因世俗感异常浓厚","位于净土的菩萨,(被)当作俗界的美人那样进行盛妆",甚至要比隋唐的作品更贴近人的生活周遭的实像。史岩在谈北宋江南地区的造像时便说:

> 其造型样式、表现手法进入了新的发展阶段。那就是造像已能适度地突破佛教仪轨的制约,一扫唐代那种定型化的模式,逐渐出现新式样;表现手法也趋向写实,世俗化的倾向日渐浓厚。佛教造像的外来影响,至此也已彻底消失,而纯民族的典型美的形象,已普遍出现。[37]

如史岩这样地将"写实"与"世俗化的倾向"合而论之,很让人可以领会到此论述里层的"再现"基调。其与旧时的再现观相较,并未有明显的背离,只不过是在中间经过了社会主义的一番转折罢了。

史岩上述文字中还涉及中国佛教艺术本土化的问题。这也是中国佛教艺术史学界内最热衷讨论的议题之一。而其之所以如此,根本亦源于其中的再现论述传统。艺术形式之所以存在即来自对表达周遭世界真实的追求,佛教艺术虽有其自身的宗教内涵与历史之真实,但这些在形式的考量之前,都必须退至次位,而就其与创作者周围所可得见的人、事、物的关系作直接的联系。在此论述前提的作用之下,佛教雕塑的历史过程除了朝向更写实的人体前进外,也同时进行着逐步消除异国风味,变得更为接近中国真实之一段发展;而宋后的晚期表现因此亦可合理地诠释为一个新的巅峰。

如此的观点,很自然地减低了中国佛教艺术源自印度此一事实的历史意义之重要性。由此引申而来的问题可以变为:外来影响对中国艺术的发展是否扮演着关键性的角色?三百年前利玛窦检讨中国艺术的病因时,下结论说:"因为他们(中国人)从不曾与他们国境之外的国家有过密切的接触,而这类交往毫无疑义会极有助于使他们在这方面取得进步。"在同一种再现论述架构之中,现代学者当然不会简单地认同利玛窦,但又如何能有不同的突破?近年来在十七世纪画史的讨论中,倒可以提供一个观察的焦点。

十七世纪一向被认为是中国画史中最具创造力的一个时代,是继元代之后最关键的时期。由政治、社会的角度来看,它也与元代一样是一个由高度繁荣的汉族王朝突然坠入异族统治的恶境的时代。像陈洪绶、龚贤、石涛、八大山人、弘仁、梅清、髡残等大师的作品,如何在此动荡不安的历史脉络中得到最完整而贴切的诠释,当然是中外学者所共同关心的课题。但是,对于这一整段时期为什么可以如此戏剧性地产生这么多高质量的作品,学者之间却仍有歧见。而在这些不同的意见中,高居翰所提出者很可以代表西方的一种立场。这种立场基本上将十七世纪的特色定义在充满戏剧性之奇特而新颖之形象创发之上,而极度地强调其对传统格法的突破之历史价值。至于此局势之得以产生,高居翰则将之归因于当时之欧洲影响。他以为那是:"促使中国人自己去面对本土传统中的许多本质性的课题,并从而觉察出中国传统绘画里,尤其是到了历史后期时,高度因袭旧传统的特性,同时，也连带使我们察觉出中国传统绘画所专擅、与所缺乏或所轻忽的特质。"[38] 他之诉诸欧洲的影响，虽然与几十年前的西方本位论调大体相同，但他的论述重点则集中在"形象创制"（image making）之上，强调观察此期大师之得以创造动人新形象之根本缘由，并认为那是十七世纪整个中国文化之所以辉煌而引人之所在。在他的论述之中，过去的欧洲影响论呈现了一个新颖的面貌，并再度在中国绘画研究之舞台上，重新扮演一个重要的角色。

虽为具有震撼力的新说，但高居翰所谓"形象创制"的动力来源仍旧是再现艺术的冲击。在他的理解之中，十七世纪的中国画家们究竟有没有具体地摹仿了他们所见过的西洋绘画，这并不重要，要紧的则在于西洋绘画中所显示的艺术与人之自然经验的直接关系所带给当时中国画家的刺激，而冲垮中国传统格法之顽固阵脚的正是它。换句话说，十七世纪之所以能产生一些新契机，正是因为中国艺术重新面对了来自"再现"基本课题的挑战。艺术家应付这个挑战的积极与否，便与其历史的重要性有对应的关系。明清美术中与再现无关的写意部分，在此观照之下，也就变得无关紧要，甚至可被视为中国晚期绘画衰落的主因。[39]

这个关于十七世纪欧洲影响的新理论本身其实隐含着对再现观的重新肯定，并且可以牵连到其他的重要课题上。一旦由再现的角度观察，稍早时所注意的各家风格传统如何演变之问题，以及画家如何借笔墨之"师古求变"之功，来为旧风格典范寻求新诠释的意义，由于并不能真正突破传统而创造真正动人的新形象，遂也失去被关心的价值。许多画家的传统地位，亦因此有重新检讨的必要。1992 年在堪萨斯城（Kansas City）所举办的董其昌研讨会上，便有一股潮流质疑董其昌是否具备可以被称为"画家"的基本能力。[40] 在此攻击之下的董其昌，其地位之低下甚至较诸二十世纪初期时还更加不堪。不仅董其昌如此，整个中国晚期绘画的写意传统也受到根本的怀疑。因为这一部分的中国绘画发展，总是标榜着不求形似的逸笔草草，重视笔墨的表现能力，而轻忽形象本身之创发，自然不能被此观点所接受。最后甚至有论者全盘否定了明清文人写意绘画的价值。这种极端的结果，实在是二十年前学者们在探讨元、明时代文人绘画时完全无法预料到的。

如果我们重新来回顾第二次世界大战以后的这个再现的论述模式，不论是支持文人绘画还是职业传统，不论是讲究风格变化还是形象突破,它所建构出来的中国美术史永远是一个单线的波状发展。而每一个波状顶峰都是由具原创性(originality)的表现所构成。换句话说,不论此历史过程的实质内容如何,"原创性"才是它之所以往前推进的真正动力,而且也是它之所以存在、值得后人关心的主要因素。这在再现的论述理路之中,自有其存在的必要性。由于再现是指艺术对自然的如实呈现,本来自然才是具有真正原创性的存在,任何艺术的原创性都低于此;但是,艺术家却可以在旧有的形式惯习之外,另辟蹊径,以一种过去所无的方式去达到目标。如果没有这种形式的相对原创性的作用,历史便会被简化成由朴拙至精熟的单调成长斜线,根本无法说明其中一波波发展中的独特成就。在如此的历史理解之中,赵孟頫之所以重要,乃在于他扭转了南宋以来的旧画风,首先取法久已被人淡忘的董巨笔法,而以书法性的笔墨创出一种新风格。而十七世纪石涛的名言"我自创我法",也是在扬弃长久以来文人的师古格式中,创出全新之表现,而得到颂扬。即使是在讨论十七世纪董其昌的"集大成"理论之时,论者也特意强调其中还有着"师古以求变"的内在转折,将注意的焦点摆在形式之"变"(metamorphosis)上面。一旦形式之变的地位被加以强调,"集大成"理想中所包含的对传统之再诠释的过程,也就因此被要求在形式上呈现具有某种程度之原创性的成果,以免诠释者沦为古人的奴隶。[41]这种对"集大成"理论的理解,虽也有历史的依据,但其是否完全地掌握了"集大成"论的中心意旨,却值得反省。

　　对"原创性"的重视,实际上也是部分地由于西方艺术中"现代主义"的鼓吹,而被当成艺术真理般地被宣传后的结果。拿它来理解中国画史,其实并不恰当。即以"集大成"论而言,其是否必须具有追求原创性而来的形式之变,基本上并非中国考虑的核心。作为一个最高的文化理想,十三世纪时的大哲学家朱熹的《四书集注》工作,可以说是它的实践范例。但是,朱熹的集注工作之意义却不在于如何推陈出新地诠释四书,而在于通过对前人诠释之综合研究,来追求一种与古代圣贤相通的理解,而这种理解也不是外在于圣人之道的说明,亦非能谓为较古人所言更为正确,却只是"道"在彼时彼地所作的自然而有效的"呈现"。在艺术上亦复如此。董其昌的集大成工作,也是在透过许多古代大师的典范诠释,去追求造化生命在纸上之再一次的化现。在他的工作之中,是否能与古代大师同一境界而参悟此"道",方是终极关怀之所在;至于其中是否让他在形式上创造了全新的效果,则不是他关心的重点。这种去除了对"变"之过度夸张的"集大成"理念，应该才是中国许多画家创作时的内在指导原则，如此也才能解消董其昌理论中同时强调"以自然为师"与"师古人"的表面矛盾。[42] 如果以之来观察中国晚期的绘画史，或许能够得到更为持平的理解。至少对于元、明以下的"写意"部分的发展，不再会被一味地评为"衰弱"，而可以被视为与古代大师对话与竞争的各种不同尝试，以及对天地之道在不同时地之不同化现的理解。而在此连续的、一代接一代的诠释与再诠释的过程中，风格的高峰实与诠释之是否新颖无关，而要取决于其有效性之上。

再现论述模式中的单线史观的另一个缺陷在于它总是习于片面地选择某个"主要"的流派，来作为一个时代的代表，或试图归纳许多不同的艺术表现中的共相，称之为"时代风格"，而将之随时间串联起来成为所谓的"历史"。这样的历史虽然易于掌握，却不免产生过度简化的毛病。尤其是对中国这样一个庞大的文化体而言，如此的简化势必牺牲许多重要的面相，诸如不同阶级的相异表现，或者是不同区域间的差别发展，在此都不能得到适当的照顾。尤其是后者，更是不容忽视。由近年来的考古发现中，我们几乎已可确定，中国自公元前二千年以来，即存在若干不同的区域文化，其各自在艺术上的表现显示着相当清晰的区域特色。绘画史的状况，实亦如此。即以十六世纪而言，中国不仅有着南北画风之异，甚至在南方，学者还可区分出苏州、南京、福建等等的不同画风。他们之间各自的方向不同，因此很难评价孰优孰劣，而且因各自发展的步调不一，也很难归纳出某个单一的"时代风格"，以前学者径然以苏州为代表，其实只是偏执着文人传统的理念为准而做出的片面决定，并不客观。他们各自的存在，不仅关乎该区域之特殊文化背景，而且有着各自不同的发展方式。他们之间也存在着各种不同的交流、竞争的互动关系，我们如欲了解此一时期绘画的全盘状况，这些问题便不得不加以探讨。而一旦这些区域风格的存在得到肯定，中国绘画史之发展便应该呈现一种多元互动的架构。在此架构之下所探究出来的中国画史，至少在一定程度上可以修正过去以再现观为主轴的单线论述的偏失。

以上对再现论述模式研究的反省，或许也可以被视为当今中国文化氛围中的产物。今日中国的政经发展已经产生与以往大不相同的面貌。在文化上，不仅在大陆方面有显著的重新检讨来自西方各种不同意识形态影响的现象，台湾方面也不再甘于委屈世界舞台的边缘性角色。但是，在追求建构中国论述之主体性时，盲目地排斥西方观点的做法亦非明智之举。如何在充分地意识到本世纪中国对西方观点所做之因应，并由对此过程之历史性反省中重新思考一个具有前瞻性的"因应之道"，这才是中国美术史学者在面对二十一世纪时所应自负的使命。

1-2 中国文人画究竟是什么？

前　言

　　所谓"文人画"在中国历史上的发展，一向被视为极具特色的现象。它的若干内容甚至被引来作为整个中国悠久绘画传统的特质，有的时候，它也几乎成为传统的别称，被论者在评述中国文化时作为中国艺术的代表。它虽然如此重要，但在二十世纪中国的文化界中，却不一定受到如过去般的尊崇，反而是处在一种颇为尴尬的局面。首先是受到二十世纪初年中国文化改革思潮的冲击，改革论者如徐悲鸿等人便以为文人画是中国绘画艺术之所以"落后"的主因。后来大陆的"文化大革命"，也将文人画视为中国追求新生时必须铲除的"旧恶"。台湾的情形则正相反。为了与大陆抗衡，在文化上刻意推动"文化复兴运动"，文人画也因此被标为特别值得珍惜的文化传统，许多画家在逝世之时，总被人冠上"文人画的最后一笔"的称号，这种现象正呼应着台湾这半个世纪以来企图证明其为中国文化正统之继承者的整体文化心理。而自八十年代以来，大陆方面也展开了一波新的重新评价文人画的潮流。文人画突然不再是饱受批判的对象；不仅许多学者撰文宣扬传统文人画的成绩，重新评估其历史意义，在创作界也出现了所谓"新文人画"的流派，大有让曾被埋葬了的文人画理想重新获得再生的趋势。但是，这些种种的发展，除了意味着中国文化界终究无法漠视文人画之存在价值外，是否也意味着其对文人画内涵的进一步理解，则十分值得怀疑。

文人画的定义问题

如果要检验现代论者对中国文人画是否真的累积了一些较以往更为深入的理解，只要看看他们在使用文人画这个概念时在定义上所产生的问题，便可思过半矣。我们几乎可以说：任何人如果试图自他们的论述中，归纳出一个有效的文人画之定义，成功的机会实在微乎其微。例如当徐悲鸿等早期革新派在议论中大加挞伐中国绘画的旧传统时，基本上是将文人画定义在脱离现实、只知师法古人技法的一种绘画风格。[1] 而在差不多同时，如陈衡恪等对传统持维护态度的论者，则将定义的焦点从技法形式转到创作的内容上去，于是便把文人画中受人诟病的"不真实"之现象，解之为"不求形似"的有意识行为，且系应作者抒发思想与情感之要求，为达"寄托"之手段而已。换言之，对他们而言，文人画之要义乃在于创作者之有所寄托，形式如何，实在不是关键。[2] 而在强调文人画的精神性内涵的同时，论者除了指出画家的道德情操为重点之外，自然也及于其他文化性的修养，其中又以对文学与书法的修养最为重视。于是在许多论及文人画的文字中，画家如何显示其在文学（尤其是诗词）与书法艺术上的造诣，便成为决定其作品是不是可以称之为"文人画"的前提。在这种时候，该作品是否"不求形似"，或者有无作者的内在寄托，则非关注的焦点。当现代水墨画家溥心畬、江兆申分别在1963年及1996年逝世时，之所以都会被冠以"中国文人画绝笔"的称号，其根本理由皆在于此。

在文人画的理念中要求画家兼擅诗词与书法，但是在中国的文化传统里，诗人文学家及书法家却从未被要求必须同时是个画家。这个事实正意味着文人画的这个定义实在隐含着某种自抬身价的企图。对此大加批判的，因此也大有人在。有的论者指出：如果说绘画的价值须赖诗文、书法等画外之物方能达成，无疑是自贬绘画的地位，根本是本末倒置的无聊之论，无非是文人自我掩饰之词罢了。[3] 也有学者试着由传统文艺批评理论本身来予检讨，指出中国传统上诗画的标准根本相互背驰，如果用文人画中对绘画的要求标准去作诗，只能做到传统诗的二流，反之，画家如果遵循诗学的正宗典则作画，也只能达到画工之画，无法企及文人画所标榜的境界。[4] 果真如此，原来说文人画须有诗文涵养为前提的准则，也根本站不住脚。

如果诗文与书法没有办法保证使"文人画"得到清晰的厘清，或许由绘画本身的形式与表现的意境可以归纳出来一个可以被接受的定义？学者如滕固等人便从上世纪三十年代开始，尝试为文人画的风格特征做一个整理。例如滕固在检视了唐代王维、宋代米芾、元末四大家以及明代沈周、文征明等所谓文人画的各个阶段的发展表现之后，即将其作品风格总结地归纳为"高蹈形式"，意指他们因生活的优游自适，作品上亦呈现出"不尚形式而尚天趣，不尚格法而尚新颖"的现象，并特别指出这是一种与所谓"院体画"相对的风格。[5] 滕固早年留学德国，学习美术史学，他可以说是将"风格"（style）观念带入中国美术史研究中的开拓者。在绘画史的理解上，他也是特重将之还原到作品风格的表现之中，因此在对文人画的讨论之中，他对画家之"能文不能文"这类外在于作品的文化性因素，便不觉有重视的必要。有的时候，他甚至也要摒除、跳脱画家是否实际具有"文人"身份的社会性因素的限制，认为那些如李唐、夏圭等杰出的南宋宫廷画家，虽然向来不被视为"文人画"圈中的成员，但在他们的作品中，仍然具有文人画的风格本质。[6] 如此的见解，虽让文人画的定义脱去了名词表面的桎梏，但其弹性之大，却不免引起疑虑。过去大家总以为文人画的风格（尤其是在山水画方面）基本上是由元代的赵孟頫、黄公望、倪瓒、王蒙等人建立起来的，而他们的风格乃刻意地与南宋流行的李唐、马远、夏圭一路有所不同，甚至可谓是李、马、夏的反对派。如果说连李唐、夏圭的作品都可称之为"文人画"的话，那么文人画的风格又是什么呢？如果在此风格定义下，赵孟頫竟与夏圭不可分，那么文人画这个名词还有存在的道理吗？

如以夏圭为例，滕固之所以欲将其归入文人画的阵营，乃是因为其"山水大抵用笔劲爽，因为变化多端，皴法圆润，竟不觉有当时瘦硬严整的造作气"，故而十分同意明初王履的意见，说他"有清旷超凡之远韵，无猥暗蒙尘之鄙格"。这里所谓因用笔劲爽、皴法圆润而达到的清旷超凡之远韵，实际上颇类明末沈颢评文人画开山祖师王维时的"裁构淳秀，出韵幽淡"，而与其评夏圭时的"风骨奇峭，挥扫躁硬"几乎相反。[7] 是风格分析出了问题吗？原因实不似表面看来的单纯。沈颢的分析根本上出自他所追随的董其昌的画论。董其昌提出过一个影响后世深远的"南北宗论"，在其中特别推崇王维为南宗之祖，说他"始用渲淡，一变勾斫之法"，因而达到"云峰石迹，迥出天机，笔意纵横，参乎造化"，不拘泥于形式刻画，死板僵硬的境界。[8] 由此而出的"渲淡—勾斫"二分的简约风格分析，后来便成为众人讨论文人与非文人绘画风格的起点。滕固本人即先决地反对这个二分法,认为其无法由历史中得到验证。然而,董其昌的二分法不过是简约的方便手段而已,他的本意实在于借之说明勾斫、刻画的风格正是流俗画师之病根,而真正的画家应该是"绝去甜俗蹊径,乃为士气"。[9] 滕固虽然反对二分法,但却在根本上不自觉地接受了董其昌的"士气"观。他称赞夏圭时所持的理由在于"无造作气"、"无猥暗蒙尘之鄙格",其实不过是董氏"绝去甜俗蹊径"的翻版而已。由此观之,滕固是将绘画品质的价值判断与文人画的风格定义两者等同起来,但又不肯对董其昌所不取的画师者流进行一体的批判,因此反而模糊了原来文人之画要与画师之画相对立的立场,徒增讨论时的困扰。

滕固虽然以画家生活状态的优游自适来解释文人画的高蹈形式风格,但他实际上并未贯彻这个理念。就李唐、夏圭而言,他根本无法自现存极为有限的史料中证实他们的生活究竟如何地优游自适。看来他对于文人画之成立所可能牵涉的与生活有关之社会性因素,其实并不十分重视。与他相较之下,俞剑华则采取了较为确定的立场。他虽然也注意到文人画的画法与风格的问题,但他更重视风格背后画家的社会阶层的作用。他基本上以为文人画即是文人所作之画,而由历史上看,所谓文人画家大致上也可以说是画院以外的画家,故具有不为宫廷服务,不因政治、宗教等非艺术目标而创作,而只为自己服务,为了个人的"畅神"而作的艺术动机。这样子的文人画家因此也就是古人所谓的"利家"。[10] "利家"是与"行家"相对的画家类型,自明代以来便经常被用来辅助有关文人画的讨论,如果用今天的概念来说明,"行家"就是职业画家,而"利家"则指非以画为职业的业余画家。如此一来,定义文人画的重点便在于画家的职业之上;这似乎要比其他的准则来得具体,易于掌握,故也曾得到许多论者的支持。例如被视为文人画绝响的当代画家江兆申即曾说明之所以用"业余"来解释文人画,乃"因为在教育没有普及的当时,能识字的人已具有若干的生活条件,至不济也可以在乡下教蒙童或算命卜卦(吴镇的行业)。如果喜欢绘画,就可以照着自己的选择去画,照着自己的喜好去画,不必太迁就欣赏者的胃口"。[11]

文人因为掌握了知识的资源,并赖之经营生活所需,因此成为社会上的一种特殊阶层;而这个阶层的存在,又通过统治者为之设立诸如科举考试、赋役减免等之制度,而得到了来自国家的保障,其地位又更加巩固。当他们挟此身份地位之优势,跨入绘画这个行业之时,自然不必受到其中原有的各种成规所约束,故而能得到一种因这业余性格而来的"清旷超凡"风格,而被论者视为显示了"一种怡然自足,非外物所能挠的独立精神",近似于现代艺术中主张的"为艺术而艺术"的纯粹性,故而觉得特值珍惜。如此来看中国的文人画,确实可以指出其之为其他文明中所无之特色,而其在风格中不尚形似、讲求幽淡的现象,也可以得到一定程度的解释,不能不承认它的优点。但是,如果因此即说这个准则便是完美的文人画定义,却也未必能得论者全体的认同。

它的问题首先是来自职业的认定。画家在中国历史上作为一种职业,至迟到了宋代可说已经成形,称呼某些以画维生的画家为职业画家,固然无所争议;但是,要用"非以画维生"这种消极性定义来指称其他的画家,在有效性上来说,却不免引起困扰。这些画家的本业既不是绘画,那么"文人"便是他们的职业吗?正如一般人所理解的,"文人"是指"能文之士",指的似是一种能力、修养,而非一种有固定工作范畴的"职业",因此要将"业余画家"与"文人画家"等同起来,从职业上来说是很不清楚的。况且所谓"文人"此一身份,本身即不易有清楚的定义。能不能读书、作文表面上看来似乎是一个标准,但实际上却赖主观之判定,盖因对此能力之判定尺度应置于何处,一直都是人各言殊。科举考试本来是希望借国家之力来做一个公平的仲裁,但历来效果不尽理想,社会上遂不时地有真假文人之辨的争执。出名的清初小说《儒林外史》便是以对假文人的讽刺而脍炙人口的。"文人"的概念既是如此模糊,"文人画家"的定义自然也受影响。

另一个问题在于文人画家是否因其业余性而必然具有"怡然自足"的独立精神?文人画家固然说不必仰赖作画维生,而可以脱离职业画家所受的拘束,但在现实中,这根本也是个人选择的问题。当绘画在某些状况之下可以带给他较多的生活资源时,文人画家也可以在维持其文人身份的前提下,选择不仅赖文字知识谋生,而且从事某一种程度的卖画行为。在历史上,这种例子并不罕见。明代出名的文人画家文征明与唐寅都在他们后半期生活中,以其绘画换取生活资源。尤其是唐寅,文名虽高,但其绘画行为的职业性亦高,他的山水画风格也有一大部分习自南宋画院的传统,而非过去的文人画家。[12] 这是否就意味着唐寅的作品即较缺乏"独立精神"?论者长久以来都未能就此达到一致的意见。即便是一个完全与卖画无涉的文人画家,例如沈周,其业余性真的可以为他带来真正的创作自由吗?他即使可以避免那种画师面对市场的压力，但他毕竟无法完全脱离他的社会网络，仍有许多种角色要求他在生活中扮演，这些社会成员间互动的各种情境，不也会产生对他艺术的某些要求吗？在现实中，绘画在文人的生活里，除了为自我之"畅神"而作外，在许多时候仍是人际关系之下的产物，具有多种的社会功能。沈周之为其师做寿而画，为其友送别而绘，此种作品数量亦不在少。为了遂行这些社会功能，文人画家之画怎能完全怡然自足？他们固然无须如职业画家迎合市场之要求，但差别只在于程度与模式之不同而已。

以上的讨论所显示的是一个极有趣的现象："文人画"一词虽普遍地流行，其真实性亦未曾受到根本的质疑，但却没有一个明确可行的定义。众多尝试基本上皆说明了文人画所有的部分特质，但也都无法完全涵盖庞大史实中不时出现的特例。

历史情境中的理想形态

"文人画"之众多定义为何总有一些来自史实的问题？原因无他，因为"文人"根本是一个理想形态下的观念，而非史实。它之出现于历代文献之中，确是事实，而且，它的内容也都与其时所知的绘画历史有关，但是，它每次被提出来时却不意在指示历史真实，而意在标志一种理想形态。他们每次所提出来的理想形态又都有其特定的情境，因此便与其他时候所提出来者，在理念的要点上有所不同。这种不同的产生，让"文人画"在历史中呈现了好几个不同的形态，而非单一的理想形态。如果要充分而恰当地掌握"文人画"的意义，如此的"历史史实"却是不可不注意的。

换句话说，要想探究文人画的意义，我们必须将它放回到它的几个历史发展阶段中才能有较清晰的掌握。文人画的实例虽然可以溯至中国绘画史的最初期之六朝时代，以现存的资料而论，大约可以东晋顾恺之的《女史箴图》【图1】为代表，但在那时仍未见有明确言论的提出。比较清楚的文人画理念的出现，应该算是九世纪张彦远写作《历代名画记》的时候。这可以称为文人画理念发展的第一个阶段。在这个时候，张彦远最重要的工作乃在于将绘画从一般的技艺中解放出来，并赋予一个文化上的严肃使命，使之能"成教化，助人伦，穷神变，测幽微，与六籍同功，四时并运"，达到"画以载道"的目标。在此理念的指导之下，过去大有势力的"感神通灵"观被完全扬弃，绘画之所以能与造化

图 1. 东晋 顾恺之《女史箴图》(局部) 卷 绢本 设色 24.8 厘米×348.2 厘米 伦敦大英博物馆

同功,完全落实到笔墨的形式之上,因此促生了水墨山水树石画的盛行,也提升了花竹禽鱼画科的地位,使之亦成为画家参与造化活动、理解造化奥秘的另一通道。在张彦远及其同道看来,绘画既应有如此严肃之使命,当然非工匠所能知,故而便主张:"自古善画者莫匪衣冠贵胄、逸士高人,振妙一时,传芳千祀,非闾阎鄙贱之所能为也。"[13]

张彦远及其同道大致上是一批唐代没落世族的子弟,他们面对着"安史之乱"以后的局势,都深感担负着一种文化重建的使命感。他们将绘画艺术之意义重新赋予道统的严肃性,可说完全是这种迫切心理需求下的产物。[14]这种心态促使他们注意到创作者精神层次的重要性,并试图在历史中找寻能支持的论据。可惜,他们对真正艺术家之具有衣冠贵胄、逸士高人身份的论断,只能在八世纪后期至九世纪初的一般时间内,得到数量上的肯定,对除此之外的时代,则实在无法成立。由此言之,张彦远等人所主张的这种贬斥闾阎鄙贱,崇尚"文人"的观点,并非在做任何有效的历史陈述,而只不过是提出一个理想形态罢了。我们充其量只能说张彦远是在呼吁有道统使命感的文人画家投入绘画的领域,来挽救面临残破困境的文化传统,而在此际,他的呼吁基本上是着眼于精神层面的,还未针对风格做明确的要求。即使有的话,那也只是泛泛地强调"笔踪",反对漠视"用笔"的"吹云""泼墨"等极端俗尚而已,并未想去为其理想形态之作品规划某些特定而专属的风格形式。这一点确与后来之文人画论调大有差异。

文人画发展的第二阶段是在十一世纪后半期。此时有关文人画的见解与实践大致上是由环绕在苏轼周围的一批文士所共同完成的,其中的重要人物包括黄庭坚、米芾、李公麟等。他们都是富有才华的士大夫,但也都在政治上受到颇多的挫折,不能如愿地顺利实现他们作为士大夫的经世济民之传统责任。失望之余,他们将注意力移到了绘画一事,遂发觉当时以宫廷为主导的绘画艺术,精谨有余,意味不足,大失画道。苏轼因之即有"论画以形似,见与儿童邻"之论,[15]批评只知计较外在形貌的画家通病。黄庭坚则另主张"凡书画当观韵",特别重视"言有尽而意无穷"的效果,并提出"胸中有万卷画,笔下无一点俗气"那种以知识修养来免于堕入画工俗匠之流的法门。[16]他们也都希望重新恢复对绘画与人格相应关系的肯定,故有郭若虚在《图画见闻志》中云:"窃观自古奇迹,多是轩冕才贤,岩穴上士,依仁游艺,探颐钩深,高雅之情,一寄于画。人品既已高矣,气韵不得不高,气韵既已高矣,生动不得不至。所谓神之又神,而能精焉。"[17]这些言论意见触及了自人格、韵味乃至形似等各种问题,合之可几乎视为后世文人画诸理论的原始模型。但有趣的是,苏轼等人的言论其实相当零散,互相之间并不能连成一个体系,况且它们是否曾经落实到具体的创作活动之上,也大成问题。在此考虑之下,他们所提的"士大夫画",是否能被视为有实质意义的理论,实在不能不慎重地处理。

例如苏轼所提出的"诗是有声画,画是无声诗"的概念,后来成为文人画讲求"诗画合一"的根源,究竟可以如何在创作上加以实践,连苏轼本人也没有经验。即使在他的朋友圈中富有绘画创作经验的李公麟与米芾,似乎也从未对引诗入画的理论表示过明确的兴趣,更不用说在他们的画中加以实践了。不过李公麟与米芾也自有他们的独特办法来表达他们的文人立场。李公麟刻意不取流行的吴道子的人物画风格,而选择了更古老的顾恺之风格,利用顾氏那种如春蚕吐丝般的细线来作白描人物及动物画,以引起一种古老的韵味。他的《五马图》便是这种与当时流行画风大相径庭的作例。米芾亦以类似的"平淡天真"来与"俗气"相抗,但做法却大不相同。他在山水画中一反当时流行的李成、郭熙风格的复杂与精巧,将笔墨与造型回归至最单纯的点、直线与三角形,来作山、石、树木与云气,并构成一种含蓄而平淡的烟云境界。他的作品现已全部湮灭,但由其子米友仁的《云山图》(参见图26),吾人仍可推知米芾山水画的大样,真是与郭熙《早春图》(台北故宫博物院)那种宫廷主流画风完全相反的艺术表现。

但是,李公麟与米芾的风格仍未在形式上发展出一种共相。我们可以说,文人画理论到了十一世纪后期虽有了蓬勃的发展,但在创作之风格上却仍未形成清楚的轮廓。这理论与实践之间的差距,正如同其成员之间在理念上所存在的差距一般,正意味着文人画作为一种理想形态与现实之间的固有歧义,对于其时关心绘画艺术的文人而言,去共同思考此艺术如何在其宦途受挫之际容其安身立命的问题,或许要比具体地从事某种绘画改革实验来得更为重要。

文人画在风格上的突破发展要等到十三世纪末至十四世纪初才出现。在这段时间中,赵孟頫所作的《鹊华秋色》【图2】不论从哪方面来说,都可算是文人画风格发展中的里程碑。首先是在画法上,他在用心地研究了几乎被人遗忘了数个世纪之久的董源、巨然的山水风格后,以一种借自书法艺术而来对笔墨的新理解,来重新诠释这种风格。结果

图2. 元 赵孟頫《鹊华秋色》(局部) 1296年 卷 纸本 设色 28.4厘米×93.2厘米 台北故宫博物院

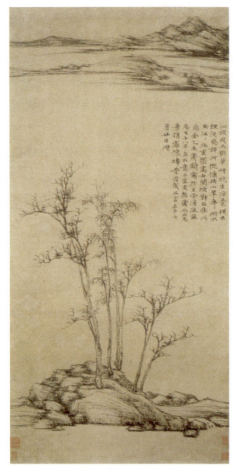

图3. 元 倪瓒《渔庄秋霁》1355年
轴 纸本 水墨 96厘米×47厘米 上海博物馆

得以在山水的形象之外，赋予画作本身一种笔墨本身独具的美感。这便是后来文人画中强调"书法入画"的最佳示范。在此之外，董源、巨然的风格在经其诠释之后，也形成了有规矩可寻的图式，堪供后学者借用，并以之作为变化的基础架构。〔18〕这种将古代名家风格图式化、典型化的过程，可说是此风格是否能成功地形成宗派的关键，更是古典典范之可以持续传承、永保不坠的前提。后者对赵孟頫而言尤其具有重大意义，当时他所面对的文化局势正是汉人悠久文化传统遭受统治阶级的游牧文化严重冲击的困厄之境，他的《鹊华秋色》正有着其时文化界中有志之士维系文化传统的苦心在内，而那也正是他摒弃他原来所熟悉的南宋宫廷画风，以及元初宫廷崇尚之装饰艺术的根本动机。

《鹊华秋色》的另一层意义在于它所在意的已非外在自然的单纯描写。它表面上是对友人周密故乡济南附近山水的描绘，以偿周密未能亲临其地的思念，但实际上却是在表现他心目中理想的隐居平和之境，作为他与周密心灵交流的媒介，不仅带有一定程度的"非写实"成分，更有清楚的个人性的"抒怀"因素存在。不过这种个人抒怀的意义在赵孟頫的绘画艺术中并未得到充分的扩展。相较之下，十四世纪后半期的文人画家倪瓒，在山水创作中则呈现了更高度的抒情性。他的《渔庄秋霁》【图3】与其说是描绘山水风光，倒不如说是在发抒个人在元末乱世流离之际所感受到的孤寂与悲凉心情。对他来说，绘画之意义全在于此，但这显然未在元代、甚至后代的文人画家圈中得到有力的普遍认同。

次一阶段的文人画发展则可以沈周、文征明等十五世纪后期至十六世纪前期的苏州文人画家为主。他们所针对的环境与前期几个阶段不同,所要提出的理想形态亦因之与前人有别。当时画坛的主流无疑的是宫廷与所谓的"浙派"画家,他们的影响力甚至远播到韩国与日本。他们的绘画正如其他时代的职业画家一般,具有高度的公众性,也以充分地应和各种政治的、宗教的、社交的功能为指归。沈、文等人则力图将之重新纯粹化,并通过选择一种与职业画家不同的风格模式来进行。这种标榜私人性"遣兴"目标的作品,实则意味着绘画的"反功能化",是这批文人所认同的理想形态。沈周的《夜坐图》【图4】便只是在画一己夜半不能眠、起而夜坐之际的一段心理活动,全与他人无涉。在形式上他亦刻意采取了元末的隐居山水风格,而故意不取职业画家常用的、源自宋代的、更具有视觉吸引力的笔墨与色彩,以及更具戏剧性张力的造型与构图,反而意欲将一切归之于平淡与疏朗。这种艺术主张,其实与第一阶段张彦远所追求者已有明显的扞格之处,与北宋苏、黄等人的文人画论调也仅存在有限度的关联而已。这完全是因为他们所须因应的环境不同之故。

文人画理念因为是一种理想形态,实践者之间常见程度上的差异,这可说是其历史中的常态。即使以沈

图4. 明 沈周
《夜坐图》
1492年
轴 纸本设色
84.8厘米×21.8厘米
台北故宫博物院

1-2 中国文人画究竟是什么? 59

图 5. 明 文征明
《雨余春树》
1507 年
轴 纸本 设色
94.3 厘米 × 33.3 厘米
台北故宫博物院

周、文征明两人而论，文征明在对绘画之作为私人遣兴一点的坚持上，就较沈周来得彻底。沈周虽有《夜坐图》那种纯个人性的作品，但他还是不免经常应人情而画（但似无买卖行为），而且在这种作品中也常运用一般职业画家惯用的图式，例如他有多件《送别图》即可见之。文征明则不然。他的后期虽不乏卖画的事实，但他似乎更有意识地避免接受别人特定的委托作画，即使有一些如送别图之类带有社交功能的作品，他也刻意不取那种带职业性烙印的图式，而以自己的风格来提高其私密性。他的《雨余春树》【图5】就是如此的例子。画中系以对苏州平静而富含文化历史感的山水之追忆为内容，来作为给朋友送行的礼物，可说是极为私人化的转化。这由文征明端谨不苟的个性来看，完全可以理解；沈周之个性则以宽和、风趣而不拘小节著称，他与文征明在此点上的差异，亦正植基于此。在此考虑之下，他们卖不卖画，似乎无关紧要。

十七世纪时的董其昌代表着文人画发展的最后一个阶段。他之所以提倡文人画的动机实也与当时的特定文化环境息息相关。较早时文征明所发动的那种含蓄内敛、优雅而精谨的文人画风，至此期不仅已在文化界中取得压倒性的势力，甚至可说有点泛滥之虞。连一般的职业画师也都取法这种文人式的风格。[19]这种现象使得以文人自居的画家自然产生一种身份区隔上的危机感。由整个明末社会来看，由于商业经济蓬勃发展的影响，这种文人与非文人间界线的模糊化确有日益严重的趋势；画坛上所出现的现象，正是这个大趋势的一个缩影。董其昌面对这个难题所采取的策略基本上是从风格入手。他比过去的文人画家更有意识地建立了一个"正宗"的系谱，严格地规范画家仅能在此系谱之中从事典范学习的活动，然后才由此种"师古"之中追求自我风格的"变"。他在这个系谱中将唐代王维，宋代董源、巨然、米芾，元四家至明代的文、沈连成一系，即成他"南北宗论"里的南宗，而将李思训、吴道子、郭熙、马远、夏圭乃至明代的戴进、吴伟等人排除在外。而为了赋予此正宗一个更明确的风格准则，他又进一步地归纳其风格为"渲淡"，来与另宗的"勾斫"相对立。这当然与史实无法完全相符，但就其作为一种理想形态而言，却十分地必要。因为他的正宗系谱典范名家的风格，事实上相当多变，远非"渲淡"一词所能定义，如果任由习者开放地选择，难保没有不纯者混入。为了要达到由风格上明确地再区隔文人与非文人，董其昌便"纯化"了南宗风格，并以此形式定义规范了绘画

图6. 明 董其昌
《秋兴八景图册》
之一 1620年
纸本 设色
53.8厘米×31.7厘米
上海博物馆

的"正宗"方向，同时也赋予了这个方向一个前所罕见的历史感，让他的同道们在创作中表现一己对造化生命之诠释时，还能感到与古圣先贤同在的优越性。这正是他在《江山秋霁》（参见图179）中高呼"尝恨古人不见我也"的内在根源。由此点而言，又岂是任何非文人之画家所能望其项背。

董其昌所提出之文人画理想形态，确实继承了自唐代张彦远以来试图独尊文人的传统，也延续了宋元以降论者在定义文人画风格的努力，终能创造出一个新的风格与身份合一之关系。[20] 他的理论与实践，如被称之为"集大成"亦不为过。然而，值得注意的是：他对这个文人画传统的内涵，实未全盘吸纳。即以诗画合一这个苏轼所倡的要素而言，他即刻意地有所规避。在他传世的作品中，纵有一些作品带有题诗，画与诗间却难以让人找到任何联系。他的名作《秋兴八景图册》【图6】虽在画题上似与唐代杜甫之《秋兴八首》诗有关，实则几乎无涉；册中不论是书已诗、抄前人诗，在意象及境界上甚至似乎故意地与画上之图无可连属。对此，唯一的解释可能是：董其昌意在以之颠覆向来对"画中有诗"、"诗画合一"的迷思。明末文人画风泛滥之际，许多职业画家也流行在画上抄录唐诗，或作各种诗意图；此种表相的诗画合一，对董其昌而言，定觉俗不可耐，且应被视为导致文人与非文人界线模糊的原因之一。他的策略，因此更显出与其历史情境间不可分离的关系。

永远的前卫精神

如上所论，文人画是一种理想形态，而且每一次的提出乃根植于不同的历史情境之中。他们各自被提出之时，不仅内容上总有若干偏离史实之处，而且互相之间也常有差异，这完全是因为它们基本上是针对着各自所面对的难题而构想出来的理想策略而已。要想在此中探求一个唯一而正确的定义，实不可能，亦不必要。换个角度来看这个现象，文人画的"真实"也可以说是存在于这个不断变动的一连串定义之过程中吧。

文人画定义的无终止变动，实并不意味着不可捉摸，或者是彻底的模糊性格。从他们所面对的各阶段危机情境来看，仍有相通之处。他们皆面对着某种具有强力支撑的流行浪潮，而且深刻地意识到与之抗衡的迫切需要，以挽救绘画艺术之沦丧。不论是苏、米等人所对抗的李、郭流行，赵孟頫所对抗的装饰品味，沈、文所对抗的浙派风格，背后都有国家的力量在支持着。即使董其昌的敌人们并非来自宫廷，但实际上却由社会之商业经济力自然孕育而出，其势更为巨大。文人画家们在面临这些强势的敌人之际，一再重新反省绘画艺术的最终本质，一方面是出于文人基本性格中的"反俗"倾向；另一方面则显示了一个在创作上前卫精神的传递传统之存在。这个前卫传统之存在，无可怀疑的是中国绘画之历史发展中一个十分重要的动力根源。

在文人画的前卫精神冲击之下，文人欲去之而后快的画坛俗风，并不必然地受到扭转。即使"俗气"果真欣然接纳了"士气"的指导，结果总只会产生另一种新样的"俗气"，成为下一波前卫者批判的对象。苏轼的诗画理念在南宋时成为院体绘画的流行依据，沈、文的吴派优雅风格至明末变为流行画师的谋生工具，都是这种例子。当董其昌具有前卫意义的"正宗"文人画到了清代被宫廷定为画道之"正统"后，全国宗之，也成为僵化的保守根源，而为新时代的知识分子视为绘画革命运动的头号敌人。由此观之，中国文人画的"内在真实"，毕竟只能存在于这个永远的前卫精神之上吧！

1-3 洛神赋图
—— 一个传统的形塑与发展

为什么是《洛神赋图》？

在中国艺术的发展历史中，"传统"的存在扮演着极其重要的角色。如果更仔细一点说，整个中国的艺术历史根本是由各种门类中的一些"传统"，如书法中的二王传统、绘画中的顾恺之传统等等所组成，这可一点也不为过。它们的存在系以一种于时间轴上不断重复出现的某一"形象"为表征，不过，这个重复出现的"形象"却在实质内涵上永远与前一次出现时有所不同，因此，"变化"遂被视为某一传统之得以长时期维系于不坠的关键，也成为"传统"中不可或缺的要素。对此"变化"的人与事的了解，就研究者而言，有时其重要性甚至要超过"创始"的部分，尤其是当一个"传统"具有长时间的生命历程之时，更是如此。

但是，并不是每一个"传统"都可以传诸百代。我们很自然地会去问：为什么它们在生命历程上会有长短不同的差别？对这个问题的第一个反应是去注意"传统"的源头活水，以为是因为其源头充满了无限生机的可能性，故而可供后来者作各种诠释与发挥，保证了一个绵长不绝的生命。这种"传统"多半冠之以一个"伟大"的艺术家之名号，如王羲之（及王献之）、颜真卿、顾恺之或王维、吴道子等。它虽然行之久远，且占着艺术论述的主流地位，导致历代论艺文字中产生了喜谈"师资传授"的突出现象。但其所谓"伟大的开创者"意象中所存有之"建构性"，则在当今学术之批判剖析下，尴尬地暴露了出来，大大地减损了它的说服力。

我们面对这个困扰时另一个可能的解决方向是去问另一种问题：为什么不同时空的人会不约而同地、热心地对某件稍早事物的形象（而不选择其他更新鲜者），觉得有必要、有兴趣去提出诠释？他们难道不会因为前一个（或多个）诠释的存在，而影响到他们投入的热情？这些问题当然会有各式各样、随个案及参与者不同而异的可能答案；但是，不论状况如何，最终总与其"变化"的具体内容相关。换句话说，吸引一个新人投入某个既有"传统"的诠释行列的真正诱因，很可能不是来自那个"传统"之"伟大"，而系因为新诠释所构成"变化"本身的意义较有吸引力。它不仅强于去选择谈论另外尚未为人所熟习的新事物，而且在与既有诠释对照之下，新人除了得到鼓励之外，也无形中获得挑战的乐趣，以及得以参加某个既具历史而又门槛高峻的精英团体之满足感。用这个角度来思考"传统"，如与前一个取径做一比较，会有一个基本的差异，亦即研究者所注意的焦点将从原来的创始部分，转移至后来时间延续较长的变化部分。而且，不仅各个"变化"的实质内容须详加考究，其与前已出现过之"变化"间的关系，也成为不可忽视的议题。

用这个角度去重新检视中国艺术中的诸多"传统"，我们可以发现一批以主题作为标示者，最为适合来彰显上述的论点。例如"辋川"、"赤壁"、"孝经"等都是在绘画史中活跃的要角。它们有些是与上层文化中所崇奉的经典或著名的文学作品有关，但也有民间性格较强的，例如"钟馗"、"搜山"等也可以形成"传统"。至于一般社会应酬常见的梅兰竹菊、福禄寿喜等，其实也在不同程度上展现着各自具有前后传承诠释变化的"传统"。它的样貌虽多，但总结起来，这种"主题传统"与"大师传统"的最大不同还在于缺乏一个明确的起头部分，而以后续的变化构成"传统"的主体。换句话说，所有后世之诠释是在其开创典范处于一种朦胧状态下进行的。它有的时候根本没有一个开创大师可以归附，有时即使勉强为之，也在实物无征之状况下，被迫须赖想象予以虚拟。如就此种特质而言，在诸多"主题传统"之中，《洛神赋图》可以算是极具代表性的例子。它的朦胧起头，正让其"传统"在后世的形塑与发展向观众展现着高度吸引力。

《洛神赋图》作为一个"传统"的起头，可说是虚实参半。在公元223年，诗人曹植创作了传诵后世的《洛神赋》。这是事实。但是，就形象而言，这还不能算是此"传统"的起始。根据这个"传统"的内部说法，与曹植作赋相隔大约一百五十年后，书家王献之将之书写成篇，成为中国书法史的经典名作之一；画家顾恺之则将之转成图画，成为绘画史上少数最有魅力的作品。自此之后，《洛神赋》就被赋予了可见的形象，而为后人奉之为该"传统"的初始。但是，这一部分的真实性却相当薄弱。虽然如此，这个"传统"在后来的发展上却没有因之受到拘束，反而更加彰显它的特色，尤其是在它涵盖了三种不同艺术形式的这个特点上。我们可以发现，至迟至十二世纪初时，"洛神赋"对人们而言，就不再只是一篇诗赋，而且同时是书法、绘画传统中的典范，它们共同结合成一个"洛神赋"的整体形象。当这个形象在后世的传递过程中，其中文学、书法与绘画的部分，以一种既整合又各自互动的方式，对观者与创作者产生各种启示。因之而创发的作品，在历史时间的流动中一次又一次地丰富了这个"洛神赋"的形象，形成了一个饱含生机的传统，并持续地召唤着更下一代的创作者与观众的投入。

本文之研究即以此认识为基本架构，特别集中考察图绘《洛神赋》之部分，以及其与《洛神赋》文学与书法的互动关系，以期显示各种不同图绘《洛神赋》的诠释变貌，其于各自时代文化脉络中之不同意涵，以及其不同世代变化间的关联性。由于所谓顾恺之所作的《洛神赋图卷》之原本现已无迹可寻，而且是否真为顾恺之所作，学界长久以来即抱持着怀疑的态度，而其相关之最早图绘究竟可以上溯到什么时候，研究者间亦有不同意见，本文不拟讨论此图绘传统的最早期阶段，而将研究的重点首先置于十二世纪，这是现存几个较古图绘《洛神赋》之画卷实际制作的年代。自十二世纪后，本文则选择了几件具代表性的作品，对十四、十六、十八世纪之诠释进行说明。

十二世纪的"洛神赋"想象

"洛神赋"的声誉固然起于曹植的赋文，但由于在此"传统"的形塑过程中有了王献之和顾恺之的参与，更有加乘的效果。尤其是后二者，分别在中国书画的历史上占据着最高典范的位置，最能吸引后人的崇拜，其作品也成为拥有欲望追逐的对象。可是，令人遗憾的是：这两位大师是否真正的曾为《洛神赋》赋予形象，实是不可贸然轻信的传说。

王献之的《洛神赋》书写在书史上传诵已久，而且较未受到书法史家正式而严肃的质疑，比起他父亲王羲之的《兰亭序》在二十世纪中叶所遭受的严重挑战，[1]可谓十分幸运。可是，这并不意谓此事全然令人无疑。不像《兰亭序》之可以根据七世纪唐贞观年间褚遂良编的《晋右军王羲之书目》及八世纪初何延之的《兰亭记》所述而被公认为流传有序，[2]王献之《洛神赋》书法的早期记录相当模糊。题为《洛神赋》的书迹记录虽早在六世纪初陶弘景写给梁武帝的《论书启》中出现："昔于马澄处见逸少正书目录一卷，澄云：右军劝进、洛神赋诸书十余首，皆作今体。"[3]但其书者却是王羲之。然而，王羲之所作正书《洛神赋》是否属实也未必肯定。在褚遂良编《晋右军王羲之书目》中，正书部分已无此记录。[4]至于王献之的参与，后来论者常引之"子敬好写《洛神赋》"的说法，大约只能回溯至九世纪的柳公权之时。十四世纪初赵孟頫曾在一件他认为系唐临的王献之《洛神赋》作跋云：

> 又有一本是《宣和书谱》中所收，七玺宛然，是唐人硬黄纸所书，纸略高一分半，亦同十三行二百五十字。笔画沉着，大乏韵胜，余屡尝细视，当是唐人所临。后却有柳公权跋，两行三十二字云：子敬好写《洛神赋》，人间合有数本，此其一焉。宝历元年（825）正月廿四日起居郎柳公权记。所以吾不敢以为真迹者，盖晋唐纸异，亦不可不知者。[5]

赵孟頫既认定此本为唐临，可能也不认为该跋确为柳公权所书。同样有着柳公权跋的王献之《洛神赋》在明末张丑的《清河书画舫》中也著录了一件，但是否即为赵孟頫所见者，仍无法确认。[6]另外值得注意的是：张丑著录本上另有北宋周越（子发）于1015年的跋，以为是献之真迹。这让人想到董逌在1107年所提及的周越藏本。据他的记述："子发谓：子敬爱书《洛神赋》，人间宜有数本。"[7]口气极近所谓的柳公权跋。这到底是周越复述了自藏本中的柳跋，还是张丑著录本竟为后人根据董逌与赵孟頫的题记伪造而成，尚无法判定。然而，无论如何，"子敬爱书《洛神赋》"一事即使不真，至迟到北宋时也已成为士人间共有的知识了。

不过，北宋人虽相信王献之有小楷书《洛神赋》，但却恨不得见其真迹。董逌说他曾见四本，但都判为后人所临，而且"传摹失据，更无神明"。[8]稍早时，黄庭坚也曾经怀疑所见《洛神赋》"非子敬书"，甚至以为是周越辈所为，已离献之甚远。[9]由此我们几乎可以说，王献之亲书的小楷《洛神赋》到了北宋时期几乎已要从世上消失。这不能不视为他们心中的一大憾事。即使稍后的宋徽宗经过尽力搜访，也不过得到了原墨迹的一点残卷，但全文九百一十字，只剩下不过十三行，共二百五十字，还不及全部的27.5%。

而所谓顾恺之的《洛神赋图卷》，其早期历史更是模糊。从现存唐代著录古画的文献，包括张彦远之《历代名画记》、裴孝源之《贞观公私画史》在内，都未记录顾恺之曾有此作。倒是在四世纪初的晋明帝名下，一度出现过这个画目。对于此事，清末学者杨守敬就曾注意。[10] 但即使有人要将《洛神赋》的首度图绘归给晋明帝，其实貌恐亦已早不可得。现代学者陈葆真与韦正曾经分别利用敦煌壁画以及近年之考古发掘资料，来与现存各种版本的《洛神赋图卷》比较，都得到相当一致的结论，以为现今所见虽是宋人所摹，但其原始形象亦非出自顾恺之，而可能来自六世纪画家所为。[11] 那么，顾恺之作为创图者之说，毕竟是虚构出来的。其原因或许只是由于他在图绘文学作品上原有最高的声望，例如《女史箴图》就早被公认为这个领域中的典范，一旦遇有此种类型的绘画，便像王献之写洛神一样，全被归到顾恺之名下。然而，不管作者为谁，我们就现存北宋较早的文献爬梳所见，大约可以大胆地推测：约至十一世纪结束时，此《洛神赋图卷》的原作应该已不在人间。至于一件顾恺之所作《洛神赋图卷》的可能样貌如何，任谁也没见过，至多只能在想象中寻觅。这对当时的宋人而言，固是憾事，但也激发他们的思古幽情，甚至想象、重建的热诚。

此时的北宋文化确实充满了崇古、复古的氛围。[12] 王献之《洛神赋》残存的十三行进入了内府收藏。在徽宗宣和年间（1119—1125），热爱艺术并对其收藏十分自豪的皇帝便命人将此十三行的《洛神赋》刻石行世，此即后世所盛称之"玉版十三行"【图7】。[13] 此举之为当时文化界一大盛事，吾人今日犹不难想象。我们虽已无法探知徽宗究竟从哪里搜得那十三行的残片，而又根据什么来判定它是献之的真迹，而非唐以来的临摹本，但由现存北京首都博物馆之原刻石来看，若干笔画细节确与诸翻版有别而较精，文字且与通行之《文选》中的赋文稍有不同，其中第十二行之"妃"又以似"姚"的古体为之，这些都让人觉得确有被断为"真迹"的条件。[14] 当时的书法学者应该也都看到了这十三行的墨迹，并做出了肯定的结论。例如黄伯思在1117年写《跋草书洛神赋后》时，便以确定的口吻说："至洛神小楷则子敬书无疑矣。"[15] 这些意见后来便成为

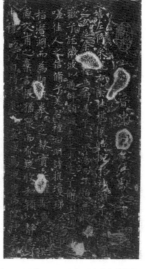

图 7. 东晋 王献之《洛神赋十三行》宋刻拓本 29.2 厘米×26.8 厘米 北京首都博物馆　　左图局部"衡"、"妃"

徽宗臣僚在编纂《宣和书谱》(成于 1120 年)时，将此《洛神赋》残本纳入而归于王献之名下，并由徽宗进一步下令刻石传世的根据。

《洛神赋》原迹残本的出现并得以刻石传布，这对当时的书法、文化界而言，确有非凡的意义。小楷书本即运用广泛的正式书体，但能供人作为学习典范的作品，却存在着不够理想的问题。王羲之小楷作品《黄庭经》、《东方朔画像赞》与《乐毅论》，在当时都只能由宋太宗时编的《淳化阁帖》中的拓本来学习。但是，对于《淳化阁帖》是否能忠实地保留王书原来的风貌，北宋的专家们都一致地表示怀疑。王献之亲书《洛神赋》的出现，正好填补了这个缺口。它不仅是关于王献之小楷书的"直接"资料，而且被视为是直接继承王羲之小楷书典范的珍贵遗物。《宣和书谱》中写王献之传时便特记："(王羲之) 尝书《乐毅论》一篇与献之学，后题云：赐官奴，即献之小字。献之所以尽得羲之用笔之妙。"[16] 此赐《乐毅论》事，系取自唐代张怀瓘之《书断》，原文作："子敬五六岁时学书，右军潜于后掣其笔不脱，乃叹曰：此儿当有大名，遂书《乐毅论》与之，学竟，能极小真书，可谓穷微入圣，筋骨紧密，不减于父。"[17] 由此可见《宣和书谱》的编者们确信王献之的小楷书实得王羲之的"真传"，在羲之典范几乎荡然无存之际，献之洛神十三行的出现，有如羲之小楷典范的新出土，这怎能不让人感到高度的振奋？！徽宗本人当然对此特有所觉，并在行为上做了充分表达。在宣和四年（1122）三月五日视察秘书省时，便"宣示"他亲书的小楷《洛神赋》予群臣。[18] 这不仅意味着他曾用心地学习了十三行，或许还重现了原书的全貌，并将之作为一种示范，供臣僚观摩。他将洛神十三行刻石，大概也在这个时候，其目的亦在重建此典范，并"宣示"于天下。

至于《洛神赋图卷》之重建工作，则较王献之书迹更为困难。今日所存、现分藏于北京故宫博物院、辽宁省博物馆及美国弗利尔美术馆（Freer Gallery of Art）的三本图卷，都是出自北宋徽宗或稍晚的南宋初期的制作，皆可视为此期宋人企图重现已失去踪影之《洛神赋图卷》的努力成果。这三本画卷是当前学界公认现存年代最古老的本子；其中北京故宫本被推定为最早，时间应在北宋末期，辽宁本则可赖其上题书的风格，判断为南宋初期的作品。[19] 后者之题书近似宋高宗书风，可推知为高宗时宫人所书，传世多本传马和之绘制的《毛诗图》上也有这种现象，是当时宫廷产制的表征。[20] 由此推之，北京本或亦为徽宗宫廷之作。高宗对父亲徽宗之行事常显示有意识之继承与重复，在艺术上也是如此。他亦秉承了父亲对洛神十三行的崇拜，曾在1143年自言将王献之此《洛神赋》墨迹"置之几间，日阅十数过"。[21] 研究之余，亦作临写，并如其父般"宣示"臣僚。后来孝宗还多次将高宗御书《洛神赋》向宰臣展示，或赐予。[22] 高宗命其宫廷画家摹绘所谓的顾恺之《洛神赋图卷》，很可能也是跟随徽宗的脚步而已。不论实情如何，宫廷的发动对当时重现《洛神赋图卷》的工作，必定扮演着关键性的角色。今日吾人所见之来自此段时期的三本，其数量乍看之下或许不甚引起注意，但如果想到这已是经过近千年时间的严苛筛滤过程之后的幸存，当时实际制作的数量，如推测为数倍之多，或许亦可称合理。南宋绍兴初年时，王铚在其《雪溪集》中提到的"近得顾恺之所画《洛神赋图》摹本"，[23] 应该就是其中之一。果系如此，则这些图卷复本的传布竟有些近似于十三行拓本的流行，由之所示之当时对重现《洛神赋图卷》所表现的热潮，实在不得不让人惊叹。然而，热潮虽在，重建所需的条件其实并未充分具备。在那种原件已失之不利状况下，制作者如何想象，进而重绘这件古老而又受人景仰的顾恺之作品，便是面对这三本图卷时必须要处理的问题。

三本十二世纪的《洛神赋图卷》除了保存的长短有别外，不仅图像极为相近，而且全是根据赋文的次序，由第一幕的"邂逅"至第二幕"定情"、第三幕"情变"、第四幕"分离"，而以第五幕"怅归"作终结，一一加以图解。[24] 初看之下，它们似有一个共同的源头，可以被视为某件更古本的"摹本"。其实此点仍值得更仔细的分析。三本之间固然存在着紧密的连属关系，但可能不全根据一个或可归之为顾恺之、或者是六朝时代的原作而摹出，却在一定程度上加上了北宋人的想象。对此最好的证据出现在最后一幕的"泛舟"一景的奇特楼船之图像。姑以北京本为例，此船之奇异处在于华丽的双船首、讲究的双层船舱，以及前后翘起如飞翼的篷架【图8】。这个形象很符合赋文本身神秘的传奇气氛，但其结构却与北宋时最先进的大型河船若合符节，尤其与一件十一世纪所作的《雪霁江行》[25]【传郭忠恕画，图9】最为接近。无论是船舱、甲板、水平舵及船头造型，基本上两者都颇一致，只不过在《洛神赋图卷》上画家另将船头纹饰予以重复，顶舱特别加大，又将头尾顶篷变形翘起，因此形成了超乎时人视觉经验的"怪船"。此船之"古怪"，原因实非其"古"，而系宋人在"以怪为古"的概念指引下，以他们的现实经验为基础，予以变形想象的结果。

十二世纪图卷中呈现的古老图像与当代奇想的混合现象，一方面展示着北宋人想象、重现《洛神赋图卷》的努力，另一方面也透露着一个值得注意的特殊诠释角度。如就《洛神赋》赋文本身来看，它除了有一个陈思王在洛水之滨遇见女神的叙事架构外，其中最引人注意的表现有二。其一为对洛神之美的尽情描述，这在全文一百七十六句中占了三十八句，超过了五分之一。另一则在其对凡人与神仙两个世界的对立，进行了重点的处理；文中"分离"、"怅归"两幕即用了三十二句，表现着两个世界间的必然断裂，而其前之"定情"、"情变"两幕更以大量的文句，叙写着神仙世界中迷人的活动，展示其对凡人之诱惑，并强化其后对立之悲剧性。如果说曹植在文中以其余五分之四的篇幅在处理"凡人—神仙"关系，亦不为过。吾人考察中这三件十二世纪的图绘，基本上也呼应着赋文中的这两个重点，但在比例上做了调整，将"分离"与"怅归"扩充至全卷约二分之一的篇幅，约是交代陈思王对神女之美惊艳的两倍。而且，很可能是基于图绘本身性质的斟酌，画家刻意地避开文字在形容女性美的优势，不在女神形象上试与文字竞争，倒在描绘上时时企图创造文字中较少形容的神仙相关景物。这些神奇图像包括了屏翳、女娲、云车及其下之波涛中的龙、鲸等怪兽【图10、11】。换句话说，画家选择性地加强了洛神故事中的奇幻感。陈思王在画中所乘之奇异有如加了飞翼的怪船，其实正如画中其他神怪形象一样，也是

图 8. 东晋 顾恺之《洛神赋图卷》(局部)"泛舟"卷 绢本 设色 27.1 厘米 × 572.8 厘米 北京故宫博物院

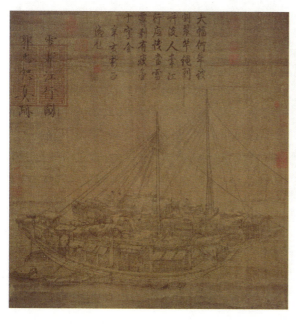

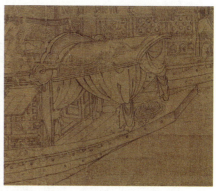

左图局部"篷架"

图 9. 宋 郭忠恕《雪霁江行》
轴 绢本 水墨
74.1 厘米 × 69.2 厘米
台北故宫博物院

| 1-3 洛神赋图——一个传统的形塑与发展 | 73 |

图 10. 东晋 顾恺之《洛神赋图卷》(局部)"女娲、屏翳"北京故宫博物院

图 11. 东晋 顾恺之《洛神赋图卷》(局部)"云车"北京故宫博物院

这个奇幻想象之一部分。

《洛神赋图卷》中的奇幻想象，其实来自一个相当古老的渊源，而非完全为宋人新创。"洛神赋"的形象在唐时已有"传奇"之色彩。这与唐代传奇小说中常见之"遇仙"、"游仙"的主题，可说是紧密地一起发展起来的。九世纪初期处士萧旷夜半遇洛浦神女的故事，即是由《洛神赋》衍发而生的新传奇。[26] 故事中不仅处处谈及《洛神赋》之文字，还进一步交代陈思王后来成为遮须国王的接续发展；故事中并通过与龙女的问答，陈述了许多与龙有关的修炼、神仙之事。萧旷传奇在北宋时应颇为流行，除见于《太平广记》之"神"部外，曾慥（？—1155）所编之《类说》亦录其大概。[27] 十二世纪图卷中所表现的奇幻色彩，可说与此"通俗性"的传奇相通，而与王献之书写《洛神赋》所传达的那种属于"精致文化"的文雅形象，显然非为同类。当徽宗所命刻之《玉版十三行》与《洛神赋图卷》在十二世纪同为世人所见时，它们其实是以不同的方式，相反而又相辅地形塑着一个洛神赋的早期形象。

十四世纪的诠释

王献之所书《洛神赋》之所以得到高度重视，除了书家本人之盛名外，尚因其风格与赋文内在表现有着巧妙的呼应。那一方面是针对着曹植的文采，另一方面则是具体针对文中洛神之美的抒写。对于讲究风雅的文士而言，这种"洛神赋"的形象，尤其重要。因此，自南宋之后许多作家皆对曹植此赋极尽赞美，不论是否将之归因至如屈原的"幽恨莫伸"，总对其形容洛神之举止情状，深为着迷。例如十二世纪的刘过便曾借用赋文中洛神形象描写一个歌舞伎舞步的曼妙轻盈。其《沁园春》中即云：

> 洛浦凌波，为谁微步，轻尘暗生。
> 记踏花芳径，乱红不损，步苔幽砌，嫩绿无痕。……[28]

南宋末的高似孙甚至摹仿此赋文字别作《水仙赋》，[29] 不论其成功与否，此正可见"洛神赋"在文雅圈中的魅力。而在图绘传统中，十四世纪中期的卫九鼎所作《洛神图》【图12】则可视为此种角度的一个代表。[30]

卫九鼎的洛神形象全以白描勾勒以上女神的沉静清雅，实已与十二世纪图卷中者有着值得注意的不同。全图采取立轴形式，且未予设色，加上用线使笔之含蓄细致，共同传达着原卷所无的、极度讲究幽微超俗的美感。女神几乎完全静止、而实正在凌波而行的姿态，也是顾恺之本中"彷徨"一段图像【图13】的巧妙修改，似是故意以一种"去妩媚化"的身段来突显女神的纯净超洁。他的这个诠释显然来自其右方由无锡高士兼诗人画家倪瓒于1368年所题的一首七言绝句【图14】：

> 凌波微步袜生尘，谁见当时窈窕身。
> 能赋已输曹子建，善图惟数卫山人。

倪瓒此诗即针对原赋文第一二三、一二四句的"凌波微步，罗袜生尘"而发，似乎刻意地忽略了原来在十二世纪时特有兴趣之奇幻世界形象的部分。然而，对《洛神赋》文的这个特定诠释角度，并非倪瓒的独创，而恐是元代时普遍流行于文人间的看法。例如元初之刘秉忠所赋一首《读洛神赋》便作：

> 八斗奇才笔力雄，洛神一赋尽为功。
> 当时罗袜生尘处，犹有波纹起细风。[31]

除此之外，与倪瓒时代相近的杨维桢甚至以"凌波仙图"代称《洛神赋图》。[32] 这些都意味着洛神赋形象的转换，而卫九鼎的图作正是立于此意象转换之基础而来。在此基础上，他的女神又别为一层绝俗纯静，正符合倪瓒素为人知的具有洁癖之高士形象，在与倪诗相配之下，一起展示了一种超越其前辈的、对女神理想性的热切追求。倪瓒对此"近乎合作"的诠释成果，似乎颇为满意，遂在诗中亦以"赋诗已输曹子建"一句，暗藏了与原赋意象争胜的心情。

卫九鼎白描洛神与倪瓒诗作的紧密互动，以及其与北京本"彷徨"一段的细致呼应，也提醒观者对此三者间关系予以特别的注意。如照此相关联结来看，当时很可能在江南有一个雅集之会为这三者之齐聚提供了舞台。它的可能情境为：北京本图卷于元末时应在江南，卫九鼎即在1368年某日得观此画卷，与当时亦在场的倪瓒商榷共作诠释，因之自画中"彷徨"一段以白描变成此图。倪瓒并随后在立轴卫画洛神右方题写上他对《洛神赋》的诠释之诗。

此时的倪瓒正处离家飘泊于五湖三泖之际。1368年虽已是朱元璋建

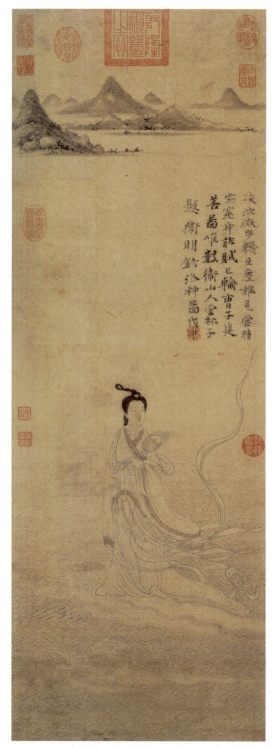

图 12. 元 卫九鼎《洛神图》轴 纸本 水墨 90.8 厘米×31.8 厘米 台北故宫博物院

图 13. 东晋 顾恺之《洛神赋图卷》（局部）"凌波微步"
　　　北京故宫博物院

图 14. 元 卫九鼎《洛神图》（局部）"倪瓒题" 台北故宫博物院

1-3　洛神赋图——一个传统的形塑与发展　｜　77

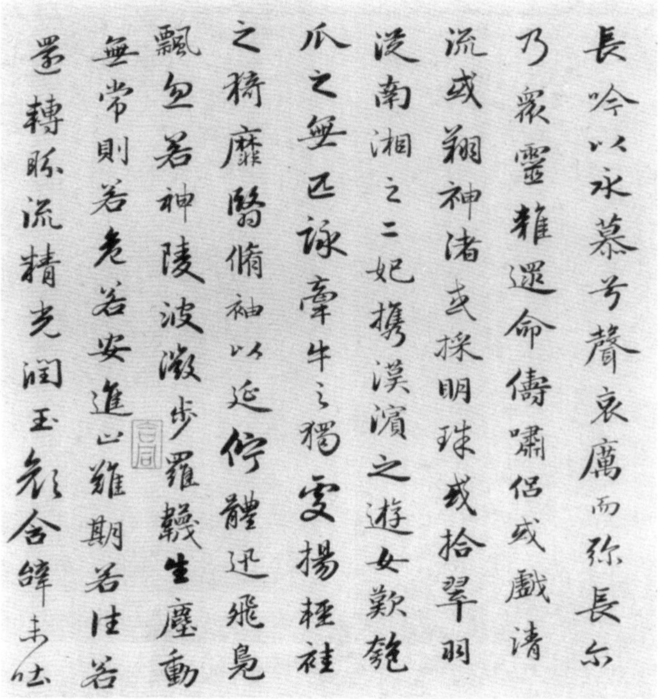

图15. 东晋 顾恺之《洛神赋图卷》拖尾"赵孟頫写洛神赋"（局部）北京故宫博物院

立明朝的年代，极易让人有天下已趋安定的印象，但对江南地主阶级如倪瓒等文士们来说，那只不过是一个红巾盗匪的势力，天下是否因之而得长治久安，似乎毫无把握。[33] 在如此的一个日子里，《洛神赋图卷》、倪瓒、卫九鼎三者一起出现，意味着某个"雅集"的举行。它的主人或许是某位善意接待着倪瓒短期居留的朋友，而雅集的主角则无疑是此北京本的《洛神赋图卷》。当然，雅集的参与者对此传为顾恺之的名作，必定景仰万分，但他们却没有接受那十二世纪的诠释为唯一的正解，反而集中于他们时代所尚的对于"凌波微步"的兴趣，并进而提出他们的新精解。如此对洛神形象绝俗理想性的追求，正呼应着身处乱世之他们的孤寂心境，也似乎意味着他们心灵所希企的暂时避风港。

卫九鼎的白描风格可说是这种心境的最合适载体。它的来源出自约半个世纪前的赵孟頫。这让我们不禁要回过头来注意北京本画后所接一段款为赵孟頫于1299年所写的《洛神赋》行楷书全文【图15】。虽然此段赵书并非真迹，而系临自现存天津市艺术博物馆的同名作品【图16】。[34] 不过，此卷原在十三世纪末、十四世纪初时曾引发赵孟頫

图 16. 元 赵孟頫
《洛神赋卷》(局部)
1300 年 卷 纸本
29.2 厘米 ×193 厘米
天津市艺术博物馆

的创作,倒可以得到确认。作为整个元代复古潮流之带动者,赵孟頫对洛神传统的理解,不论是书法或绘画,都十分深入。他不但看过北京本图卷,在右下角钤上了印章,并取用其形象,创作了自喻其处境的《幼舆丘壑图》(参见图96),[35] 研究过王献之的十三行墨迹及诸多摹拓本,进而多次以其集二王书风之大成的风格,书写《洛神赋》。[36] 他的书写,当然是有意为之,企图以其典丽婉约书风重现王献之《洛神赋》的全貌,并突出其最为高雅的内涵。[37] 他对十二世纪《洛神赋图卷》中的奇幻世界显然没有兴趣,注意到的反而是平淡与古意。这完全与他在以篆书笔法之白描风格,重新诠释原来充满神怪形象的《九歌图》传统的情形,如出一辙。[38] 卫九鼎的白描女神也奠基于赵孟頫的复古之上,而又赖之寄托他们的感怀。如果说赵孟頫书写了当代的洛神十三行,那么倪、卫等人也提供了一个他们时代的洛神赋图。一切似乎回到了四世纪末王献之与顾恺之的情境。借此,他们也进入了那个伟大的传统。

从仇英的美人到乾隆帝的《洛神赋图》

倪瓒与卫九鼎共同完成的十四世纪版洛神赋形象,基本上奠定于赋文对洛神之美的形容,可说是视之为女性美的理想形象。但是,他们在诠释时特别侧重于表达其超俗绝尘之上,这让它减低了洛神形象的可亲近性,也距一般民众稍远。如果以之与十六世纪中苏州职业画家仇英所作的洛神像【图17】相比较,[39]两者虽皆定位于美人之理想性上,但仇英者则明显地加强了形象的现实感或俗世感。

此卷仇英作之洛神像,或许是因为其所展现的俗世感,后来甚至被好事者改装,标题也成为"美人春思"。此卷确切改装的时间不详,不过由卷上毕沅的钤印看来,应在十八世纪中入其收藏之前便已经完成。待此卷进入清宫收藏后,《宝笈三编》的编者立即指出了这个改装的现象:

> 谨案是卷所绘乃洛神。独立嫣然,亭亭云水,正所谓凌波微步,罗袜生尘也。引首提美人春思,后幅诸诗,亦均就春思措辞,与图不合。或者仇英别有美人春思图,装者移题跋置此卷耶?……[40]

《宝笈三编》编者的意见,虽据卷中图像而作判读,但现代学者亦曾提出不同看法,以为该仕女右手抚腮,左手扶带,不似向来所见洛神形象,而更接近"闺怨"一型的姿态,故而仍认为"美人春思"之引首及画后的题诗皆为原配。[41]对于这个争议,由于画心上除了清宫藏印外,没有出现见诸拖尾或引首上的钤印,无法立即判别是否原装,只能由画中细节来予考虑。正如《宝笈三编》所指出的,此女像最特殊之处在于其站立于大面积白描所勾出之云朵与淡蓝染出之水波之上,这正是女神的符号,而且呼应着十四世纪卫九鼎《洛神图》的处理方式。卫氏之图绘显然在十六世纪的苏州画坛上颇为人所知,文征明之《湘君湘夫人》(参见图149),以白描作二女神于一大留白之中,即直接取法卫九鼎的图式。据文征明自己的记述,他曾与仇英共同商议此种表现方式,看来仇英亦应熟知卫九鼎在《洛神图》上所作的风格安排。

可是,仇英此卷上的洛神为何不作卫九鼎所取之姿势,却作了一个

图 17. 明 仇英
《美人春思图》
（局部）
卷 纸本 设色
20.1 厘米×57.8 厘米
台北故宫博物院

易于为人联想为"闺怨"的柔媚女像呢？她以右手抚腮、左手扶带的姿势，确有娇媚、甚至思君之意，与仇英所作之《远眺图》【图 18】确有一些相通之处。如此对洛神的解读，在明代中期来说，也不算突兀。赋文中所描写的陈思王与洛神的故事，至少自南宋时起就常有以爱情悲剧视之、并抒发对其同情之感叹者。十五、十六世纪苏州讲究风流的文士中，也有持此观点的，其中沈周便提供了一个较早的例子。他在一件显然也是图绘洛神赋的手卷写了一首诗：

> 烦马萧萧驻西日，旌旗冉冉曳灵风。
> 潜川密约殷勤记，流水微辞宛转通；
> 佩玉有声山月小，袜尘无迹浦云空。
> 人间离合须臾事，还似高堂一梦中。[42]

诗中最后一句便直接将神人之间的爱情悲剧连到"人间离合"的现实。仇英的洛神像，如果说也带有点"春思"的情意，应即来自于如沈周的那种尘世同情者的共鸣。

图 18. 明 仇英《远眺图》(局部) 轴 纸本 设色 89.6 厘米 ×37.5 厘米 波士顿美术馆　　左图局部

不过，仇英所为毕竟不只是对洛神爱情的感慨而已。他对洛神姿态的处理另外显示了他更积极展现其"艳丽"的企图。那个被视为具有"春思"之意的右手姿势，其实在古本的《洛神赋图》中出现于"灼若芙蕖出渌波"一段【图19】，那正是诗人曹植刻意表述洛神"秾纤得衷，修短合度。肩若削成，腰如约素。延颈秀项，皓质呈露。芳泽无加，铅华弗御。云髻峨峨，修眉联娟。丹唇外朗，皓齿内鲜。明眸善睐，靥辅承权。瑰姿艳逸，仪静体闲。柔情绰态，媚于语言"那种无法言喻之美的时候。相较之下，倪、卫等人所取"凌波微步，罗袜生尘"两句作全赋之代表，固在于极言洛神之美，但其出于故事中别离之际，对仇英而言，或稍有感伤。他之选择"灼若芙蕖出渌波"一段的文字意象，则是转向对女神的尽情赞美，直接而纯粹地回到曹植"惊艳"的时刻。故写此卷仇英洛神最引人注意者无疑是她脸上鲜红的点唇，而那正是赋文中"丹唇外朗"的直接传译，由此，吾人实不难确认画家着力于女神"艳丽"之企图。经过如此处理，假如观众暂时略去那些本来即未引人注意的、画在洛神足下的云彩波纹不看，女神看来则几乎近于仇英笔下《汉宫春晓》中极尽娇美之能事的宫娥【图20】。仇氏《汉宫春晓》可说是为了项元汴那种富豪收藏家想象人世华丽之极致的工具。[43] 有趣的是：此时仇英的洛神图绘，似与王献之所成之书法典范完全无涉；它的高度世俗化表现，甚至可以说是为其后来被改装而冠上"美人春思"这种引人遐思的标题，提供了充分的条件。

　　仇英洛神像之现实感意味着洛神赋图像传统中世俗化的一个面相。这个面相似自十六世纪中叶起，因为江南地区社会商业化的高度发展，颇为流行。它的流布也从另外一个角度作用到《洛神赋图卷》的身上，其结果便是北京本画卷的改装。本卷画后现存三个元人题书全是明末此时伪造加入的。除上文已述及赵孟頫行书洛神完全摹自他本外，接后的李衎与虞集跋则是同一人所书，其伪可知，后者的内容还是抄自卫九鼎白描洛神轴上的倪瓒诗，只是将最后的"卫山人"改成"锡山人"一字之差而已。[44]作此狡诈者企图为画卷索取更高价钱，自不待言；然而值得注意者则在其人确实对此洛神传统颇有认识。除亲见卫九鼎画轴及赵孟頫书卷外，他亦对此传统中书法与绘画的紧密关系，知所著墨。一旦有了赵书洛神在后，不仅提供了全部赋文，且意味着王献之书洛神故事在这位后代大师手下的重现，及此"传统"再生之明证。李衎、虞集与其后

图 19. 东晋 顾恺之
《洛神赋图卷》(局部)
"灼若芙蕖出渌波"
北京故宫博物院

图 20. 明 仇英《汉宫春晓》(局部)"卧读"卷 绢本 设色 30.6 厘米 × 574.1 厘米 台北故宫博物院

沈度、吴宽假跋的加入,也是打造本作流传史的阴谋,对这位明末的狡诈画商而言,那肯定有助于强化顾主对此洛神传统的认同。[45]他的作伪行为固然可笑,但也可视为其时社会商业化对此"传统"的另一种诠释。

仇英所代表之世俗化诠释至十八世纪乾隆帝宫廷中仍有回响。不过,乾隆帝作为天子之尊,虽然承继了十六世纪以来的部分理解,当他面对整个洛神赋传统时,所表现的世俗化诠释,则别有另一层发展。

乾隆帝可谓是中国有史以来最大的艺术收藏家。传世多卷洛神赋图绘,包括北京本在内,都相继进入他的收藏。对于此传统的久远历史与牵涉的人物,他不仅诚恳地表示尊崇,自己也急切地希望能切入其中,成为此伟大传统的部分。在乾隆二十一年(1756)十月,他命宫中如意馆的裱作进行了两件有关的工作,一是为北京本《洛神赋图卷》作改装,二则是为当时宫廷画家丁观鹏所作的《洛神赋图》摹本作新裱。[46]虽是一新一旧,两者却皆包含着皇帝的积极介入;除了引首之外,两卷都增加了乾隆帝亲自临写王献之的洛神十三行。从北京本来说,改装后由于《十三行》【图 21】的加入,配合上原有的顾恺之画与赵孟𫖯书《洛神赋》全文,可说是企图在同一手卷中同时呈现"洛神赋"在四世纪末时完成的"诗书画三绝"的典范。[47]诗书画三绝的文化理想,在中国由来已久,但如此刻意而形象地将之落实在一件收藏品之上,正透露着乾隆帝对此理想追求之殷切。他虽不能取得《洛神十三行》王献之的墨迹原件,但由自己亲笔临摹者代之,并与二王书风之中兴宗师赵孟𫖯的手

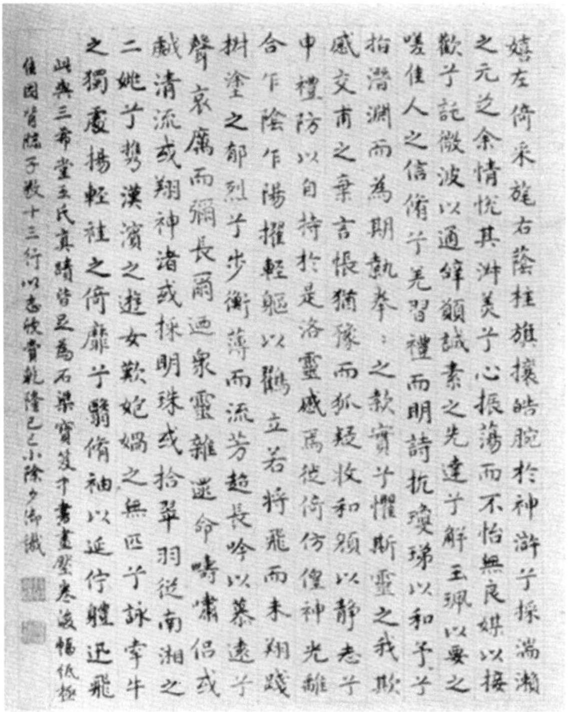
嬉左倚采旄右蔭桂旗攘皓腕於神滸兮採湍瀨
之玄芝余情悅其淑美兮心振蕩而不怡無良媒以接
歡兮託微波以通辭願誠素之先達兮解玉珮以要之
嗟佳人之信脩兮羌習禮而明詩抗瓊珶以和予兮
指潛淵而為期執拳拳之款實兮懼斯靈之我欺
感交甫之棄言悵猶豫而狐疑收和顏以靜志兮
申禮防以自持於是洛靈感焉徙倚彷徨神光離
合乍陰乍陽擢輕軀以鶴立若將飛而未翔踐
椒塗之郁烈步蘅薄而流芳超長吟以慕遠兮
聲哀厲而彌長爾迺眾靈雜遝命儔嘯侶或
戲清流或翔神渚或採明珠或拾翠羽從南湘之
二妃兮攜漢濱之遊女歎匏瓜之無匹兮詠牽牛
之獨處揚輕袿之猗靡兮翳脩袖以延佇體迅飛
此與三希堂王氏真蹟皆正為石渠寶笈中書畫壓卷後幅依擬
便因背臨子敬十三行以志欣賞乾隆己巳小除夕御識

图 21. 东晋 **顾恺之《洛神赋图卷》** 拖尾“乾隆临王献之十三行” 北京故宫博物院

书赋文匹配，或许除了些许遗憾之外，还有着一些舍我其谁的自负。

这种心情，在 1749 年发现原来卷后的赵孟頫书迹竟为后人摹本后，只有变得更加迫切。在乾隆帝与洛神赋传统的关系中，1749 年具有特殊重要的意义。北京本《洛神赋图卷》上现存最早的乾隆帝题识为 1741 年的五言诗：

> 赋本无何有，图应色即空。传神惟梦雨，拟状若惊鸿。
> 子建文中俊，长康画里雄。二难今并美，把卷拂灵风。

除此位于前隔水的诗外，其引首上也有皇帝亲笔写的“妙入毫颠”四大字。当《石渠宝笈初编》在 1745 年完成时，也记录了皇帝手书题签，其上除“乾隆宸翰”一印外，尚有“神品”一玺。这些都意味着乾隆帝初得北京本时对其价值的高度肯定。但是，自从公认传世最重要的顾恺之作品《女史箴》入宫（其时或在 1741—1745 年）[48]之后，乾隆帝得到了同时研究这两件名迹的机会。他依据两者的仔细比较之后，在 1749 年得到了“笔趣殊异”的新结论。或许由于对图绘作者的质疑，皇帝对后纸上的赵孟頫行书赋文也进行了深入的观察，果然发现它“亦属后人摹本"。这个鉴定工作的新成果应该就是促使他临写《十三行》的特殊动机。于1749年底尽力完成了临写工作后，他写道："此与三希堂王氏真迹皆足为石渠宝笈中书画压卷，后幅纸极佳，因背临子敬《十三行》，以志欣赏。"皇帝对于他的鉴定结果与临写《十三行》的成就，显示了高度的自信。他在稍后写于后隔水绢上的跋语中即明言此二者可"以示具法眼藏者"。原来的洛神赋传统中，诗、书、画三者虽时相互动，但罕见三者合而为一的处理；乾隆帝之重写《十三行》，并将之置入新裱之中，此举可谓刻意地将三绝理想实体化，确实引人注目。

乾隆帝重写的《十三行》位于最近画作的一幅"宋纸"之上，这又似乎意味着欲将洛神赋形象再次引回四世纪末有王献之参与的盛况。这充分显示了乾隆帝对此艺术传统内涵的深度掌握，此则又提供他试图介入此传统时的良好条件。而从介入的层次来说，对北京本图卷的改装则又不如其命丁观鹏所作新摹本的深入。丁观鹏的《洛神赋图卷》摹本完成于乾隆十九年（1754），[49]那也是在判定北京本图绘非为顾恺之亲笔之后不久的事。该画作本身之不真，必然也在一定程度上鼓舞了乾隆帝去对顾恺之原作进行更"正确"的推想。他于是任命了长于此种工作的宫廷画家丁观鹏来执行这个计划。丁氏的"摹本"虽云是根据北京本而作的临摹，但所作改动甚多，充分展示了乾隆帝所希冀呈现的洛神赋之新形象。对于此摹本的改动，过去学者已指出其参用西法的部分，那可说是整个清朝宫廷绘画追求"如真"效果风气的反映。[50]如果放在洛神赋传统之脉络中来看，那则是一种减低其奇幻性、使其趋近人世经验之合理性的处理。其中最明显的改动即在众神的活动上。女娲的兽足已然不见，成为全然的人形；她与击鼓的冯夷本来皆位于天空中，现则如人般地站在地上【图22】。丁观鹏本中对云车一段的描绘，亦有值得注意的不同。原宋本皆着意于龙、鲸等神兽之奇异形象，并将车与兽等置于云彩之中，通过颜色对比的突显，以示奇幻；但丁观鹏本则刻意不突显神兽之奇异效果，反将其技巧地融合在夸张而繁复华丽之波涛纹样之中【图23】，而其以波涛取代云彩，也意在于赋予那些海兽一个"更合理"的活动空间。

丁观鹏本严格来说，已非摹本，而系乾隆帝对《洛神赋》新解的产品。它巧妙地过滤掉原形象传统中的奇幻性，并提高"如真"而"理性"的诠释架构，来展现他以圣明君主自许的、对于洛神赋传统应如何定位的评断。[51]这与他对诗书画三绝理想的拥抱，共同明示着一种对此传统"御定"的正统观。

图 22. 清 丁观鹏《摹顾恺之洛神卷》(局部)"冯夷、女娲" 1754 年 卷 纸本 设色 28.1 厘米×587.5 厘米 台北故宫博物院

图 23. 清 丁观鹏《摹顾恺之洛神卷》(局部)"云车" 台北故宫博物院

余　语

　　即使挟帝王之尊的权势，乾隆帝为洛神赋传统所创的新形象，并不能有效地规范后世持续地对《洛神赋》进行想象与再诠释。十九世纪在上海画坛极受欢迎的美人画家费丹旭还是回到了仇英的路上，以一个更为娇美的身体与姿态来作他的《洛神图》（中央美术学院藏）。此图在当时显然极受欢迎，其程度由现存复本之多，可以想见一斑。[52]不过，更有趣的变化则是进入二十世纪以后的现代转向。

　　自二十世纪初以来，不论是戏剧、小说之领域，皆有不少以洛神为主题的创作，他们之间的一个共通点在于皆喜谈《洛神赋》之所以作的曹植与甄妃间的凄美爱情故事。这固然源自以《感甄赋》为《洛神赋》原名的古老说法，但向来非洛神赋形象传统中的主流。或许由于爱情在现代文化中所占取的重要地位，洛神的爱情悲剧形象遂取得家喻户晓的声望。在此新流行之中，水墨画家傅抱石的仕女画特别引人注目。那实多是傅抱石学自顾恺之洛神形象的转用，为其女性理想典型之再现，也是他对古代传统怀想之寄托；但在他战争时期的作品中，这些形象则化为非常个人性的抒怀，有时用来作对妻子罗时慧之赞美，尤其对她共历战争时期之艰苦流离，表示特别的感恩。[53]虽不似甄妃故事的凄美，但其对两人情爱的表述，却同样深切而感人。这些现代对洛神传统的新形象创造，皆与过去几波"变化"一样，既由己身情境出发，又同时植根于与旧诠释的互动。它们的完成，也势必成为下一波新诠释的开始。

　　《洛神赋图》在形成"传统"的发展过程中，虽然也攀附上大师顾恺之的名号，但"顾恺之"在其整个实际传递的演变中，却没有扮演什么重要的角色。相较之下，对于过去朦胧源头的想象，以及一连串的诠释与再诠释，才是发展所赖的主力。这是"主题传统"的典型结构。对于中国画史中的仕女图绘而言，这个主题传统所起的作用，显然要比标举着顾恺之大名的"大师传统"重要得多。后者虽有《女史箴》此一名迹作支柱，具有顾恺之那种近乎"传奇"之形象作号召，但因其风格形式自始即受到特定道德规范题材的束缚，不但缺少了如洛神传统所激发的活力，也降低了后人参与诠释的可能性。如此之现象，在整个中国美术的发展历史中，应该不是特例。

1-4 风格、画意与画史重建
——以传董源《溪岸图》为例的思考

一、序论

关于中国画史的重建工作，严格说来，大约进行了半个世纪。在这期间，学界虽然取得了某些成果，但也存在着一些悬而未决的问题，尤其是在早期发展部分，仍旧陷在迷离之境而无法突破。即以山水画而言，不要说是隋唐的发轫期，连北宋之前的五代，都还充满疑问，无法厘清而达共识。此中原因，基本上固然是受到可见画作数量稀少的限制，但也有着学术风气转变的作用牵涉在内。二十世纪初期以来学界的疑古风气可能扮演着一个相当重要的影响角色。在其作用之下，中国古史的文献记载由于无法通过实证推理的检验，而受到普遍的怀疑。中国绘画史研究的状况亦有类似之处。尤其是中国临摹古代作品的行为向来十分普遍，作品传世过程中遭全补、改头换面者亦常有之，遂引起对古画之时代与作者的高度怀疑。一旦存世的古代作品之真伪受到质疑，中国山水画在五代以前的发展史，纵有史书上的文字记载，也被视为无可凭据，故而经常阙而不论。

在此种实证取向的学风中，风格研究提供了一个最具说服力的途径来探讨中国山水画在早期的发展历史。它的发展原来出自西方艺术的研究，当运用到中国绘画史的研究时还经过了一番修改，以求适应一个不同的研究情境。风格研究的骨干系立基于对作品中形式的比较分析之上，研究者既对传世古画的真伪产生疑惧，便转而求诸像敦煌洞窟壁画，或日本正仓院收藏的那种年代不受争议的材料，借由对这些"基点"作品的分析比较，建立对中国早期绘画风格的形式理解，并进一步使用这个理解来重新理清传世古画的时代问题。在山水画的研究方面，这种工作所获致的杰出成果，可以苏立文（Michael Sullivan）对其发生期之各种形式要素之渊源及发展的探讨，以及方闻对山水空间结构模式之阶段性变迁的分析为代表。[1]

然而，风格的形式研究在中国早期山水画史的领域中虽然成绩可观，但它最有效力去解决的实是作品的断代问题，以及对这些经过"测定"时间之作品群所共同形成的时代性，乃至于各时代间所形成的承续或变革关系的描述；对于那些受到质疑的传世早期作品的作者判定，并未能充分地提供具体的解决方案，尤其是在缺乏标准作品可资比较，或者标准作品与之相去过远的状况时，更是如此。这种困难在面对资料较为丰富的晚期作品时，可能根本不会出现；但在中国早期画史的研究中，却成为其优势中的缺憾。为了弥补这个缺憾，研究者当然不肯划地自限，而尽力地回到古文献中寻求支援。有的时候，古代之笔记文字或收藏记录可以很幸运地与传世作品相配，而解决作者谁属的问题，但毕竟可遇不可求。[2] 在大多数的情况下，研究者还是期待在针对风格形式的文字叙述中，试图突破作者问题的困境。但是，由于这种论画文字喜用简洁的譬喻，不耐于长篇的分析，而且常有转引前人的现象，不见得是书者实见的记录，这个途径所遭遇的困难，亦不罕见。

对于以上现代学者所遭遇的困境，中国的画史论述传统固然不见得能有什么万能的妙方，但是，在文献的运用上却颇能提供一些启示。相较而言，中国自唐代张彦远《历代名画记》以来的画史论述，除了针对形式的叙述外，最为突出的要算是对"画意"的重视。《历代名画记》虽无"画意"之辞，但其开宗明义论"叙画之源流"时即云："象制肇创而犹略，无以传其意，故有书；无以见其形，故有画，天地圣人之意也。"[3] 这实不仅言绘画之功能，且直指此"天地圣人之意"的"画意"为绘画之所以成立的第一要义。北宋郭若虚的《图画见闻志》亦有见于此，遂在卷一即立一节专论"图画名意"，将"典范"、"高节"、"写景"、"靡丽"、"风俗"等视为制作之前须先加以掌握的旨趣。[4] 在他的观念里，"画意"还不仅仅是绘画科目的分类而已，而且还是某种特定意境的典型。人们一旦认识了这个意境典型，个别画家便可依其各自成就的倾向，溯其源流，而形成一种历史性的理解。例如四时山水中的"烟林平远"画意，典型之建立在于五代宋初的李成，其后则有翟院深、许道宁、李宗成及郭熙等，在北宋时成为一个特定的传系，与关仝、范宽二系共同组成郭若虚心目中引以为傲的"近代"山水画史。郭若虚在形构这个历史理解时，固然也以笔墨形式的传承关系作为依据，但他们之间都精于山水寒林，而以李成的画意为指归的同质性，则是更为关键的考虑。[5] 郭若虚之得以超出张彦远一步，将《历代名画记》中所论的"师资传授"转化为更有系统的"画史"，其中的道理可能即在于他对"画意"的积极运用。

对"画意"的重视与相关的史学操作还显现了一种很强烈的"文献导向"的现象，值得特别注意。尤其是在作品资料不足征信之时，容许画意的探求者跨过作品流失的断层，直接以文献为主，在文字上进行理解，这种弹性使其作为方法的魅力大为提高。中国的创作者实际上便相当依赖这个方法来进行他们与古代大师的对话。不仅是那些无法且无缘接近当代公私收藏的低层画师如此，连那些高层的文人画家，即使得有机会亲炙公私收藏中的古代名家作品，对于已无迹可寻的五代以前大师的风范，大多也只能由文献中所及的画意，来予追想。明末时董其昌对其所谓"南宗"之祖王维的认识，便是基于对如米芾在《画史》中总结的"云峰石迹，迥绝天机，笔意纵横，参乎造化"的文字论述而来的领悟。[6] 不仅在创作实践上如此，对早期画史的建构亦颇赖此种对"画意"文字的追想。这种情形在北宋时就已相当普遍。米芾《画史》中所指出的以五代雪景归之王维，就是这类例子。[7] 如此做法虽然遭受米芾的批评，但由稍后《宣和画谱》对王维作品的著录来看，其中竟有高达二十幅数量的雪景山水，[8] 这种依"画意"而做的判断，显然并未因米芾而有修正。事实上，后世对王维的印象，除了《辋川图》之外，各种雪景山水仍然占着绝大的比重。这不能不说是来自《宣和画谱》文字记载的影响。

《画史》与《宣和画谱》在王维问题上的争议，一方面呈现了画意研究在中国传统中不可忽视的影响力，另一方面则显示了其自身的缺陷。从米芾的批评来看，此种画意研究的缺失根本在于无法处理画作本身的断代问题；一旦画作的时代产生混淆，画意溯源的工作也就无法转化出有效的历史知识。要想对此有所突破，风格研究以其擅长处理断代问题的能力，似乎正是补救的良方。本文即希望以新近入藏大都会美术馆（The Metropolitan Museum of Art）的传董源《溪岸图》【图24】为例，尝试综合风格与画意之研究途径，来进行为五代南唐画家董源在中国早期山水画史中定位的工作。

图 24. 五代 董源
《溪岸图》
轴 绢本 浅设色
221厘米×109厘米
纽约大都会美术馆

二、《溪岸图》与董源的定位问题

将《溪岸图》归为十世纪南唐画家董源之作，同时牵涉作者与时代两个问题。第一个作者问题碰到的最大障碍在于它与其他所有传世归为董源的作品，在外观上有明显的差异。第二个时代问题的困难则在于吾人原对十世纪，尤其是南唐的山水画所知极少，传世具有可靠年代的作品数量又不多，欲赖之进行比较的工作，确有困难。要想解决这两个问题，当然并不容易；但是，借由对旧有资料的重新检讨，配合新近考古发现的绘画材料之考察，吾人或许可以对这两个问题提供一些看法。

吾人今日对董源画史位置的理解是几经变化而得的结果，而董源几件山水画之所以传世则是这个过程的产物。在这个过程之中，北宋的米芾与明末的董其昌可谓是最重要的人物。作为一个南唐的宫廷画家，董源的声名在入宋之后似乎不高。在宋初刘道醇的《圣朝名画评》及《五代名画补遗》中他的名字竟然没有出现。在稍后郭若虚的《图画见闻志》中虽对他有所记录，但也是相当简单，对他所擅长的山水画，只说是"水墨类王维，着色如李思训"而已。[9] 郭若虚虽在书中显示了高度的历史感，并对十世纪以来山水画的高度成就认为是前代所无法比拟，而特加表彰，但他却不太重视南唐画家在此画科中的地位。他将董源只视为王维、李思训的追随者，实则意味着将董源排除在他以李成、关仝、范宽所代表的"近代"山水画新成就之外。他对后世引为董源最主要继承人的巨然，也不甚注意，在其简短的记载中，亦未提及董源与巨然之间的关系。[10] 郭若虚出身于太原的仕宦之家，他的《图画见闻志》可以说是充分显现了十一世纪华北文化主流标榜宋代文化新成就的企图。在他们的视野中，董源只能有个边缘性的位置。

相较于郭若虚，活跃于十一世纪末期南方地区的米芾则把董源的地位提高至巅峰，说他是"近世神品，格高无与比也。峰峦出没，云雾显晦，不装巧趣，皆得天真"。[11] 此处所谓的"不装巧趣，皆得天真"，正是米芾论画时的最高准则——"平淡天真"。在这个准则的衡量之下，郭若虚最推崇的李成，也只能得到"多巧少真意"的评价，由此亦可见米芾刻意贬低华北山水画派成就的企图，而南方的董源、巨然正是他用以取而代之的新典范。不过，米芾为董源所选择的历史传承系谱已与刘道醇有所不同，而是跳过了唐代的王维、李思训，直接上溯至东晋的顾

图 25. 五代 董源《潇湘图卷》(局部) 卷 绢本 设色 50 厘米 × 141 厘米 北京故宫博物院

恺之,后者正是米芾心目中中国绘画传统里第一个,也是最终的典范。[12]在这个新的系谱里,董源与南唐的山水画不仅有了新的中心位置,而且具有关键性的意义——成为他自己与顾恺之之间的桥梁。如此的自我定位,一方面反映着米芾个人对画史的独到见解与其特立的性格,另一方面则暗示着当时南北双方在文化权力上相互角力的激烈程度。

虽然存在着自我与董源定位的交互渗透,米芾对董源山水画的理解也并非凭空捏造。他在《画史》中对董源风格的叙述,大致上颇合于现存北京故宫博物院的传董源名作《潇湘图卷》【图 25】,是一种笼罩在烟雾之中的江南水乡景观。他与其子米友仁共同建立的所谓"米家山水"【图 26】基本上也是如此风格。但是,这却不见得是董源的全貌;吾人至少可以说:《潇湘图卷》与郭若虚所提及之董源的唐画渊源之间并没有明显的关系存在。不过,这个疑问并未引起后代论者的重视,尤其是在南方文化势力逐渐压制北方,米芾的论述被普遍地采纳之后,更是如此。

1600 年左右时的董其昌在董源议题上也深受米芾之影响。他甚至还自己收藏了《潇湘图卷》,并且对当时收藏中与董源有关的作品进行了仔细的形式分析。[13] 在他的研究过程中,董其昌特别将焦点置于董

图26. 南宋 米友仁《云山图》卷 纸本 水墨 27.3厘米×57厘米 纽约大都会美术馆

源所使用的圆弧长线交叠的所谓"披麻皴"之上，并以此笔墨为鉴赏董源山水画的准则。当时南京魏国公府收藏中的《寒林重汀》【图27】便是因为在这种笔墨上的极致表现，而被董其昌评为"天下第一"。董其昌对董源的研究，根本上也是在为包括他自己在内的绘画大师们建立一个"正宗"的系谱，在这个系谱中，王维是终极却不易实证的源头，董源则是有迹可寻的实存古代典范，而后来如米芾等的大师们便可视为董源的化身。董源的存在，因此不仅在董其昌的正宗系谱中扮演着中心的角色，也印证着他对"正宗"笔墨悟解的正确性。这也实际上提供了他山水画实践"集大成"理想的形式基础。他的《云藏雨散》【图28】便是以董源风格来重新诠释米家山水，并进而转化成足与王维对话的个人风格表现。[14]

董其昌所筛选出来的《寒林重汀》，大致上也获得现代美术学者的赞同，咸认为是保留了董源风格的古老遗品，甚至可能是董源本人的原作。但是，它与《潇湘图卷》的同质性很高，基本上还是米芾、董其昌一路的董源形象，仍然具有本形象在十二世纪成立时即隐含的局限性。而且，从主题上看，《潇湘图卷》与《寒林重汀》二者皆为江南的温煦江乡风光，如果说身为南唐宫廷画家的董源只能作此种山水，揆诸北宋文献中所透露出来的董源画技的多面性，也实在有些不可思议。《溪岸图》之是否可以判为董源的问题，因此也意味着对八百年来董源既有形象从形式与内容两方面的挑战。

图 27. 五代
董源《寒林重汀》
轴 绢本 设色
179.9 厘米 × 115.6 厘米
日本兵库县黑川古
文化研究所

图 28. 明 董其昌
《云藏雨散》
轴 绢本 水墨
101.5 厘米×41 厘米
香港艺术馆

三、《溪岸图》的时代问题

如果我们以《寒林重汀》为董源的唯一标准，那么《溪岸图》确实不能说是"开门见山"的董源。它既没有圆弧状而平缓的坡陀，也没有后人所谓"披麻皴"的长弧线皴等等可谓董源注册商标的母题，在整体效果上，亦无法马上与传统的描述"近视之几不类物象，远观则景物粲然"[15]相互印证。《寒林重汀》则不然。而且它还可与传世董源画，如北京故宫博物院的《潇湘图卷》、辽宁省博物馆的《夏景山口待渡图卷》等作品，形成一个同质的系列，并显得更为古老。《溪岸图》与之相较，则显得颇为孤单，缺乏一批辅佐的作品来为它的董源归属背书。但是，值得注意的却是：它的风格在十一世纪以前的山水画中却显得并不孤单。虽然此期可靠的作品传世不多，但近年经考古发现的资料则在一定程度上提供了有效的援助。

《溪岸图》在山石的描绘上有很清楚的特色【图29】。它的山石虽以水墨画成，而且十分精致，但却看不到清楚的线描格式，所有的明暗凹凸皆以细腻的擦染而成，每一个动作的重复性很高，毫无一般所谓的"皴法"存在。这种现象如与大家所熟知的郭熙《早春图》【图30】比较，就显得有明显的差别。《早春图》成于1072年，是北宋中期的作品。它的山石描绘虽也注意立体、明暗的效果，但在其复杂多变的皴染之中，特别强调山石质面的各种状况，而且无处不留使笔而成的痕迹，以求使物象的效果更加突出。这种描绘方式亦见于美国纳尔逊美术馆（The Nelson-Atkins Museum of Art）的许道宁《渔父图》【图31，约成于1050年】，可见当时各家之间普遍地有一种相近的观念存在。但是《溪岸图》的擦染则显得朴素得多；不但每一次使笔本身力求"单纯直接"，而且每次之变化不大，几乎只是重复为之，质面之凹凸明暗效果完全借由因次数多寡而成的深浅浓淡来达成。

《溪岸图》这种图绘山石的观念实与1974年在辽宁叶茂台所发现辽墓中的《深山棋会》【图32，约成于980年】相当一致。《深山棋会》的主峰及前景崖石等的质面描绘，虽仍可看到用笔刷擦的痕迹，表面上有一些变化，但每一次动作本身的变化不大，重复性很高，可以说是仍属《溪岸图》一路的"边疆版"，或较为粗糙的表现。[16]除了《深山棋会》之外，在地理上更接近南方的新出土山水画资料则有1995年发现的河北省曲阳县五代王处直墓中的山水壁画。此墓纪年为

图 29. 五代 董源
《溪岸图》(局部)
纽约 大都会美术馆

924年，墓主是唐末五代早期的义武军节度使，是当时河北的重要军阀，社会层级很高，因此墓中之装饰也十分讲究，其所出土的两个山水壁画，更是理解十世纪初期山水画发展的珍贵史料。[17] 其中前室北壁中央的山水画即显示了远较《深山棋会》更为复杂的山体描绘【图33】。这个山体的复杂性主要表现在众多形式不同的小单位的结组之上，但就其各组成单位而言，其描绘方式却相当单纯，基本上是在勾勒轮廓之后，再施以重复的皴擦，依其次数与浓淡来定义不同的质面效果。这与《溪岸图》的描绘形式之间仅有繁简的不同，其本质则十分相近。

在传世的早期山水画中，具有此种描绘形式的作品并不多，其中最为近似的当数传为卫贤所作的《高士图》【图34】。《高士图》现在的装裱仍保留了北宋末宣和装的样子，可见其时代不晚于北宋。它的山峰及岩石之画法即较《深山棋会》或王处直墓山水壁画精致，但仍保有与他们相通的质面肌理观。而其作者卫贤（根据徽宗题签）也是五代南唐画

图 30. 北宋 郭熙《早春图》(局部) 1072 年 轴 绢本 浅设色 158.3 厘米 × 108.4 厘米 台北故宫博物院

图 31. 北宋 许道宁《渔父图》(局部) 卷 绢本 浅设色 48.3 厘米 × 209.6 厘米 堪萨斯纳尔逊美术馆

100 | 从风格到画意——反思中国美术史

图 32. 五代
《深山棋会》
轴 绢本 设色
106.5 厘米 × 54 厘米
辽宁省博物馆

图33. 五代 王处直墓 前室北壁中央壁画 924年 水墨 167厘米×220厘米 河北曲阳

院中人,由此亦可推断《高士图》与《溪岸图》两者之间,确实可能存在着某种亲近的关系。

《高士图》前景的老树【图35】,在画法上也有与《溪岸图》相通之处【图36】。它们虽然在树种、形态上各不相同,但都是以简单而绵细的擦染来画出树干的明暗,并以之特别强调干上的瘤洞等细节。较晚的郭熙《早春图》则少见这种作法;而且在枝干之处理上通过叠压与向前后左右不同方向的伸展,极力表达一种立体性的结构关系【图37】,不似《高士图》与《溪岸图》的较重于面状的舒展。这个差别似乎相当清楚地指示了《溪岸图》所具有的早期特质。如果我们再拿台北故宫博物院的赵幹《江行初雪》【图38】与传董源的《寒林重汀》来比较,它们画的树也都有类似的特征,都与《溪岸图》者出于同种观念。《江行初雪》不仅有宋宣和印,而且有可能为南唐李后主的亲笔题:"画院学生赵幹状",指为画院中人赵幹之作,是存世少数被大家所共同接受的五代画。[18]《溪岸图》的画树既与这些可能为五代时期的作品相通,它

图 34. 五代 卫贤
《高士图》
轴 绢本 设色
134.5 厘米 × 52.5 厘米
北京故宫博物院

1-4　风格、画意与画史重建——以传董源《溪岸图》为例的思考　　103

图35. 五代 卫贤《高士图》(局部) 北京故宫博物院

图36. 五代 董源《溪岸图》(局部) 纽约大都会美术馆

图 37. 北宋 郭熙《早春图》(局部) 台北故宫博物院

图 38. 五代 赵幹《江行初雪图》(局部) 卷 绢本 设色 25.9 厘米 × 376.5 厘米 台北故宫博物院

1-4 风格、画意与画史重建——以传董源《溪岸图》为例的思考 | 105

图 39. 五代 董源
《溪岸图》(局部)
纽约大都会美术馆

的古老年代,也可得到相应的保证。

除了个别的物象描绘外,《溪岸图》的空间结构也显示了北宋早期以前的观念,首先值得注意的是其中景的庄园空间之安排【图 39】。这个庄园中的几个主要建筑物,虽各以围篱或屋顶接连起来,但却似各自独立,各屋内容清楚明了,力求不受他屋之遮掩,互相之间所余留的空白,也都填上人或物,增加联系感。如此之处理,其意显然不在于追求此区庄园与前方巨石和后方山峰间在空间感上的一致性,而是以饱含叙述性之细节嵌入这块山水的空白之中,来取得观赏时的完整感。这种使用镶嵌式建筑的概念,在《深山棋会》中也可看到,其左上方棋会之所在的楼阁，虽较简单，但系出自同种观念【图40】。《溪岸图》的树木基本上也是这种不具空间标示功能的点景。它们虽也有相聚成组的状况，但根本不作空间纵深的提示，而且树丛之间独立性也强，尽量避免掩映。这种现象在郭熙的《早春图》中则完全不见。《早春图》上的林木与屋宇显然复杂得多，它们所显示的空间考虑也与《溪岸图》不同【图41】。

能够更正面地呈现《溪岸图》空间处理之早期性格者，倒是在其右上方的远景部分【图42】。《溪岸图》虽以中段的巨峰为主景，但它也像许多宋代的山水画一样，不忘适时加上一些远景，以见空间之深远。就如《早春图》，它的左边就画了一条颇具纵深感的河谷，由画的中段往后延伸，直至消失在远处的烟气之中。而在该处烟气之上，郭熙还加了两道远山的边缘，作为无限远可能性的提示【图43】。《溪岸图》也有类似的河谷延伸，以及其后在烟气之中隐隐出没的远山。后者之处理尤其十分细腻，用墨极淡，在绢色已呈晦暗的今天，几乎不可得见，观者只能依赖其上一列向后斜飞而去的雁群，想象这个空间的无限延伸。不过，它与《早春图》毕竟还有一些有意思的差别。《早春图》的远景与其他部分的空间统一感较强，空间的往后延展在立轴上还显得相当平顺和缓。但是，与此相较，《溪岸图》的地面便显得颇为倾斜，而远山的位置极高，似乎重在说明叠加此景后的深远感，却不在意其可能产生的视觉空间割裂的后果，而斜飞的雁群则成为淡化此空间割裂缺点的补救措施。

如此叠加、割裂式的空间观，无疑是郭熙以前的产物。他的流行时间，至少可以追溯到大约八世纪之时。举世闻名的正仓院琵琶上的《骑象奏乐图》便也有类似的远景表现法【图44】。它的无限延伸空间也是由叠加在画幅右上方的两组远山来担任，他们与较近山崖相互之间也产生某种不连续感，须赖作"Z"字形斜飞的鸟群来加以联系。[19] 如此古朴的远景表现到了十世纪时仍然被采用。王处直墓的山水壁画在主体山区的上方也叠加上几片远山，其上缀以小树点，暗示着一个遥远的距离。它与前景主山间的空间断裂也是明显可感，至于它是否也运用了某种如斜行雁群的母题来加补救，则因为壁画右上部曾受盗墓贼之破坏，现已无法得知。

与其远景表现同具时间指标意义的则为《溪岸图》中的特殊山体结构方式。《溪岸图》特别引人入胜之处部分在于有各种不同形状变化的山块，这让人想到十世纪关陕画家荆浩在其《笔法记》中所说的峰、

图 40. 五代《深山棋会》(局部) 辽宁省博物馆

图 41. 北宋 郭熙《早春图》(局部) 台北故宫博物院

图 42. 五代 董源《溪岸图》(局部) 纽约大都会美术馆 (左)
图 43. 北宋 郭熙《早春图》(局部) 台北故宫博物院 (右)

图 44. 唐《骑象奏乐图》(局部) 捍拨画 木 设色 40.5 厘米 ×16.5 厘米 奈良正仓院

峦、顶、崖等各种形态。而荆浩之所以在文字上大费周章地为其分别加以归类定名，除了显示他自己对掌握自然界知识之学术热情外，也反映出十世纪山水画坛对描绘山体丰富变化的高度兴趣。[20] 我们虽无可靠的荆浩真迹可以印证这个兴趣的存在，不过，河北王处直墓的山水壁画则提供了确实的证据，其山体品类之多，几乎可说是《笔法记》文字的图解。不过，对于此种瑰奇山景的制作而言，重点倒不仅是变化的多少而已，更重要的则是如何将各种形状变化的山块结组成一具有整体感之山体。王处直山水壁画中央部分（参见图 33）所示者正是一种解决此问题的结构方式：画家尽可任意地在上方组合峰、峦、顶或其他形状之山块，但在底部则仍由一宽稳的基座作为整个山体的支撑。这种结构方式亦见之于《溪岸图》之中，其中央部分的峦崖组合【图 45】尤其显得与图 33 所示者特别接近。这种结构方式应该正是荆浩文中"其上峰

图 45. 五代 董源
《溪岸图》(局部)
纽约大都会美术馆

峦虽异,其下岗岭相连"所指示的结构法则。这种古朴的结构到了十一世纪中期即被一种更具秩序感的结构方式所取代。我们在《早春图》中所看到的已是另一种由山块上部整合成一画表连续动线的结构原则了。

四、"江山高隐"画意

以上诸点讨论皆显示了《溪岸图》的风格确属于十世纪的产物。不过,它的作者是否即为南唐宫廷画家董源?这却不易立刻得到一个解答。如果我们能接受郭若虚的记载,认定董源曾有一种以上的风格,那么,《溪岸图》有无可能是《寒林重汀》以外的、董源在南唐宫廷中所作的另种风格的代表呢?它与董源的直接关系,现在确实难以重建,至多只能由其左方峰顶的一些聚石,看到与巨然传世作品,如台北故宫博物院的《萧翼赚兰亭》,其中"矾头"的作法有些近似,曲折地说它尚有一点后来所谓董巨派的渊源。即使如此,我们仍可换由"画意"的角度,看看《溪岸图》是否能与已知的几件南唐宫廷绘画联系起来。

这个工作倒不困难。我们方才为它作断代时所用的几件作品,如

《江行初雪》、《高士图》，都是出自南唐宫廷画家之手。他们与《溪岸图》都表现了江河水域附近的一些生活形象，画中不但有水，而且皆精细地勾画了繁密的水纹。《高士图》与《溪岸图》尤其接近。两者都将精心描绘的隐居生活的屋舍，安排在水边的镶嵌空间里，这在早期北方的山水画中是相当罕见的。此外，《高士图》画的是东汉梁鸿与孟光夫妇"举案齐眉"的故事，[21] 而将之置于形状奇绝的峰岩之间。《溪岸图》的岩石山峰也是讲究造型之奇势，两者都少了《寒林重汀》的温缓形象，而且也有丰富的生活情节的呈现。《溪岸图》中即有如骑牛归家的牧童、侍女备餐中的厨房以及水轩中悠闲的主人一家等，虽不知写的是何人故事，但确有清楚的"叙事性"。相似的现象亦可见于传巨然的《萧翼赚兰亭》。这幅山水也有一个建在水边的大型建筑，其主人坐在水轩之内，门外则有僧侣及访客，桥上则见一人骑马朝之奔来。[22] 这些细节是否与萧翼骗取王羲之名作《兰亭序》的故事有关，实无法得知。但它所具有的叙事性却不容否定。巨然虽在南唐亡后转到开封寻求发展而受到华北风格之影响，[23] 但此画所保留者则较多属于他早期的面貌。由此观之，这种叙事性很强的山水画，很可能是南唐宫廷中的一种流行。我们在现存几件早期的北方山水画，如范宽的《溪山行旅图》或郭熙的《早春图》，虽有行旅、渔家等点景，但都无如此清楚的叙事性。如此来看《溪岸图》，它与南唐宫廷的关系应该是极为密切的。

南唐宫廷里流行的这种山水画，其叙事性另有一值得注意之处，此即其"情节"皆环绕于某一江山之中的居所而发生。就这点来看，《溪岸图》实显得最为突出。它的主角无疑是中央山脚的水轩，轩中除有文士坐眺江面外，另有其夫人与一子一仆及一草书屏风为其背景【图46】。其中妇女抱子的形象，早见于八世纪的唐俑作品，[24] 是家居生活的指示；草书屏风则为显示主人文化素养的有效符码【图47】，[25] 这些形象共同点出了主题的焦点——隐士家居。在此家居之外则为其生活的第二层，以从事各种工作的家人仆役之活动表示隐士庄园生活的朴实面；而庄园之外的江山景观，则为其生活的最外层，不仅意味着此隐居在地理上的远离尘俗，也作为高士在家居中向外观望的对象，而且，更重要的是：这个山水并非只是某处实景的描写；它的丰富形象显示着一种超乎真实外在的理想世界，正与高士的胸中丘壑起着呼应的作用。如此高士内心与山水的互动，实际上便是此隐居的主旨，也是画史所谓"江山高隐"主题的重点。如果借用北宋人论画的词汇，《溪岸图》如此

图 46. 五代 董源《溪岸图》(局部) 纽约大都会美术馆

重在描写"江山高隐"之趣的内容,即是此画"画意"之所在。

如《溪岸图》这种以"江山高隐"为"画意"的山水,在分类上实与一般习知流行于北宋的"行旅山水"、"四季山水"或"名胜山水"等有所区别而自成一类。它在绘画史上的流行,以往以为是在元代王蒙之后才蔚为大宗。不过,现在可知它的源头实生于十世纪,而《溪岸图》正是其中存世的典型,卫贤的《高士图》亦可归属此类。它们的出现又与南唐有密切关系,这从文献上也可以得到印证。如果我们重新检视北宋所留下来的著录资料,此类山水作品的数量并不算多,但是却集中地出现在南唐宫廷画家的名下,其中董源六件、王齐翰一件、卫贤六件。[26]这个现象不禁令人想到南唐李璟、李煜两任君主都有关于隐居之志的记载,前者曾在庐山瀑布前构筑书斋,预为将来退隐之所,[27]后者甚至有自号钟峰隐者的传闻在北宋文人间流传。[28]江山高隐类山水画在南唐宫廷中的出现与流行,应即为两位君主此种特殊心理表现之呼应。

南唐画院喜作以"江山高隐"为画意之山水图的风气,自然影响到院外的画家。出身南京开元寺的僧人巨然在《宣和画谱》中便著录有至少十件此类山水作品,[29]其传世的《萧翼赚兰亭》如果略去可能的故事背景不论，亦属同种画意。《宣和画谱》另外还记载了一名孙可元，云其"喜图高士幽人岩居渔隐之趣"，如此语气正与《宣和画谱》记王齐翰"好作山林丘壑隐岩幽卜，无一点朝市风埃气"如出一辙，虽不知孙氏为何许人，但由此记载及他"好画吴越间山水"来看，他即使不是南唐子民，也是接续了此南唐山水特殊传统的北宋南方画家。[30]

《宣和画谱》的编者虽为吾人重建南唐绘画提供了这些记录，基本上却并不重视这个"江山高隐"的类型传统。这可说是北宋文化主流对山水画的基本态度的呈现。郭若虚在《图画见闻志》中便几乎未曾言及这种隐居山水；稍后之郭思的《林泉高致》，在其"画意"一节中虽罗列了十六首郭熙认为适合入画的唐宋人诗句，但其中大多数仍属出游所见、行旅所览的自然景观。[31]他自己的创作中也如实地反映了这个倾向，在其所有传世的作品中遂根本见不到可称具有"江山高隐"画意的山水。即使是重新发现董源山水之美学价值的米芾，其山水观仍未使他注意及南唐此类山水的重要性。与他们相较，米芾的友人李公麟可能是唯一对隐居主题最有兴趣而加以实际图绘的北宋画家。他曾绘有《龙眠山庄图》记他自己在龙眠山的隐居生活，但其当创作之际，似乎意在复古，直接借用唐代王维《辋川图》与卢鸿《草堂图》的图式来描写他个

图47. 北宋 白沙宋墓第一号墓 前室西壁壁画 1099年 设色 河南禹县

1-4 风格、画意与画史重建——以传董源《溪岸图》为例的思考 | 113

人的山居活动。[32] 而且，就画意而言，《龙眠山庄图》取法《辋川图》，意在山庄本身，乃与"江山高隐"之意有所区别。如此看来，即使李公麟也没有注意到南唐的这个山水画类型。由《溪岸图》所代表的江山高隐山水在入宋之后毕竟是逐渐被遗忘了。

五、胸中丘壑的形象

宋人之所以排斥江山高隐山水的理由，除了在政治、文化上刻意贬低南唐的地位之外，主要还在于其山水观的差异。北宋人不仅追求对外在自然山水的再现，而且努力去探索其中所存之秩序感，以之来创造可与人间帝国相匹配的体系严整的伟观山水。江山高隐山水则不然。它主要的关心，乃是借由变化丰富的形象呈现隐者长期优游其间而涵养生成的心灵世界。换句话说，江山高隐山水基本上是一种胸中丘壑，具有一种超越外在真实自然的变幻特质。《宣和画谱》的编者虽然未曾充分理解董源此种山水画的重要性，但其记董源风格时所云"下笔雄伟，有崭绝峥嵘之势，重峦绝壁，使人观而壮之"，[33] 实则便是此种胸中丘壑变幻万端特质的具体叙述。而那也正是《溪岸图》中隐士背后主体山水所呈现者。由此观之，《溪岸图》正是此种胸中山水的原型表现。

在建构胸中山水原型图像之时，《溪岸图》中的家居形象扮演着一个关键的角色。它的出现，一方面赋予其后的瑰奇山水一种现世性格，另一方面则使此山水转化为内心的理想图像。中国早期的隐居理念来自神仙思想，然而后来则逐渐加强了现世倾向，强调即使不出世仍可在当下现实中之某处觅得一个可以安顿心灵的理想世界。如此想法的根据实是"心隐"的理论，而"心隐"之达成的前提则在于将人之各种社会关系尽力切断，仅保留最基础的层次——家庭。换句话说，隐士的家庭属性使其不同于出家的僧侣道士，那也是隐士之得以沟通现实与理想世界的桥梁。东晋陶潜在其《归去来辞》所勾勒的隐居世界便是与他的妻儿共享的，而当《桃花源记》中的渔夫只身闯入桃花源时，桃花源却变成个不可复得、虚构的心灵境界。由此观之，当《溪岸图》将隐士家居形象与其后山水结合时，此美好山水便被转化成高士人格的象征呈现，其作用正如屋内的草书屏风一般。

这个原型图像的运用在前引王处直墓中发现之山水壁画中亦有反映。此墓东耳室之东壁亦有一壁画，壁画上部为具有宽阔江景与高耸对

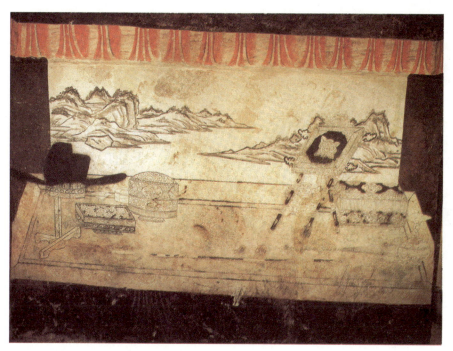

图 48. 五代 **王处直墓** 东耳室东壁壁画 924 年 设色 河北曲阳

峙的峰峦所构成的平远山水,其下方则绘一长案,案上绘有男主人家居所用之帽、镜、瓶、盒及扫帚等物品【图 48】。整个壁画基本上也是家居形象与山水的结合。而值得注意的是:这壁画上的山水在两边都画上了边框,更具体地表现出屏风的形式。据王处直之墓志,他在失去权势之后即以山水幽居为志。[34] 其墓中壁画上的山水屏风正是如此隐居之志的形象表现,而其结合家居与山水两者为一的性质,实与《溪岸图》的江山高隐形式有相通之处。王处直墓虽位在河北境内,但其墓中讲究的浮雕装饰却未见于北方同期墓葬,倒反而与南方之大型墓葬,如南京的南唐二主陵十分接近。[35] 它与南方的亲近关系使得其壁画中隐居山水与南唐流行的江山高隐山水的类似现象,显得毫不偶然。

当北宋画家决定追求理性而雄壮的季节山水或行旅山水时,他们同时也放弃了对胸中丘壑奇幻性的探索。南宋的画家虽重又开始产生对隐逸山水主题的兴趣,但其重点则在于隐士对其所处外在自然环境的观察与沉思,饱含浪漫的诗情,却不在画面上构筑内在的山水世界。这个情况到了南宋末年方有明显的改变,而到了身处元代政权统治之下的元代文人画家手中甚至作了一百八十度的扭转。这群画家被迫自政治权力场

图 49. 元 钱选《浮玉山居图》(局部) 卷 绢本 设色 29.6 厘米 × 97.8 厘米 上海博物馆

中退出的隐居生活促使他们一改过去山水的画意,转而营造呈现其胸中丘壑的形象。钱选的《浮玉山居图》【图 49】便是较早的例子。它可以说是如《溪岸图》那种江山高隐山水的横卷版,将前中后三段由右至左排列,隐士的山居则位在中段的部分。此卷整个山水因其古拙的描绘方式而显得极不真实,反而在清丽的敷色之下,借由如末段峥嵘突兀岩块所构成的峰峦,显示出一种有如仙境的奇幻性。钱选虽未将隐士绘于屋中,但其之存在,可由其自题诗中"瞻彼南山岑,白云何翩翩,下有幽栖人,啸歌乐徂年"之句得到确定;如此来看,《浮玉山居图》实是重又回到江山高隐的山水传统之中。[36]

元代文人画家所作的隐居山水可说在胸中丘壑的角度上大有发展。在南方,这种江山高隐的山水画甚至形成一种流行,杭州地方职业画师盛懋所作的《山居纳凉》【图 50】便是一个例子。[37] 此图高士所在之水轩虽较为讲究,但其前溪后山之组合,正是江山高隐的基本模式。盛懋还使用了李成—郭熙派的风格形式来建构后山之蜿蜒动势,并用之来定义高士之胸中丘壑的内涵。不过,此时的山居图仍与其如《溪岸图》的源头有所不同,尤其是在高士水轩之形象上,早期的家居形象现已被单独的高士(或有一童仆相随)所取代。有高士之水轩在许多时候也会

图 50. 元 盛懋
《山居纳凉》
轴 绢本 设色
120.9 厘米 × 57 厘米
堪萨斯纳尔逊美术馆

图 51. 元 王蒙《夏山隐居》1354 年 轴 绢本 设色 56.8 厘米×34.2 厘米 华盛顿弗利尔美术馆

图 52. 元 王蒙
《青卞隐居》
1366 年
轴 纸本 水墨
140 厘米×42.4 厘米
上海博物馆

被换成空无一人的草亭或静谧无人的屋舍，来象征高士的存在，而其周遭山水之作为高士内心之表征也因之得以更显纯化。

不过，由《溪岸图》所代表的江山高隐山水，到了元末时重新得到王蒙的注意。他在1354年的《夏山隐居》【图51】中不但采用了江山高隐的基本图式，而且在隐士所处之水亭左方作一屋舍，屋中有隐士的妻子手牵小儿之景，重新将家居形象植入此隐居山水之中。王蒙此举显得十分特殊，显然是受到他曾经见过的南唐江山高隐山水的影响。这个影响直接开启了他后来众多有关隐士胸中丘壑的奇幻表现。例如他作于1366年的《青卞隐居》【图52】便有十分奇矫而具丰富变化的峰峦结组；如果略去屋宇与瀑布的细节，它甚至显得与《溪岸图》的左半部有相当的神似。[38] 由此观之，王蒙的隐居山水确具明显的复古倾向，但其源头则非仅仅指向十世纪的荆浩、关仝等北方的传统，更重要的应仍在于南唐的江山高隐山水。[39]

六、画意与画史重建

《溪岸图》本身的风格既有明显的十世纪特征，且在画意之表达上与南唐宫廷所创制而流行的江山高隐山水密切相关，甚至可视为此类山水的早期典型，将之归在南唐最重要的宫廷山水画家董源名下，应属合理的推断。不过，它的重要性倒不完全在于吾人是否有了另张可靠的董源作品，或是我们可否据之了解董源风格中以往不为人所知的部分，而更在于它所代表之江山高隐山水类型在画史上的重新浮现。中国传统画史在界定某一类型之过程中，除了寻找典范作品之外，为之在大师名单中寻求归位亦是一个必要的手续。将《溪岸图》作为江山高隐山水的典型，并将之归属董源所作，其实就是一个厘定江山高隐这种山水类型的过程。从现存有关《溪岸图》的收藏与著录资料来看，这个过程应该是在十三世纪后期重新开始进行的。而一旦此山水类型重被认识，它便在后来的隐居山水创作中具体地产生了影响作用。

江山高隐山水在元代的复兴固然与《溪岸图》的再被认识有关，但文献上的董源论述也起了重要的作用。尤其到了元代的中、后期，前者的角色可能就显得相对地隐晦。例如在此复兴过程中具有关键地位的王蒙，即可能没有机会亲见《溪岸图》真迹。《溪岸图》虽在南宋末时已出现在贾似道的收藏之中，至元初则转入赵与勤家，而为周密、赵孟頫寓目。后来此本又为柯九思所藏,并可能由他献入内府,离开了江南。[40]它入元内府的时间虽然不清,但在汤垕成于 1330 年左右的《古今画鉴》已记其在秘中见之,[41] 这距离王蒙作《夏山隐居》还有二十多年的时间,两者产生直接关系的可能性实在不大。然而,《溪岸图》倒是对汤垕产生一定程度的影响。如与米芾论董源"溪桥渔浦,洲渚掩映,一片江南也"相较,汤垕所云"树石幽润,峰峦清深"或"天真烂漫,拍塞满幅,不为虚歇烘锁之意,而幽深古润",[42] 其文字便显得特重于"深远"的表现,而与前者的那种雾景"平远"的意趣大不相同。这应是来自他亲见《溪岸图》经验的作用,使他对米芾的论述采取了保留的态度。

汤垕对董源的新认识,除了来自本人的观画经验外,也与文献研究有相当密切的关系。他在《古今画鉴》中曾明指"天资高明,多阅传录,或自能画,或深画意"为赏鉴的要件;又以为"初学看画,不可不讲明要妙,观阅记录",[43] 都在强调对著录文献探讨的重要性。他对董源"深远"山水的认识,由此角度观之,便会觉得与《宣和画谱》中所记的"重峦绝壁使人观而壮之"的意象颇为接近。《宣和画谱》因此在汤垕之董源论述上可能扮演着比米芾《画史》更为重要的角色。而当汤垕的论述一出,其自己也成为后人形塑董源理解的依据。成于 1365 年的夏文彦《图绘宝鉴》谈董源时一开头所用之"树石幽润,峰峦清深"即是直接取自汤垕。[44] 当王蒙制作《夏山隐居》之时,在缺乏《溪岸图》原迹可资学习的状况下,汤垕的文字论述便可以代之而为诠释的对象,据之追想董源江山高隐山水的神貌。

江山高隐山水在画史研究上的重要性亦在于其之作为胸中丘壑图像表现之原型。关于它对王蒙或其他后世山水画家在胸中山水表现主题的影响,我们无法仅仅局限在形式的递传范围中来理解。王蒙等人从江山高隐传统中所学到的不仅是某些山石造型,甚或家居之景,而是通过它们所显示的居于现实与理想之间胸中丘壑的奇幻性。这也是后来许多追求王蒙隐居山水表现之画家们注意的重点。以此角度观之,由《溪岸图》所提供的胸中丘壑的原型在画史上的意义是超越形式的,而是在"画意"的传递过程之中产生的。这种借由画意传递而形成的师法关系其实是中国画史建构中一个不可忽视的线索。

每一件回归古代宗师的复古创作与每一次检视古典传统的重新书写,在中国传统中实皆意味着一种对画史重建的努力。"画意"的追索、传递,在此重建之中,实与风格形式共同形成一个双股的主轴。这两者间的互补性很强，经常有相互支援的现象。当形式因故无可依据之时，"画意"便扮演担纲的角色。在此时刻，承载画意的文献成为被诠释的文本，让企图重建画史者得以跨越在风格形式探索中所遭遇到的障碍。由董源个案所提供的例子即代表着在早期画史重建中这个途径的存在意义。但是，这并不意味着围绕画意探讨的文献研究便具有绝高的能力解决包括断代问题内的一切疑难；相反，《溪岸图》的个案正显示着它与风格研究重新合股后所能获致的新能量。在此理解之下，中国画史传统中对文献的依赖性如何成功地转化来协助进行画史的重建与再诠释的各种问题，便是一个值得思考的方向。

II

多元文化与文士的绘画

冲突与交融——
蒙元多族士人圈中的书画艺术

元代文人画的正宗系统——
由赵孟頫到王蒙的山水画发展

隐逸文士的内在世界——
元末四大家的生平与艺术

2-1 冲突与交融
——蒙元多族士人圈中的书画艺术

一、序论：两个事件

约在1283年，元朝皇室任命江南释教总摄杨琏真加在浙东绍兴挖掘南宋诸帝攒宫，在江南士人圈中激发了情绪上的风暴。这距离南宋最后一个皇帝投海自尽，只不过四年之久。杨琏真加是来自河西地区藏传佛教的僧侣，对藏密在江南的传播颇有贡献，杭州飞来峰石窟之开凿即为其具体事迹。但是，他之发宋诸帝攒宫，却大伤汉族士人之情感，直至十七世纪，顾炎武还愤怒地指为"自古所无之大变"。杨琏真加不仅发攒宫，且将宋帝遗骨移埋至杭州宋故宫下，并筑佛寺其上，以藏传佛教的厌胜之术，镇压南宋帝灵。他又在宋故宫基址之上，建白塔，"下以碑石甃之，有先朝进士题名，并故宫诸样花石，亦有镌刻龙凤者，皆乱砌在地"。他甚至企图以宋高宗所书《九经》刻石来作佛寺的寺基，因而引起杭州路大批汉族官员的抵制。[1]对当时大部分的汉族士人而言，杨琏真加的行径意味着外来者对汉地文化传统的污蔑，进而摧毁的企图，自然激起强烈的反弹情绪。这个事件，具体而微地显示了元初多族环境中文化冲突的一个面向。

但是，这却非元代中国文化的全相。

元代早期另一个值得注意的文化事件发生在1311—1314年。与杨琏真加事件大为不同的是此次和谐的文化氛围，主角则为族属畏兀儿的廉野云与代表南方汉族士人传统的赵孟頫。廉氏家族于元初即由忽必烈的重臣布鲁海牙在大都南城营建廉园，园中不仅有水石花竹之胜，其牡丹品类之富，更是驰名京城；廉氏家族在园中举行的雅集也经常成为大都的文化焦点。其中廉野云所举办的一次万柳堂燕集，便为时人誉为"一时盛事"。野云应即忽必烈前期名相廉希宪之弟希恕（廉卜鲁迷失凯牙），时已由中书左丞退休家居。他所邀宴的客人除了赵孟頫之外，尚有著名作家卢贽。燕集中歌妓解语花折荷花而歌《骤雨打新荷》，赵孟頫喜而赋诗，并为之作《万柳堂图》。[2] 赵孟頫为此燕集所作之图现虽不传，但整个事件或有点像北宋末年苏轼、王诜等人所举行的西园雅集。李公麟为之所绘的《西园雅集图》可能便是这个燕集图的典范依据。《万柳堂雅集图》画上形象虽无法深究，但是，它与中原雅集传统的关系却值得注意。相对于杨琏真加的毁坏《九经》刻石，廉野云的万柳堂雅集则显示着非汉族群中精英阶层另一种正面的积极对待汉族文化传统的态度。它的出现意味着原属汉族文化传统之书画艺术在元朝初期仍然扮演着社交网络中的媒介角色，即使不再独占绝高的地位，但基本上并没有因为其多族的环境而有所改变。事实上，不仅是元朝初期如此，一直到1368年朱元璋建立汉族政权的明朝为止，书画艺术的发展反而写下了历史上最精彩的一页。

由此两事件观之，元朝近百年的书画艺术之发展，可以从参与者之汉与非汉的族群背景之角度来予以勾勒，以求能进一步呈现其在此多族文化脉络中的各种因应面貌。书画艺术在中国虽已有近千年的历史，早已形成一个有特色的传统，但它在元代时的发展，却不能无视于因此多族情境而来的环境变化，而走着某种独立自主的步调。换句话说，艺术风格所涉的各种问题以及回应问题的方案，皆是参与者与其文化情境互动的过程和产品。如此理解的结果才是元代书画艺术的实质内涵。

二、文化冲突下的否定：遗民的书画

拒绝接受真实，这可能是带着夷夏之防的文化人在面对文化冲突时的第一种反应。传统的历史论述称这种文化人为"遗民"，并特别标榜他们不仕外族王朝的道德气节，有时还刻意强调他们在存续汉文化传统努力中的象征性地位。在他们之中，态度最激进的当属郑思肖（1241—1318）。他是福建连江人，在宋时为太学生，入元后即隐居苏州佛寺，拒绝接受元朝之统治。他的诗句"此地暂胡马，终身只宋民"、"不信山河属别人"等，都很强烈地表达了那种遗民心志。据说他甚至坐卧不北向，闻北语即掩耳疾走，更显示了与现实彻底决绝的姿态。[3] 郑思肖亦

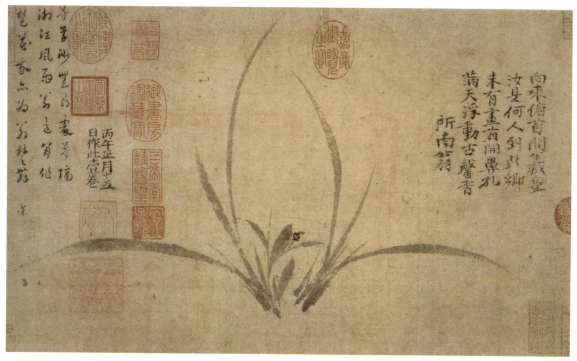

图 53. 元 郑思肖《墨兰图卷》1306 年 卷 纸本 水墨 25.7 厘米 × 42.4 厘米 大阪市立美术馆

以画墨兰知名。由存世的《墨兰图卷》【图 53】来看，他的风格一反文人习用讲究笔锋变化之长线条以展示兰叶优雅飘逸之姿的作法，而改成单纯的用笔，对称的布置，以故示拙朴。[4] 他的书法亦属如此的逸格。台北故宫博物院所藏叶鼎《金刚经》上有他的一段题跋【图 54】，可能是他存世唯一的书迹。字数虽然不多，但已能让人窥其风格。他的用笔与结字也是故意避去传统的技巧，直接而单纯，十分近似宋元有些禅僧的书风。[5] 这应该与他在太学生时期所学者不同，而是作为遗民之后的一种选择。正如其墨兰风格的朴拙，舍弃技巧的"方外"风神正意味着对政治现实的拒绝。

另位"南宋遗民"钱选（约 1235—1307 前），则显示出一些值得注意的不同。不似郑思肖对南宋的深刻眷念，钱选在拒绝现实之际，更带有一份对自我过去身份的否定。他原是南宋的乡贡进士，享受过宋末临安上流社会的隐逸风雅生活。入元之后，他却焚其儒服与著作，拒绝儒户的赋役优待，决定放弃士人的阶级身份，而在家乡浙江吴兴做一个职业画家。这个决定不仅使钱选的社会地位降至底层，也使他的生活产

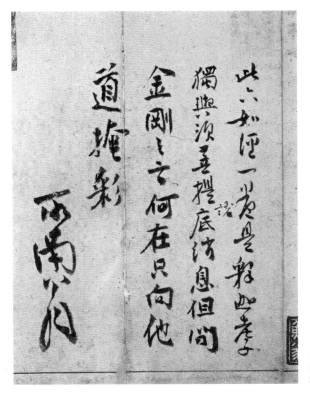

图 54. 元 郑思肖《跋叶鼎隶书抄本金刚经》册 纸本 9.8 厘米 × 23.2 厘米 台北故宫博物院

生极大的转变，不再能持续原有的悠闲高雅格调，而必须计较卖画所得来应付家庭所需，甚至还得费尽心思防堵市场上的赝品影响他的实际收入。不过，他的最大问题倒还不在于生计的艰难，而是身处如此困顿的现实中，却不能忘怀对隐逸理想的坚持追求。[6]

　　钱选的绘画多半皆在此内外的冲突情境中完成。《秋瓜图》【图55】可以代表他职业性的一面。这种作品多数具有吉祥祝福的功能意涵。《秋瓜图》亦有此成分，其主题之瓜果因为其内多子及枝条蔓延之故，常被用来作为子孙繁衍的祝福。南宋以来草虫瓜果画中心的毗陵（今江苏武进）便有许多职业画师制作了大量的这类作品，其中甚至有远销至日本者。[7]《秋瓜图》的精致写实、细腻处理，也显示了南宋职业画中不可或缺的高度技巧，不过他却刻意地采用轻淡的设色，以示其与一般画师之区别。此幅上方的自题诗中，即特引用东汉穰侯东陵瓜的典故，再度宣示画中秋瓜作者实为隐士的真正身份。钱选的这个隐喻是否可为其观众所知而认可？看来机会不大。这或许也是造成他心情郁卒的重要原因。为了消解如此而来的挫折与孤独感，他创作了另一批山水作品，

图 55. 元 钱选
《秋瓜图》
轴 纸本 设色
63.1厘米×30厘米
台北故宫博物院

图 56. 元 钱选
《烟江待渡图》
卷 纸本 设色
21.6 厘米×111.2 厘米
台北故宫博物院

如《羲之观鹅图》、《烟江待渡图》【图 56】等，借由宽阔得无法渡过的江面阻隔，与青绿但古拙刻板得不近人世的仙境对照，抒发其隐居理想在现实中的失落，以及只能企求古代高隐同情之无奈落寞。

三、面对新局的调适：汉族士大夫的书画

郑思肖书风之"逃于方外"，钱选山水之古拙不类人世，两者皆是对现实外在世界的拒绝。与之对照之下，赵孟頫与鲜于枢的书画艺术便显得十分"入世"，呼应着他们面对元初政治与文化状态时的基本调适模式。赵孟頫（1254—1322）系宋皇室之后，于 1286 年被忽必烈征召入仕，后世因此对他的气节颇有微词。他在做此选择之时，应该也相当明了他在道德上所冒的风险。不过，他似乎有着更强的使命感，在面对当时文化冲突激烈，汉文化传统濒临存续的危急关键之际，决定尽己之所能去维系该文化传统之生命。后来他的仕途大致还算顺利，但大部分时间是担任儒学教育、文学侍从的职务，并没有政治上的实权。这使得他内心常存归隐之思，其诗文艺术的主旨亦皆在此。台北故宫博物院所藏《鹊华秋色》【图 57】即是如此的表现。

《鹊华秋色》作于 1296 年初，系他自山东济南离职后返乡为其旧友周密所作。济南为周密祖籍所在，但从未亲至。《鹊华秋色》即以济南附近华不注山、鹊山景观为主，画其恬静之平野乡景。此山水虽有实景

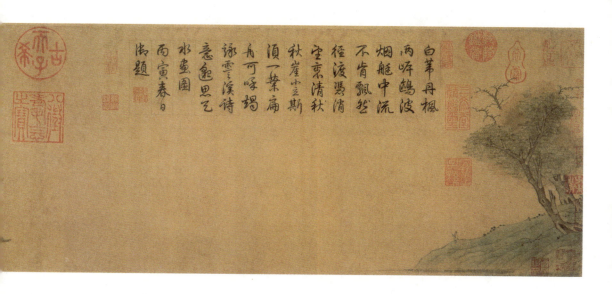

依据,但重点又在于以其笔法作古意的探求。其风格一反南宋精于捕捉山水浪漫诗情的水墨描绘作法,而改以唐代简朴构图、五代董源的平淡形象为基模,而用其出自中锋、圆转绵长而有起伏,可谓与楷书运笔相通的用笔来予以诠释。在其笔法的诠释下,原本古拙的形象布陈,产生了因线条交错而得的律动,干笔淡墨也滋生一种平淡和畅的韵致。齐地山水与古代典范两者都因此而得到全新的内涵与表达。《鹊华秋色》此时已不仅是齐地风光的描写,它亦无过去山水画中光线与空气的表现,而成为超越现实的时空,温雅和畅而又古意盎然的理想世界。这既是召唤周密归来的梦境故乡,也是赵孟頫本人在政治上无所施展之际,困顿心灵的寄托。在此,他所试图创造的古典形范的新生,或许也可视为一种对他在政治上无力达成之文化救赎使命的实践。

图 57. 元 赵孟頫
《鹊华秋色》
1296 年
卷 纸本 设色
28.4 厘米×93.2 厘米
台北故宫博物院

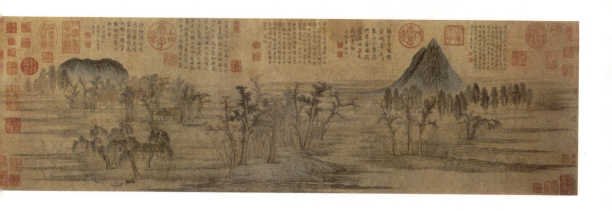

图58. 元 管道昇
《烟雨丛竹》
1308年
卷 纸本 水墨
23.1厘米×113.7厘米
台北故宫博物院

赵孟頫亦常以水墨画竹石。这基本上来自北宋苏轼等文人典范的发明，不过赵孟頫在描绘上使用了书法的概念，使之更能脱去自然形式的束缚。"石如飞白木如籀，写竹还需八法通"，正是他对这种笔墨风格的自我说明。然而，他之所以多作水墨竹石，还有意涵功能上的考量。因为墨竹的寓意高洁，最适合于作个人节操之宣示，有时再配上经历沧桑而不摧不折的枯木与岩石，亦可歌颂长者的坚贞而不朽之生命，这种竹石画在元初的士人社交圈中自然成为合宜的礼物。[8] 而且，通过这种礼物的交换，参与者不仅彼此沟通着对此价值的认同，且能进一步产生一种与苏轼等人所建立之文人传统同为一体的荣誉感。由此角度观之，竹石画在元初对汉族士人阶层的维系确能产生某种内在凝聚的作用，作为南方汉族士人之代表的赵孟頫，无疑地是此发展的核心所在。这在当时多族文化仍不免时有冲突的情势中，也可视为赵氏实践其文化使命之积极作为。

竹石主题在赵孟頫的带动下，很快成为士人圈中的流行。它的运用尤其常见于公余的生活领域之中，标示着他们对精神面价值追求的尊崇。其影响甚至及于其居于家中内院的女性之生活空间中。管道昇（1262—1319）所作之《烟雨丛竹》【图58】即是此中幸存的例子。管道昇是赵孟頫的妻子，亦以墨竹见长，曾以之进呈仁宗，颇得赞赏。[9] 此卷则系她为另一官员女眷称楚国夫人者所作，地点在碧浪湖舟中，看来正是两位夫人结伴出游的遣兴抒怀的产物。《烟雨丛竹》虽与一般竹石

图有别,但作修竹丛聚,旨趣亦相去不远。只不过又将之置于烟雨迷漫的蜿蜒溪流之畔,更增追求恬淡,超越尘俗之生活情境的意思。如此之企望,正似《鹊华秋色》,显然在当时已形成士大夫对理想家居生活之共识。即使他们选择了在充满冲突可能的多族政治环境中谋求生计,回归平淡如隐士般之家居,似乎变成勉强但必要的心灵慰藉。

像赵孟頫这种在形迹上与现实妥协,但求内心上予以调适的士人,在元初占着相当大的数目,而且是文化界中的主流。由于在政治上的表现受到了实质的限制,文学与艺术工作的成就反而成为他们生活之重心,也是他们争取社会声名之所系。除了绘画之外,赵孟頫亦将书法视为他的事业。原来他早年所书仍保有浓重的南宋皇室的气息,颇近于宋高宗的风格,但其后则力追二王典范,以其兼具圆柔与紧劲的用笔,重释王书的风神。他曾于北上大都途中,一再临写《兰亭序》,并作《兰亭十三跋》(东京国立博物馆藏)记其心得。它不单纯只是跋语,亦是以其含蓄优雅的王书新形式来与原典范相抗衡,企图以此对典范的再生与复兴,奠立他自我的书史地位。赵孟頫的友人鲜于枢(1246—1302)亦由复古取径,并以其书法成就在士人圈中得到极高的声誉。鲜于枢是河北渔阳人,但后半生皆留在江浙为官,仕宦经历实未见突出,如果不是他的书法,或许早就被历史淡忘。他的《书透光古镜歌》【图59】及《论草书帖》(即《赵孟頫鲜于枢墨迹合册》中的第四幅【图60】)可以让人一窥他在楷书与草书上的表现,基本上皆

图 59. 元 鲜于枢《书透光古镜歌》
(局部) 册 纸本 30.5 厘米 ×19.8 厘米
台北故宫博物院

可见其对晋唐古法之用心转化,并特显出一种来自北方书法传统的雄健之气。[10] 他在论草书时即着重古法之关键地位,故在自己的狂草风格上,力求超越唐代张旭、怀素的狂逸,重现晋人的优美风度。鲜于枢与赵孟頫的交往,一方面有着在书法上的同志因素,另一方面则是因为两人共有的搜集古物的热诚。《墨迹合册》中前幅的赵孟頫书迹【图 61】便有二人间的鉴藏书画心得之交换。他们在书法艺术上的复古追求实际上亦是其收藏活动的根本动机。当艺术成为个人不得不选择的事业,收藏的意义也变得重要起来,不是一般视之为"游戏"或"癖好"者所可比拟。

当赵孟頫等人致力于古典传统之复兴与再生之际,他们并未拒绝与周围的非汉族人士来往。赵氏本人参加廉希恕之万柳堂燕集即为一例。他的《双松平远》【图 62】亦为廉希恕所作。画中赵氏以其如行草、飞白的书法性用笔,重新诠释山水画中的李郭传统,并以之为能得古人精义。他在画后题识自云:"(山水画)五代荆关董范辈出,皆与近世笔意迥绝,仆所作者,虽未敢与古人比,然视近世画手则少异耳。"语虽谦逊,但其能独接五代典范之后(正如李郭接续荆关董范),自豪与自信之意,溢于言表。[11] 这不仅是夫子自述,也是他向廉希恕所作的理念

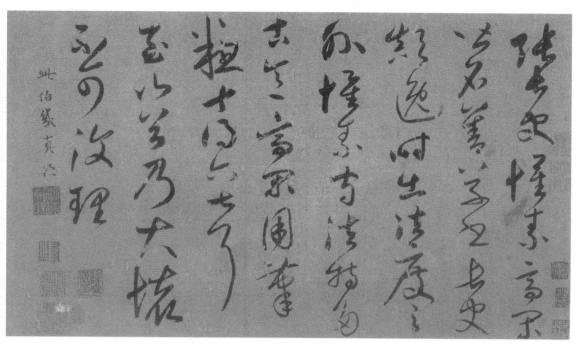

图60. 元 鲜于枢《论草书帖》出自《赵孟頫鲜于枢墨迹合册》第四幅 26.9 厘米×53.6 厘米 台北故宫博物院

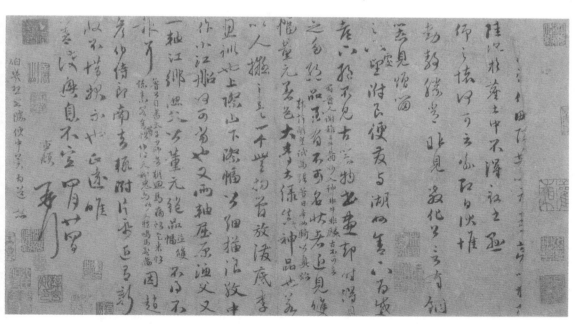

图61. 元 赵孟頫《赵孟頫鲜于枢墨迹合册》第三幅 24.5 厘米×45.5 厘米 台北故宫博物院

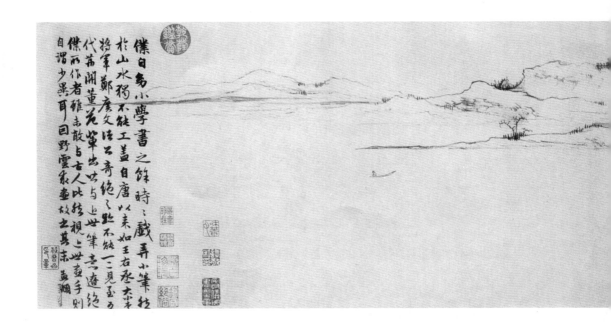

图62. 元 赵孟頫
《双松平远》
卷 纸本 水墨
26.9厘米×107.4厘米
纽约大都会美术馆

宣示,似乎预期着廉氏的共鸣。如此观之,这也可视为其向色目士人争取认同,向汉族圈外传播士人文化理想的一种努力。

四、新的中介者:非汉族人士的艺术赞助

对赵孟頫与鲜于枢所代表的士人类型而言,汉文化传统中的书画艺术不仅是他们凝造内聚力的手段,亦是向外扩散的重要凭借。然在元代初期,内聚之功大致仍超过扩张之效,这毕竟是由于汉与非汉族群间文化差异性的存在,无法立刻消解之故。而随着时间的推展,情况渐有改变。尤其到1315年元朝恢复科举之后,蒙古、色目人仕宦子弟在荫袭之外,另外获得一条入仕的管道,[12]吸引了相当数量的非汉族人士学习汉族的文学与经术,甚至更多面向的艺术文化。这个趋势使得中国文化界的运作产生了值得注意的变化,其中最明显的部分即在汉族士人艺术价值之扩散面的日益突出。它可以由绘画作品在社交脉络里的运用来进行一些观察。赵孟頫虽曾作《双松平远》赠廉希恕,但尚不能算是常例。他大部分画作的受赠者都还是如周密这样的江南文士友人,较南人在政治上更有权势的北方汉人士大夫则是另一部分,非汉族人士参与者较少。皇室曾召他写佛经,[13]但那似乎意不在推崇其艺术成就,反倒以宗教的考量为先。这种情况,到了十四世纪二十年代以后大为改观,

非汉族人士的参与成为绘画制作活动中非常重要的因子。上自蒙古皇室，下至在野的色目士人，一再地以赞助或推荐者的姿态出现在相关的活动之中，而此期中几乎所有重要的汉族画家皆受其惠。换句话说，由十四世纪二十年代至五十年代动乱蜂起之前，如果没有这些非汉族"中介者"的运作，此期绘画之发展，几乎是无法想象的。

这些新的中介者中，权势最大的当非皇室莫属。其中最为引人注意的是元文宗图帖睦尔（1328—1332在位）。他不仅在宫廷中成立奎章阁学士院，收纳了许多不同族属的儒士学者参与政府的儒政工作，而且编成《皇朝经世大典》，堪称创造了元朝宫廷文化之另一种高峰。他的提携文艺，早在未就位前于金陵为梁王时已经开始，后来在即位后仍对金陵之文化活动有所影响。金陵大龙翔集庆寺的修建即为图帖睦尔的文建成果之一。许多南方画师都被征召参加此寺中的壁画制作，其中唐棣（1287—1355）与王渊二人最为知名，他俩后来不凡的绘画事业可说是与其在大龙翔集庆寺的经历息息相关。虽然大龙翔集庆寺的壁画今已不存，但其中唐、王二人的作品仍可由现存的一些画迹来推知一二。

唐棣的《霜浦归渔》【图63】成于1338年，距他为大龙翔集庆寺作壁画的时间不超过十年。此画亦为适于壁屏之用的立轴，画上巨大的李郭式松石雄踞正中，其后则有比例甚大的三位渔夫，欣悦地扛着似"罾"等的渔具，显示着康乐的风俗情境。此景正是《诗经·小雅·鱼

图 63. 元 唐棣《霜浦归渔》1338 年 轴 绢本 浅设色 144 厘米×89.7 厘米 台北故宫博物院

丽》一章所歌颂的承明意象,其李郭风的山水部分亦与北宋郭熙《早春图》(台北故宫博物院藏)所示的"帝国山水"有相通之处,两者搭配之下,正是在透过完美庶民生活来呈现一个理想的政治图像。[14]王渊的《松亭会友》【图64】也近似《霜浦归渔》,亦以前景居中的李郭风格巨松为主角。其后所配之松亭文会,岸边待发之舟船,以及更前方之广大江景,原系南宋以来送别图之固有图式,[15]但在此正中巨大松石的主宰下,全图另加呈现了天下承平的理想意象。《松亭会友》虽不见得适合作寺院壁画之想象,但王渊所作之山水壁屏应该距此种李郭风格不远。传统画史中虽多记载唐棣、王渊二人皆曾受赵孟𫖯指授,但由此看来,他们的风格与赵孟𫖯《双松平远》之关系甚微,倒与原来北方盛行的李郭山水巨障较为接近。这个现象在一定程度上显示了图帖睦尔之作为赞助者在实际创作中所起的带动作用。

不过,就中介者影响力的广度而言,1320年以后较为大量地出现的蒙古、色目士人的地位可能要超过人数有限的皇室成员。例如受知于文宗的文士学者柯九思虽在奎章阁中担任活跃的角色,在书法与绘画的收藏上给予图帖睦尔许多指导,但他自己的绘画艺术之得到当代的推崇,实部分有赖高昌人号为正臣者的中介。正臣应即阿鲁辉,他在1331年任职于秘书监,至1333年迁礼部尚书,[16]算是柯九思在大都时的同事。他俩的交情不仅来自职务上的关系,而且因为二人对书画艺术共有的热衷。柯九思曾为正臣所藏之苏轼《枯木疏竹图》及《墨竹图》作跋,跋中即称之为"高昌正臣",可见其族属,而此时柯九思正任职于奎章阁学士院为鉴书博士。[17]《晚香高节》【图65】有画家款书"五云阁吏为正臣作",亦即柯九思此期中画赠阿鲁辉者。《式古堂书画汇考》中尚著录一件柯氏之《古木竹石图》,亦存相类之款。[18]由此或可想见阿鲁辉所受柯氏赠画可能为数不少,他后来贵为礼部尚书,经由他的收藏与推介,柯九思的艺术声望应该可以因之得到相当可观的宣传效益。

阿鲁辉不仅赞助柯九思的艺术,可能也是另一位山水画家朱德润的重要支持者。台北故宫博物院所藏朱氏《松涧横琴》扇面上仍存"正臣家藏珍玩"一印,即为此赞助关系的证明。朱德润之得以入仕,原来是经由沈王王璋的推荐。王璋实为高丽忠宣王,是高丽国王忠烈王与元世祖忽必烈女儿齐国大长公主的儿子,本人亦娶显宗女儿蓟国大长公主,在当时的政坛上颇有权势。他的支持,对于朱德润的艺术声望,肯定有绝对性的作用。沈王在1320年失势之后,朱德润在艺术上的赞助则转

图 64. 元 王渊《松亭会友》1347 年 轴 绢本 水墨 86.9 厘米 × 49.3 厘米 台北故宫博物院

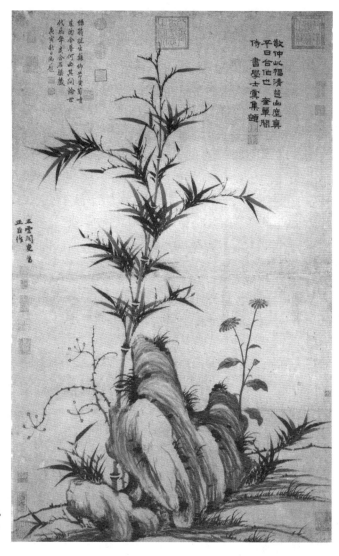

图65. 元 柯九思《晚香高节》
轴 纸本 水墨 126.3 厘米×75.2
厘米 台北故宫博物院

向其他高级官僚，其中大部分都是非汉族人士。例如他在1322年向英宗献《雪猎图》便是由集贤大学士泰思都、学士颇哥识律所推荐。这两个人可能都是蒙古人。另外，朱德润的文集中也提及若干位他赠画的对象，其中有三韩相国朴公与八札御使，前者应属高丽，后者如非蒙古则为色目。[19] 他们与阿鲁辉、泰思都等人可谓形成了一个非汉族的赞助群体，为朱德润的艺术扮演着向外推介的角色。

蒙古、色目人士的赞助书画艺术并不仅止于大都的宫廷文化圈中，连江南地区也十分普遍。他们所赞助的对象亦由如柯九思、朱德润等士大夫扩大到在野的文人艺术家。这种现象从十四世纪二三十年代起便显得十分突出。居于松江的隐士曹知白（1272—1355）即为其中一个值得注意的例子。曹氏出身永嘉大族，家境富饶，早年曾向地方政府献策，参与松江之水利工程建设，后于1302年得授昆山教谕，但不久即辞去，北游大都，南归后即隐居不出，以读易、穷究黄老之学为事。后人由其经历，常誉之为高士。这或许易于让人误以为他会是如钱选、郑思肖不愿面对多族现实环境的隐士，实则不然。曹氏现存台北故宫博物院的两件山水画，居然全系为非汉族的赞助者而作。他的《双松图》【图66】作于1329年，自题中即云："远寄石末伯善，以寓相思。"此石末伯善即石抹继祖（1281—1347），为契丹人，系蒙元亡金功臣石抹也先的玄孙，曾从故宋进士鄞县名儒史蒙卿读书，1307年袭封海上万户府副万户，他受此画时则已辞职移居台州，朝廷虽欲再召管理海事，但仍执意辞授。曹知白此图会以李郭风格作巨硕双松，应是以此象征图像赞美石抹继祖的伟岸绝伦，方待大用。曹氏于二十二年后的1351年又作《群峰雪霁》【图67】，此则为赠号"懒云窝"者。"懒云窝"实为阿里木八剌之斋名，其人族出西域阿里，曾官平江路总管府达鲁花赤，后辞官隐居苏州东北隅。阿里木八剌与其父阿里耀卿皆以善曲知名，今日《全元散曲》中仍存其作。散曲于元代社会中最为流行，阿里木八剌既精于此，可见他在苏州地区的文化界中必定是个活跃的人物。《群峰雪霁》亦作李郭风格，但以雪景写其孤高拔俗之意，称美阿里木八剌的高士人格与生活。石抹继祖与阿里木八剌皆为退官家居之隐士，虽非属汉人，但显然都能充分领略曹知白的画意。这再加上他们较汉人为有利的身份与社会地位，对曹知白艺术的推荐能力，自非一般江南的汉族士人所可比拟。

曹知白的这两件艺术作品的赞助现象，具体而微地提示着文人书画艺术在江南的发展似乎相当依赖如阿里木八剌的非汉族官绅。相对于赵孟𫖯那个时代仍主要依赖南籍人士的情形而言，这些非汉族中介者之活跃状况，的确是个新而值得注意的现象。它的活力，大致上至1350年仍持续不坠。赵雍（1290—1360至1364年间）在此可算是个值得注意的个案。赵雍是赵孟𫖯的次子，以父荫入仕，官至集贤待制，同湖州路总管府事。他的书画都有家学，又是"王孙"身份，很受时人推重。然而，由其所存画迹及相关文字看来，他的艺术声望，也离不开一些非汉族官员或士人的鼓吹。成于1352年的《骏马图》【图68】虽未明指受

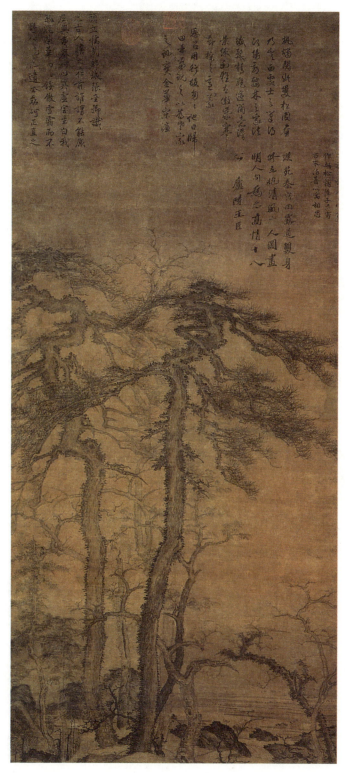

图 66. 元 曹知白
《双松图》
1329 年
轴 绢本 水墨
132.1 厘米 × 57.4 厘米
台北故宫博物院

图 67. 元 曹知白
《群峰雪霁》
1351 年
轴 纸本 水墨
129.7 厘米 × 56.4 厘米
台北故宫博物院

144 | 从风格到画意——反思中国美术史

图 68. 元 赵雍
《骏马图》
1352 年
轴 绢本 设色
186 厘米×106 厘米
台北故宫博物院

画者姓氏，但由赵雍妹婿王国器在画上所写《画马歌》称画主为"元卿相公"，可知此人应是孛颜忽都。孛颜忽都系蒙古人，为1327年的进士，官至江浙省宣政院判。1352年受赠《骏马图》时，正因江南红巾乱起，受命总制浙之三关。在《骏马图》上，赵雍即在具有古意的青绿山水中置骏马数匹，且特别运用居其正中的"揩痒马"所具有渴望重回战场报国立功的寓意，来预祝孛颜忽都能在这个新的平乱任务中取得辉煌的战功。[20] 孛颜忽都收到《骏马图》后便邀请文士刘庸与王国器为其题跋，其中王国器的《画马歌》即以"只今淮甸尘飞扬，安得致此真乘黄。臂枪挽弓三石强，金作仆姑射天狼。功乘归牧华山下，卖剑买牛禾满野。圣寿万岁歌太平，河清海晏销甲兵"作结，以文字的形式呼应着赵雍的画意，更增画作之光彩。在书画作品上邀名士题咏以增其价之行为，自宋代以来即流行于中国文化界中；孛颜忽都此举则意味着较前举数例非汉人画主更为积极地参与既有之艺术运作模式之中。而其为蒙古地方要员的身份亦为其成效提供了有力的保证。

赵雍的艺术不仅得到如孛颜忽都之画主的宣传，有时也通过转赠的方式扩大其声名的范围。在括苍名士陈镒的《午溪集》（有黄溍1342年序）中收有一诗，题为《题院判石末公见惠赵仲穆〈双马图〉》，可视为此模式之代表。[21] 此画虽然不传，但由陈镒题诗的内容，可知画意在彰显对一番"英雄事业"的期待。然而，更值得注意的则是"院判石末公"在此运作过程中的参与。此石末公究为何人，不易确认，但由其姓氏来看，应是如石抹继祖的契丹人。他或许也曾是此《双马图》的主人，但此时则更扮演着中介者的角色，在将赵雍作品传递出去之际，亦扩大了赵雍的观众群。作为吴兴公子的赵雍，是否非得仰赖此种非汉族的中介之力不可，才能建立其声名？这或许不易完全肯定。但事实上，如孛颜忽都及石末公这些中介者，因其社会阶级之优势，而在赵雍声望的形塑过程中产生过积极的推力，这是不容否认的。

赵雍的绘画，尤其是马图，随着声望的提升，竟然出现了某种可称之为"市场需求"的现象。这种现象本来较常见于职业画师的工作之中，他们会在稍有名气后，应买主所求，一再复制其所赖以成名的少数主题，以供市场所需。赵雍虽非以卖画维生的职业画师，但其绘画工作中亦见此种近乎复制的现象。台北故宫博物院所藏《春郊游骑图》【图69】或为其中幸存之例。此画作一贵人携弓乘马立于大树下，昂头上望树梢。其安排与北京故宫博物院所藏之《挟弹游骑图》几乎全同。赵雍所作此

图 69. 元 赵雍《春郊游骑图》轴 绢本 设色 88 厘米×51.1 厘米 台北故宫博物院

主题之画作，当时显然不只两件；从时人诗文集之题咏中，至少还有六件这种作品，标题或作《马上挟弹》，或写《游骑挟弹》，但其图像表现皆属同类。[22] 如此一画多本的现象足可让人想象赵雍此题材广受欢迎的程度。而其之得以如此，除了彩衫贵人及桃花马之精美形象外，尚与其画意之深寓劝诫有关。北京本《挟弹游骑图》上有时人乃贤（1309—1368）题诗，诗末所云："堕卵覆巢非厚德，蓬肉区区味何益。鹓雏多生碧梧枝，少年慎勿轻弹射。"[23] 便是在告诫贵游子弟的奢淫行为。这种道德规谏性的绘画，确实颇为适合当时上层贵胄家庭之用，对于源出习好射猎的游牧民族的贵游子弟，尤其具有针对性。可是，这会是赵雍对异族统治阶层的批判或暗讽吗？实未必然。由《挟弹游骑图》的明显市场需求来看，非汉族的上层社会中显然对此劝诫的教育性颇有认同。北京本的题诗者乃贤即为出自中亚楚河、伊犁河流域的葛逻禄氏（即哈刺鲁），是元代后期著名的色目诗人。他出身世家，于1363年任翰林国史院编修。在《挟弹游骑图》画成的1347年，乃贤正在大都，虽未有官职，但在上层阶层中相当活跃，曾随皇帝的巡幸队伍去过上都，努力寻求任官的机会。[24] 北京本的画主极可能不是乃贤，而是他在大都所结交的某个更有权势的蒙古、色目贵胄家庭。他们对"挟弹游骑"画意的态度应与乃贤基本一致才是。经由这个画意的沟通，乃贤与画主家庭在赵雍艺术名声的形塑过程中，因之亦产生了一定程度的中介作用。

色目诗人乃贤在大都期间（1346—1352）还结识了会稽诗人王冕（？—1359）。王冕至大都也是为了寻求入仕之渠道，而其画梅之技艺在此过程中也起到了一部分程度的辅助角色。他的墨梅多作顶部半株，以浓黑带飞白效果之主干、细致弯弧的枝梢，在或上耸、或下悬之角度中，呈现万蕊千花的妙趣。《南枝春早》【图70】即为此种风格的典型。它虽作于1353年，距王冕自大都南归已有五年之久，但风格上并无根本的改变，似乎连画上的题词亦仍保有承续的关系。《南枝春早》上的题诗末联作"疏华个个团冰玉，羌笛吹他不下来"，应是他本人颇为自喜自豪的句子，故一再地书写、变奏。他的传记中曾记他在大都时，"题写梅张座间，有云'花团冰玉，羌笛吹不下来'之句，见者皆缩首醋舌，不敢与语"，[25] 其句即与《南枝早春》末联大致相同。不过，传记中所记观者之反应，"不敢与语"，却是后人的过度诠释，以为此句表达了王冕反抗北方异族统治的心志。其实，羌笛与梅花在中国诗词传统中早有密切关联。李白《青溪夜半闻笛》就有"羌笛梅花引"之句。此

图 70. 元 王冕
《南枝春早》
1353 年
轴 绢本 水墨
151.4厘米×52.2厘米
台北故宫博物院

盖因古笛曲中有名"落梅花"者，故李白在《与史郎中钦听黄鹤楼上吹笛》才说"江上五月落梅花"。王冕诗中"羌笛吹他不下来"毕竟只是借用了"落梅花"曲名来幽一默，实在没有什么民族主义的微言大义在内，否则他断然不敢将此诗到处题写在他颇有市场性的墨梅图上的。

王冕题诗"羌笛吹他不下来"之句，无疑地可以增加他墨梅画的观赏趣味，这对它的普受欢迎，应有具体的作用。对于这层趣味，当时一些非汉族的士人之中亦不乏知音者，其中任秘书卿的泰不华（1304—1352）即为王冕在大都最主要的支持者。泰不华为蒙古伯牙兀台氏，是1321年的左榜状元，其人不仅师事名儒周仁荣、李孝光而有儒学，在诗、词、书法上也有很好的造诣。[26] 王冕在大都时便馆于泰不华家，据说当时"翰林诸贤，争誉荐之"，由之可以想见泰不华作为中介者所起的莫大效能。泰不华后来转任南方官职，于1352年卒于方国珍之乱。这一年正是赵雍为孛颜忽都作《骏马图》以祝其平红巾成功的时刻。孛颜忽都与泰不华并未达成平乱之任务。这两位十四世纪二十年代科举出身的蒙古士人在书画艺术上所扮演的中介者角色，事实上证明了无法在元末的动乱环境中继续发挥作用。

五、新的作者：非汉族书画家的艺术

从十四世纪二十年代至五十年代初这段期间，中国的书画艺术之推展不仅受惠于非汉族人士之中介，而且因为有他们融入士人圈而得到一批新作者直接参与创作，扩大了形式表现的成就。书画艺术本为汉族文化传统之特殊内涵，元时进入中国的诸多民族之文化中虽亦有文字、图绘之事，终究与中国所谓书画大为不同。非汉族士人此时在融入中国之士人文化的过程中，对其书画艺术的态度大致皆经历认同与学习的阶段，反而罕见直接以其固有之书写与图绘来进行诠释的现象。类似十七世纪郎世宁那种以西入中的手法，基本上在蒙元时期并未出现。这可见出蒙古人、色目人对融入原来士人文化的积极主动态度，此亦为其得以对书画艺术进行全面而深入的学习之根本。而因为有此全面而具深度的学习，一批出身非汉族之新的书画家于焉产生。

最能显示这个学习阶段的种种状况者当属元初的画家高克恭（1248—1310）。高克恭字彦敬，先祖是西域的回族，他的父亲则是著名的儒者，早为忽必烈所知，可谓是出自双重文化背景的书香门第。高克

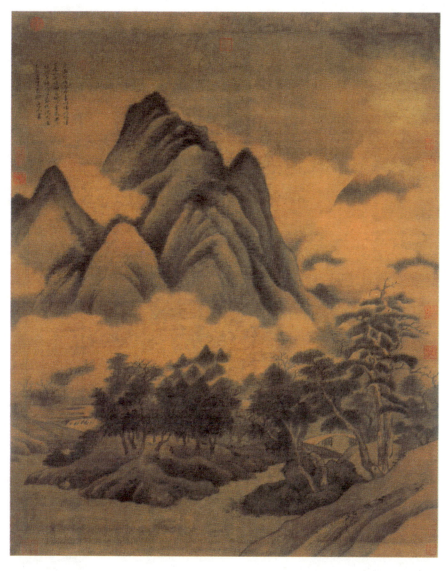

图 71. 元 高克恭
《春山晴雨》
1299 年
轴 绢本 浅设色
125.1 厘米×99.7 厘米
台北故宫博物院

恭的绘画生涯，据说是在他四十二岁后在南方任职时才开始的，在此期中他也结识了许多南方的书画家与收藏家。大概是从他的这些朋友中，他开始接触到南宋的米家山水画，并以之为学习的对象。《春山晴雨》【图 71】便可作为此风格的代表。画中作云雾迷漫的远岸山景，峰峦造型简拙，远树及山上的植被出以横点，皆系取自米家山水的语汇。不过，《春山晴雨》较之原本的米氏风格而言，亦有些不同，尤其是在山体的结构上，显得较重前突的体块感，不似米家之作单纯的片状平面。这可能是他掺入了北方系统山水风格的结果。看来在他习画山水的过程

图 72. 元 高克恭《云横秀岭》1309 年 轴 绢本 浅设色 182.3 厘米 × 106.7 厘米 台北故宫博物院

中也有得自北方画家的指导。在他的众多南方友人之外，河北蓟丘的李衎（1244—1320）应该也是他艺术上的导师，其重要性或许更要超出他人之上。《春山晴雨》即为高克恭在 1299 年为李衎所绘。

作《春山晴雨》十年之后，高克恭再作《云横秀岭》【图 72，1309 年】。在此画的左上角，李衎就以指导者的姿态写道："予谓彦敬画山水，秀润有余，而颇乏笔力，常欲以此告之，宦游南北，不得会面者，今十年矣，此轴树老石苍，明丽洒落，古所谓有笔有墨者，使人心降气下，绝无可议者。"李衎所批评的"秀润有余，而颇乏笔力"，似乎正是《春山晴雨》的大体风格。它到了《云横秀岭》时，山峦的块量体则大为增强，呈现了如北宋巨障山水的气势，可谓创造了一种融合南北风格的新山水。由高克恭的发展来看，他的途径确与赵孟頫者有明显的差别。在赵孟頫的复古事业中，米家山水实未曾扮演重要的角色；赵孟頫虽对五代北宋的董巨、李郭典范热心地予以再诠释，高克恭则似乎对之颇为漠然。相反，《云横秀岭》的用笔皴染却呈现一种极为直接、毫无格法规范的描述。他在那些乍看近似董源的山石坡岸形式中的皴擦交代，细观之就无赵孟頫《鹊华秋色》中所使的清晰"披麻"模式，而显得近乎素描。这种区别指示着高克恭之作为书画创作之新参与者在学习传统之际所具的非传统质素。

高克恭山水画中所带有的素描质素，可能是与他的学习传统同步产生，而非逐步发展出来的晚年风格。素描在山水画中的运用，常与实景写生有关。高克恭在他艺术生涯的早期便有此类作品，而且吸引了许多南方士人的注意。文献中知名的《夜山图》即是其中的代表。此图现已不传，但由著录上可知其后有赵孟頫以下二十九家时人题跋，其中徐琰者题于 1294 年，可知画成于同年或稍前。此《夜山图》系高克恭某夜登当时江浙行省照磨李公略建于吴山之巅的楼阁，俯瞰钱塘诸山，援笔而为的实景写生画。夜景山水固然是个创格，不过《夜山图》的形式样貌，亦非全然无迹可寻。如果根据徐琰的跋语及其后《钱塘夜山图歌》，高克恭此图乃是对由吴山之顶俯瞰所见的即刻描写，其形象应极接近南宋李嵩所作的《西湖图》（上海博物馆藏），不仅呈现着相似的鸟瞰式山水横卷结构，而且在描述物象时具有放弃既成格法，改采直观素描的现象。[27] 类似《夜山图》的这种实景写生山水画，虽然不能说是高克恭的发明，而是中国山水画传统中原有的类型，但它显然从未居主流地位。像《西湖图》的作品，实际上也流传得很少。它在原有的传统中经常在取得高知名度后立即衍化成模式性的表现，而失去其实景及技法上的特征。南宋以来《潇湘八景》的发展就是如此轨迹的典型例子。从高克恭之作《夜山图》来看，这种状况到了元初这个时候，似乎有了转变。对于如高克恭这种非汉族的山水画界之新作者而言，实景与素描山水可能较诸赵孟𫖯所追求的"古意"更有吸引力。

高克恭可算是非汉族参与中国书画世界的先锋。到了1320年以后，随着蒙古、色目士人数量的增多，非汉族中介者活动的日益蓬勃，他们亲自投入创作的频率也日益提升。萨都剌（约1300—约1350）是此兴盛期中最为耀眼的明星。他与高克恭同属回族，父祖皆以武功受知于忽必烈，英宗时奉命镇守晋北。萨都剌本人则善于文辞，为1327年进士，但似乎没有做到什么高位。倒是他的诗词造诣极高，有《雁门集》传世，时人干文传为《雁门集》作序时，即评其诗云："豪放若天风海涛，鱼龙出没，险劲如泰华云开，苍翠孤耸；其刚健清丽，则如淮阴出师，百战不折。"可见其所得之高度推崇。[28] 他传世的唯一画作《严陵钓台》【图73】也印证着他在书画艺术上的素养。《严陵钓台》轴上方有自题叙述他在1339年与道士冷谦同经富春江上东汉隐士严光之钓台，登临之后应冷谦之请而画此图为纪念。图上钓台居于右上方，左方以大半空间留作江面，使钓台之下的绝壁特显高耸，并于江上置小舟，舟上高士做仰望状，以示钓台形势之奇险。这基本上是使用了如画赤壁图的固有模式，但钓台的特定形势则是根据实景而来，与今日一般可见之旅游书上的实景摄影【图74】，仍极为接近。萨都剌作此图时虽已是游归之后，非如《夜山图》的当场写生，但显然对其所游所见之记忆颇深，并企图尽力追摹其脑中之印象。因此之故，他在山石树林之描绘亦未采取既定之格法，而使用着如《云横秀岭》的那种素描性的笔墨，试图捕捉他记忆中的景物印象。

萨都剌在《严陵钓台》中所使用的素描形式，若与中国绘画自宋以来所形成的各种笔描模式相较，最明显的区别在于完全脱离笔锋运用的任何有意识之考虑，无起无收，无顿无挫，无侧无正，无缓无急，且少讲究的交错结组。如此的画法亦见于张彦辅的《棘竹幽禽》【图75】，尤其是画中显眼的巨石上。其画法即全赖简单的长短线条来捕捉石面的尖削滑利质感，运笔之时全无笔锋变化的刻意呈现，可说与北宋以来南北各家的成法完全不同，遂令习于作风格溯源之论者颇感困扰。其实这

图 74. 严陵钓台实景照 出自《中国历代名人圣迹大辞典》

图 73. 元 萨都剌《严陵钓台》1339 年
轴 纸本 水墨 58.7 厘米 × 31.9 厘米 台北故宫博物院

2-1 冲突与交融——蒙元多族士人圈中的书画艺术 | **155**

图 75. 元 张彦辅《棘竹幽禽》1343 年 轴 纸本 水墨 63.8 厘米 × 50.7 厘米 堪萨斯 纳尔逊美术馆

正是写生式的素描,而且反映着画家对原来中国水墨画传统格法不甚在意的一种态度。张彦辅虽具汉姓,却是蒙古族人,为太一教中的高级道士,《棘竹幽禽》即于1343年在大都太乙宫中为其友子昭所作。[29] 除了山石画法之外,就画的主题而言,《棘竹幽禽》也显得很不传统。他的画面安排乍看之下,似乎近于元初以来文人流行的枯木竹石类型,但处理上却又有不同,不仅以荆棘换枯木,且加双禽在棘枝上,寓意高洁的兰花则又以不显眼的比例缩处于石背一角。这个现象说明张彦辅并未在意恪守固有画意图式的规范。而其之所以为此，极可能系因写其太乙宫观中园林之某个角落，属于写生花鸟的范畴。从效果上说，它实在较接近台北故宫博物院所藏北宋早期的《山鹧棘雀》，该画在花鸟画史中亦属最具写生意趣的作品。[30]

然而，《棘竹幽禽》是否直接得到《山鹧棘雀》这种早期的写生花鸟画的影响，却是大有疑问。花鸟画写生之义大致到了南宋已被转化成理想形式之追求，虽仍保持细腻的观察，但大都已去掉周遭环境脉络的交代，或至少予以大幅度的降低，并以配合突显主题物象的理想化为优先考量。元代时花鸟画的主流态度大致未变，只是在对象姿势上稍变自然，用色略改朴素淡雅罢了。张中的《桃花幽鸟》【图76】即为其中佳例。它与其南宋前身的差异基本上只是全以水墨画成，与题满全幅的诗跋所营造出来的文雅格调而已。除了张中这一支的发展外，元代另有一派受到赵孟𫖯复古理念影响的花鸟作品，倒有取法如《山鹧棘雀》的北宋早期画风的。王渊之《秋景鹑雀》（1347年，The Cleveland Museum of Art）即为

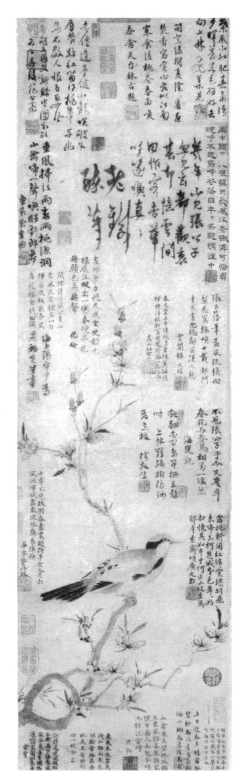

图76. 元 张中
《桃花幽鸟》
1365年
轴 纸本 水墨
112.2厘米×31.4厘米
台北故宫博物院

图 77. 元 伯颜不花
《古壑云松》
轴 纸本 水墨
122 厘米 × 42.2 厘米
台北故宫博物院

其中具有此种古意的例子，应是他在杭州时为汉族士人所作的作品。[31] 蒙古道士张彦辅之作，不但未取张中模式，亦与王渊者有着本质上的差异。《棘竹幽禽》的主要物象偏居画面左下角，且位于横跨画面的大斜坡后方，并未采用如《山鹘棘雀》与《秋景鹑雀》的中轴结构。尤其在斜坡的遮挡作用下，它的景物确实极能令人产生某种"角落"似的印象，因此也颇能兴起观者一种"偶然瞥见"的自然感。这种感觉通常是花鸟实景写生作品中一项十分引人注意的因子。由此角度观之，张彦辅这个蒙古画家在从事水墨花鸟之题材时，确有与张中、王渊不同的切入点。

稍晚于张彦辅的伯颜不花亦采同样途径作画。他传世的唯一作品《古壑云松》【图 77】长久以来即因画法特异，被疑为后人伪作，实则全因起于对实景的素描写生，未循十四世纪中期通用的规范之故。此图焦点置于画面中央云海之上的峭峰与巨松。峭峰由犬牙状之岩石构成，其上之古松则有巨枝蟠转下垂，确是奇观。如此不可思议的形象应即为黄山有名的景点"扰龙松"。该株古松后来在十七世纪时便一再地出现在弘仁与石涛的黄山画册之中。但相较之下，伯颜不花所绘者在其顶部仍见枝叶茂盛，三百年后它在弘仁与石涛笔下则已折损不少。[32] 对于峭峰岩块的描写，伯颜不花也是使用着单纯的短线，在勾勒轮廓之后，或疏或密地涂擦少量的暗部，而以大半的留白来捕捉黄山光滑岩面予他的印象。这清楚地显示了一种与十七世纪渴笔风格不同的素描画法，也意味着《古壑云松》的实景写生性格。由此来看，伯颜不花应该是亲自到过黄山的。黄山虽至十六世纪才成为旅游胜地，但作为道教的圣地之一，其开发显然在十四世纪中叶已经开始，并吸引了包括冷谦在内的许多道士及信徒前往朝圣。后者之《白岳图》（1343 年，【图 78 】）便是在画远望下的黄山奇景。伯颜不花是否为道教徒，尚不得而知，但画史上说他善画龙，那是道教画中常见的题材，如猜测他亦信奉道教，也有几分可能。不过，伯颜不花的身份实是高昌王子，母亲是书法名家鲜于枢之女，家世可谓非凡。他最初以荫授信州路同知，再任建德路总管，衢州路达鲁花赤，1357 年升任江东廉访副使。《古壑云松》即是作于廉访副使任内（1357—1359）。信州路等三个职任，其任所都距黄山不远，这无形中提供他不少实写黄山的机会。

从高克恭的《夜山图》到伯颜不花的《古壑云松》，在此半个世纪中，这些非汉族画家一再地展现了他们对写生素描风格的偏好。他们虽学习以中国传统的方式作画，但其切入点却与汉族画家不同。他们的这种作法，尤其显示着一种对原来古典典范运用的自由开放态度，不似赵孟頫等人"复古"理念上所表现的严肃与执着。如此之现象亦可见之于书法创作上。元代中期时，康里巙巙（1295—1345）即是在学习了二王典范后，再加入了不同系统的狂草、章草的风格，而形成他劲利的独特书法面目。这个发展可以由台北故宫博物院所藏他较早期之《致彦中尺牍》与 1344 年《草书秋夜感怀诗》【图 79 】的对照下，充分地显示出来。康里巙巙系西域康里人，出身名门，仕至高位，不仅精通儒学，而且对中国书法之传统深有掌握。他之选用二王书风，可能深受赵孟頫等人复古理念的影响，但他的风格"混用"，则近乎对原有典范的改造。这种面对古代典范的自由态度，显然不是赵孟頫等人所可想象的。相似的现象亦见于余阙（1303—1358）的《致太朴内翰尺牍》【图 80 】。

图 78. 元 冷谦
《白岳图》
1343 年
轴 纸本 水墨
84.4厘米×41.4厘米
台北故宫博物院

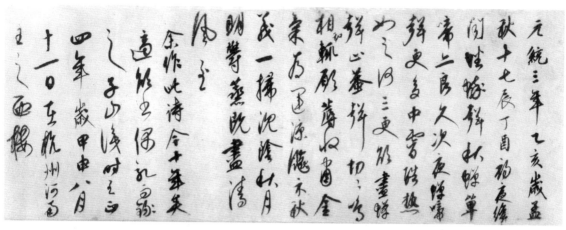

图 79. 元 康里巎巎《草书秋夜感怀诗》1344 年 卷 纸本 29 厘米×82.2 厘米 东京国立博物馆

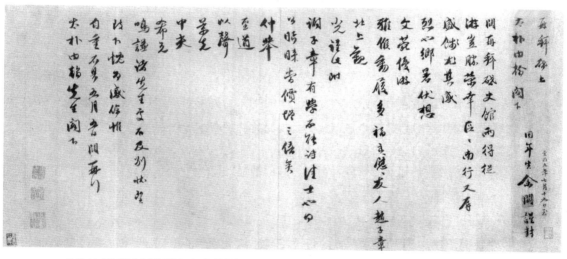

图 80. 元 余阙《致太朴内翰尺牍》1349 年 册 纸本 29.3 厘米×67.4 厘米 台北故宫博物院

其风格虽近似北宋的苏轼，但在使笔点划上则多见其自我的锐利、朴拙，实已脱去规范的制约。另位书家贯云石（1286—1324）为赵孟頫《双骏图》所写的题跋【图 81】，则更见用笔放纵自然，结字怪怪奇奇，几乎完全不受既有典范的限制。[33]

这种表现显然皆与他们非汉族的背景有关。贯云石本名小云石海涯，畏兀儿族，为功臣阿里海涯之孙，工于诗，并善曲。小他十七岁的余阙亦是杰出的士人。余阙本身是河西的唐兀人，为著名学者吴澄的再

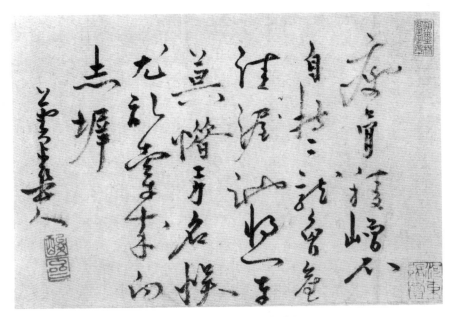

图 81. 元 贯云石《跋赵孟頫双骏图》卷 纸本 19 厘米 × 约 46 厘米 台北故宫博物院

传弟子,于 1333 年成进士,为官有声,亦与许多著名的汉族士人有颇深之交情。他们这些色目书家的参与此时的书法活动,可谓为赵孟頫与鲜于枢之后的书坛提供了一些不同的角度,对书法艺术理念的扩展也起了一定的作用。也就是在此脉络之中,曲鲜人(或做龟兹人)盛熙明完成了具独特角度的《法书考》【图 82】,并于 1333 年上呈给即将登基的顺帝。盛熙明在此书中除了详述中国书法传统中的各家流变之外,另就"字源"论述了"西方以音为母,华夏以文为基"的基本差异,来阐明"宇内万国,文字皆异"的事实。[34] 他在此所提供的实是一个新而多元的角度来理解中国之文字及其书写传统。在此多元的架构中,亦解构了原来书法典范的近乎神格之地位,书法创作因此可以无所谓于任何格法的正确性了。1345 年建成的居庸关过街塔中券洞内的经文石刻【图 83】,以六种文字并陈,横写之梵文、藏文居上,竖写的八思巴蒙文、回鹘文、汉文、西夏文则居下层,正是此种多元文字理念的落实,也是书写艺术多元观的具体展现。从中国书法史的立场来看,这实在是前所未见的新鲜事。

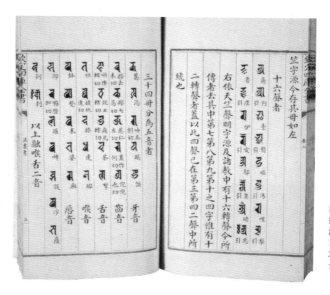

图 82. 元 盛熙明撰《法书考》清文渊阁四库全书本
1331 年成书
22.7 厘米×15.4 厘米
台北故宫博物院

图 83. 元 居庸关过街塔门洞内壁的石刻 "六体经文" 出自《中国民族古文字图录》

2-1 冲突与交融——蒙元多族士人圈中的书画艺术 | 163

六、尾声：动乱前后的道士与隐士书画

盛熙明的多元艺术理念，虽在居庸关的券洞中得到部分实践，但元廷之力却还未及将之推广而产生普遍性的影响，中国就进入不可收拾的动乱局面。非汉族士人在书画艺术的蓬勃参与，到了十四世纪五十年代，突然受到遏止。泰不华因平方国珍之乱，兵败被杀，卒于1352年。余阙在1358年守安庆，城为陈友谅所破，自刎沉水而死。伯颜不花则于1359年在陈友谅军陷信州城之际，自杀身亡。他们的悲剧不只是个人的，也意味着整个书画界中多族参与发展局面的急速萎缩。

自1351年起，武装暴乱开始在中国的南方爆发，逐步扩散，十多年后朱元璋的明帝国便取代了蒙古朝廷的统治。在这期间的动乱中，文化活动的数量与规模自然大受影响。原来具有社会地位优势的非汉族人士参与其中的管道与机会也明显地缩减，甚至逐步地消失。士人圈的范围不但由原来的向外扩张变成向内退缩，其内部蓬勃的多族多元性的交流，也因此失去支持的条件，转成局部而同质性极高的同志往来。书画艺术的表现也鲜明地显示这种"内向"的现象。不仅在艺术内涵上一致地追求内心世界的表达，连参与其中的作者本身也有很高的同质性。他们或为道士，或为隐士，但却都属离世绝俗的文人。时局的动乱与社会的不安，让他们自愿或被动地放弃了士人原来对外在世界自负的使命感与基本关怀。自我内心世界的追求与表达，成为作品的基调，也是他们在形成一个个小群体时相濡以沫的媒介。

这种文人的书画艺术实际上在动乱之前已有发端。后人称作元四大家之一的吴镇（1280—1354）可说是最合理想定义下的隐士。他的一生过得十分平淡，既没有如赵孟𫖯那样企图扭转汉族士人在蒙元统治下的困境，也不像朱德润或王冕等人尝试通过各种管道求取更高的阶级地位。他甚至极少与其他江南士人交往酬酢，只有偶与方外之士相过从，维持着一个极度低调的社交活动。作于1328年的《双松图》【图84】即是为"雷所尊师"张善渊所作，他是名道士莫月鼎的再传弟子。吴镇自号"梅花道人"，可见他与道教亦有些关系，可能便是来自莫月鼎一派的渊源。[35] 吴镇其他的画作则多是墨竹与渔隐山水。前者可以《竹石图》（1347年，【图85】）为代表，其楚楚有致的修竹配上平淡无华的独立石块，一方面呈现着他对苏轼墨竹风韵的追想，同时也透露着他矜持不群的内在自我。其山水画中最杰出的作品当数1342年的《渔父图》

图 84. 元 吴镇《双松图》1328 年 轴 绢本 水墨 180.1 厘米×111.4 厘米 台北故宫博物院

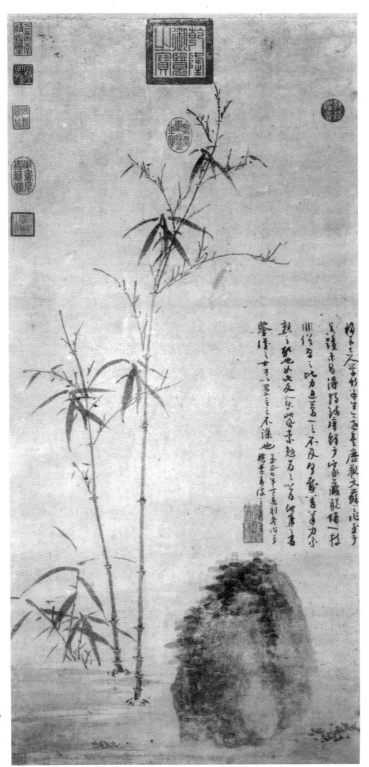

图 85. 元 吴镇
《竹石图》
1347 年
轴 纸本 水墨
90.6 厘米 × 42.5 厘米
台北故宫博物院

166 ｜从风格到画意——反思中国美术史

（参见图112）。它所描绘的则是他心目中理想的生活，似渔隐的绝对宁静与自适。这些都属作者的自我心灵图像，完全不涉世事。而其之所以制作，毫无功能性考虑，仅只意在自我表达，并向少数知己倾诉而已。

较诸吴镇而言，黄公望（1269—1354）则是道地的道士。他原来也有仕途之想，曾在江浙行省的政府中担任吏员的职务，也到过大都寻求更上层楼的机会，但后来因牵涉经理钱粮的弊案，被诬入狱。出狱之后即抛弃功名之追求，入了全真教为道士。他的山水画虽深受赵孟頫的影响，但基本上画的是他后来修道体悟所得的理想自然。正如其在1350年为另一道侣郑无用所完成的《富春山居图》【图86】上呈现的，即是一个充满内在生气，具有无穷变化潜能的境界。它存在于道教的理想之中，却也能在现实中加以发现。通过《富春山居图》，他向郑无用展示的不只是他隐居富春的生活，也是他探索内心山水造化生命的终极形象。在此之中，黄公望得以超越前半生受尽挫折的自我，再度与造化的创造活动合而为一，并引之为与同仁论道的媒介。

到了动乱蜂起之际，隐居生活成为文人事实上的常态，尤其在江南地区更是如此。这些文人的交际圈也明显地缩小，所来往的也都只是同一地区中各种背景不同的隐士。山水画经常扮演沟通的桥梁。如王蒙（？—1385）在十四世纪六十年代所作的《谷口春耕》【图87】及《花溪渔隐》【图88】都是以赞美朋友的隐居生活为主题。王蒙是赵孟頫的外孙，与当时江南的许多名士都有来往，在政治上，他是个亟思有所作为的青年志士，但因于时局的纷扰，被迫隐于黄鹤山中。他的隐居因此可说具有一种与赵孟頫不同的矛盾与挣扎，也完全没有吴镇的自在与宁静。几乎与吴镇相反地，王蒙的这种隐居山水画总是以皴染繁复绵密，造型变化多端，结组层叠串动的山体为主，只在谷中水口的狭小空间中安置两三间象征隐士居所的简单屋舍。画上的题诗虽然都在称美该隐居生活之美好，但还是不时地流露出一种为时局所困的无奈。《花溪渔隐》的诗末云"少年豪侠知谁在，白发烟波得自由"，便隐隐地透出这种遭时不遇的遗憾。他画中的隐居，嵌在紧密而骚动的山脉之中，也传达着这种暂时逃避的无奈选择感。受赠这些画作的王蒙友人，是否对其自身的隐居也有相似的感觉，尚无法确知，不过，对王蒙的遗憾与暂作"避秦"之权衡选择，他们必能体会亦有所共鸣。

王蒙的隐居山水像是在述说着乱世中对宁静生活的无奈企求，他的朋友倪瓒（1301—1374）则以孤亭山水怀念他失落的家园。倪瓒本为无

图 86. 元 黄公望
《富春山居图》
（局部）
1347—1350 年
卷 纸本 水墨
33 厘米×639.9 厘米
台北故宫博物院

锡富家子，长兄倪昭奎还是全真教中的领袖人物，并与当时政府有良好的关系。以如此的家庭背景，倪瓒大有往仕途发展的机会，但他生性孤傲高迈，不肯与俗人为伍，俨然以高士自况，自然不曾有此企图。他可能还有洁癖，而且似乎有意地突出自己的这个形象，因此时有怪异之行径。倪家不仅物质条件优裕，而且富于收藏，乐于赞助文艺，遂成无锡及附近地区文人雅士交集的一个中心。在动乱变剧之前，倪瓒这个特立独行、孤傲避俗的富豪文人，实际上是在无锡自家讲究无比的园林中，享受着一种精致而无虑的隐居生活。对亦是道教信徒的倪瓒而言，这是一个如神仙般的完美生活，他从来没有想到会有离开它的一天。然而，在 1352 年，江南地区的动乱迫他弃家而辗转在太湖流域的偏僻角落间，寄居于亲友家中。这种漂泊流寓的生活，必然使他感到深度的挫折与郁悒，而昔日无锡家中的隐居如今在回忆中则变得更为宁静安适。在此情境之中，无法归家的窘境遂形成倪瓒心中最大的焦虑。如此之焦虑，一直持续到他去世都没能解消；时虽已在明朝建立之后，他已回到无锡，然却无家可归。倪瓒在离家之后所作的山水画，大半为此思家情感所主宰。正如《松林亭子》（1354 年，【图 89】）所示，画中无人孤亭便是他那个正待主人归来的理想家园的象征，其周围的景物简单，有些近似吴镇的《渔父图》，但多了一层冷淡的枯寂感。随着年华的老去，漂泊

生活的延长，以及思家情绪的加深，倪瓒的山水也日益趋向凄凉孤独。《江亭山色》【图90】于1372年作于娄江旅居，即比《松林亭子》更具"江滨寂寞之感"。它们虽使用着相同的母题，差不多的构图，但《江亭山色》的疏林更显得"似我容发，萧萧可怜"，江水面积的扩大以及远山的"微茫"则进一步地散发出旅途中"独立霜柳下，渺然怀故乡"的情感。这虽是画赠友人焕伯高士，但却实是自我的抒情。倪瓒在本幅题诗中云："我去松陵自子月，忽惊归雁鸣江干，风吹归心如乱丝，不能奋飞身羽翰。身羽翰，度春水，蝴蝶忽然梦千里。"这是在倾诉着他漂泊至娄江时对故园的深刻思念。但是，词中亦及于焕伯，"持杯劝我径饮之，有酒如渑胡不喜"，对其劝慰，表达了深切的感激。由此观之，像焕伯的这个画主，便绝非一个单纯的受画者而已，而是倪瓒在画中倾诉情感的对象，可说是画家这个抒情活动中不可分割的部分。他的存在，因此也可视为《江亭山色》这种文人画之所以成立的根本要件。与此相较之下，稍早期士人画的中介者就显得颇有不同。非汉族士人在彼时所扮演的重要中介角色，在元代晚期的文人山水画的产制过程中遂也失去其重要性。事实上，在倪瓒与王蒙的以自我表达为内涵的山水画上，便几乎完全不见非汉族士人参与的痕迹。而因非汉族士人之参与而产生的理念与形式上的新冲激，因此也未见于此期文人山水画的表现之中。

图 87. 元 王蒙
《谷口春耕》
轴 纸本 水墨
124.9 厘米 × 37.2 厘米
台北故宫博物院

图 88. 元 王蒙
《花溪渔隐》
轴 纸本 浅设色
128.4 厘米×54.6 厘米
台北故宫博物院

图 89. 元 倪瓒《松林亭子》1354 年 轴 绢本 水墨 83.4 厘米 × 52.9 厘米 台北故宫博物院

图 90. 元 倪瓒《江亭山色》1372 年 轴 纸本 水墨 94.7 厘米 × 43.7 厘米 台北故宫博物院

2-1 冲突与交融——蒙元多族士人圈中的书画艺术

非汉族书画家对中国传统典范的自由态度,以及在技巧上的朴实直截,倒是在元末明初的道士艺术家的作品中,得到某种程度的承续。在十四世纪的第三季以前,道士在书画界的活动,大概局限在中介者的角色范畴,甚少专以之名家。在绘画中,黄公望是少数的例外。但是,他的山水作品在形式上尚只是步趋赵孟頫,仍属文人主张"复古"的一派。倪瓒亦属道教徒,但在山水画上则未见与道教的直接关系,在晚年甚至还与王蒙竞争如何有效地诠释古老的荆关风格。只有到了正一教道士方从义(约1302—约1393)的出现,山水画才鲜明地成为道士的专长,而在画史上占一席之地。方从义的山水作品中许多皆与道教圣山实景有关。《神岳琼林》【图91】画的是龙虎山琼林台一带,那里亦为其道友程元翼(南溟真人)的修道之所。《武夷放棹》【图92】则描写另一福建圣山武夷,此或与他早年从其师金蓬头在该地学道的经验有关。在描绘两座圣山的景物之时,方从义使用的也都是朴实的素描,或快或慢,且着力于各种形象的丰富变化。这种表现可能与道教思想中重视自然内在生气、万物生发变化的观念有关,而其结果则是方氏那种无视格法规范之自由风格的成立。它的风格既主于"变化",作品的面貌便也各自不同。另一件方氏作品《高高亭图》【图93】就呈现与《神岳琼林》及《武夷放棹》相异的样式,而直接使用水墨刷染,全不赖任何格式之笔皴以成物象,确能造成一种不为物役、自由自在的视觉效果,很能呼应他内心对造化之"道"的体悟。[36] 后人总勉强地将其山水归属米家一系,其实完全偏离重点。他的书法也力求解脱任何传统典范的束缚,而在笔墨与结字上特别突显自由奔放的表现。这个现象稍早也可在茅山宗道士张雨(1283—1350)的书作【图94】上见到。后来号称铁笛道人的杨维祯(1296—1370)则更进一步,以其怪奇狂放的书风,在复古书风笼罩之下的文人书坛中独树一帜(例可见其跋张中《桃花幽鸟》,见图76)。杨维祯虽非道士,但早年即与张雨密切往来,晚年则在动乱的时局中过着一种放浪形迹的生活,"望之者疑其为谪仙"。他的书法与张雨的渊源,应该也有一层道教的因素在内。

即使如此,方从义等道士及其周围的书画艺术毕竟属于画史中所谓的"逸品"。换句话说,就是无法归类的、少数特立独行的风格。[37] 它在十四世纪后期艺术界的影响面非常有限,可以说是极为小众的艺术。在那特定的小众之外,他人如无相似精神经验,即使有心,亦无法参与。倪瓒与王蒙的隐居山水图也是如此。他们在拒绝现实进入其艺术之

(左)图 91. 元 方从义《神岳琼林》
1365 年 轴 纸本 设色
120.3 厘米 × 55.7 厘米
台北故宫博物院

(右)图 92. 元 方从义《武夷放棹》
1359 年 轴 纸本 水墨
74.4 厘米 × 27.8 厘米
北京故宫博物院

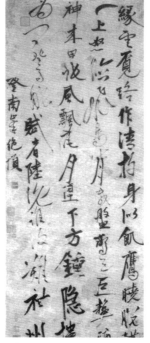

(左)图 93. 元 方从义《高高亭图》
轴 纸本 水墨
62.1 厘米 × 27.9 厘米
台北故宫博物院

(右)图 94. 元 张雨《书七言律诗》
轴 纸本
108.4 厘米 × 42.6 厘米
台北故宫博物院

同时，也拒绝了一般的观众。对于非汉族士人的参与，他们不见得会予以抵制，但显然已非需要思考的问题。自从泰不华、余阙等人横死于动乱之后，南方的文化活动中便已罕见非汉族士人的踪迹。到了1367年，朱元璋政权提出"驱除鞑虏，恢复中华"的口号后，多族多元的文化发展在此民族主义开始弥漫的氛围中，更是丧失了继续存活的空间。

　　由此回顾十四世纪二十至五十年代初期的那段时间，多族士人活跃的盛况的确显得极为难得地特殊。从整个士人文化的发展史来看，它亦有值得注意的意义。中国的士人文化自北宋开始形成后，一直都有明显的排他倾向。"雅俗之辨"一再地提出，实际上是为了排除其他阶层人士的大量窜入，以维持其本身成员在数量上的精英性。即使在明清与现代初期，大势亦皆如此。只有在这段特殊的时空中，汉族士人的文化危机感才突破这堵阶层文化的高墙，积极地力求扩充，向外吸收、争取非汉族人士的参与。书画艺术本为雅俗之争的利器，此时则转变成促进多元交融的催化剂。中国的书画艺术在此也因非汉族中介者及新作者的投入，而得以产生多彩的荣景。如果仅就此角度观之，元末之动乱与其后朱元璋之民族主义对此交融荣景的遏止，不得不说是一个文化上的遗憾。

2-2　元代文人画的正宗系统
——由赵孟頫到王蒙的山水画发展

　　由蒙古人所建立的元朝，在中国历史上占有一个特殊重要的地位。它不仅结束了中国本土中长达一个多世纪南北分裂的政治局势，而且在文化上创造了一个多民族交融、互动的新格局。造成这个多元而丰富的文化表现的根本因素在于蒙古帝国本身自具的多民族性格。元帝国虽只是当时横跨欧亚大陆的蒙古世界中的一部分，而且统治的主要是汉族及其土地，但是，其治下文化表现之多元面貌实际上仍十分清楚。史家所津津乐道的文化人物如马可·波罗（Marco Polo）、八思巴、阿尼哥等，皆各自代表着一些非汉族文化传统的传入中国；在留存迄今的艺术文物之中，陶瓷、织品、建筑等也都见证着此种多元并存的实相。中国原有的绘画传统，只是其中的一支，而且已经失去原有的崇高地位。正如代表着汉文化传统的儒学在元代所遭遇的情境一般，中国固有的绘画传统，在当时元代统治阶层素来偏重装饰艺术的不同艺术观之冲击下，确实面临着发展上的困境。[1] 元代绘画，尤其是所谓的文人画的表现，向来被视为中国画史中最关键的变革，然其之所以如此，实是其所处历史脉络所逼出来的。

　　中国文化传统的困境，在1279年南宋因其最后一个皇帝投海自尽而正式宣告灭亡之后，立即成为无可逃避的现实。这对出身宋朝皇族的赵孟頫而言，感受尤其深刻。他生于1254年，为宋太祖赵匡胤十世孙，世居湖州（今浙江吴兴）。他在文艺方面的才华横溢，可说是凝集了赵宋皇室数百年以来讲究风雅的结晶，甚至较之北宋的徽宗皇帝，也不遑多让。可惜他也像徽宗皇帝一样，生在一个不合适的时代里。南宋亡时，赵孟頫正值二十五岁，闲居里中，虽无立即的生命危险，但也无所出路。面临对中国悠久的文化传统毫不珍惜的新政府的统治，赵孟頫对此困境的忧心，实不难想象。

对赵孟頫而言，赵宋皇室既是那传统文化在近三百年的庇荫者，作为皇室之遗绪，对此文化之认同，自然产生与一般宋遗民不同的深度。元朝政府虽对南宋皇室遗族尚称宽大，不似女真人处置北宋徽、钦二帝及皇室成员的凶暴，但在若干措施上仍显示了对宋室及其所代表之文化绝对敌视的态度。在1283年左右，江南释教总摄杨琏真加在浙东绍兴挖掘南宋诸帝攒宫一事，便具有充分的象征意义。杨琏真加系来自河西地区的藏传佛教僧侣，曾开杭州飞来峰之石窟，对藏传佛教在江南的传播，做了许多工作；但他之发掘南宋诸帝攒宫，则被十七世纪的学者顾炎武指为"自古所无之大变"，而大加抨击。杨琏真加不仅发掘攒宫，且将诸帝遗骨移埋至杭州宋故宫下，并筑佛寺其上，以藏传佛教的厌胜之术来镇压南宋亡灵。他又在宋故宫基址之上建白塔，"下以碑石甃之，有先朝进士题名，并故宫诸样花石，亦有镌刻龙凤者，皆乱砌在地"。他甚至企图以宋高宗所书《九经》石刻本来作佛寺的寺基，因而引起杭州路汉族官员的抵制。[2] 杨琏真加的行为，本有其政治与宗教上的目的，而在江南的汉族文士眼下，它却还意味着一种文化被灭绝的严重危机。身处距离杭州不远的吴兴，赵孟頫此时所受震撼之深巨，必更甚之。

赵孟頫终于在1286年接受元廷的征召，前往大都（北京）任职。他的决定，由于牵涉到以"曾受宋家恩"的前朝皇族身份，转而"且将忠直报皇元"的节操问题，可以想见必定历经一番心理的煎熬；不过，他的特殊身份似乎也反过来强化了他对在那种困境中勉力维系传统文化的使命感。他的弃隐出仕，因此也得到了周围友人的谅解；这从另一个角度来看，也正反映了当时江南文士圈希企对此文化危机有所救济的共识。后来赵孟頫在政治上虽无具体的建树，但是，他的艺术，尤其在山水画方面，却在政治挫折之余，以其个人的方式，不仅对传统进行重整与复兴，并且将之转化成新形式，确立了影响后世至巨的文人山水画传统。

南宋时代的山水画，在皇室的充分赞助之下，产生了马远、夏圭等名家，并以"情景交融"的方式呈现人在自然中发现的美感，为山水画之发展在北宋之后创造了另一个巅峰。但是，入元之后，马、夏风格的山水则几乎完全失去了社会的凭借，虽有如孙君泽者之后劲，但已非上层阶级追逐的时尚。大致说来，居于统治阶层最核心的蒙古亲贵其实并不重视山水画，而在他们外围倒有一些华化较深的色目及北籍权贵，还颇能欣赏承续金代李郭风格的华北系山水，这种山水因其恢宏之气象，通常带有为盛世帝国宣传的象征意义。[3] 但对赵孟頫而言，这些都不是他要复兴的对象。他并不想只是被动地延续某些画风，也不想让他的山水画只是作为政治的点缀。他所关心的实是如何让中国山水画传统中的古代典范，在经过他的重新诠释之后，得到全新的生命，进而能在纷扰困窘的当代中，再造一个足以安顿心灵的理想境地。从思考的理路来说，这个途径正呼应着一个世纪以前朱熹以其"集大成"来重释、复兴儒学传统的做法；而就艺术的目标来看，这则是对山水画本质的反思，将之回归到五世纪时宗炳在《画山水序》中所提出的"畅神"论点，[4] 这是中国历史上将山水画定义为一种与"道"相呼应之理想内在自然的理念源头。

赵孟頫在山水画创作上的理念，充分地体现在成于1296年初的《鹊华秋色》（参见图57）之上。此画采用自十二世纪以来即流行不坠的手卷形式，但构图上却刻意地不用其在十三世纪时常见的复杂变化，只是以树与山的组合作一等距离的三点式简单配置，近似唐代王维《辋川图》【图95】的空间布局。而其树形的简朴、山体的几近三角与半圆的几何造型，也有类似的古拙意味。中段前景的树丛坡渚则是跳过流行的形象，直接取自五代董源山水画中的特定母题，极近似现存的董源名迹《寒林重汀》（参见图27）的前景。赵孟頫对这些古代绘画形式的理解，大致上是他在北方为官期间注意搜访古代名迹、进行研究的成果；当他在1295年由北方归返吴兴，便携回包括董源《河伯娶妇》（可能即今藏北京故宫博物院的《潇湘图》，参见图25）在内的唐宋书画近三十件。[5] 他的师法古人也因此与钱选等人的浪漫想象不同，而具有清楚的智识主义倾向。这一点也可在其较早对取用六朝风格形式企图再现顾恺之画谢鲲像的《幼舆丘壑》图卷【图96】上见到。

师古的目的并不在于如实地模仿古人，而是在自我之诠释下，使其重获意义。精于书法的赵孟頫，便是以其书法性的用笔来建立个人的诠释体系，来赋予新的表现内涵。《鹊华秋色》画面上几乎不用水墨渲染，而多用中锋线条，圆转绵长而有起伏，可谓与楷书之运笔相通。这些线条在描述物象之际，其本身之交错与律动，干笔淡墨的铺陈，又自有其一种平淡和畅的韵致，将原本古拙形象所可能有的不自然，转化成另一

图 95. 元 唐棣（款）临王维《辋川图》(局部) 1342 年 卷 绢本 设色 34.8 厘米×509.1 厘米 京都国立博物馆

图 96. 元 赵孟頫《幼舆丘壑》卷 绢本 设色 27.4 厘米×117 厘米 普林斯顿大学美术馆

2-2　元代文人画的正宗系统——由赵孟頫到王蒙的山水画发展

种与董源不同的平淡天真。如此援用书法意念入画的做法,虽然早在南宋之时已有若干的尝试,[6] 但赵孟頫则是最早有意识地以之来有系统地诠释古代形象,而非仅止于作为另一种描绘外在自然的格式工具而已。他的《双松平远》(参见图62)则是处理《鹊华秋色》未触及的李成传统。李成可以说是北宋山水画主流的奠基者,而且其宗师地位之建立主要来自北宋皇室的热心推动,可说与赵孟頫身份背景关系匪浅。再加上其风格传统虽未曾断绝,但李成原貌却因在十二世纪时已有"无李论"的缺少实证资料之情况下,早已不易捉摸,这更加强了求其复兴的迫切性。《双松平远》基本上放弃了北宋郭熙以来的巨碑山水形式,而回归到李成的寒林平远山水;但又将之改成横卷形式,寒林简化成双松,而与平远山水左右并列,原来李成广阔无垠的空间感虽不复存在,但母题各自则更具图像(icon)之表现能力。赵孟頫此时所使用的线条系统乃出自行草书之笔意,较诸《鹊华秋色》者运笔迟速之变化更大,笔锋方圆的互换也更为明显。尤其在卷首以草书之飞白法诠释李成的"石如云动",特见新意,后来则成为他在枯木竹石画科中的独特风格因子。

　　经其用笔诠释之复古山水形象,反过来也丰富了作品本身的表现内涵。《鹊华秋色》虽是赵氏为其江南友人周密画其故乡济南地区山水,华不注山的形状也大致有所实据,但整体而言却不仅止于齐地风光的描绘。在赵氏的用笔之下,全幅山水已无光线与空气的表现,成为超越现实时空,温雅和畅而又古意盎然的理想世界。这一方面是召唤周密归来的梦境故乡,也是对周密隐逸性格的山水诠释;[7] 再一方面则又是赵孟頫本人在政治上无所施展之际,困顿心灵的寄托,在那里,他试图实践他在政治上无力达成的文化救赎使命。《双松平远》亦是如此。他在画上所作的山水完全与外在实景无关。在不同用笔的诠释之下,它不止复现了李成山水的骨肉,[8] 而且重新发现了其中久被忽视的道德内涵:双松在凝缓的用笔与挺拔但疏落含蓄的造型之共同诠释下,被转化成孤高的在野君子。[9] 整个山水也因而变成此不遇君子寻求心灵寄托之处,远方小舟上的钓者遂亦可视为如此希企超越现实返归平静心境的投射形象,在理想之中还带有无法祛除的寂寞之感。李成实在也是身处乱世的不遇儒士,赵孟頫虽有官职,心情却相契合。《双松平远》虽为董姓官员野云(另有可能是廉希恕,见页126、134)求画而作,但在重现李成的深层意义之际,同时也抒发着个人困处现世中的感怀,并借之隔着时空与古之君子进行对话。"野云"此人或亦同具"朝隐"理想,对此画意当也能有共鸣。

赵孟頫在文化上的努力,并没有得到元朝统治阶层的认同。不过,对于汉族文士(尤其在南方者)而言,他则以此种山水画树立了一个文人艺术的典范。在他之后具有文士背景的元代画家,于山水画上大都取其复古风格作他们心目中理想的隐居世界,师法的关系十分明显。而且,这些画家之间不仅互有往来,他们也都与赵孟頫有直接或间接的关系,几乎可以被视为一个"赵系"的群体;而其山水画则是明代文人的风格源头,董其昌所提倡的正宗理论,亦以此为基石。

在赵孟頫的下一辈文人画家中,其中最能接续赵氏理念者除了其子赵雍之外,尚有曹知白、朱德润及黄公望等人。曹知白早年也曾试图入仕,但只得一个学官之职,后即退隐松江家中,以诗画自适。他的《群峰雪霁》(参见图67)作于1351年,是在松江家中洼盈轩为西瑛所作。画中构图虽大致取自旧传北宋巨然的《雪图》(台北故宫博物院藏),[10]但由前景巨松与隔岸山峦远望的安排,以及松树和坡石的笔法来看,明显地受到如《双松平远》那种赵孟頫对李成典范诠释的影响。如将之与当时继续李郭传统的罗稚川《雪江图》【图97】相比,此山水之非写实的复古理想意图更易辨识。图中水边的屋宇已非宋代行旅山水中的休息点,而是世人未易接近的隐居;其后积雪群峰造型亦趋于简朴,只以干笔淡墨作数个平行切割,可能正是画上黄公望所题"笔意古淡,有摩诘

图97. 元 罗稚川
《雪江图》
卷 绢本 墨画淡彩
53.5厘米×78.6厘米
东京国立博物馆

图 98. 元 朱德润
《秀野轩图》
1364 年
卷 纸本 设色
28.3 厘米×210 厘米
北京故宫博物院

(王维)之遗韵"之所指。这也是《鹊华秋色》所追求的旨趣。另外值得一提的是：受画人"西瑛"实系当时散曲名家阿里木巴剌，为汉化极深之西域人，时正隐居松江，过着"懒云窝里和衣卧"的生活。画中屋宇可能是洼盈轩，也可能是懒云窝，但在诉诸李成、王维的诠释下，则已经是一个超越现实时空的理想隐居。

根据陶宗仪咏曹知白亭园诗所示（《南村诗集》，卷1，《曹氏园池行》），赵孟頫和曹氏也颇有往来。这层关系对曹氏而言，大概相当地引以为傲。朱德润与赵孟頫的关系则更加亲密。朱氏出自苏州望族，早有文艺方面的声誉；赵孟頫则对此江南晚辈才士不仅熟识，而且后来还居中介绍给时在朝廷颇有权势的沈王，[11] 朱氏因之得到推荐，开始了一段并不顺利的宦途，几年之后还是回到了江南，隐退家居。朱德润的早期山水本取径北籍权宦较为欣赏的李郭传统及风格，除了用笔之外，尚少见赵孟頫那种有所寄托的复古风格的直接影响。但到退隐之后，两者间的关系变得十分明显。朱德润在卒前一年、1364年所作的《秀野轩图》【图98】，即可见其有意地追仿赵孟頫为其友钱德钧作之《水村图》【图99】，二者都用圆弧的书法性用笔来诠释董源风格，并以之视觉化其内心所希企之平和水乡。

黄公望亦曾以"松雪斋中小学生"来夸耀他曾亲受赵孟頫教诲的事实，并宣示他对赵氏理念的认同。黄公望本人也有一段不愉快的政治经

验，只是做个未入流的吏员，最后却因钱粮事受累下狱，出狱后转业道士，以诗画游于江南文士圈中。他的经历和许多江南文士相类，也因此颇能体会赵孟頫隐居山水画的意义。他在 1340 年左右所作之《溪山雨意》【图 100】也是继承了赵孟頫诠释董源的途径，但在物象上呈现得更为丰富；皴擦由淡至浓的层次也增加许多，多变的质感表现让此山水得到一种在赵孟頫作品中少见的活泼生气。如此之表现到了 1350 年完成的《富春山居图》（参见图 86）又有进一步的发挥。此时赵孟頫诠释董源的痕迹已经完全被融入黄公望多变的笔墨之中。全卷还显示着一种强烈的随兴意趣：在结构紧密的起伏山体之间，观者时时可以发现皴线与轮廓相杂、称为"矾头"的小山石叠加在山坡皴擦之上、山体分块抵触着质面肌理的一致性等等现象。这些基本上是因为他在长达三四年的制作过程中，不断地修改、添加的结果；但此效果非但没有损害到画中对山水的描绘性要求，反而奇妙地赋予此山水一种"成形中"的造化进行感，为山水之内在生命作了一个全新的视觉诠释。

《富春山居图》上的这种笔墨诠释，可能与黄公望个人的道教背景有关。他在《写山水诀》中明言"画亦有风水存焉"，并论及山水中各母题间布置之"活法"与"生气"，也有道教堪舆家的意思。就此观之，《富春山居图》中段的那个"众峰如相揖逊"之委婉山脉，以及其坡脚下有小艇的水域、对岸松树下之草亭，三者便构成一个全卷中最为充沛

2-2 元代文人画的正宗系统——由赵孟頫到王蒙的山水画发展　　185

图 99. 元 赵孟頫《水村图》1302 年 卷 纸本 水墨 24.9 厘米×120.5 厘米 北京故宫博物院

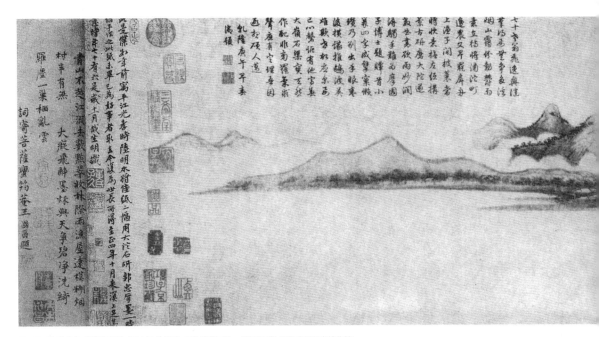

图 100. 元 黄公望《溪山雨意》1344 年 卷 纸本 水墨 26.9 厘米×106.5 厘米 北京 中国国家博物馆

图 101. 元 倪瓒
《疏林图》
轴 纸本 水墨
69.8 厘米×58.5 厘米
大阪市立美术馆

的"气"的凝聚场域。[12]它可以意指富春江上的著名景点——曾经拒绝汉光武帝敦聘之严子陵的钓台,但同时也是黄公望寄托心灵的理想居所。在那里,他可以感到与造化的创造活动再度合而为一。这可说是文人心中理想山水在赵孟頫之后,最极致的呈现。

赵孟頫的文人隐居山水理想,通过如黄公望等第二代画家的传递,在更年轻的江南文士身上仍然起着明显的影响作用。倪瓒与王蒙二人是其中最值得注意的画家。倪瓒出身无锡富家,年轻时便多与江南名士交游,但似乎因年龄差距,未得亲见赵孟頫,他之受赵氏影响可能还是通过黄公望而来的。他早期的山水画基本上都是取法董源典范的水边隐居山水，简单而平和，仍可见赵氏的影子。作于1345年左右的《疏林图》【图101】虽未有代表隐居的屋舍草亭，但兀立在江岸波渚之上的林木，可说是他那带有洁癖之孤傲高士形象的化身。倪瓒从未企图入仕，在这一点上说，很像长他二十一岁的嘉兴隐士画家吴镇。吴镇稍早在1341年作的《洞庭渔隐》【图102】也是他个人孤高性格的表白。他们二人之间唯一的不同在于倪瓒接下去还须面对江南地区在1352年之后严重的动乱局势，那不仅激烈地冲击了他的生活，也改变了他的绘画风格。

为了逃避动乱，倪瓒只好在1352年离开他的家居清閟阁，浪迹于五湖三泖之间；直到1374年去世，都未能再回到自己家中。他晚期的山水，如1372年的《容膝斋图》【图103】，几乎都是在旅途中"独立霜柳下，渺然怀故乡"的抒怀之作。画中仅有"似我容发，萧萧可怜"的疏林、象征其家的无人草亭，以及似是含泪隔江遥望的"微茫"远山，却写尽了"江滨寂寞之意"。构图虽然仍是一河两岸的隐居模式，但它们所表现的实是对个人理想世界失落永不复得的焦虑与悲伤。

呼应着表现内容的改变，倪瓒晚期山水在用笔上也以方折代替了原来出自董源典范的圆弧。这使得他的山石更显得枯涩苍白而无实体感。此种笔墨正是他对五代时荆浩、关仝典范的个人诠释，其古意也有效地增加了山水中非现实之感。从风格上说，荆浩、关仝典范是赵孟頫遗留下来未及处理的问题，它因此也对景仰赵孟頫的第三代江南文人画家产生了莫大的吸引力。不仅倪瓒如此，身为赵孟頫外孙的王蒙更是热衷，这在十四世纪中期甚至形成一种画家间互相竞争的风潮。[13] 王蒙本人在1366年的《青卞隐居》（参见图52）即是以其出自赵氏家法的用笔，来重释荆关典范的悬垂峰顶母题及具有强大动势的山体结构。其画面因此而生的平面动感效果不仅非倪瓒之荆关笔意所能比拟，与其早期所做的董源式水际山居相较，亦大异其趣。倪王间的竞争也影响及同时的画家赵原、陈汝言与陆广等；他们对荆关的再发现与诠释，可以说是赵孟頫所倡之复古运动在他逝世半个世纪之后的终于完成。

倪王间对荆关典范诠释之不同，实也透露两人相异的生命理想。倪瓒是个力避尘俗的天生隐士，王蒙则是亟思有所作为的志士，却在战乱中被迫隐居。王蒙的隐居因此可说是充满着现实与理想的矛盾，其复杂性远超过他的外祖父。他在1360年代所作的立轴山水便是如此矛盾情结的呈现。《青卞隐居》虽可能系为其表兄弟赵麟画他因乱事而不得

图 102. 元 吴镇
《洞庭渔隐》
1341 年
轴 纸本 水墨
146.4 厘米×58.6 厘米
台北故宫博物院

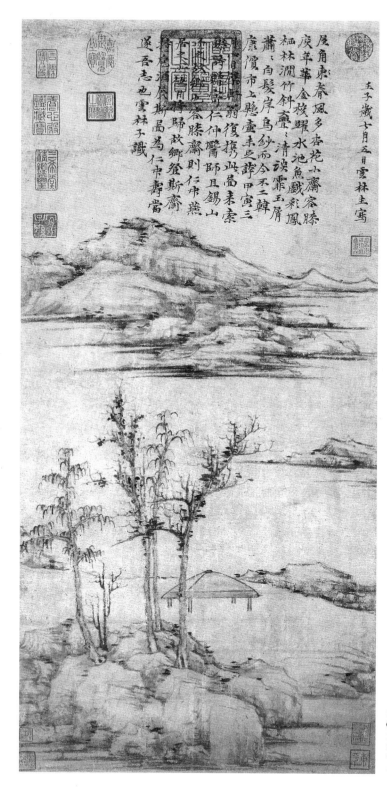

图 103. 元 倪瓒
《容膝斋图》
1372 年
轴 纸本 水墨
74.7 厘米×35.5 厘米
台北故宫博物院

不离去的卜山居所，[14] 但也投射着王蒙本人对隐居乱世的无奈与期待。画上繁复构图以及骚动不止的山体，让退处画中一角的隐居在对比之下显得更像渺不可得的桃花源；而一改隐居山水常态的灵动山体，在反为画面的强势主角之际，则又以其奋拔的生气定义着画中高士的真实内在。如此高士不仅是王蒙本人的自写，也是元末一群积极寻求用世的江南青年才俊的集体形象。

王蒙等江南才俊的积极用世，似乎也预示了他们日后的悲惨结局。入明之后，王蒙虽然如愿得官，却卷入当时现实政治的残酷之中，于1385年卒于狱中。他与倪瓒的死亡，意味着由赵孟頫首发的富含寄托之文人隐居山水画在发展上的突然断绝。但是，此种隐居山水的形式与内涵，却因文人困境的一再重演，为后世奉为正宗而流传不绝。

2-3　隐逸文士的内在世界
——元末四大家的生平与艺术

　　公元 1275 年，威尼斯商人马可·波罗（Marco Polo，1254—1324）抵达位于今日内蒙古开平的元帝国的上都。此时，出生于江南的黄公望正好六岁。在这一年的春天，元军攻取了中国最富庶的南京、苏州地区；作为南宋都城的杭州也在次年沦陷。到了 1279 年，宋帝蹈海死，蒙古政权正式取代宋朝，成为南北统一后全中国的主宰。后来所谓元四家之首的黄公望这时也无可选择地成了元朝的子民。

　　改朝换代在中国历史上并不罕见，对一般平民百姓的生活，也不见得就产生如何巨大的变化。但对为数不少，以读书来求入仕的士人阶层而言，朝代更换则会立即影响到他们的就业管道；蒙古人之入主中国即中断了原来宋代以文臣治天下的传统，对汉族文士的冲击尤大。元代政权出自游牧社会，在政治的观念上本来极重实用，对于汉族文士的饱读诗书经典、长于文章议论，自然觉得没有太大的价值，有时甚至感到不屑与厌烦。在此情况之下，汉族文士便很少能在元朝政府中得到重用，他们原来在唐宋时代赖以获致官职的科举考试制度也因之废止了很长一段时间，后来虽予恢复，但取用人数很少，作用不大。

　　整体而言，在元朝的政治世界中，汉族文士已由原来的中心退居在边缘的位置。相反地，如马可·波罗那种具商业、外交或者技术才能的西域专家们，则在朝廷中得到大汗的倚重，得与蒙古贵族分享统治的权力。跟他们比起来，黄公望与四大家的另外三人——吴镇、倪瓒、王蒙，都没有如此仕途上的机会；他们之作为隐士，因此也可以说是半为形势所迫。[1]

　　黄公望可以说是这种隐士的典型例子。他虽然天性聪颖，而且自小受到良好的教育，据说是博览群书，天下之事，无所不能，但他却出身于常熟的一个平民家庭之中，没有一个显赫的家庭背景庇荫他顺利地走上仕途。然而，他也不想一生只作为一个隐士，更不用说选择以画家为业。他的志向仍如大多数的中国士人一样，希望在政治上能有所施展。当时科举未复，他能选择的出路其实只有担任政府的下层吏员一途而已。元代体制中官员与吏员的区分并不像宋代那么严格，事实上由吏升至品官的例子也相当多，虽说此种升迁耗时颇长，且不易位至公卿，但毕竟不失为平民文士争取地位的有效管道。黄公望在1292年左右便争取到这种起步，在浙西廉访使徐琰的手下担任书吏的工作。他的工作能力显然颇受长官赏识，后来便在杭州的江浙行省内供职，并于1315年参与了江浙行省平章张闾所主持之整顿江南土地赋役的重要财税方案。或许是由于他的突出表现，不久即受到推荐至大都的御史台任事。这本是黄公望仕途更上层楼的大好机会，可惜在等待之际，爆发了张闾经理田粮的弊案，受到牵连，反遭下狱治罪。二十多年来的努力经营，非但不能让他由吏升官，最后居然以牢狱收场，这对黄公望原来的政治梦来说，无疑是一个残酷的打击。

　　出狱之后，黄公望终于放弃了一切功名利禄的念头，皈依全真教为道士，在松江、苏州、杭州一带云游，晚年则隐于杭州的筲箕泉、浙江桐庐县的富春山。他享寿高达八十六，可能与他深于修道有关，后世还有他死后成仙的传说，将其塑造成道流隐士的理想形象。但是黄公望晚年的生活事实上并不如想象中的不食人间烟火。他的生活资源可能部分地来自全真教的传教活动，另一部分则系卖卜与授徒的收入，这些都要求他与社会仍然保持一种不可分离的关系。在他的授徒生计之中，除了道教之层面外，甚至还包括绘画的部分，传世所见的《写山水诀》应该就是他为教授学生而写的条目式讲义。如此看来，他又有点近乎职业画家了。而在他的社会关系之中，入道归隐之后最值得注意的倒是其复杂性的未曾中断，他仍然保持着与官宦、富豪、僧道和其他文士的密切来往。他的山水画作中的大多数，便都是在此时期中为这些朋友而画的。虽然可能无涉任何形式的酬劳，但它们却可说是黄公望建构社交网络的最佳媒介。[2]

　　黄公望学画的时间颇早，大约在1300年便从赵孟頫学习，他因此自称"松雪斋（赵氏的书斋名）中小学生"，与赵孟頫十分亲近的翰林待诏柳贯也曾赞他为"吴兴室中大弟子"。这个师生关系首先可由现存北京故宫博物院的赵孟頫为其所书"快雪时晴"四字得到印证。[3] 如果再观察黄公望在约 1340 年左右所作的《溪山雨意》（参见图 100）[4]，其干笔淡墨的皴染、单纯的山与树的造型、前景一角坡岸遥望左方横向铺陈远山的简洁构图模式，都与赵孟頫在 1302 年所作的《水村图》（参见图 99）十分相似，后者的制作正好是在黄公望拜在赵孟頫门下的时候，两者之近似，绝非巧合。台北故宫博物院所藏的陈琳所作《苍崖古树》小画，在构图上也采同一模式，只是左右相反。陈琳亦为赵氏学生，可见赵氏此种山水风格在十四世纪前期的江南地方，已经相当地流行。

不过，此时的黄公望也已经形成了与赵孟頫不同的风格特质。他的远山墨色由淡至浓的层次变得较为丰富，山体结构也刻意地营造不同方向的转折连续，使整体之物象与空间在平和中显得更为多变。这正是他《写山水诀》中所说的："山头要折搭转换，山脉皆顺，此活法也。"此"活法"所指的那种活泼生气即为画中丰富多变的结构与质感；它的效果可以说是赵孟頫平淡风格的进一步发展。

与《溪山雨意》差不多时间完成的还有两件立轴山水画幸存于世，可以显示出此期的另外面相。《九珠峰翠》【图 104】系为当时名士杨维祯而作。画上圆弧形之山峦与山顶直立的峭岩交错结构，与面向观者开放的水口结组成一区屏障，障前屋舍错落，植物环绕其周，显示着草木华滋的山川之相。《天池石壁图》【图 105】亦有类似之安排，不过更强调了后方山体的复杂结构。黄公望的这种山体结构乃将宋代山水画中常见的巨大块体化成碎岩、圆峦与平台的三种单位，放弃了传统前、中、后三景的基本区分，而在相互嵌置中形成由下而上的复杂连续运动。他的这种山水结构，抽象而复杂多变，利于在画面上随处营造引人的细节景观，其目的当然非在对外在自然做被动的再现，而是以更灵活的方式重组自然，让山水自发生气。

黄公望的这种山水结构，使他在山水意象上得以达至前所未及的变化可能性。完成于 1349 年的《九峰雪霁》【图 106】[5] 即以线条勾描雪后山体之分块，特别着意于呈现正中岩块前突后接内缩平台的类似浮雕效果，为雪后平静的山际山居平添了一种罕见的动感。这种动感也见之于树叶尽脱的片片寒林。这些寒林位于峭岩的平顶上以及其左右的山谷中，姿势造型简单，但在刻意地扭动而断续的用笔处理下，却特有一种复苏生机的暗示。这种寒林意象亦见于他约作于同时的《快雪时晴》图卷【图 107】[6] 之中；他们尤其呈现了迎向左方朱砂画成之雪后冬日的

图 104. 元 黄公望《九珠峰翠》轴 绫本 水墨 79.6 厘米 × 58.5 厘米 台北故宫博物院

图 105. 元 黄公望《天池石壁图》1341 年
轴 绢本 设色 139.4 厘米×57.3 厘米 北京故宫博物院

图 106. 元 黄公望《九峰雪霁》1349 年
轴 绢本 水墨 117 厘米×55.5 厘米 北京故宫博物院

图 107. 元 黄公望
《快雪时晴》
卷 纸本 淡彩
29.5 厘米×104.6 厘米
北京故宫博物院

动态，形成一种有趣的呼应。隔着深谷与远峰对望的山楼也被安排在平顶峭岩之下，该岩亦以紧密的分块结组，造成指向红日的转折之势。这种物象结构的安排，几乎可以视为《九峰雪霁》的横向变体，而他们所共同追求的生机呈现，由中国雪景山水的传统来看，确实是向来以萧瑟为主调发展中的新格。

黄公望对山水结构及其内在生命的强烈兴趣，很可能与他个人的道教背景有关。他在《写山水诀》中明言："画亦有风水存焉"，并在说明画中布置如何能有"活法"与"生气"之时，也有道教堪舆家的意味。他的山水画因此也可说是一种遵循如此道教原则重组之后的理想自然，而其中又以1347至1350年间为另一全真教道士郑无用所作之《富春山居图》（参见图86）最称极致。[7] 此卷中不仅具有清晰的量感与空间感，而且善于运用山坡之不对称呈现等技巧，创造如《写山水诀》中所云"众峰如相揖逊"的委婉动态结构。它的笔墨还显示着一种强烈的随兴意趣。由于在长时间的制作过程中不停地修改、添加的缘故，画中常现皴线与轮廓相杂，山石叠加在坡面皴纹之上，山体分块与质面肌理相互冲突等特殊结果【图108】，但此结果非但没有妨碍到山水结构的表达，反而奇妙地赋予此山水一种"生发中"的造化运行感，为山水之内

在生命做了一个全新的视觉诠释。

如此的笔墨与结构，正是道教思想中对宇宙生命之核心理解的具体实践。《富春山居图》因此一方面是黄公望晚年隐居富春山生活的所见所感，另一方面则是他一系列探究其心中山水造化生命的终极形象，也是他寄托心灵的理想世界。在此之中，他超越了前半生的挫折，也超越了后半生社会网络中的烦扰，而得以再度与造化的创造活动合而为一。

如与黄公望一生经历的戏剧性相比，四家之中年齿排名第二的吴镇生平可谓不寻常的平淡。在早期元明之际的各种文献记载中，关于吴镇的资料极为稀少，有的仅能记其籍贯、艺术师承与造诣，对其行事都未详述。在与他同时文人的诗文集中，虽偶有提及他的画作，或为其题诗的，但多未曾亲自与其交接。后世关于吴镇生平的许多说法，因此很可能根本缺乏事实的根据，其中一大部分或许就是明代人伪造出来的。这种制造吴镇的传说时间大约起于十五世纪的后期，距吴镇之卒已超过百年，而至十六世纪末达到鼎盛。后来常被引用的吴镇作品集《梅花道人遗墨》二卷，即是明朝万历年间其同乡浙江嘉兴之士钱棻所收集的，其中资料真伪相杂，时常启人疑窦。与吴镇有关的传说亦多属此类。例如为人津津乐道的："吴镇与职业画家盛懋比门而居。盛画求者若市，而

图 108. 元 黄公望
《富春山居图》
（局部）卷
台北故宫博物院

吴镇作品乏人问津，遂引起妻子嘲笑，吴镇却不以为意，并预言后世身价必正相反。"这可能即为根据明末的背景而虚构的故事，借贬低盛懋来颂扬吴镇之清高隐士画家形象。至于有传说吴镇甚至能预知死期，遂自营生圹，此则系由其道人名号联想加以神化而来，只能反映吴镇声望在后世日益高涨的现象而已。[8]

  吴镇生平事迹的绝大部分毕竟是在历史中遗失了吧？！不过，这也可能意味着在他一生中终究没有发生过什么值得注意的大事，亦无戏剧化的变故足以引人加以记载吧？吴镇这个毫无名位的诗人画家可能真的平平淡淡地在嘉兴、杭州一带度过了他的一生。他既没有如赵孟頫那样企图扭转汉族士人在元代的不佳处境，也不像黄公望一般曾尝试通过各种管道求取更高的阶级地位，这些似乎都指向他能安于隐居生活的绝高可能性。而当代诗文集中之所以未见他与其他江南文士交往酬酢的痕迹，一方面反映了他对社交活动的消极态度，另一方面也透露出他在当时仅为地方性人物的实况，此二者本为一体之两面。

  作为一个生活圈相当有限的隐士而言，吴镇绘画所取资的源流相反地却十分宽广。从他传世的有限作品之中，《秋山图》【图109】、《双松

图 109. 元 吴镇《秋山图》轴 绢本 水墨 150.9 厘米 × 103.8 厘米 台北故宫博物院

图 110. 元 吴镇《渔父图》(局部) 卷 纸本 水墨 32.5 厘米 × 562.2 厘米 华盛顿弗利尔美术馆

图》(参见图 84)[9]与《渔父图》【图 110】[10]都显示了他曾花费相当多的精力在古画的临摹工作之上。这点如与黄公望相比，便显得极为不同。其中《秋山图》明显是模仿五代宋初山水画宗师之一巨然，或此派某位早期画家的作品，不仅主峰峰顶造型尚存原味，山坳外丛聚的碎石亦是此派之特征，而构图上由前景一角向中轴山景开展的布局，也是早期宋代山水画的基本模式。另一轴《双松图》所溯诸的则是宋初李成的平远山水传统。正如此派的一些早期资料所示，《双松图》也是透过前景巨大而姿势奇矫的古树，将观者视线导向朝深处开展的广阔平野。此平远山水的描绘笔墨虽已可看出吴镇之个人性，但其对广大空间感的特别着意，则充分显示他确有复古之企图。如此之企图在他的《渔父图卷》中表现得更为明确。该卷末尾的唐式阙楼，描绘屋角掀起之状，正是宋人笔记中所记古拙的形象；而卷中空白水域中各自独立，角度各异的渔舟，也保存了唐五代画作中倾斜平面的古拙空间表现方式。这些画作时间的跨度颇长，由四十九岁起至其晚年都有，可见在他一生中经常保持着对临摹古画的高度兴趣，而且所学样式之多，绝非后世相传他只宗董源、巨然的那么单纯。

吴镇的摹古工作提供了他创作上的丰富可能性。即以他最为喜爱的渔隐题材而言，其根本模式便是出自《渔父图卷》所示那种唐或五代的古画。《芦滩钓艇》【图 111】之渔父形象乃直接取自《渔父图卷》，但将之置于半现的崖壁之下，两相对照，显得别有一种平和的幽趣。画上的题词亦仿古来《渔父词》之形式：

红叶村西夕影余，黄芦滩畔月痕初，轻拨棹，且归欤，挂起渔竿不钓鱼。

此词所述者正是渔人生活中那份随着自然之律动，无所追求的闲适意致。这并非意欲就渔民生命作写实的记录，而实是文士借之表达企求超脱现实环境中所受束缚的愿望；对吴镇而言，渔父词中的心理企求倒非只是纯粹的空想，而是得以在生活中设法实践的理想。不论他是否仍须为生活奔走，在吴镇追求内心理想的过程中，他似乎未曾发过怨叹与不满。他的渔隐图都能自古人形象中化出一份属于他自己的自足自适，似乎"挂起渔竿不钓鱼"的舟子也成为他的化身。1342年完成的《渔父图》【图112】[11]所呈现的亦是此种情境，只不过改成立轴形式，让中间的江面显得更为宽和宁静。舟中文士则怡然自得，正与前景直立树木和远岸舒缓的群山共同沐浴在淡淡的月光之下，静听微风拂过芦花，鱼儿偶尔溅起水浪的声音。如此宁静而具情味的意象，正是吴镇得以在十六世纪以后之隐士文化圈中被奉为典范的根本理由。

宁静而平淡的性格或许正是这一切的源头。他对眼前景物的观察亦得利于此，因此也常能在寻常之中创造出奇的效果。《中山图》【图113】乍看之下只是一些平凡山头的排列，既不高耸，也无云气的丰富变化，但在其笔墨处理下，简单的山形组合之间却被赋予了细致的韵律感，安静而舒畅。克里夫兰美术馆（The Cleveland Museum of Art）收藏的《草亭诗意》【图114】则是将目光移至朋友所建的庭园之中，并在简单的

图111. 元 **吴镇《芦滩钓艇》**卷 纸本 水墨 24.8厘米×43.2厘米 纽约大都会美术馆

图 112. 元 吴镇
《渔父图》
1342 年
轴 绢本 水墨
176.1 厘米×95.6 厘米
台北故宫博物院

图113. 元 吴镇《中山图》1336 年 卷 纸本 水墨 26.4 厘米×90.7 厘米 台北故宫博物院

图114. 元 吴镇《草亭诗意》1347 年 卷 纸本 水墨 23.8 厘米×99.4 厘米 克里夫兰美术馆

布局之间，捕捉草堂所代表的隐者居于其中的平淡任适之乐。至于同作于1347年的《竹石图》（参见图85）[12]中看似平凡无奇的拳石一块与疏竹数株，也都是隐士的象征，在疏简的造型中细致地展现着一种极为含蓄的优雅姿势之美。这与《中山图》一样，皆为平淡之味的极致表现，也是隐者吴镇内在性灵的具体化现。

如与吴镇的平淡相较，较他年轻二十岁的无锡隐士倪瓒的脱俗性格便显得十分地特立独行。不像黄公望或吴镇，倪瓒的家庭是四家之中最富有的，他的长兄还是全真教的领导分子，并与政府的关系密切，也与许多江南名士有所往来。[13]倪瓒在二十八岁之时接管家业，成为无锡首富之家的主人。本来，以他兄长的地位与关系，倪瓒大有往仕途发展的条件，但他却从未有此企图。在这一点上说，他与吴镇倒很相像，然而就性格上说，倪瓒孤傲高迈，不肯与俗人为伍，却与吴镇正好相反，这与他成长于豪富之家，长期受长兄与母亲之呵护，多少有点关系。他还有洁癖，相传他每天穿戴的衣帽，总是要拂拭几十次，连书斋外的梧桐树也叫仆人常加清洗，恐怕惹上尘埃。这个故事后来变成"洗梧桐"

图 115. 元
《倪瓒像》
(张雨题)
卷 纸本 设色
28.2厘米×60.9厘米
台北故宫博物院

题材，在明清画坛上流行不坠。

孤僻加上洁癖的个性使倪瓒成为中国历史上传闻轶事最多的一个画家。在这些轶事中许多皆环绕在他"不俗"的高士形象，其中之一提到他因事得罪盘踞苏州的吴王张士诚的弟弟士信，某日在太湖恰为其所获，并施以毒打。倪瓒虽遭折磨，但全程噤口不出一声。人问其故，他回答说："一出声便俗。"此事虽不见得全是事实，多少也加添了十六、十七世纪崇拜者的渲染，但很精彩地勾勒出倪瓒本人的避俗性格，以及行为上因之而来的怪异表现，也可算是距真实不远。有张雨题识之《倪瓒像》【图 115】[14]上的主人即为具洁癖、孤傲避俗的富豪隐君，而其旁仆役之持物，也似乎暗合与他有关的众多轶事。

虽然行径独特，倪瓒的艺术历程却与一般文人画家的轨迹相同，都是由学习古代大师的风格入手。他在山水画上早期学的是五代董源的风格，1343 年的《水竹居图》【图 116】[15]便有来自此源头的圆缓坡陀以及长弧度的皴染笔墨。倪家本有书画收藏，江南之藏家中当时也有董源画迹存在，倪瓒要习得董源之风，确有相当高的机会。另一个管道则是向黄公望学习，或通过其吸收赵孟頫的诠释；由于倪瓒也属全真教派，早与黄公望关系匪浅，此管道亦对他的艺术有一定程度的影响。事实上，倪瓒在 1345 年作《六君子图》【图 117】时，黄公望也在现场，甚至可能曾给予指点。此画极为简洁，重点仅是前景弧形洲渚上的六棵直立树，象征在场的六位文士朋友，遥望隔江远山，在空白之江景衬托

图 116. 元 倪瓒
《水竹居图》
1343 年
轴 纸本 设色
53.3 厘米 × 28.2 厘米
北京 中国历史博物馆

2-3 隐逸文士的内在世界——元末四大家的生平与艺术

图 117. 元 倪瓒
《六君子图》
1345 年
轴 纸本 水墨
61.9 厘米 × 33.3 厘米
上海博物馆

中，表现其孤高超俗的情操。这种意象正是倪瓒家居时的内在写照。

可是，元末江南地区的动乱，中断了倪瓒在无锡家中的平静隐居生活，也改变了他的绘画风格。为了躲避动乱，他在1352年弃家，在太湖区域的若干偏僻角落间，辗转寄居于亲友家中。这种浪迹生涯，一直持续到他去世的1374年都没有真正结束。在这一段时间中，倪瓒虽不至于像一般难民的备尝苦难与生命之威胁，但对于他那么一个过惯养尊处优生活而又有洁癖的人而言，那种飘泊流离的生涯必定使他感到深度的挫折与郁卒。昔日无锡家中之隐居如今在回忆中变得更为宁静安适，而无法归家的窘境遂形成倪瓒此时最大的焦虑。1354年的《松林亭子》（参见图89）[16]即以岸边空亭为等候主人归来之隐居，以抒写其不得归去的心境。

倪瓒晚期的山水画，不论是《渔庄秋霁》（1355年，参见图3）[17]或《容膝斋图》（1372年，参见图103）[18]，几乎都是在飘泊旅途中"独立霜柳下，渺然怀故乡"的抒怀之作。画中仅有"似我容发，萧萧可怜"的疏林，以及似是含泪隔江遥望的"微茫"远山，至多再加个无人孤亭的少量元素，但在这些元素的组合之际，却写尽了浓重不可排解的"江滨寂寞之感"。它们的构图其实只有一种，像在重复地画同一幅画，但每次经由元素组合的轻微调整，抒情的内容也起了细致的变化。例如《幽涧寒松》【图118】乃将原本远隔的前后二景并合为一，置寒松与幽涧于其上，使显得较少枯寂凄凉之感，而多了一丝清雅恬适之意。这本是为一位将辞家赴任的朋友送行而作，希望以此恬适意象促其早归；但枯淡的笔墨仍使全画罩上一层落寞，最右小枯木似乎是作者本人的写照，正兴起自己无处可归的感叹。此时可能正当乱事已息，明朝新立之际，倪瓒虽然回到了无锡，但却无家可回，他终在1374年卒于亲戚家中。所有倪瓒的晚年作品正是一再地在表达他个人理想世界失落永不复得的焦虑与悲伤。

如此的山水画因此可以视为全系寓兴之作，而与写实无关。倪瓒曾向朋友说明他的墨竹画乃"聊写胸中逸气耳"，故完全不计较其枝与叶之形似与否，致使"他人视以为麻为芦"。这意味着他的画竹重点实不在如何"逸笔草草，不求形似"，而在于所写胸中逸气之内容。他的竹石画，也如吴镇一样，亦富含象外之意。如《筠石乔柯》【图119】[19]即非意在表现不求形似的理念，而是在飘泊中抒发一个失家隐士的故园之思，画上的后人跋诗因此也有"干戈阻绝归未得，写入画图忆更深"

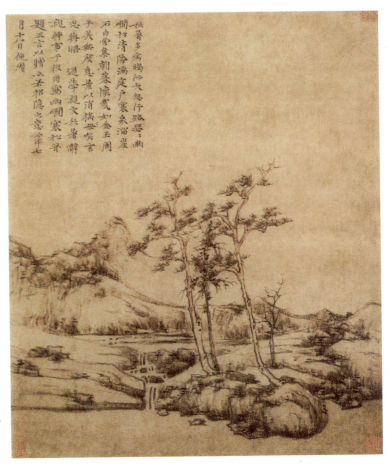

图 118. 元 倪瓒
《幽涧寒松》
轴 纸本 水墨
59.7 厘米 × 50.4 厘米
北京故宫博物院

的回应。作为此种情感的记录，倪瓒的竹石画正是从另一个角度与他的山水画共同向观者诉说着他的内在世界。

四家中最为年轻的王蒙，虽为倪瓒的至交，但作为一个隐士，表现却大不相同。他是赵孟頫的外孙，与当时江南名士、官宦都有密切的往来。在政治上，他是个亟思有所作为的志士，说他甚至是野心勃勃亦不为过，但却因江南的动乱而被迫隐居黄鹤山中。王蒙的隐居本身因此可说是充满着现实与理想的矛盾，其复杂度远超过他的外祖父与前面所谈的另外三大家。[20] 他在十四世纪六十年代所作的多件立轴山水便是如此矛盾情结的呈现。

作于1366年的《青卞隐居》（参见图52）[21] 可说是此期作品中的杰作。它可能是为其表兄弟赵麟画他因乱事而不得不离去的卞山居所，但也投射着王蒙本人对隐居乱世的无奈与期待。他较早的隐居山水，如

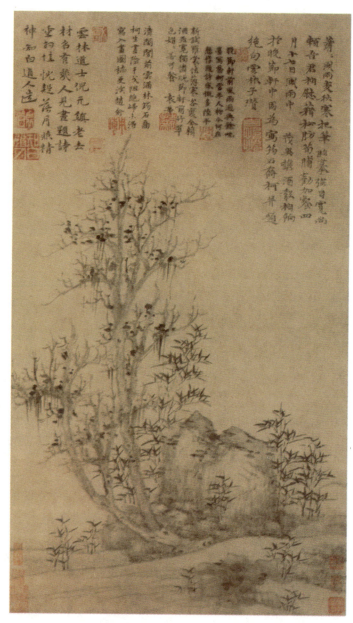

图 119. 元 倪瓒
《筠石乔柯》
轴 纸本 水墨
67.3 厘米×36.8 厘米
克里夫兰美术馆

1354 年的《夏山隐居》（参见图 51），基本上仍追随着赵氏家法，作一平和清雅的理想性山水。但在《青卞隐居》之中，繁复构图以及骚动不止的山体，让退处画中一角的隐居在对比之下显得更像杳不可得的桃花源【图 120】。《葛稚川移居》【图 121】也有如此深藏山中的理想居所，正在等待葛洪一行人的到来。葛洪在画中被画成仙人的形象，整个山中

2-3 隐逸文士的内在世界——元末四大家的生平与艺术 | 211

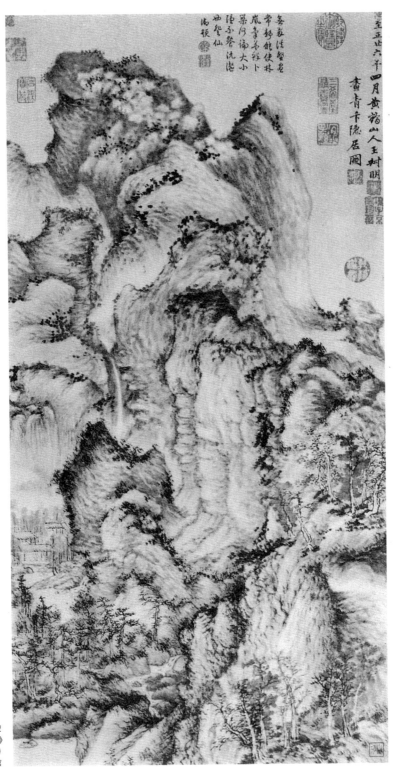

图 120. 元 王蒙
《青卞隐居》
(局部)
上海博物馆

图 121. 元 王蒙
《葛稚川移居》
轴 纸本 设色
139 厘米×58 厘米
北京故宫博物院

图 122. 元 王蒙《具区林屋》轴 纸本 设色 68.7 厘米 × 42.5 厘米 台北故宫博物院

图123. 元 王蒙《惠麓小隐》卷 纸本 水墨 28.2厘米×73.7厘米 印第安纳波利斯美术馆

景观也因鲜明红绿色彩的点缀、奇峰绝巘的充塞，显现着一种近似仙境的氛围。它的这个主题虽来自葛洪入罗浮山炼丹的道教故事，属于求仙的范畴，但在当时，这可能是作为祝贺友人新得隐所之用。受画者名叫日章，可能即是持有王蒙另一件名作《具区林屋》【图122】[22]的同一人，但在《具区林屋》中日章则已安坐在太湖边林屋一带的隐居之内。而环绕其四周的奇矫岩壑也具有与葛稚川者相同的仙境暗示。

这些隐居山水总是结构紧密，动感十足，似乎含蕴着充沛的力量。如此的效果部分来自于王蒙在画面上刻意营造的曲折连续动线，近似后世所谓的"龙脉"。这种注重画面连续性的做法，虽已见于黄公望的山水画中，但王蒙者则将之推至极端，经常有两三个S形的连续转折；这不但用在强调动态的仙境，也在如《花溪渔隐》（参见图88）的平静隐居中扮演串连块体的主要角色。动势力感表现的另一个工具则是王蒙特别扭动的线条。他可能是四家中对线条形式最有意识的画家。他的《惠麓小隐》【图123】[23]及《太白山图》【图124】[24]两幅横卷在这点上表现得最为突出。前者的岩石树木全赖各种浓淡不同的干笔线条勾画而成，线条不长但扭动快速，自身便独具力感。后者则在此种线条之基础上，加上了为数可观的大小墨点。点线本身的独立性很高，几乎压倒了原来它们应有的描述物象之功能，因此在画面上制造了一种很强的跃动效果。王蒙在这方面的工作，表现出画家对其画面本身二度空间性的高度意识；这使得他的绘画在与黄公望等其他三家比较之下，显示了清楚的结构性差异，也代表着影响后来明清山水画风格改变的一个关键。

图 124. 元 王蒙《太白山图》卷 纸本 设色 27.6 厘米×238 厘米 辽宁省博物馆

(1)

(2)

王蒙以急速扭动之势完成的线与点,是否正是他某种不安心境的作用所致?或只是形式风格上的选择而已?前者的可能性很高。他在画上的题诗以及友人就之唱和的文辞常以"避秦"作为隐居的动机,[25] 外在世界的动乱不安因此成为画中山居的实际背景,充塞满幅的骚动笔墨也确在视觉上加强了这种不安的氛围。而其隐居图之所以如此一反过去画家所作的宁静表现,正是因为王蒙其实不肯完全逃避现实,避秦而隐只是暂时的权宜,内心实在等候时机,企图在乱世之中开创一番事业。

　　元末江南青年才士之中多有抱此雄心者,后来协助明成祖的重要谋士姚广孝即为其中之代表。王蒙也曾与姚广孝同习兵事韬略,都属于江南这批胸怀大志的隐士群中的一员。他们之中许多人在元末的新兴政治势力内找到机会,王蒙亦然。他曾在元朝将亡之际在割据苏州地区的张士诚政府中出任小官,后来则不顾朋友的反对,冒险出任代元而治中国的明朝之山东地方官职。这些行为在在都显示了他与其他三大家在性格与志向上的决然不同,这似乎也显示了他最后的悲惨结局。入明后的王蒙,虽如愿告别隐士生活,不久却卷入当时现实政治的残酷整肃之中,因牵连宰相胡惟庸之贪渎案入狱,而于1385年卒于狱中。

　　王蒙的横死,意味着元末隐士文化的突然断绝,也代表着以书写隐士内在世界为主调之江南文人山水传统的终结。在那近半世纪的发展中,黄公望、吴镇、倪瓒与王蒙陆续登场,以其艺术才华在画面上重构其内在世界,为身处不友善的环境中之自我寻求寄托。这四大家各自之间之性格志趣互有不同,对隐居的感受亦自相异,而其隐居山水画也形成四个不同的典范。当后世文士之困境一再重演,他们的山水画变成缅怀的具体对象,被供入文化传统的圣殿中奉为偶像。

III
绘画与文人文化

隐居生活中的绘画——
十五世纪中期文人画在苏州的出现

沈周的应酬画及其观众

雅俗的焦虑——
文征明、钟馗与大众文化

董其昌《婉娈草堂图》及其革新画风

3-1　隐居生活中的绘画
——十五世纪中期文人画在苏州的出现

　　十五世纪东亚画坛最重要的变化之一在于北京宫廷绘画的登场。这是中国王朝在历经约一个世纪之久的蒙古政权运作，宫廷绘画由南宋之兴盛转趋沉寂后，再一次的"复兴"。但是，由于北京宫廷绘画的聚焦力，使得正在苏州地区逐渐发展起来的一些新现象，没有受到当时人的充分注意。那便是后来被称之为吴派文人画的形成。在十五世纪中叶以前，苏州地区的画家，不论是否有文人背景，也与其他如浙江、福建的同行一样，颇以谋求于北京宫廷中的发展为务。可是自此期之后，苏州的文人画家，在杜琼与刘珏等人的带动下，开始拒绝北京宫廷绘画的主导，返回他们在元末时的隐士传统，且更有意识地图绘一种在形式与画意上皆与宫廷有别的山水画。在这个发展中，十五世纪五六十年代可说最为关键，后来沈周一出，更将之推向高峰。中国画坛于是便出现北京、苏州双中心并立的局面。

　　苏州文人画在十五世纪中叶的出现，既与其成员的事业选择有关，也具体地形塑、发展了一种新的生活形态。不仅友人间的互访、聚会与艺术创作成为隐居生活的核心，文人的生活经营也有新计。绘画除了扮演文人生活中之必要角色外，与其有关之艺术知识，也被转化成物质性的资源，介入隐居生活的日常运作之间。这即是后来文人艺术家生活的基本形态。

　　明永乐十九年（1421），朱棣正式将北京定为首都。在接下来的半个世纪中，随着朱棣放弃了原来朱元璋建立明朝时的锁国政策，更积极地拓展中国与邻近诸国的外交关系，北京再度扮演着东亚整个区域中政治中心的角色。其过程表面上看来似乎十分顺畅，而且它之作为国都，也一直延续到今天的中华人民共和国。但是，从文化的角度来看的话，北京的地位在这期间则悄悄地产生了一些变化，非常值得研究者注意。伴随着这个变化而生的现象，则是距离留都南京不远的江南文化城市苏州的崛起。苏州在文化上的发展，后来甚至有凌驾北京之势，尤其在艺术上更见清楚，出现了影响后世深远的所谓"吴派"绘画，而形成了与北京抗衡、并立的局面。过去，研究者大都以社会经济在江南之高度发展来说明苏州之崛起。[1]这虽然是一个重要的因素，但是，却无法具体说明为何苏州会发展出一个与北京颇为不同的文化，以及此差异之表现究竟有何值得注意之历史意义的问题。

在中国之历史发展中，国都之兼具政治与文化中心，向来是个常态。不要说唐代的长安、北宋的开封、南宋的杭州是如此，连元代的北京也大致符合这个规律。由此观之，明代的北京虽自1421年起便维持着政治中心的地位，但在文化上却逐渐失去其重要性，至后期甚至显得无足轻重，这不能不被视为一件奇怪的事情。尤其从绘画史的方面来看，北京在十五世纪中期以前，还有着蓬勃的宫廷绘画发展，其成就无疑地超越其他地区，但后来其光辉却几乎全被人称为"吴派"的苏州绘画所取代。[2]造成这个结果的直接情况是：北京宫廷似乎在十六世纪以后不再有重要的创作活动，而由各地被吸引到北京的画家，在数量上也愈来愈少。这实是一体之两面。如果推究它的原因，北京宫廷内部对绘画艺术需求的降低，应该是一个合理的推测。但是，奇怪的是：世宗（1522—1566在位）以前的几个皇帝，如宣宗（1426—1435在位）、宪宗（1465—1487在位）、孝宗（1488—1505在位）等，都有喜好文艺的美名，他们难道不想持续地维持宫廷绘画的荣景，甚至开创出新的局面？[3]这似乎没有道理。然而，如果宫廷内部需求没有明显的降低的话，各地的画家为什么不再积极地往北京集中呢？这个现象又是如何发展的呢？如果仔细观察十六世纪以前北京宫廷绘画的概况，我们可以发现一个重要的线索：北京不再是画家追求事业的第一选择，其中又以苏州画家表现得最为明显。而以时间上来说，十五世纪的中期则是这个发展中最为关键的时段。此时，北京宫廷绘画，特别是在吴派最为关注的山水画部分的实况如何？实有必要在此先予厘清。

北京宫廷绘画的出现，是十五世纪东亚艺术界中最为重要的大事。北京成为帝都虽始自1421年，但朱棣的营建工程大约进行了十年之久，而在此营建过程中，绘画的需求量应该很高，如果推测自十五世纪一十年代初期开始，北京即聚集了大量的画师参与建都的工作，这可能不算过分。他们的数目，今日虽然无法确知，但由穆益勤的《明代院体浙派史料》一书所搜集的文献资料来看，有名字可考的，"为时所重"、"名动公卿间"的重要画师即有十五人，[4] 如果再加上其下较为次级的诸多画师，这个宫廷绘画队伍之庞大，仍然不难想象。此时在宫廷之中，虽无明确的"画院"组织，但在这些画家的蓬勃活动之下，一个极为兴盛的宫廷绘画格局已然清晰展现。从历史的进程来看，这是距离南宋杭州于十三世纪中结束其画院之后，再接着元朝统治时对绘画不特重视的近百年低迷期，[5] 几乎历经了一百五十年之久的空白后，宫廷绘画再度以令人惊艳的身姿登上文化的舞台。它对艺术界的震撼，也很容易想象；许多有绘画能力的人继南北宋时期之后，纷纷再度前往帝都，寻求在宫廷中服务的机会，并以之为他们事业的巅峰。其中得偿夙愿者甚至可以得到如镇抚、千户的职位，获得接近皇帝的机会，且以能在作品钤上"日近清光"的印记为荣。[6] 如此的待遇，恐怕连素以受到奖掖、尊重著称的北宋徽宗画院的画家们都无法享有。

永乐以来，在北京宫廷活动的画家来自四面八方，但最主要的地区应属原来在南宋与元代画风相对兴盛的浙江、江苏、福建诸地。他们不一定出自职业画师的背景，也有的来自有仕宦经历的家族，例如宣德时期颇得皇帝重视，而官至锦衣卫千户的谢环，便是出自浙江永嘉书香望族，除绘事之外，亦以学行著称。[7] 他在1437年为内阁大学士杨荣等人作《杏园雅集图》（镇江博物馆藏）时，[8] 自己也着官服，置身公卿之中，可见他的确也能自在地参与高级文官间的社交，不像后来的画师会因身份而受到排斥。永乐年间来自福建的武英殿待诏边景昭的位置可能也很高。他在宣德元年十二月被罢为民，罪名是收受贿赂而向朝廷推荐了两名品行不佳的官员。[9] 边氏之因贪纵得罪，也间接地说明了他原来在宫廷中的地位，实在非比寻常。他在永乐年间曾与来自江苏无锡的中书舍人王绂一起为宗室周宪王朱有炖（1379—1439）绘制了《竹鹤双清》（北京故宫博物院藏）。由他所书题识的写法来看，主导全作的实是边氏本人，后世美术史书中极为推重的文人画家王绂所扮演的，恐怕只是副手的角色。[10] 这也可以让人感受到两人间地位的高下。

具有文人背景的王绂虽为中书舍人，职务上似是掌理文书，但明初任此职者亦有画家，为宫廷提供绘事上的服务应也是他的任务之一部分。他在1413年随朱棣至北京而作的《北京八景图卷》（中国历史博物馆藏），其实不是单纯的写景纪游，而是为了配合朱棣准备由金陵迁都北京而作的宣传。[11] 他因此也可算是较广义的宫廷画家中的一员。王绂之以其书画技能在北京宫廷中求发展，应该不是江南文人中的特例。稍后的马轼，出身上海地区，文献上说他"读书负经济，精于占候"，应该也是文人背景。马轼的正式官职是"司天博士"（另有称"刻漏博士"），为掌天文历算的技术官员，但显然也为宫廷作画。[12] 他传世的画作之一《归去来辞图卷》（辽宁省博物馆藏）是与李在、夏芷合作的，那两人都是宫廷画家。像王绂、马轼这种例子，在十五世纪前半的北京宫廷应该不少才是。

苏州的画家沈遇（1377—1458后）应该也属于王、马此类型，至少他早年曾经试过在宫廷中求发展，并得到太子的赏识，但因私人健康因素返回家乡，后来成为当地以沈周祖父沈澄为首的文人圈中之主要成员。[13] 沈遇存世的唯一一件巨幅作品《南山瑞雪》【图125】在风格与画意上都很值得注意。此画作于沈遇八十二岁的1458年，虽已进入苏州文人山水画开始成形的时段，但在画风上却与之完全不同。如与完成于同年的刘珏《清白轩图》【图126】相较，沈遇完全未使用刘珏的那种出自元末四家的画法，倒反而远溯南宋的马远、夏圭，以坚硬的线条与皴擦来作树石，并以如北宋郭熙的三段式构图来处理雪景中的世界。[14] 这种风格表现，令人想到戴进所作《春冬山水图》【图127】中的《冬景》一画。戴进卒于1462年，当时应尚在杭州活动，不过，他在宣德、正统时期确曾在北京宫廷服务，虽然不能如谢环之得皇帝的宠用，但颇多高级官员都与他相交，声望颇高，所以他的画风也很有影响力。[15] 苏州的沈遇极可能也受到他的影响，而在《南山瑞雪》中呈现了类似的画风。除了形式之外，这两件作品在画意上也有相通之处。戴进的《冬景》山水除白雪覆盖的山体外，尚以前景之一队行旅与中景幽谷中之楼阁，标示出寒冬中的生意。这也是沈遇《南山瑞雪》的意旨，除了行人与山中楼阁的呼应外，画家自题的"瑞雪"也意在强调对未来富饶生活的期待。

这种风格与画意的山水，是否反映了北京宫廷山水画的某种情调呢？要回答这个问题，最大的困难在于如何将宫廷画家的公务作品与其接受私人委托者作明确的区分？因为当时宫廷画家除特殊状况外，并未被限制其在外之活动，吾人今日所见诸画作中，因此必定包括他们为私人所作的作品在内。如何确定某件画作确为宫廷所用，遂必须再从款识及画意内容同时着手，方能有些进展。这在人物画方面比较容易，如商喜的《宣宗行乐图》（北京故宫博物院藏）就一定是宫中所用。而黄济

图 125. 明 沈遇《南山瑞雪》1458 年
轴 纸本 设色 248.8 厘米 × 100.8 厘米 台北石头书屋

图 126. 明 刘珏《清白轩图》1458 年
轴 纸本 水墨 97.2 厘米 × 35.4 厘米 台北故宫博物院

3-1　隐居生活中的绘画——十五世纪中期文人画在苏州的出现 | **225**

图 127. 明 **戴进**
《春冬山水图》之《冬景》
轴 绢本 设色
144.5 厘米 × 79 厘米
山口县 菊屋家住宅保存会

的《砺剑图》则也可由其具官职的署名与旧签题为"独镇朝纲图",确认其在朝廷空间中所扮的角色。[16] 但在山水画部分则较为麻烦。弘治时期王谔所作之《江阁远眺》(北京故宫博物院藏),因其上有"广运之宝"宫廷钤印,可以确定为宫中之画,但此种由南宋册页扩大而来的构图,也可在十四、十五世纪一般的民间职业画师作品中见到,不见得能代表宫廷山水画的特色。[17] 如果从宫廷形象塑造之需求来推想,一种以贤人高士为主角的叙事性山水画倒是十分适合宫廷使用的作品。刘俊的《雪夜访普图》(北京故宫博物院藏)即在山水中叙述宋太祖访赵普故事,画家还在画之左下方正式地题上他的职位"锦衣都指挥"。由此

图 128. 明 戴进
《渭滨垂钓》
轴 绢本 设色
139.6 厘米 × 75.4 厘米
台北故宫博物院

例或亦可推知传世戴进的若干作品也与宫廷使用有关，例如《三顾茅庐》（北京故宫博物院藏）、《商山四皓》（同前）、《渭滨垂钓》【图 128】等都属此类，不仅尺幅较大，而且能契合朝廷优礼高贤的形象。文献上说戴进在宣德初被荐入宫廷时所进呈的作品为"四季山水四轴"，其中秋景为《屈原渔父》，冬景则为《七贤过关》，看来那正是他揣摩宫廷所需而制的"高贤山水"。[18] 更值得注意的是：这四件"高贤山水"还与春夏秋冬四季搭配，成为一种更富寓意的四季山水。这可能不是戴进的发明，而系明初宫廷新创之模式。现存日本彦根城博物馆之《四季山水图》【图 129】应即为此宫廷新模式的传衍。它的四季山水中所配上的

之一《东山携妓》

之二《茂叔爱莲》

图 129. 明
《四季山水图》
轴 绢本 设色
83.9 厘米×53 厘米
滋贺县 彦根城博物馆

之三《渊明归去》

之四《雪夜访戴》

故事依序为《东山携妓》、《茂叔爱莲》、《渊明归去》与《雪夜访戴》。此四画题亦见于传世宫廷画家的单幅作品，如周文靖有《雪夜访戴》（台北故宫博物院藏）与《茂叔爱莲》（日本私人藏）二轴，戴进的《东山携妓》今虽不存，但仍可于沈周之摹本（美国翁万戈藏）中窥见其原貌。

除了结合高贤题材的山水外，上文所及戴进《春冬山水》那种配合季节呈现理想庶民生活的作品应该也是宫廷中常见之物。如与南宋的楼阁边角小山水相较，这种山水画回到了北宋的大观式构图，强调中轴主山及巨树的连贯结构，并依序在前中后景中穿插行旅、渔人、农庄、村店以及标示胜概的堂皇楼观，意欲展现政治清明状态下的黎民世界。正如陆深（1477—1544）在题戴进的一幅《雪村晚酤图》中所云："凭谁致此好气象，必有明君与贤相；……未歌三白呈祥瑞，先兆六符开太平。"[19]这种画中山水基本上无关自然现实，季节中的景物全是组构此太平气象的符号。不止戴进的《春冬山水》可作如是观，李在的若干大幅山水画亦是此画意的表现。旧传为郭熙之《山庄高逸》【图130】实是宣德正统时宫廷画家李在之作，虽有郭熙的笔法及母题，并在山体的串连上效法北宋的蜿蜒，但却更多而突显地在构图中布置着那种太平气象的符号。我们虽然不能排除这种太平意象山水也为私人收藏的可能性，但其为宫廷布置所喜，且在符号之使用上有愈趋丰富之倾向，此则可以推断。

不论是高贤，或是太平气象，北京宫廷山水绘画中的自然景观在此饱含政治画意的运作下，被矮化成论述的背景。虽然时与四季风景相配合，甚至再启用四景连作的形式，但随着季节变化的自然现象对观者所生的吸引力，不再是这种山水画绘制的主要动机，代之而成主力的则是配合宫廷形象营造的功能性考虑。从形式上说，它们再度复兴了北宋以来的大观式山水，但在画意上则有了值得注意的不同发展。前者固然也一直带着理想政治次序的意象，但它的表达经常被隐藏在自然的次序之下，而通过一种"发现"的过程为观者所"感悟"；十五世纪前半的北京宫廷山水画则更直接地操作山水形体的符号，呼应着行旅、渔人、村店等人事细节，组合成一幕幕的理想生活的场景，最后共同搬演出一出歌颂太平盛世的好戏。

北京宫廷山水画的表现，可以理解成呼应着北京之作为帝都的兴旺气势而生。不过，北京的气势不幸在其成为帝都后未满三十年就遇到了挫折。1449年，英宗在对抗蒙古的战争中轻率地决定亲征，但在土木堡兵败被俘，蒙古军队进而挟皇帝入犯，进逼北京。此时在北京之震撼，可想而知，甚至有放弃北京迁都南方之议出现。此事幸赖大臣于谦

图 130. 明 **李在**
《**山庄高逸**》
轴 绢本 水墨
88.8 厘米 × 109.1 厘米
台北故宫博物院

筹划主持，皇弟景帝继位，北京逃过一劫。[20]但至1450年英宗被放归后，北京却在两个兄弟皇帝并存的尴尬状态中，政局显得暗潮汹涌。英宗果然在1457年复辟成功，朝中又是极度动荡，"夺门"有功者升官加爵，景泰旧臣如于谦则下狱被杀；"夺门"的斗争又延续了几年，直到1461年太监曹吉祥被杀后，才算大致结束。[21]就是在这十二年的政治动荡中，北京的文化情势有了改变。

来自苏州的大臣徐有贞在这段时间的遭遇，很有指标性地透露着政治动荡而生的文化效应。徐有贞为1433年进士，多谋略而积极进取。土木之变时南迁之议即他所提，后来英宗复辟之规划亦出自其手。复辟既成，有贞权倾一时，但不过三个月，却因与参与"夺门"之另两名权贵石亨、曹吉祥斗争失败，被戍放云南，直到石亨败后，1461年才获释返家。[22]徐有贞的经历可谓极为戏剧性地呈现着当时北京政局的急骤变化，而每一次变化，牵连的人都很多。这当然会让人对前往北京宫廷谋求发展的意愿，产生负面的作用；对于原来在北京宫廷中工作的人而言，未来更是充满不确定的变数，因此也可能增加了提前离开的可能性。如此的状况，自然对北京的文化活力产生伤害，宫廷绘画在当时如说大受影响，甚至完全停顿，亦是十分可能的推测。

苏州虽距北京颇远，但地方人士对北京宫廷的动荡事态，似乎颇有掌握。当徐有贞被放逐至云南之际，在苏州的沈周马上有诗《送徐武功南迁》赠之，诗中有"天上虚名知北斗，人间往事付东流"二句，以同情的口吻安慰他的乡前辈不再计较官场的虚名。[23]其实，他也知道徐有贞的积极性格，不会轻易地放弃复出的机会，那二句诗与其说是在安慰有贞，还不如说是在抒发他自己对北京政治不堪闻问的感触。在这段时间中，在北京发展的江南士大夫有好几位都回到家乡，其中与沈周友善的即有夏昶、刘珏两人。夏昶系在1457年英宗复辟后不久即自太常卿的高位自请退休，虽是已届七十高龄，但恐怕也与当时整肃于谦群党有关。[24]刘珏原在北京刑部任职，后迁山西按察司佥事，但不过三年即弃官归，于1458年返回苏州。他的"弃官"不知何故，但总与政局之不符理想脱不了关系。[25]夏刘二人与徐有贞的具体状况有别，但都因政治而离开北京，他们这几个个案对江南，尤其是沈周周遭的苏州文人圈而言，传达着一个有关北京宫廷的负面形象。

这个北京宫廷的负面形象正好强化了当时苏州部分人士隐居不仕的生活取向。在这些人士中，杜琼以儒行见称，并且兼长诗画，为沈周之老师，在十五世纪中期的苏州士人中可算是领袖人物。他出身名门，早负声望，但不事科举，不求仕进，虽在1434年、1437年两次被地方官以"贤才"向朝廷荐举，但都坚辞不受。[26] 他的朋友陈宽（沈周师）、沈恒（沈周父）、沈贞（沈周伯父）等也都类似，选择着一种拒绝北京的家居生活。对他们而言，1449年后北京宫廷的动荡不安，无非印证着他们原来选择的明智。

杜琼的山水画也呼应着他的事业抉择。他的传世作品不多，其中作于1454年的《山水图轴》【图131】很有代表性，也向观者展现了一个新的方向。此画上有他自题，言其创作前后情境甚详：

> 予尝写此境为有趣，适陈孟贤、郑德辉二公相访见之，孟贤曰：此幅可，郑公盍求诸。德辉略无健羡之色。孟贤强之，乃启言，予不敢靳也。德辉廉静寡欲，于物无所嗜好，使王维、吴道玄复生，亦无所爱，此其所以能养其德也。夫以心之玩好，乃学者之病。观于德辉，则有以警于人人哉。

此题识中有几点值得注意：一为画家作此山水时毫无功能性的考虑，只是"写此境为有趣"，不是为回应任何他人之请求而作。再者为画作与受画者的关系完全是偶然的。郑德辉与陈孟贤都是杜氏在1448年于苏州结文社时的社友，[27] 可谓相当亲近，但是郑德辉并不是原来赠画的对象，而且本来也无意于求画，只是因为陈孟贤的怂恿，以致"意外"地成为画作的拥有者。这种偶然的关系可说与在宫廷绘画中的"必然"关系完全相反。杜琼在题识上就其作画动机与画作归宿作此清楚交代，显然是刻意为之，而且很可能是有意识地在突显其创作行为不同于职业画师，尤其是那些表面上令人羡慕的北京宫廷画家。

《山水图轴》在风格上也确实与宫廷山水画上所见极为不同。它基本上是在描绘一个平和的隐居与周遭的环境。其尺幅不大，山体亦不雄伟，当然也没有宫廷山水画中常见的高贤故事，或是作为太平气象符号的行旅、渔人、村店与楼观，随处分布在画面之各个位置。它的点景人物很少，只在前景桥上画隐士及童仆，并在树下藏屋舍一角，作隐士读书其中，以此来代表隐士生活中的平常活动。这两个活动由于没有什么具体的现实目的，因此让隐居显得闲适而超越。其背后的树石山水，也呼应着这个基调，无论是线条或形体，都精心地保持平缓而柔和。如此风格的源头应该是明初苏州文人最为喜爱的元末王蒙的"书斋山水"。它尤其与王蒙的《葛稚川移居图》（参见图121）和《具区林屋》（参见图122）接近的程度最高。这两张画都是王蒙为友人日章所作，一作于日章移家隐居之际，另一则作于日章定居于具区山林屋洞附近之时，都有对隐士生活中那些无所营求的活动的描写，[28]正如杜氏山水一般，只不过王蒙的细节较多而已。两者在利用红叶树妆点画面的作法上亦有相通之处，尤其是《山水图轴》的前景红树，恐即直接承自《具区林屋》。对王蒙而言，这与日章隐居的实景无关，而系某种追仿唐画的"古意"手法。杜琼的红树也与作画的季节无涉，因其绘制的时间应在农历正月上元节前不久的冬季之中，红树之设因此更可能系意在继承王蒙的"古意"，让这个隐居更添加一层超越现实的意涵。

不过，王、杜两人之隐居山水毕竟仍有些差异。日章寻得隐居所在的林屋洞区，本即太湖附近之名胜，道教中人视之为洞天福地，能卜居于此，自然教人羡慕，故而王蒙所画

图131. 明 杜琼
《山水图轴》
1454年
轴 纸本 设色
122.5厘米×39厘米
北京故宫博物院

3-1 隐居生活中的绘画——十五世纪中期文人画在苏州的出现 | 233

山水，亦不忘表现其奇胜之景，甚至使之有如仙境。[29] 与此相较，《山水图轴》中之境界则显得平淡"无奇"，似乎只是寻常处所，不欲向人做任何的炫耀。这是隐士杜琼在选择平淡生活之中，自我体会之"趣"。如此的隐居山水，既是杜琼自己的写照，也可以持之与同调的社友分享。

《山水图轴》因为留下了画家自己对创作前后情境的记录，让后来的观者得以回到他原初那种"无功能"的"有趣"状态，确认该山水意象与其平淡隐居生活间的积极联系，这不能不说是极其幸运之事。属于同一作者的图画与题记能共同出现在一件作品之上，前提在于作者主体性的高度自觉，以及对观者得以接纳的肯定预期。这种现象虽可以在十四世纪的一些文人隐士间互相投赠的画作中见到，但数量不多，表达上也不像杜氏的那么刻意地交代细节。吾人或许会问：这个特殊表现即充分地显示了杜琼对自我主体性的高度自觉吗？还是纯属偶然？要回答这个问题，其实不难，但须要有另外的作例以为辅证。可惜今日所存他的作品本就不多，也未见如《山水图轴》上的题记，令人颇感遗憾。不过，在杜氏之《杜东原诗文集》中则仍留有一则《题画赠闻学谕》的题记，可供参考：

> 新秋雨过炎威息，几案无尘净如拭。
> 井花一滴沾陶泓，研取松滋玄雾积。
> 握管濡毫临素藤，经营位置心神凝。
> 兴来直欲写山意，敢与造化相争能。
> 须臾变幻成斯图，烟岚林樾青模糊。
> 自惭人老笔犹稚，谩尔挥洒终粗疏。
> 广文先生余故人，日骑瘦马来衡门。
> 谈诗看画适情性，见此不觉心欢忻。
> 谓余此幅当我与，画意清幽深可取。
> 嗟哉此图亦多幸，遭遇赏音东道主。[30]

此则长诗题记所属的画作现已不存，但其内容所述却正与《山水图轴》相同，都是在交代该图创作之前后情境。长诗之前半描写着杜氏从"新秋雨过"之某日"兴来"，至临几提笔作山水的"谩尔挥洒"过程，并强调其在独处时作画的"无功能"之动机。长诗的后半段则叙述着老友闻广文平常造访之"无目的"的"适情性"，以及得到此画的"偶然"。如此刻意宣示的作画动机与画作归宿，虽然细节稍有不同，但基本用意实与《山水图轴》完全一致。由此观之，杜琼本人确对其创作之自主性有高度之意识，并且在作品上一再地通过对创作动机与画作归宿的陈述，宣示其与职业画师，甚至宫廷画家的区别。

闻广文所得杜氏之山水画究竟作何表现，虽无法眼见，但由杜氏题诗中所云"画意清幽深可取"来推想，应该属于《山水图轴》一类的风格。1458年夏天刘珏在归家之后所作的《清白轩图》（参见图126），也有同类的表现。它也是刘珏隐居生活的写照，呈现着包括僧侣在内友朋来访的情景。十四世纪以来的江南隐居，似乎已与陶渊明《归去来辞》中所强调的"田园之乐"不同，[31] 而比较侧重表现对与世隔绝之平静生活的追求。在如此的生活中，同道友朋的来访，成为唯一可被允许的与外界的联通，而那也同时是隐士督促自我修行不可稍息的外来助力，它遂成为平静隐居生活的合法部分。对它的图像表现，王蒙时尚未十分流行，但至十五世纪中期的这个时候起，这个题材便以高频率的方式，出现在文人的隐居山水画中。刘珏的《清白轩图》在这新潮流中，可以说是扮演着推动者的角色。

《清白轩图》中除了以王蒙风格绘出的山体外，中央部位的水阁屋舍实是全画的重心。屋内几乎没有陈设，只有主人与僧侣对坐草席之上，另外一人则在栏边向屋外之山水眺望。这种安排与刘珏本人希望借此图绘传达的"清白轩"意象，大有关系。所谓"清白轩"者，原是刘珏在北京刑部任职时，以操行洁清自励自警，"凡夤缘请谒，一切谢之"，而为居所所取之号。[32] 归家之后，朋友虽依习惯皆仍用其旧职相称曰"佥宪"，但刘珏自己则持续号其居所为"清白轩"，显然对其居官时的操守廉洁，颇为自豪，并期待友人以此视之。图中清白轩的简朴，正合他的意向；其周围山水的平淡清雅也合适地加强这个氛围。在栏边眺望的文士，明显的是刻意之作。那可以是指当时在座的其他友人（据画上题诗看，当日在座访客除西田上人外，尚有沈澄、沈恒、薛英与冯篪），也可以是隐士主人自己，交代着他平日在清白轩中进行的，对外无所求，坚守洁行的活动。刘珏自己画上题诗的末联云："清溪日暮遥相望，一片闲云碧树东"，即说明了栏边人物所要表达的意象。这可以视为刘珏对其隐居的自我期许，也可以说是他的自我宣传。

访客之所以成为清白轩隐居生活的要素，也与十五世纪中期苏州文人的实际动态有关。尤其是到了1461年徐有贞返家之后，苏州文人间的互动，因为有了这些名流的加入，而得以有更活跃的发展。他们之间的集会、结伴互访的机会明显大增。例如1464年徐有贞与夏昶、杜琼、陈

图132. 明 刘珏
《烟水微茫》
1466年
轴 纸本 水墨
139.4厘米×44厘米
苏州市博物馆

宽等人会于灵岩山,并作《灵岩雅集志》,即其中较为引人注意者。[33]这种集会经常有图搭配,如1469年刘珏、祝颢、周鼎与沈周等人同集魏昌居处,沈周之《魏园雅集图》(辽宁省博物馆藏)便是为此而绘。[34] 1466年刘珏、徐有贞结伴共访沈周在相城的有竹居,当时刘珏就画了《烟水微茫》【图132】留赠给沈周。从画上徐有贞题记知道,他们这次拜访沈周隐居做了许多事,除了饮酒、赋诗外,还一起观赏了沈家的古代书画收藏。观者或者会期待画中将要出现如《杏园雅集图》那样充满这些活动的场景,其实不然,刘珏的画完全没有出现这种人物活动,只画出烟水微茫中的一些田亩,以及代表有竹居的一点简单屋舍而已。或许对他们三人来说,那些友朋欢聚同乐的场面,并非最需要被记忆的部分,更值得纪念的倒是那些活动背后平静而超俗的精神状态,那既是有竹居的真正内涵,也是访客从主人那里分享到的,也共同证成的人文价值。由这些图绘来看,此时苏州的隐士们确实选择、发展出一条与北京宫廷山水画完全不同的艺术道路。

以杜琼、刘珏为主而逐渐发展确立的苏州隐居山水画，无论是在形式上或画意上，皆是有意地在"拒绝"北京宫廷的既定轨道。这在十五世纪六十年代已经十分清晰。从绘画史的角度来看，这是所谓"吴派"文人绘画的成立，自有其重要意义。除此之外，它的发展也显示着值得注意的社会文化意涵。杜琼、刘珏等人所制作的山水画不仅宣示着他们苏州隐居生活的超越形象，而且具体地介入其生活互动之中，与其他行为共同形塑着一个逐渐清晰的理想生活形态。这些山水画大部分都在朋友聚会时出现，不论是否特意标明"无意为之"，它们都借由赠与的动作，进行了某种"交换"。在此"交换"的过程中，双方的交换内容，以及所牵涉的各种可能的"回报"或"贷债"关系，其实还是次要问题，[35] 更重要的是：这个交换的目的实在于共同证成一个诸成员所共持的生活理念，并依之强化他们之间的凝聚力与"同群"感。这种群体感本来也存在于过去的文人雅集中，并以诗文之形式予以呈现；但此时则加入了绘画来担任最关键的载体角色。例如《烟水微茫》所示，参与者的诗作即直接题写在画面的空白处，但其内容则仅表达了该作品的第一层意义，并不完整。对他们而言，那些文字的作用除了记录雅集的各段落活动之外，更在于引导画面图像所传达第二层次意涵的出现，那便是他们对有竹居生活理念的共识，那也是徐刘二人造访沈周家居的主要目的。该作品中的图绘部分，将此生活意境赋予具体之形象，并进一步以诉诸五代名家董源、巨然的风格形式，以及刻意摒除任何足以产生视觉吸引力的形象细节的使用，向"同群"之外的观众传达着一种拒绝的身段。作为如此意象载体之《烟水微茫》或许可视为徐刘二人对主人热情接待的"回报"，但其主旨却在共享、宣示隐居生活的平淡与绝俗。它不但是访友、雅集过程的结束动作，也是整个过程的意义所在。这种山水画因此一再地以此关键性的角色出现在苏州文人的聚会之中，并成为其隐居生活中不可或缺的必要部分。

当然，苏州的文人山水画出现的脉络并非完全局限于聚会、雅集。它在当时社交网络中的运作显然更为活泼，有时甚至被直接视为财货的替代品。文人以其知识技能为人提供文字服务而收取"润笔"酬劳之事，早已有之，此期苏州的文人亦仍其旧，[36] 只不过这种不定期的收入对于不具官职的隐士生计而言，就可能显得更为紧要了。在1469年与刘珏、沈周一起参加魏园雅集的周鼎（1401—1487）在这方面可说是一个十分成功的例子。根据稍后苏州学者杨循吉的记述：

>周伯器往来吴中,常以文自卖。平生所作盖将千篇,开卷视之,自初至终,非堂记则墓铭耳,甚至有庆寿哀挽之作,亦纵横其间。然伯器之才,特长于此。每为人作一篇,必有所得,或多银壹两,少则钱一二百文耳。伯器每诺而许之,一日作数篇不竭。……[37]

周鼎的润笔价格看来不高,如果与俞弁在《山樵暇语》中所记"成化间则闻[以]送行文求翰林者,非二两者不敢求"[38]的情况相较,还不及人家的一半;但他的速度快,产量多,要累积数千两的收入可能也不算困难。这或许即是钱谦益在周鼎小传中记其"晚年,起家为富翁"[39]的重要因素。杜琼也有润笔的收入,文献上说他"笔耕自给",[40]所指即此。但他的价格如何?数量如何?则没有人予以记述。不过,由杜琼本人一再地扩建房舍,修筑庭园来看,他的经济情况似乎蒸蒸日上。[41]他虽出身富室,而且也收了一些如沈周这样的富家学生,有不错的授徒收入,但是,他的"润笔"收入,似乎在他的生计上仍扮演着可观的角色。他所标榜的无功能、无目的之山水画,是否也有如周鼎文章的价格,不得而知,然而,也有资料透露他在那种交换互动中巧妙运用之的状况。他曾致书另一位"誉望特重"的苏州学者陈颀,请他为其庭园延绿亭的相关集诗作序或记。但杜琼此时并未打算为此文字支付金钱,而是提议"他日当有无声诗(即绘画)润笔"。[42]他的提议,是否成功,难以确知;但无论如何显示了两件事情:一、杜琼确知向陈颀求序记文章,必须付予润笔。二、杜琼以为他的画作可代替金钱,而作为润笔,后者尤其值得注意。它不但展现了杜氏对己作价值的肯定,且对其之作为润笔之替代,非但未有任何负面的感觉,甚至还有一点骄傲的意思。他的绘画本来宣称无功能,意味着不可求而得之,一旦主动挪作润笔之用,似乎反而提高了它的珍贵性。如此来看,这不能不说是杜琼本人特殊的关注与经营。

将绘画转作润笔,一方面是将之有价化,另一方面也是某种加值的创造。杜琼对此运用,颇有心得。其中最引人注意的是他以画向刘溥求诗一事。刘溥亦是苏州人,但在宣德初以文学受征后,即在北京活动。他虽因善医而任职于太医院,却"日惟以咏诗为事",而在文坛上取得全国性之声望。景泰中,他与晏铎、王淮、苏平诸人,"以诗自豪,号十才子,每推溥为盟主"。[43]对于这么一位有乡谊的名诗人,杜琼自然也希望得到他的支持与奖掖。在《东原集》中保存了一首杜琼寄给刘溥的长诗，目的是为其集诗求刘氏的品题。此长诗在绘画史中颇为知名，被学者指为董其昌南北分宗论的先声。[44] 其中最令人注意的部分为：

> 山水金碧到二李，水墨高古归王维。
> 荆关一律名孔著，忠恕北面称吾师。
> 后苑副使说董子，用墨浓古皴麻皮。
> 巨然秀润得正传，王诜宝绘能珍奇。
> 乃至李唐尤拔萃，次平仿佛无崇庳。
> 海岳老仙颇奇怪，父子臻妙名同垂。
> 马夏铁硬自成体，不与此派相和比。
> 水精宫中赵承旨，有元独步由天姿。
> 雪川钱翁贵纤悉，任意得趣黄大痴。
> 净明庵主过清简，梅花道人殊不羁。
> 大梁陈琳得书法，横写竖写皆其宜。
> 黄鹤丹林两不下，家家屏障光陆离。
> 诸公尽衍辋川脉，余子纷纷奚足推。

此段文字确实呈现了后来董其昌所提文人画正宗系谱的大致，也显示了杜琼本人将自己归属于王维（辋川）一脉，不与李唐马夏一派同列的清晰意识。

然而，他为什么要对诗人刘溥述说自己的这个画派观？这完全是为了提高自己画作价值的论述。当时此长诗的主要目的是向刘溥求诗，其后段为：

> 刘君识高颇见录，往往披对心神怡。
> 且云惨淡有古意，口不即语心求之。
> 我有鹭飘富题咏，欲得长句须君为。
> 十年不与岂有待，以此易彼何嫌疑。
> 我画我诗既易得，诸君不吝劳心思。[45]

由此诗末联看，其时必有杜氏之山水画一起寄去，欲以两者作为"润笔"换取刘溥的诗作。刘溥之诗名既高，润笔自不应等闲视之；杜琼虽以长诗及山水画来求其一诗，但似仍唯恐不足，故特意详叙其山水画之"我师众长并师古"的源流，并以"余子纷纷奚足推"来抬高他的画派地位与其本人画作的价值。他甚至特别指出此派山水画"数月一帧非为迟",以强调其制作之苦心精诣,避免对方因画作水墨之简淡表面而可能对其价值有所嫌疑。在杜琼的计算之中,如此"加值"的山水画应该是一个足以匹配刘溥诗作的润笔了。

不论刘溥是否认同杜琼的规划,此事确能充分显示杜琼在其文人生活中积极运用绘画的一面。而他之以其画风的明确历史位置作为价值的诉求,亦开风气之先,值得特别重视。这也是因为杜氏本人具备了丰富的画史知识而来,在当时画史知识并未充分普及的状态中,杜氏此方面的"专业知识"也提供他部分不可忽视的优势。这部分的专业知识一方面以具体的形式出现、融入到其绘画风格之中,增加着作品表现意涵的层次,成为其价值诉求的有效依据,另一方面也进入到绘画的鉴赏活动之中,扩充着鉴赏、品评的内容,并提供此扩充所需的知识资源。绘画的鉴赏活动固然古已有之,而且早已成为所谓雅集的主要节目之一,其具体成果的作为题跋之用的诗词文字书写,至宋元以后甚至形成了所谓"题画文学"科目的兴起。[46] 但是,相较于此早期的运作,十五世纪以后的鉴赏活动除了继续以诗词对画作内容及美学成就作共鸣式的品题外,[47] 则逐渐增加了对真伪鉴定、画家经历及画史脉络进行讨论的比重。后者这些新的论述范围,如果要予以落实,其实必须掌握了相关的画史知识才能进行。对于当时一般的知识分子而言,他们的知识领域大致配合着学校与科举而形成,画史知识并未包括在内。只有像杜琼等人所形塑的文人生活形态开始流行,绘画及其鉴赏活动在生活中之角色地位日益重要之后,对这种专业性知识的需求,才会在其文化圈中出现。一旦此种种需求形成,少数能够提供这种专业知识的文人便等于掌握了一种特殊资源,并在适当的情况下,将之转化成有价的资产。从这个角度来看,杜琼所掌握之画史知识的丰富,确让他成为这少数人的代表;在十五世纪中期左右,他的位置可谓十分突出。

杜琼所掌握的画史知识尤其让他在作品鉴定与画家论述上有出色的表现。当时之收藏家似亦肯定其此专长,竞相邀请他提供这些服务,并以题跋文字的形式成为藏品的有形部分。在作品鉴定上,杜琼至少展现了他对元末名家的独到甄别能力。他曾为沈澄鉴定一幅倪瓒作品,并写下一段类似"鉴定书"的题跋文字。此文起首即将其结论抛出:"右图为倪迂先生所作,盖早岁笔也",接着说明此倪迂先生的生平经历,最后则陈述其理由云:

> 画师王维,字效钟元常。中年散失财贿,家乃落,而诗画则日进焉,遂成三吴名流。会稽杨铁崖、句曲张外史辈皆尊让之。惟字法不能进,然亦自成一家。后世以其书而辨其画之真赝,殊不知自有早岁之作,其笔意如人之妙嫩者焉,庸可概论也。此图人皆以为非本真,而吾绁庵沈公独能识之,可谓有识之士矣。一日出示求题,予亦粗知绘事,故书此云。[48]

看来杜琼在此之所以能做出与一般见解不同的判断,所依赖的正是他对倪瓒书画风格在早、中、晚期变化的完整认识,此法实与现代之书画鉴定家所用者十分接近。这对当时倪画伪作充斥的收藏圈而言,显然具有高度的说服力,沈澄在得此"鉴定书"之际,亦应十分满意才是。杜琼的鉴定家形象也建立于其直言不讳上。他的七言绝句中有首《题云林画赝本》,提供了一个难得的例子:

> 梦断梁溪月正高,片云孤鹤共游遨。
> 笔端残墨争传在,楚国何人似叔敖。[49]

如此为伪作而写的题画诗,在画史上可谓十分罕见。它究竟为何而作?有没有任何实际功能性的考量?它当然有可能为杜琼的戏作,但似乎概率不高;毕竟遭逢伪作对文人而言鲜少视为雅事(或趣事),而致值得乘兴赋诗。然而,如果作为他对某个鉴定委托的成果报告,这倒较易于理解。作为鉴定为伪的结果报告,此诗当然不宜直接题写在作品上,但仍可作为对或许已付过润笔之委托人的一个正式回复。这或许可以说明此诗之所以未直陈其病,而采取尽力委婉的表达方式。

不过,杜琼受人之托而作的题跋书写中,最为引人的仍数其对画史中人物的独到知识。他曾为远在福建任职的徐姓官员所家藏的黄公望画卷,写了一则二百七十多字的长跋。此卷本来已有若干人的题跋在先,故杜琼下笔之前已是有备而来,以显示其自身题识之价值:

> 予惟卷中名笔,发挥其妙,殆亦尽矣,予言奚足赘乎?然先生之出处大略,亦颇闻之,因补诸公所未道者。先生名公望字子久,宋季陆神童之次弟也。家苏之常熟子游巷。龆龀时螟蛉与温州黄氏,遂姓其姓。其父年已九十,始得先生为嗣,喜而谓曰:黄公

望子久矣。因而名字焉。性聪敏，博极群书，世之技能无不通晓。初补湖西宪，以忤权豪，弃去黄冠，野服往来三吴。开三教堂于苏城之西文德桥，许三教中人问难。作画师董叔达、僧巨然，坡石皴极稀，而韵亦殊胜，所谓自成一家者也。……[50]

黄公望距离杜琼之时，已有百年，虽不能说久远，但要能掌握到详细而完整的，且又为"诸公所未道"的资料，可知并不容易。上引这一百四十八字的黄公望传记，如与当时通行之夏文彦《图绘宝鉴》的工具书所提供者相较，确实详细了不少，也更为正确，可以说是迄彼时为止最佳的黄氏小传。[51]那么，杜琼的这些知识又从何而来？真的有过人之处吗？由此段文字来解析，他的资料来源有两处。从出身陆神童次弟至充浙西宪令而弃去一段，基本上取自钟嗣成在1330年所完成的《录鬼簿》；[52]而黄氏之画风源流至自成一家的写法，则来自陶宗仪的《辍耕录》。[53]这两部书在当时并非为一般读书人所熟知，杜氏能用之，确可见其广博。此外，传中言黄氏开三教堂一事，则完全未见于此前之任何书中，只有到1506年王鏊所修六十卷本《姑苏志》的黄公望传中才出现，[54]那已距杜氏之卒有三十年的时间。原来，《姑苏志》的黄公望传根本即来自杜琼此跋，而此渊源关系也因为杜琼之子杜启的实际参与该方志之修撰，更显得清晰。由此例来看，杜琼除了广读诸书外，也有许多他自己访查、搜集掌故轶闻的独家资讯，这应该也是他在1474年应知府丘霁之邀与修《苏郡志》时的背景条件。[55]

杜琼的丰富画史知识不但让他有能力执行出色的鉴定工作，也让他为人所作之题跋文字能有道人所未道的价值。不论他由之得到的润笔属于哪一种形式，他的表现无疑地证明：他应是当时南方藏家为其藏品寻求题跋者的首选。由此观之，《杜东原集》所收录之大量题画文字，其实正是以另种方式展示着它的供需互动的高度表现，以及由此知识转化而来的收入在他"以笔耕自给"生活中所占有之重要比例。这个部分的生活，即使是此期苏州文人隐居文化中最为物质的层次，但却也因为如此而显得令人关注。杜琼等文人不仅在绘画中描写他们的隐居生活，也在隐居生活中用绘画谋取所需资源。他们不见得每人都能如愿，但如杜琼的尝试，则为十六世纪以后文人之生活奠定了一个基本模式。

3-2 沈周的应酬画及其观众

"观众"这个概念在现代博物馆的营运中具有关键性的地位。博物馆的经营者不仅要时刻关心观众人数的升降，并以之来作为自我评鉴的依据，更重要的，还须积极设法随时维系它与观众之间的良好关系。如果将"观众导向"视为当代博物馆的核心价值之一，一点都不为过。就这个理想而言，博物馆在如何提供一个友善而舒适的参观环境的服务性工作上，相对的还比较容易，但是，要想去为观众建立其与展示作品间的关系，却才是真正困难的任务。而这个工作之所以不易，首先是因为作品原本存在着一层作者与观者的关系，如果我们不能充分掌握这个原有关系的内容，要想将之转化至博物馆参观脉络中的有效互动，便几乎没有可能成功。了解作品原有之"作者—观者"关系，因此显得日益重要，尤其是对中国之文人画这种以非市场导向为标榜的作品而言，更是如此。本文即希望由此角度来探讨十五世纪文人画家沈周的一些作品，并剖析它们的历史意义。

沈周（1427—1509）出身于苏州的一个富有的地主家庭，父祖辈都是当地文化界的活跃成员，但都没有在仕途上求发展，"隐士"似乎就成为沈家的家族传统。沈周虽然很早就展现他在文学上的才华，很有条件与他的朋友们一样在科举之途上得到发展的机会，甚至成功地成为政府的官员，但他似乎很满足于乡绅地主的身份，终其一生没有参与科举考试，而以"隐士"的姿态在其悠游的生活中进行文艺的创作。[1] 不过，沈周的隐士生活并非离群索居，谢绝世事，而实仍保有活泼的社交活动。他的个性据说十分随和，也相当地幽默、好客，因此朋友很多，有政府官员，也有地方名士、方外僧道，尤其在他四十八岁之后，声誉日高，更有自四方慕名而来结交的新识。[2] 在当时江南的社交圈中，沈周无疑是个绝佳的主人，也是个最受欢迎的宾客，他在文学及艺术上的才华更让他添加了超越群伦的个人魅力。在这情况下，他的许多绘画作品原则上都可视为他跟各种朋友，在各种不同场合互动之下的产物，可以统归之为"应酬画"。[3] 不过，称之为"应酬"，并无贬义，倒反而意在突显沈周如何以其绘画来营造他与观者间的友朋关系。

　　沈周作品的应酬性质让他们总是充满了人际关系的叙事，这也是后来中国文人画所发展出来的特色之一。相较之下，一般职业画师或宫廷画家的画作便少有这层表现。这个差异如果放在十五世纪后半以来的文化脉络来看，显得特有意义。因为正在差不多这个时候，中国的江南地区正开始逐渐凝聚着一个后来称之为文人文化的氛围，沈周的这些富含人际关系叙事的绘画，实际上即是此凝聚过程中的主要成分。而如果于更大的文化空间来看，这个差异也有助于从另一个角度来理解中国与日本间艺术互动的历史意义。由现代做历史的回顾，雪舟入明无疑是此时中日文化交流中的大事，[4] 但在当时信息传播的有限条件下，沈周所代表的这部分江南新文化有多少机会参与至此交流事件中，却是一个饶有兴味的问题。

　　雪舟入明的时间在 1467 年，就在那年的阴历五月初五，沈周为其师陈宽（1396—1473）祝寿做了《庐山高》【图 133】。这是沈周艺术步入成熟期的代表巨作。全画长 193.8 厘米，宽 98.1 厘米，以如此高耸而巨大的山峰为主题来寓意长寿及景仰之意，这是源自悠久文化传统的表现手法；但是，沈周在此还特地选用了十四世纪后期元末明初隐士画家王蒙的风格来制作画中的山水气象，除了呼应其师的隐士身份之外，也进一步向陈宽先祖之与王蒙素有渊源的家族传统表示敬意。[5] 今日的观者或许可以想象，当这幅山水悬挂在陈宽寿宴大堂的壁上时，主人及前来祝寿的文友必然能对沈周的精心用意有所体会，并予以特别的赞赏。当然，并非所有宾客都能体会沈周的深意，但他们则可就高山的祝福有所共鸣。而就沈周的这件创作来说，那些一般观众只居次要位置，陈宽家族及其生活圈中的友人才是规划中的主要观众。入明的雪舟显然不属于《庐山高》的主要观众群中，与沈周也没有机会见面。[6]

　　以山水画作为文士们社交关系的载体，其实也非沈周的发明，在元代之时已在江南有相当程度的流行。[7] 沈周的意义在于将之作更广泛、更有意识的运用与讲究。在他的作品中，将这种应酬性质表现得最为清

图 133. 明 沈周
《庐山高》
1467 年
轴 纸本 设色
193.8 厘米 × 98.1 厘米
台北故宫博物院

3-2 沈周的应酬画及其观众

图 134. 明 沈周《松下芙蓉》1489 年 卷 纸本 设色 23.6 厘米 × 82 厘米 密西根大学美术馆

晰的，当数一批以花果、植物为主要题材的绘画，有时也包括一些对生活周遭杂物的描绘。他们的制作可以不像山水画那样"五日一石，十日一水"的花费较长的时间，甚至颇有即兴的表现。《松下芙蓉》【图 134】便是这种作品的典型例子。《松下芙蓉》的画面相当简单，在横长的纸幅中央画了一株芙蓉，并在芙蓉的右方添了半棵松树。芙蓉是用饱含水分的笔以淡彩画成，旁边的松树则以浓墨作一截树干，并在两侧配上枝梢与松针，画的速度颇快，因此在花叶上呈现了高度的水色交溶，淡彩的层次之间未因用笔的时差而留下叠压的痕迹。不过，绘制的快速并未牺牲此画的品质。芙蓉的叶片不但显示了各种姿态与方向上的变化，花朵的部分也有含苞、半开、全绽的不同处理，两枝松梢并与芙蓉的花叶产生一种巧妙的对照与呼应。这些现象在在都显示了沈周在处理这个题材时所具备的高度技巧能力。一般而言，这种专业能力比较常见于职业画师的身上，沈周这个乡绅文士居然亦能臻此，确值特加注意。单纯地诉诸天赋，对于沈周的个案而言，显然并不恰当；从现存的资料来看，他曾经用心地学习过南宋末禅僧画家牧溪的水墨简笔花鸟风格，不仅在牧溪的《写生卷》后题写跋语，也亲制过摹本，其中之一可能就是现藏台北故宫博物院标为牧溪所作的同名画卷。[8] 牧溪的画风曾被元代文人讥为粗俗，后来的继承者也多属于职业画家，[9] 沈周以之作自我训练，并用为其花鸟画之一风格，似乎并不在意其背后所可能隐藏的身份之别。

不过，《松下芙蓉》是否多少亦具画师行径，也值得考虑。所谓"应酬"，在文人的言说中是文雅的应报，但如施之于职业画师，其实毕竟只是市场上银货交换的买卖。如果要做进一步的区别，差异实不在画家是否由之取得金钱或他种形式的酬劳，而只在观众的属性。前者标榜特定的观众，甚至以"非其人不与"为高，强调作者的主动选择权；后者则无选择地面对"一般性"的观众，识与不识，基本上不是考虑的要点。换言之，画者与其观者间是否具有一种"既存"关系，可以说是真正区别所在。由这点来看，沈周与《松下芙蓉》的委托者汤夏民之间原来具有何种交情，便需先予厘清。

沈周为汤夏民所作的《松下芙蓉》成于1489年，当时是为了安慰汤氏长期失意于科举而发。汤夏民的生平事迹不详，但从他自己所写的，现在接于沈周画后的诗题，可知他应是苏州地区的文士，虽致力于科考，但未能如愿通过乡试这一关，至1477年为止，已经尝试了七次，总共花费至少二十一年的工夫。通过科举入仕以求遂行其经世济民之任务，这是中国传统士子的人生目标，汤夏民的长期受挫，确实令人同情。他自己也不禁有些自怜，并希望得到朋友的鼓励，因此就开始邀集同情者为之赋诗，现在手卷上第六至第十一的六个诗题便是汤氏在1477年写下题语前已经搜集到的成果。[10]在此之后，汤氏的试场噩运并没有结束，他也继续地寻求同情的鼓舞；不过，此期他的对象则转向社会声望较高的人士。手卷上诗题部分第二纸上出现的三首和诗皆作于1483年前不久，作者都有进士头衔，其中的姚绶（1423—1495，即1483年的题者）更是早在1464年四十二岁时即成进士，并同时享有很高的文学声望。[11]沈周可说是这一波邀请名单上的最后一位。他虽没有姚绶的进士荣衔，但六十三岁的他在当时已是有全国性声望的隐士，在诗词与绘画两方面都得到高度的称誉。汤夏民或亦有见于此，请沈周以画代诗，因而完成了一件以其科场不遇为主题的诗画合卷。

汤夏民与这些为其赠诗作画的个人之间，究竟原有何种交情，由于资料所限，现已难以查考。不过，此中仍有两个现象值得注意。其一是受邀题诗者并非皆具汤夏民的受挫经验，但还是愿意就此主题与之唱和，尤其是沈周，根本没有参加过科举的竞争，却仍参与其中，可见汤氏邀约的范围以及他与受邀者之间的互动，都不以"同病相怜"为局限。另外，受邀者之中也有原非汤氏的旧识。姚绶即是如此，而他之所以答应参加，主要是因为他与汤夏民兄长的旧谊。这种辗转请托的现象在十五世纪的中国社交圈中显然普遍存在。沈周的状况可能亦是如此。[12]从他为《松下芙蓉》题识时未及汤氏之名字一事来看，他俩或许原无交往，该画之作因此亦有颇类画师行径之处。

虽然已是知名文士，沈周似乎并不排斥汤夏民这种慕名者的请托。他在互动的过程中是否得到了任何形式的报酬，我们无法得知，也不是关心的重点；更重要的是去观察：沈周如何以其画笔回应他与汤氏之间原来仅有的淡薄关系？他会与一般的职业画师有所不同吗？《松下芙蓉》确与一般市场所常见的花鸟画有些差异。它的松树极为简单，无根无顶，只有两小截枝叶；它的芙蓉不仅处理得较为淡雅，而且故意在比例上超出其旁的松树甚多，显得别有用意。松树本为君子隐士的象征，亦常引申代表国家之栋梁，芙蓉则原意指富贵，但也因其开于晚秋（秋天正是乡试的季节），常被引申为晚到的科举成功。汤夏民自己在诗中就自喻为寂寞的松树，并以"秋老芙蓉始开花"来寄托对未来通过科考的期望。[13]沈周之刻意如此处理画面，应即意在呼应汤诗的内容。其他提供诗作的人用心于跟随汤诗的韵脚与之唱和，沈周之画则着意于松树的寂寞之情，芙蓉的晚成之愿，以画代诗，亦有真诚的专注。由此观之，沈汤之间即使原无情谊，经此画与诗的唱和，两人间可说借由《松下芙蓉》新创了一种因同情而亲近的关系。

这是沈周应酬画的有趣之处。他当然也常常以一般的格套来应付与他无甚交情的观众，但也时而乐于在这种应酬中试图建立新关系，将一般性的观者转变为特定的新友人。除了《松下芙蓉》外，《参天特秀》（1479年，【图135】）提供了另外一个例子。初看之下，此画只作一棵占满全幅的大松，无甚奇特；但如与沈周的另一件同类作品《松石图》（1480年，【图136】）相比，则可见别有意味的用心。《松石图》是因祝贺某春雨先生老年得子而作，场合相当普通，画面上的处理因之也只是依循自元代以来流行的松石图的格套（如吴伯理，《松石图》，【图137】）作一角坡岸，几个石头与一棵古松。《参天特秀》则舍去了坡石与老松的下半身，只从上半段画起，并刻意隐去顶部，且加大松荫伸张的描写，整个效果有似人由巨松之下仰视树颠，为其"参天直上"且秀气勃发的生长所感动。如此角度观松正是呼应着沈周欲将巨松视为国家栋梁之象征企图而来。原来此画是为一名叫刘献之的文士朋友而作。刘氏来自北方的辽阳，慕名来访沈周。[14]对于一名初识的朋友，《参天特秀》虽看来稍似溢美之辞，但其制作的用心讲究，让它由一般的应酬客套，变为一件珍贵的礼物。

当面对有着不同"既存关系"的观众时，沈周的因应方式自然更为不同，不论是哪种应酬场合，他的作品都能显示更清晰的独特用心。他作于1502年的《红杏图》【图138】是为一位晚辈刘布甥所绘。刘布甥

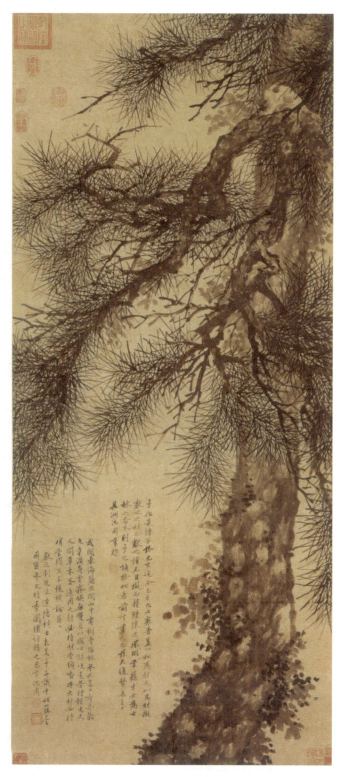

图 135. 明 沈周
《参天特秀》
1479 年
轴 纸本 浅设色
156 厘米 × 67.1 厘米
台北故宫博物院

3-2 沈周的应酬画及其观众 | 249

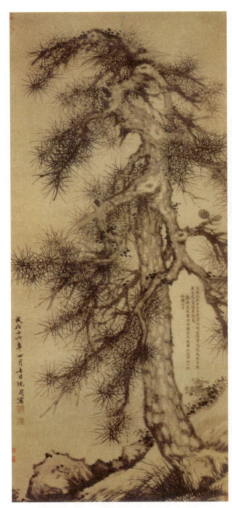

图136. 明 沈周《松石图》1480年
轴 纸本 水墨 156.4厘米×72.7厘米 北京故宫博物院

图137. 元 吴伯理《松石图》
轴 纸本 水墨 120.9厘米×35厘米 纽约大都会美术馆

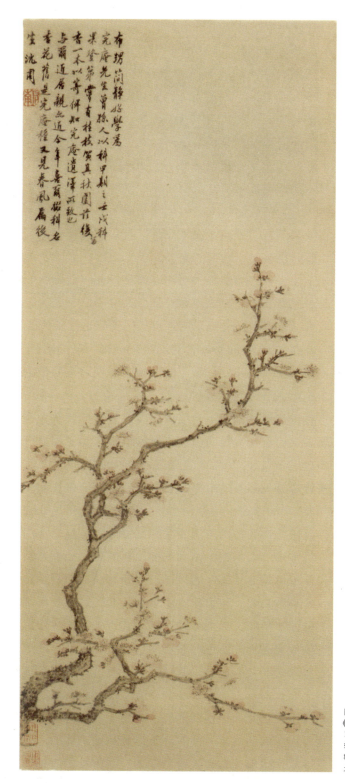

图 138. 明 沈周
《红杏图》
1502 年
轴 纸本 设色
80 厘米×33.5 厘米
北京故宫博物院

3-2 沈周的应酬画及其观众 | 251

方在此年成功地取得进士头衔,沈周之画即贺其登科,并因为布甥系其乡前辈好友刘珏(1410—1472)的曾孙,而感到特别的欣慰。[15] 这种祝贺某人登科的应酬画在当时的需求量应颇大,沈周也常从事,他在1489年所作之《折桂图》【图139】即此中典型。此画画主陈师尹虽很郑重其事地除请沈周作画题诗外,还另请姚绶、杨循吉等名士为他赋诗祝福,但画作本身其实非常格式化,只见墨笔草草勾出枝干,叶片全数平展,几无交叠错落之趣。与此相较,《红杏图》便显得极其用心。它只作几枝杏条尾梢透空而立,但其伸展却都各具姿态,并通过不同方向的生长,制造曲折交错的趣味,连简笔点出的繁多杏花,也刻意展示其在枝头不同的方向,使其在错落有致的安排中特有一种精致之感。沈周作此时已是七十六岁的高龄,于老眼昏花之际,尚作如此精谨安排,不能不让观者特为感佩。对沈周而言,此《红杏图》已非寻常贺仪,还带着对已逝老友的思念,并对其后人之得以有成为之感到安慰。刘布甥在收到《红杏图》之际,应该也能感受到这位长辈的深情吧。

在1480年的新春,沈周画了一幅《荔柿图》【图140】送给老友宿田作为新年的礼物。新年时节相互赠馈,本属最为平常的应酬,平凡人家也常以各种吉祥图样来互相祝福新的一年中得到福、禄、寿的好运。这种世俗对财富、事业与健康的欲望,即使众人皆然,但对有教养的阶层人士而言,太过明白而直接的诉求,如"招财进宝"之类的表达,总嫌过度俗气。[16] 然而沈周之《荔柿图》却似正反其道而行。荔枝与柿子皆非春天当季的水果,它们之所以被安排在同一画面,主要乃欲取其"利市"的谐音;祝福对方大赚其钱的用意,可谓表达得十分露骨。收到这份礼物的宿田难道不会感到受辱?沈周是在用一种最粗俗的方式来应付宿田的索求吗?由《荔柿图》的画面处理来看,却非如此。全画使用接近《松下芙蓉》的风格,快速而灵巧地将两种植物交错在一起,不仅叶片各具姿态与形状,而且相互交叉,并与纤细的枝条叠交出复杂而多变的小空间,荔枝与柿子的果实也在似牧溪作风的水墨运用中,显得饱满而充满水分。这些精彩的水墨表现,充分地显示着沈周的高度技巧与制作时的费心经营,其专注的程度,如与《参天特秀》相比,甚至有过之而无不及。那么,以"利市"来祝宿田新年,又应如何理解?

原来,此宿田姓韩名襄,苏州人,世为名医。韩襄与沈周的交情很深,在沈周的诗集中便有许多诗是写给韩襄的。就在《荔柿图》制作的前一年,沈周便曾有三首诗送他,其中有回应韩襄来问病的,有欣喜地

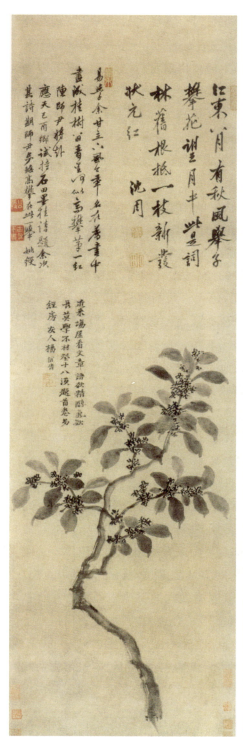

图139. 明 沈周《折桂图》1489年
轴 纸本 水墨 114.5厘米×36.1厘米 上海博物馆

图140. 明 沈周《荔柿图》1480年
轴 纸本 水墨 127.8厘米×38.5厘米 北京故宫博物院

3-2 沈周的应酬画及其观众 | **253**

报知其孙诞生的,伯父沈贞做八十岁生日时,韩襄也从城内来贺寿,并夜宿沈周家中。[17] 这些都可见得两人关系之亲近,而且不只是家庭医生与病家之间的来往而已。当时的医生通常也兼营药材买卖,视之为一种行业,亦无不可。沈周固然知其老友非属一般市井郎中,而又故意以"利市"祝其新年,自然不是批评,或是侮辱。它更可能是一种戏弄,在戏弄之中又深藏着一种不见外的亲密之情。透过《荔柿图》的互动,"作者—观者"关系得以进入一个更深的层次,这是沈周应酬画之所以引人之处。

《荔柿图》中的戏弄,也透露着沈周的幽默性格。这个部分在他闲居自适的情境中最易有所表现。而在存世的沈周作品中,这种充分透露个人性情的表现,则多出现在画册的类别中,尤其是一种集合了各式主题在一起的,可以称之为"杂画册"的作品内。台北故宫博物院所藏的《写生册》(1494年)就是其中最佳的代表。此画册共十六页,册内题材非常多样,有各种花禽、动物等,还有江南人家餐桌上常见的虾、蟹以及蚌贝鱼鲜。其中之蚌与猫两页极为有趣,也最能说明沈周作此册时的用意。前者只用淡而丰富的水墨,画了四个半贝蛎,两个未开,一个微开,另一个则全开而未食,最大者则只剩其半壳,似乎其肉已被主人吃去【图141】。以此种桌上餐后景物入画,实在前所未见。而至于吃剩的贝壳是否有任何的微言大义,恐怕也非沈周所欲探究。另一页的猫则显示了另种随兴的态度【图142】。那似乎是一只肥胖的虎斑猫,毛茸茸的身躯被圈成一个圆形,而其头部则上仰,并张口鸣叫。如此姿态,可谓画史中仅见,只能想象成画家从较高的角度俯视所得。当时的情境或许亦如蚌壳一页所示,沈周正坐在餐桌旁,随意瞥见桌下的爱猫,遂予召唤,猫儿亦有所回应。画面上虽只有憨态可掬的猫儿,其实画的却是人与猫间的温馨互动。南宋时宫廷院画也常描绘其宫中宠物,如《蜀葵游猫图》【图143】一画中就以拟人式的手法处理猫,并着意于制造其与画外观者对视的一种互动。[18] 与之相较,沈周的猫还是十分不同。它既不是宫中的富贵娇客,也没有什么吉祥寓意,只是平凡的家猫,偶然在主人的生活中与他互换了一点情意。这可说是平常生活细节中的"即兴",而在此"即兴"的当下,画家似乎也感受到造化生机的妙趣。

就是在此即兴之中,沈周于《写生册》里随处都显示了他的自我。中国历史上大概没有第二个画家能以如此方式,在生活琐事之中发现生

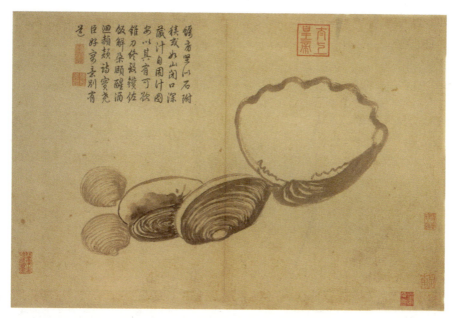

图 141. 明 沈周《写生册》"贝" 1494 年 纸本 水墨 34.7 厘米×50.9 厘米 台北故宫博物院

图 142. 明 沈周《写生册》"猫" 1494 年 纸本 浅设色 34.8 厘米×54.5 厘米 台北故宫博物院

3-2 沈周的应酬画及其观众 | **255**

图 143. 南宋 毛益
《蜀葵游猫图》
轴 绢本 设色
25.3 厘米×25.8 厘米
奈良大和文华馆

机的喜悦。虽然在此册后的自题中,沈周谦称:"若以画求我,我则在丹青之外矣。"【图 144】但那实只是反语,不能当真。《写生册》中虽然没有沈周形象的具体呈现,但与"物"的互动却在在地显示了他的存在。但是,如果要勉强去标示出沈周的位置的话,也可以说:他是从画页之外来与画中之物互动。由此言之,《写生册》不仅是他"观物"的结果,也是他观物过程的记录。

但是,如果就因此而将此种"杂画册"视为沈周的自娱之作,却也不全然适当。杂画册可说是当时社交圈中新兴而受欢迎的礼物,沈周作了不少,其中也有为特定观众而作的应酬,例如北京故宫博物院的《卧游图册》便是给一位名叫真愚的朋友作的。[19]《写生册》应该也是如此,其册后自题也是向此观众展示的夫子自道,如归之为应酬画,亦无不可。不过,它与其他应酬画的差异在于它刻意隐藏了观众的存在。让观众消失,变成画家宣示自我主体性的法门。然而,这却并不意在拒绝

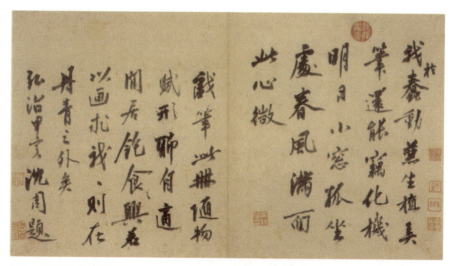

图 144. 明 沈周《写生册》"自题" 1494 年 纸本 34.6 厘米×58.8 厘米 台北故宫博物院

图 145. 明 沈周《写生册》"鸡" 1494 年 纸本 水墨 34.8 厘米×53.8 厘米 台北故宫博物院

观众的参与,而更重要的是在邀请观众认同画家的理念,泯灭画者与观者间的原有界线。

《写生册》中另有一页以草草的水墨作家鸡【图145】,平常的姿态中颇有拙趣。如果将之与《菊花文禽》(1509年,【图146】)稍做比较,则又立刻显出后者的特殊异趣。正如画名所示,此画主角为占满全幅的四朵盛开的菊花与花下的雉鸡,雉鸡又向上仰视二只蝴蝶,形成一个

3-2 沈周的应酬画及其观众 | **257**

图 146. 明 沈周
《菊花文禽》
1509 年
轴 绢本 设色
65.2 厘米×30 厘米
大阪市立美术馆

有趣的互动。但是，这个生物间互动的趣味，只是第一个层次的表现内涵，它还有另一个层次的象征意义。雉鸡一向被认为具备文、武、勇、仁、信五种德性，且因羽色灿烂缤纷，故久被视为瑞禽之一。著名的宋徽宗《芙蓉锦鸡》【图147】就是在其如韵律般优雅的描绘外另加赋此含义。[20] 沈周的《菊花文禽》亦以文禽（锦鸡的别称）为名，但与徽宗者不同，不仅以菊花代换了芙蓉，且全画只以水墨为之，无意于表现雉鸡的五彩。这是代表隐士的高贵禽鸟，伫立在具如陶渊明高逸情操的菊花之下，表达《庄子》所描述的，宁愿"十步一啄，百步一饮"，而不肯被关在笼中的山泽之雉的精神。[21]

将代表着山林隐士形象的雉鸡赠送给这位称作"初斋"的观者，这又意味着什么？是在赞美初斋的隐士情操吗？因为无法确知初斋的身份，实在不得而知。[22] 不过，较为可能的是：雉鸡应是沈周的自喻。此时沈周已八十三岁，正是画中飞蝶的形喻。"蝶"与"耋"同音，意指八十岁的老年。这恰好呼应着画中雉鸡羽毛脱落的特殊形象，那也是我们经验中绝无仅有的高龄雉鸡。常常以"与死相邻"自嘲的老隐沈周对自己的暮年衰态，似乎毫

图 147. 北宋 赵佶（徽宗）《芙蓉锦鸡》轴 绢本 设色 81.5 厘米 × 53.6 厘米 北京故宫博物院

不避讳，甚至还刻意以自我揶揄的方式予以宣扬。[23] 他老年时显为脱齿所苦，但与一般老人不同，似乎每一次皆要为之赋诗纪念，大作文章，因此留下来不少齿病之诗。其中一首《齿摇》淋漓尽致地叙述了病

3-2 沈周的应酬画及其观众 | **259**

牙将断未落之痛，以及孩童似的对拔牙之畏惧。诗中甚至以狡酷吏、败家子来谩骂口中的病齿，并天真地希望打一个大喷嚏就能解决这颗可恶的断牙，让他能再快乐地喝酒吃肉。[24] 他对老病之余的衰容也是如此态度，另首诗《写怀一首寄张碧溪》中即以"鬓发髡然瘦骨尖"来予自嘲。[25] 由此观之，《菊花文禽》中羽毛严重脱落的怪相老雉正是暮年沈周的自况，虽带揶揄，却仍以神气的姿态表达着对自我隐于林下一生的无憾与骄傲。这是沈周借由花下雉鸡所呈现的自我形象。他送给初斋的因此不仅是一幅花鸟画而已，而是沈周希望在身后为他所有观众留下来的记忆。画后不久，于该年的八月二日，八十三岁的隐士沈周便因病卒于家中。

通过这种应酬画，沈周创造了一种新的"作者—观者"关系。后来许多文人画家也循着这个模式，在复杂的人际关系网络中，一方面应酬，一方面企图保有并表现自我。

3-3 雅俗的焦虑
——文征明、钟馗与大众文化

一、前言

　　雅俗之辨，是中国文化史中最常见的课题之一。它不仅是个学术议题，而且内化至人心，深刻地作用到一般的社会行为之中。对它的讨论，不论是出之于学者的严谨分析，或诉之于作家的清谈文字，泰半着眼于雅俗的内涵，有时亦及于其在不同时空中的变动，或兼论它在文化行为中所产生的影响。这些论述，虽然企图厘清"雅"、"俗"各自本身的内涵定义，以及相互间区分的通则，但经常碰上治丝益棼的窘境，尤其是当这个论辩过程中牵涉到微妙的价值判断与品质界定时，验证的客观性基本上很难具有充分的说服力。因此之故，有的学者便借助社会科学的理念，将雅俗的讨论与社会阶层的分析联系起来，以"雅"为上层或精英阶层的品味，"俗"则划归下层或平民阶层，而成为大众文化品味的代称。可是，社会阶层虽可以依各种标准予以清楚的区别，而且正如皮埃尔·布迪厄（Pierre Bourdieu）所论，人们会以文化活动为工具来界定、进而巩固阶层的上下分野，[1] 雅俗如果成为文化活动中的品质内涵，它们究竟如何得以进行这种阶层区别的工作，则仍值得进一步探讨。换句话说，"雅"中之"不俗"的成分如何透过社会性的运作，凝聚共识，成为精英文化的部分，而与大众文化产生距离？这个过程便是研究中国雅俗之辨与阶层区分互动现象时需先厘清的问题。

　　然而，一旦将雅俗之辨转换成"精英文化—大众文化"的思考架构，这两个阶层之间的关系，便不只局限在这两者间之区分，而且包括了更复杂的互动。在长期维持着相当高度社会流动性的中国社会中，阶层间的互动，尤其值得注意。正是因为阶层间经常产生含糊混淆的窘状，所以才有区分的需要。他们之间文化的互动，因此是基于区别的需求上所进行的复杂拉锯。对于中国社会精英阶层的成员而言，大众文化虽然存在，却不值得认同；不仅不能认同，而且经常是抨击的对象。在那个抨击的过程中，精英分子一方面是在积极地创造他们的精英性，刻意拉大他们与大众间的距离；但是，另一方面则是在进行一种面对大众文化包围的被动防御，在他们激越的批评语言中，还透露着他们无法完全抗拒大众文化的焦虑，担心他们会耽溺于生活周遭的需求与诱惑中，与大众的区别，日益难以维持。精英阶层在与大众文化互动之中所显示出来的这种双面性，因此可以视为中国"精英文化—大众文化"研究中的关键问题。

文人无疑是中国传统社会之精英阶层中最为突显的群体。他们是一批掌握古典人文知识，并通过国家之考试认可的文化人。他们基本上是政府文官的候选人才，但也可选择在公职外以其文化技能为业（或作为生活的主轴）。他们的行为，以及相应而生的认知与价值体系，便形成一般所谓的文人文化。中国社会自十一世纪起，文人文化便已逐渐成形。到了十六世纪它大致上已经发展至独立自觉而自成体系的状况。在这个发展过程中，它与大众文化的互动关系也有所变化，不仅追求区别之势日益，而且拒绝被同化的焦虑亦日剧。文人之得以作为中国社会的精英阶层，出自整个社会向上流动力的蓬勃展现。[2] 通过教育与科举制度的机制，文人们自庶民的阶层中脱颖而出，除了取得政治、经济的权力外，也试图经营一种与庶民有别的生活风格。但实现这个企图之难度也实在不难想象。他们既源自庶民，便很难与其生活之中如福、禄、寿等诸般价值理念完全分离。而以之为核心而发展出来的大众文化因此自然地就具有普遍性的亲和力，得以跨越阶层之分而产生同化的作用。这对于文人文化的独立性而言，永远是个威胁。而且，由于中国教育及科举制度的公开公平特质，知识的取得并未给文人提供作为精英阶层的安全保障，随时可以下降至庶民的潜在危机使得他们对于被大众文化同化的可能性产生更深的焦虑。对于这个问题的解决，到了十六世纪初期就显得日益迫切。这也正是文人绘画达到高峰，在画意与风格上皆形成确定规范的时候。

文征明可以说是促成这个文人绘画高峰的主要推动者。比较起其他诸如诗词、戏曲、小说等的艺术媒介，此时的绘画实为所谓文人文化舞台上的主角。借由绘画的制作、欣赏、投赠、交换等活动，文人试图建构一种专属的生活模式，并清晰地传达一种可以被称之为"文人"的特有意象，以显示与一般庶民的差异。[3] 文征明在其一生中长期地作为江南地区文艺界的领导者，不仅以其几乎毫无瑕疵的人格与行为之形象作为表率，而且以其绘画，从各个角度：园林、雅集、游览、交友、赏艺……描绘文人式的生活理想。它们在当时及后来的广大影响力一方面使得"吴派"（或"文派"）绘画成为十六世纪中国艺术的突出现象，[4] 同时也意味着文人文化在图像上由创造而形成共识的结果。

不过，文人的生活风格不论如何努力地按文征明的理想建构，实际上却无法全然与庶民无涉，尤其是在伴随着岁时礼俗而来的生活行事步调上，更是如此。新年可以视为其中最明显的例子。它不仅是个全民共有的假期，而且是一个对更幸福、更完美的未来之希望。它的相关礼俗活动也都意在"除恶迎新"，因此广受民众接纳与奉行，即使如文征明之文人也乐于"随俗"。如此普受接纳的新年活动在图像上也因有钟馗图的配合，而提供吾人一个特为便利的切入点，得以观察文人在面对大众文化时的因应方式，亦有助于吾人由阶层区别与互动的角度，来理解雅俗之辨在实际生活中的运作。

二、《寒林钟馗》的作者问题

文征明亦有钟馗图绘之作。《寒林钟馗》【图148】是他六十五岁时的作品，自题于公元1535年2月1日，时正值农历年之除夕。作为文人画的宗师，文征明向来皆有意识地避开通俗的画题，而且似乎从来不作较大型的人物图绘，《寒林钟馗》则一反常态，选择了最受大众欢迎的钟馗为其画中的主角。它为什么会这么特殊？当时又是为何而作？在生活及社会脉络中又如何被运用？这些问题都值得进一步地探究。

归为文征明名下的《寒林钟馗》确实极为特殊。全画为69.6厘米 × 42.5厘米，是件尺幅不大的立轴，由寒林与钟馗两部分组成。它最值得注意的地方是钟馗在画中所占的比例颇大，约有20厘米，这可说是传世文征明作品中仅见的大型全身人物画。文征明绘画中并非全不绘人物，但绝大多数尺寸颇小，而且许多仅是作为山水之点景，完全无法与寒林中的钟馗相提并论。他存世的全身人物画另外只有作于1517年的《湘君湘夫人》【图149】，那可能也算是他仅有的一件仕女图绘。不过，

图148. 明 文征明《寒林钟馗》1535年 轴 纸本 浅设色 69.6厘米×42.5厘米 台北故宫博物院

图 149. 明 文征明《湘君湘夫人》（局部）1517 年 轴 纸本 设色 100.8 厘米 × 35.6 厘米 北京故宫博物院

即使是这幅仕女，人物尺寸亦不大，而且描绘时全然无意于表达身体之结构与脸部的细节。如果由此来推测文征明因为不擅人物之描绘，而罕作大型之全身像，这可能不能说是武断。相对之下，《寒林钟馗》中的人物不但描绘精细，而且全身姿势富含细腻的变化，脸部的表情也十分丰富，确实显示了在这个画科中的高度技巧。拥有如此技巧的作者会是文征明吗？这实在无法不让人持疑。

但是，在此画中寒林山水部分的风格却相反地显示着文征明亲笔的痕迹。大英博物馆（The British Museum）有一件文氏作于 1542 年的《仿李成寒林》【图 150】即有满布全幅的寒林，中间亦有曲折流水，近似于本幅的处理手法。即使由细部的笔墨来看，亦是如此。《寒林钟馗》上的坡石使用较干的笔墨短皴，特有一种斑驳的质感，极为近似《影翠轩》【图 151】的画法。它的寒林部分则使用较为湿而快速的线描，交代树干的扭动质面及寒气中的枯枝，这种较为自由的笔墨运用亦早见于 1519 年的《绝壑高闲》【图 152】，并在十六世纪三十年代的作品中，如《仿董源林泉静钓图》（台北故宫博物院藏），一再地使用。[5]

这些比较，可以肯定文征明确为《寒林钟馗》的作者，但这却只限于山水背景部分，钟馗本人的描绘则为他人代作。此位代笔者并非别

图 150. 明 文徵明《仿李成寒林图》1542 年
轴 纸本 水墨 90 厘米 × 31 厘米 伦敦大英博物馆

人,而是从十六世纪三十年代起便常与文徵明来往的苏州职业画家仇英。仇英的画技很高,各种题材都颇精善,不像文人画家的局限于少数画科。他的人物画也极精,特别善于表达细致的姿势变化。例如日本京都知恩院所藏的《春夜宴桃李园》【图 153】中拈髯文士亦作侧身抬头状,其双肩因此顺势呈一方一圆、一高一低的交代;如此对姿势细节的用心亦见之于《寒林钟馗》中的侧身转头上望树梢的钟馗。除了姿势细节之外,两个人物在描绘衣褶的线条上也显示相同的运笔习惯;其右手袍袖尾部之作一"冂"字形弓起,并由其下引出直线表示袍下手臂之位置,二者亦如出一辙。虽然它们的线条在粗细上有些不同,但这种不经意而流露的运笔习惯则可明白地揭示《寒林钟馗》中钟馗之绘者即是仇英无误。[6]

然而,如将此钟馗的作者即归为仇英,却仍有进一步斟酌的必要。此原因在于仇英在此所作的钟馗形象与他为应付一般市场需求的钟馗像有着明显的差异。《天降麟儿》【图 154】便是这种类型的作品。它与伫立于寒林中之钟馗

图 151. 明 **文征明**《**影翠轩**》(局部)
轴 纸本 设色 66.9 厘米 × 31 厘米 台北故宫博物院

图 152. 明 **文征明**《**绝壑高闲**》(局部) 1519 年
轴 纸本 浅设色 148.9 厘米 × 177.9 厘米 台北故宫博物院

最大的不同在于充满叙事性的动作与其伴随的吉祥画意；而对钟馗脸部的描绘也以其鹰钩鼻来突显其异于常人的属性。鹰钩鼻的母题在仇英的作品中意味着"非常人"，这可由约作于 1540 年的《双骏图》【图 155】得到印证，该图中的奚官即是与一般汉人不同的胡人。由此观之，寒林中的钟馗显得特别文雅而含蓄，这会不会是文征明所授意？

由《湘君湘夫人》上王稚登的题跋等资料来看，当时文征明与仇英的合作存在着一种清楚的上下关系。王稚登在《湘君湘夫人》上的题跋中说：

> 少尝事文太史（即文征明），谈及此图，云使仇实父（即仇英）设色，两易纸皆不满意，乃自设之，以赠王履吉先生，今更三十年，始获睹此真迹，诚然笔力扛鼎，非仇英辈所得梦见也。

此段文字所透露的正是文征明与仇英互动的常态。为了制作《湘君湘夫人》，文征明或许因为自己原不擅于绘制仕女，故着仇英代为执笔；但是两易其稿，皆不满意，最后才决定自己动笔。在这过程中，仇英的两

图 153　明 仇英《春夜宴桃李园》(局部)
轴 绢本 设色 224 厘米×130 厘米 京都知恩院

图 154. 明 仇英《天降麟儿》取自《钟馗百图》

图 155. 明 仇英《双骏图》(局部) 约 1540 年
轴 纸本 设色 109.5 厘米×50.4 厘米 台北故宫博物院

次稿子中的女神形象现在虽已无法得见，但其修改的方向应是由仇英固有仕女风格的秀丽而富于姿态变化，渐次转向较为含蓄而犹带古朴的表现，趋近于最后文征明的定稿。无论其是否真的如此，这个过程至少显示了文征明意见的绝对主导性，仇英只是执行文征明的构思，并须随之调整、修改，以符文氏的原意。钟馗之作的操作模式应该也是如此。换言之，《寒林钟馗》中的主角人物虽是仇英所制，第一作者却应属文征明才是。

三、《寒林钟馗》与画钟馗的传统

文、仇二人合作的《寒林钟馗》的特殊处，如果置于整个画钟馗的传统脉络中，还可以得到进一步的理解。而文征明自己既不能作，却又指授仇英为作钟馗于寒林中，他之所以如此大费周章地在除夕日作此安排，也需要立足于此基础上予以探讨。

画钟馗的传统在中国起源甚早，在传说中八世纪的画家吴道子为唐玄宗画梦中驱除鬼魅的鬼王，可说是它的开始。[7] 虽然如此，钟馗驱鬼的传说起源更早，六朝时已有多人以钟馗为名，可见其在民间相当流行，[8] 而其人也不见得是如唐玄宗故事中所梦见的唐代未第进士，或许是来自类似方相、神荼、郁垒等远古民俗中的辟邪神异形象。作为这种辟邪神，钟馗的图像应该也早已存在才是。不过，可能由于这种民俗神祇通常因地区而有不同的内涵，缺乏确定的图像因子，因此也不易明确地辨识。由此言之，吴道子画钟馗的意义实非在于其首创之功，而系使钟馗图像自诸多辟邪神中独立出来，使之具有能被确认的条件。在这个独立成型的过程中，唐玄宗梦见钟馗杀鬼的故事可说提供了最关键的"情节"，以之作为图像的依据，并与其他同样具有凶恶形貌的辟邪神像产生清楚的区别。传为吴道子所作的钟馗画虽然现已无法重现，不过，吾人仍可想象其制作之大要：先以一般的辟邪神像为基础，加上特定（或如玄宗在梦中所见的"戴帽"、"衣蓝裳"、"袒一臂"、"鞹双足"）的装扮，并予以击杀恶鬼（或如故事中所述"刳其目"，然后"擘而啖之"）的情节。这可以说是钟馗画的图式原型。

以驱鬼为务的钟馗像图式大概自中唐以后即十分流行，宫中尚且在岁末以之赐朝臣，配合新历日的颁布，成为新年岁时活动中的重要节目。[9] 这个做法至五代北宋，似乎更盛。文献上如《益州名画录》、《图画见闻志》等皆记录了著名的宫廷画家如何各出新意地去制作这种形式的钟馗画。他们的兴趣似乎都集中在钟馗击鬼的动作上，甚至去讲究刳鬼目时应使用哪根指头可以得到更佳的效果。

[后蜀画家赵忠义] 先是每年杪冬末旬，翰林攻画鬼神者例进钟馗焉。丙辰岁，忠义进钟馗以第二指挑鬼眼睛，蒲师训进钟馗以拇指剜鬼睛。二人钟馗相似唯一指不同。蜀王问此画孰为优劣，[黄] 筌以师训为优。蜀王曰：师训力在拇指，忠义力在第二指，二人笔力相敌，难议升降。并厚赐金帛。时人谓蜀王深鉴其画矣。[10]

昔吴道子画钟馗，衣蓝衫，鞟一足，眇一目，腰笏巾首而蓬发，以左手捉鬼，以右手抉其鬼目，笔迹遒劲，实绘事之绝格也。有得之以献蜀主者，蜀主甚爱重之，常挂卧内。[蜀主] 一日招黄筌令观之，筌一见称其绝手。蜀主因谓筌曰，此钟馗若用拇指掐其目则愈见有力，试为我改之。筌遂请归私堂，数日看之不足，乃别张绢素画一钟馗以拇指掐其鬼目。翌日并吴本一时献上。蜀主问曰，向止令卿改，胡为别画？筌曰，吴道子所画钟馗，一身之力气色眼貌俱在第二指不在拇指，以故不敢辄改之。臣今所画，虽不迨古人，然一身之力并在拇指，是敢别画耳。[11]

以上二例所涉及的画家皆为后蜀宫廷中的名手。这固然是因为五代时蜀地画坛深染唐代长安之风，故而多受吴道子典范的影响。至北宋之后，吴道子这个钟馗图式的权威性仍然维持不坠。《宣和画谱》曾记开封画家杨棐亦工于吴式钟馗，并对之下了一个概括性的评论："案钟馗近时画者虽多"，然较诸原来吴道子的典范，系属"临时更革态度，大同而小异，唯丹青家缘饰之如何耳"。[12] 这些"大同小异"的钟馗图，或许也与黄筌等人所绘者相去不远；其所显示的正是吴道子式钟馗图的超强魅力。吴道子式钟馗图的主流地位大致一直延续到十三世纪而未变。据宋理宗时学者陈元靓的记述，其时所见门壁上的钟馗像，容或添加了小妹的形象，仍是"皆为捕魑魅（'妹'的同音）之状，或役使鬼物"，其恐怖之状，使得人家皆得等待家祭之后方才设之，"恐惊祖先也"。[13] 如此之钟馗击鬼图式，现仍可见于日本大阪府和泉市久保

图 157. 明《执剑来福图》取自《三教源流搜神大全》

图 156. 元《钟馗图》轴 绢本 设色
96.7厘米×52厘米 和泉市久保惣纪念美术馆

惣收藏之《钟馗图》【图 156】。此图可能产自宁波的职业工坊，时间大约在十三、十四世纪之交。[14] 它的形象即是由天王、钟馗装扮与击鬼情节三者组合而成。

一旦钟馗本身的形貌广为流传之后，这个单轴式贴在门壁上的钟馗击鬼图便衍生出另一种祈福钟馗像。驱凶与纳福本是一体之两面，钟馗画之设于新年，其意旨由驱凶转至祈福，自然顺理成章。图绘此种钟馗，亦不费事。它在图式组构上的改变主要系将击鬼情节代之以祈福的指示。如十六世纪所刊行之《三教源流搜神大全》中的《执剑来福》【图 157】，可能即根据元代某刻本而来，其上钟馗坐姿实仿《搜山图》中二郎神的模式，再加上象征福气的蝙蝠而成。以二郎神为主角的《搜山图》本来即属驱邪之类的图绘，其意亦与钟馗相通。[15] 祈福之钟馗尚有作立姿者。明宪宗朱见深所作之《柏柿如意》（百事如意）【图 158】则更加上前趋之势，迎向上方的蝙蝠，可谓是更为积极的

图158. 明 朱见深《柏柿如意图》北京故宫博物院

图 159. 元 颜辉《钟馗出行图》(局部) 卷 绢本 浅设色 24.8 厘米×240.3 厘米 克利夫兰美术馆

图 160. 元 颜庚《钟馗出行图》(局部) 卷 绢本 水墨 24.6 厘米×253.4 厘米 纽约大都会美术馆

"来迎"形式。这种祈福钟馗画不见得要晚至十五世纪才出现,不过,至此时显然已相当流行。

除了单轴的形式外,宋元时期还流行着另一种横卷的"钟馗出行"图式。现存的颜辉与颜庚所作的手卷【图159、160】可说是这种图式的典型表现。他们除了钟馗外,都有一个由鬼卒所组成的行列,包括演奏音乐的小乐队,并有引人注目的舞弄兵器者以及作举石抛瓮之特技者,表演的意味很强。[16] 由这个表演行列来看,他们应是在描写宋代京城除夕时所行"大傩仪"中的部分。根据孟元老的《东京梦华录》及吴自牧的《梦粱录》,禁中除夕夜所举行的"大傩"的仪式,动辄千人,并由教坊伶工扮演驱鬼神、天兵、鬼使等,其中即有钟馗在内,随着鼓吹音乐游行,将鬼魅及一切邪恶,驱除至城门外。[17] 大傩虽是驱邪的仪式,但在这里显然已高度戏剧化,在颜辉等人画卷上所见的音乐与特技表演应该也是这个表演行列中必有的节目。而在这个傩戏的构成中,钟馗本人的驱鬼动作则被取消,代之以热闹的表演行列。

图 161. 元 龚开
《中山出游图》
卷 纸本 水墨
32.8 厘米 × 169.5 厘米
华盛顿弗利尔美术馆

出名的龚开《中山出游图》【图 161】实亦基于此"出行"图式。虽是出于文士遗民之手，向来被视为具有嘲讽元朝统治下的社会怪象之意，[18]但其结构仍根基于似颜辉的傩戏模式。此卷上的钟馗、小妹与鬼卒形相诡怪，但无任何夸张而激烈的姿势，似乎并无演剧的成分，然而，小妹的墨妆、鬼卒的插花等形象，皆来自杂剧演员的装扮，[19]尚指示着本卷与傩戏的渊源关系。相同的插花装扮亦见于明初戴进所作的《钟馗夜游》【图 162】中的钟馗。此轴虽为立式单幅，但钟馗乘坐肩舆，数鬼抬之，与龚开所绘者相类，可以说是自"出行"图式截取主段落衍化而成，属于此型的变体。

傩戏形式的钟馗画如何在现实生活中使用，现在并不十分清楚。它很可能是作为傩戏的代用品而为宫廷以外的民众所使用，毕竟动辄上千人的傩戏队伍并非多数人所可负担。而事实上，傩戏本身后来也历经一种简化的过程，明代时流行的杂剧《庆丰年五鬼闹钟馗》便是此种例子。由其戏目来看，此种傩戏的简化版演员的人数不会太多，只要有六个人就可演出。[20]至于它搬演的场合，除了除夕新年之外，也可在其他需要祛除鬼魅，涤净场域的时刻进行。《金瓶梅词话》中李瓶儿死后，在灵前便有五鬼闹判、钟馗戏小鬼的演出，恰好提供一个例子。[21]另外，江苏淮安王镇墓中也出土一卷《五鬼闹判》【图 163】，其情节正是简化的傩戏。它之出现于墓葬中，可能不单只是墓主的珍藏，也指示着其具有作为驱邪傩戏代用品的性格。

淮安的王镇卒于 1496 年。墓中所出之画作泰半出自职业画家之手。[22]所谓《五鬼闹判》即为金陵画师殷善所绘。殷氏一门似是画师世家，

图 162. 明 戴进《钟馗夜游图》
轴 绢本 设色
189.7 厘米×120.2 厘米 北京故宫博物院

3-3 雅俗的焦虑——文征明、钟馗与大众文化

图 163. 明 殷善《五鬼闹判》卷 绢本 水墨 24.2 厘米×112.8 厘米 江苏省淮安县博物馆

其子殷偕曾入宫廷担任高级画师的职务。他们活跃的时间大致与戴进相去不远，可能也共用着一些相同的小样。《五鬼闹判》中尾段山径中的负担鬼卒，在戴进《钟馗夜游》也有相类的呈现。这种钟馗画的小样种类可能很多，而且由于傩戏的细节通常没有固定，随时可以添加、改动，画师选择的变数因此相对提高。对于这些林林总总的组成傩戏式钟馗画的因子，现在可以确切掌握的还不算完整，不过，除上述者外，肯定还有许多。例如骑驴钟馗就见于顾炳编，初刻于 1603 年之《顾氏画谱》中所刊传戴进的作品【图 164】中，以及 1500 年太原重刊之石刻本《岁暮钟馗》上；[23] 戴进骑驴钟馗所配随行之担鬼鬼卒，也见之于龚开的出游卷中；骑驴过桥的安排则是另一个常见的组构。灵活的小样组合似乎都意在提供此型钟馗画的趣味性，而此趣味性也反过来增加了钟馗画受欢迎的程度，以及随之而来的广泛流传。

不论是贴于门壁的辟邪钟馗或是作为傩戏代用品的出行钟馗，功能性都很强，也都兼具驱厉与祈福的双重目标。他们之间最大的区别在于使用的场合不同：辟邪钟馗有点像门神，不论是击鬼或祈福，焦点在于钟馗本人，鬼物即使搭配，姿态亦不引人；出行钟馗则似在搬演傩戏，情节的段落常为重点，钟馗虽是重要角色，通常反而没有夸张的演出，戏剧的张力倒置于各段落的鬼卒动作之上。而这两种钟馗画都具有颇大的衍化空间：辟邪者可以化出如前述仇英的《天降麟儿》，这是因钟馗像近判官，配上小孩，得以"判子"谐音"盼子"而转成；出行者最为脍炙人口的衍化则为"嫁妹"的添加，此是源自"妹"与"魅"的同音，可为之更增戏剧的趣味。如此的衍申弹性，可视为钟馗画之得以广为流传，成为最受大众欢迎的新年节庆图像的有利条件。

图 164. 明 戴进
《钟馗出行图》
取自《顾氏画谱》

文征明与仇英合作的《寒林钟馗》却与当时流行的这些钟馗画大有不同。它的画意何在？文征明既不能画钟馗，却又指示着仇英与他共同完成这么一件新年的应景作品，这个举动又透露出什么文化讯息？这一连串的问题尚值得进一步的探讨。

四、无用的钟馗

文、仇合作的《寒林钟馗》显然出自流行的钟馗画，但其最值得注意的特殊之处，在于祛除了上述种种钟馗画传统中那种积极地驱邪祈福的意向。仇英受命所绘的钟馗，不仅静止不动，双手亦藏于袖内，相较于击鬼者、执剑者或出行者，几乎可说是个无所事事的姿势。《寒林钟馗》中也完全没有鬼卒、鬼魅的存在，连象征福气等好运的蝙蝠、如意的形象，亦无配置。流行的钟馗形象在此剥除原有的辟邪、祈福之戏剧性、神圣性的过程中，变成一介近乎凡人的存在。他的脸相也不似流

3-3 雅俗的焦虑——文征明、钟馗与大众文化 | **277**

行者的诡怪、狰狞,独自立于寒林之中,倒有些近似林中寻思觅句的文士。例如文征明于 1545 年所作之《空林觅句》【图 165】,即有一位文士持杖伫立于一片寒林中,其旁亦有流泉曲折流出,布置上与《寒林钟馗》颇为类似。此种文士独处林中的意象似乎颇为文征明所好,一再地以之描绘某种孤高文雅的境界。[24]《寒林钟馗》与此图式的近似,因此显得特有意味。

　　这个看似文士的钟馗仅有的"动作"在于其脸上的微笑与轻微上扬的转首。前者不但与传统的钟馗狰狞形象大异其趣,在文士形象中亦极为罕见;它与后者抬头上望动作的结合,构成画面之唯一"焦点",蕴含着此钟馗画在去神圣性之后所新添的画意。文征明之所以如此安排,应与明初凌云翰的一首题为《钟馗画》的名诗有关。凌云翰为元末名士杨维祯门人,1359 年举人,洪武时授四川学官。《钟馗画》一诗据云作于 1380 年,其文集中有录:

　　　　朔风吹沙目欲眯,官柳摇黄拂溪水。
　　　　终南进士倔然起,猬磔于思含缺齿。
　　　　袍蓝带角形甚傀,乌帽裹头靴露指。
　　　　白泽在旁口且哆,驯扰不异麟之趾。
　　　　手持上帝书满纸,若曰新岁锡尔祉。
　　　　一声竹爆物尽靡,明日春光万余里。[25]

由诗的内容来看,凌云翰所见的钟馗图似无击鬼之动作,只是手持"新岁锡尔祉"的天书,而另在身旁加上能知天地鬼神之事的白泽神兽,应属于接近门神类的祈福钟馗。凌氏此诗颇为知名,曾为瞿佑在其《归田诗话》(自序于 1425 年)中记录并讨论。[26] 文征明显然亦熟知此诗,并在设计钟馗图绘时参酌了其中的诗意。凌氏此诗虽不见于故宫的《寒林钟馗》,但见于著录中另一件文氏作于 1542 年的同名立轴,[27] 也出现在 1548 年其子文嘉的《寒林钟馗》画上【图 166】。文嘉既常仿其父之作,文征明作《寒林钟馗》必常配上凌诗,故宫之本亦可如此想象。但是,文氏父子在其钟馗作品上的题诗,还与凌氏文集所录者稍有不同。它们间的差异在于文氏本之"官柳"一句作"官柳摇金梅绽蕊",而且不提"白泽",改作"颐指守门荼与垒,肯放妖狐摇九尾";前者多了与岁暮常见梅花题材的关联,后者则更清楚地表明了钟馗画

 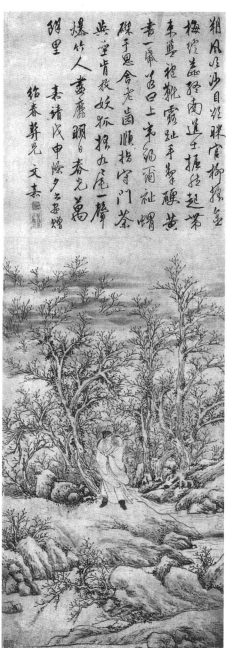

图 165. 明 文征明《空林觅句》1545 年
轴 纸本 水墨 81.2 厘米 × 27 厘米 台北故宫博物院

图 166. 明 文嘉《寒林钟馗》1548 年
courtesy of Christie's Hong Kong Limited

的门神式功能，实质的变动不大。这可能不是因为文氏有所改作，只是别有所本罢了。无论如何，文氏在画上所提的凌云翰诗，除了描写钟馗之辟邪降福外，首尾两联最值得注意："朔风吹沙目欲眯，官柳摇金梅绽蕊；……一声爆竹人尽靡，明日春光万余里。"首联暗示着钟馗在北风中可能有的与梅、柳的互动关系，末联则以即将到来的春天遥相呼应，并作为全诗的总结诉求。如此由撼人的钟馗出发，转而以淡淡的希冀未来之心情作结，这实是凌诗有所超越之处。文征明设计的钟馗，显然系有意呼应凌氏在此的诗意。他采用了寒林高士的图式，并以近似"观梅"、"赏柳"的文士形象，将全图转化为对"明日春光万余里"的期待。[28]

对于春天的单纯期待，使文征明在除夕所作的钟馗画在剥除了原来流行于世俗的功利性意涵之后，也让它由门壁或大堂移入了文士的书房。如果将这件《寒林钟馗》与戴进的《钟馗夜游》并而观之的话，他们之间尺幅的绝大差异，定会让人印象深刻。戴进者本幅即有189.7厘米×120.2厘米，加上装裱，高度恐要接近三米。悬挂这种巨轴，非在高大的厅堂不可。文征明制作的《寒林钟馗》则反之，本幅只有69.6厘米×42.5厘米，还不及戴进者的五分之二。类似书斋那种比较小而私密的个人空间应是此《寒林钟馗》被规划使用的场所。在那个私人空间里，书斋主人可以避去外界驱邪祈福的各种活动的喧哗，平静而单纯地迎接即将来临的春天，让《寒林钟馗》融入书斋的清雅氛围之中。[29]

移入书斋的钟馗画，如与贴在门壁或挂在厅堂者相较，基本上已无向外驱邪祈福的作用。不仅无用，它甚至还似乎刻意地彰显其"无用性"。这显然是文征明制《寒林钟馗》时在期盼春光之外的第二层意涵。对于像文征明这种文人而言，任何"用"都牵涉到功利性的欲望满足，大众对于福、禄、寿的追求，莫不属此。无限制的欲望满足不仅对人无益，而且可能产生影响更广泛的社会性"害生"的副作用。对于饱尝出仕之苦，看尽宦途险恶的文征明及其文人同侪而言，这种感受尤其深刻。[30]"无用"或者"无功能"，便成为他们在艺术上所标榜的目标，并使他们在实践的过程中自觉到一种与职业画师的本质区分。如此"无用"的物品因此也成为构筑文人自我生活空间的要件，《寒林钟馗》之所以移入书斋，正说明着这种生活风格的形塑。

《寒林钟馗》的制作一方面显示着文人避俗的倾向，另一方面却又透露出他们不能、也不愿完全免俗的讯息。文征明的钟馗虽不能击鬼，也不能祈福，但毕竟是为了新年特地制作的。对于文征明及其他在书斋中使用这种新年图像的文人来说，年节意味着生活的自然节奏，他们对之有着与世人相同的高度认同，所不同的只是：他们需要借着如《寒林钟馗》的物件来创造一种不同于流俗的风格，来彰显身份上的区别。当文人的身份无法继续由政治与经济条件来有效地界定时，这种身份区别的需求便会转成焦虑，而生活风格上的自成一格即是消除此焦虑的良方。作为如此文人身份焦虑的显示与纾解，这实为《寒林钟馗》所具有的第三层意涵。

五、书斋、时节与文人生活风格

《寒林钟馗》之所以出现，可说是在文征明及其同侪营构自属的生活风格之文化脉络中所孕育的。书斋中的钟馗不只是一幅绘画，而且是除夕、新年时这个文人私属空间的必要布置，扮演着区分雅俗的角色。书斋布置之具有雅俗之辨的意味，系伴随着文人文化之发展而逐步产生。十四世纪时倪瓒在其肖像中所展现的便是一个希企呼应其高洁超俗形象的居室布置。除了有一个清雅淡远的山水作屏风外，文房用器也莫不讲究带有古意的雅致，童仆侍女的持物甚至以他的洁癖作为其超俗宣示的表征。[31] 但是，倪瓒的书斋布置，正如其所刻意营造的个人形象一般，未免过于特立独行，而缺少一种作为文人所共有风格的普遍性。这种状况至迟到 1500 年左右时已有所改观。沈周在为朋友题一幅倪瓒的《松亭山色》时指出："云林先生翰墨在江东人家以有无为清俗。"[32] 他虽没有明指为书斋之布置，但如倪瓒的山水画在当时似乎已相当普遍地被用为雅致生活中的元素。换言之，某种风格的绘画陈设，已可作为宣示高雅生活风格的有效途径。文、仇合作的"无用"而文雅的《寒林钟馗》之所以得为文人书斋的装具，实需以此为前提。

文人书斋布置的特定化，一旦被普遍地认可，便成为可以复制的生活风格的一个面相。通过文征明等人的身体力行，书斋布置的高雅风格很快地在十六世纪达到模式化的结果，并为其他阶层的成员清晰地辨识，甚至进而摹仿。在冯梦龙（1574—1646 后）所刊刻的《喻世明言》第十二卷"众名姬春风吊柳七"中便有名妓谢玉英精致书房的描写：

> 明窗净几，竹榻茶垆。床间挂一张名琴，壁上悬一幅古画。香风不散，宝炉中常爇沉檀，清风逼人，花瓶内频添新水。万卷图书供玩览，一枰棋局佐欢娱。[33]

故事中谢玉英为江州名妓，以"才色第一"吸引了才子柳永与之相会。她的书房即作为两人初见时的场所，而其中的布置则是作者引为显示玉英文采的先导。布置中的物件：茶垆、名琴、古画、香炉、花瓶以及棋具、图书，在此共同赋予了书房应有的文雅定义。这个布置的共识性很高。万历年间出版的《元明戏曲叶子》中一叶《琵琶记》的版画即有一书房图像【图167】，具体地图绘了相呼应的陈设。虽然故事的情节有所不同，但谢玉英书房中的物件在此却一应俱全。除壁上的小挂轴绘画与古琴并列之外，三层式的书柜中也摆放了茶具、书籍、卷轴与棋具，前方的书案上则有花瓶与香炉作为文具的搭配。这些物件共同为这个花园边的小小室内空间作了书房的应有定义。正如谢玉英一般，版画中的主角也不是严格定义中的文人，但两者的高度一致性，正说明了这部分的文人生活风格确实不仅已经存在，而且还通过如小说、酒牌的这种通俗的传播媒体，进入到社会各阶层的认知世界之中。

这个居室布置的文人风格之由逐步形成至广泛传播，时间必定很长，由上述资料所见，由沈周到冯梦龙，至少历经百年之久。文征明在此历程中，或许不能算是首创者，但在形成阶段仍具有重要的代表性。他的《寒林钟馗》除了提供一个适合文雅书斋的陈设之外，还说明了文房布置中与时节变化相呼应的特质。书房虽是一个自足的摒绝外界联系的隐居天地，不受岁月流逝的促迫，因此可以按照个人理想，像高濂在《遵生八笺》（1591年序）中所宣扬的，选择最精当的物件来构筑私属的永恒仙境，但仍然要求自然时序的参与，以调节生活步调的理想律动。职此，书斋中的古铜花尊、哥窑定瓶等陈设固可长年不换，但还需随时序四时插花，以见生意。[34]壁上的小轴绘画也具有如此呼应自然脉动的功能。文征明之曾孙文震亨在《长物志》中特辟一节"悬画月令"，便作了按时序悬画的建议：例如六月可挂云山、采莲、避暑等图，八月宜古桂或天香书屋等图，九、十月则宜菊花、芙蓉、秋江、秋山、枫林等图，十一月则宜雪景、腊梅、水仙等图。[35]文、仇合作的《寒林钟馗》，如果确为书斋中所悬挂，应亦属于此种呼应时序的陈设，不

图 167. 琵琶记版画
取自《元明戏曲叶子》

会放置太久。而他这种随时而设的特质，一旦固定之后，便成为文人风格中多增的另一层雅致讲究。

　　文人生活的雅致讲究，基本上是非物质性的，而以对自然的呼应为要。这种讲究，非但在居室之布置中有所呈现，而且在衣着上也可见到，尤其是在外出进行游赏活动时，最能显示其巧思。旅游本身自十六世纪起便是社会上的流行活动，但如欲涵盖雅俗之辨的功能，转化成更高层次的"游赏"行为，则尚须有另一番讲究。[36] 文征明在此即显得甚为突出。他的《关山积雪》（1528—1532，【图168】），便是典型的一幅游赏图。图中呈现冬日雪后之景，文士骑驴（或马）走在山中小径、

图168. 明 文征明
《关山积雪》
1528—1532年
卷 纸本 设色
25.3厘米×445.2厘米
台北故宫博物院

行过结冰的河川,意态颇为悠闲,虽有些借用行旅图式的影子,但更多的是近似展子虔《游春图》(北京故宫博物院)的情调。[37] 其中最引人注目的是着朱衣的主角。朱紫原有贵官服色之意,用在曾于翰林院中任职的文征明身上,也还算有些道理。但在此画中,文士的朱衣则起着另种妆点雪景山水的美感作用:以少量显眼的红色块点,零星地散置在各段画面,将原来"千峰失翠,万木僵仆"的孤寂寒冬,转化成隐含生意、雅兴未减的岁暮之景。稍晚的高濂对此安排的巧思,即有适当的诠释,并引之为冬日生活之调摄良方:

雪霁策蹇寻梅

画中春郊走马,秋溪把钓,策蹇寻梅,莫不以朱为衣色,岂果无为哉。似欲妆点景象,与时相宜,有超然出俗之趣。且衣朱而游者,亦非常客,故三冬披红毡衫,裹以毡笠,跨一黑驴,秃发童子挈尊相随,踏雪溪山,寻梅林壑,忽得梅花数株,便欲旁梅席地,浮觞剧饮,沉醉酣然,梅香扑袂,不知身为花中之我,亦忘花为目中景也。[38]

高濂所指之画应即包含文征明及其后吴派画家所作之游赏山水,其中果然不乏着朱衣之雅士。[39] 不过,正如高濂以之为四时调摄之方,这些并非只属画家之设计,而且已成实际生活风格之部分。文征明画中时而出现朱衣人物,经常意指其本人(如《停云馆言别》所示[40]),也正显示其生活中刻意以此种"与时相宜"的衣着,表达其"有超然出俗之趣"的文雅风格。

六、茶事与文人生活风格的仪式化

以自身衣着妆点自然山水,这是在追求游赏闲情之外的又一层幽趣。饮食之中也有此种现象,而又以品茶活动最能体现这一生活讲究。品茶一事唐宋已盛,自非明中文士的独创,但其追求更深一层的幽趣,并在同侪中蔚成风气,则是文征明时逐步营造形成的。这个现象在文献上可能一时之间还不容易清楚地显示,但是从艺术作品中却看得十分明白。其中文士饮茶的题材在此时的绘画中大量地出现,便值得特别注意。它们大多为苏州地区的画家所作,包括唐寅、周臣、仇英、王问等人都有相关的作品传世,反之,如果考察宫廷画家或浙派画师的画目,则极为罕见。[41] 文征明虽非此中的首创者,但却提供了最多作品,显示其为此时文人品茶活动中大力推行者的位置。他的《品茶图》(台北故宫博物院藏)作于1531年,便题云在谷雨(三月)过后,"山中茶事方盛,陆子传过访,遂汲泉煮而品之,真一段佳话也。"[42] 友朋来访,固为乐事,但此事之所以足称"佳话"而入画,则更多在于得到朋友所赠的佳茗,"汲泉煮而品之"。换句话说,从得茶至品茶的整个过程,才是讲究、欣乐之所在。这个过程,当然少不了对茶具的重视。北京故宫博物院的《品茶图》基本上是台北同名画作的同稿另本,作于1534年,距《寒林钟馗》只有一年的差距,但北京本的画面上则多了文氏所题唐人皮日休的《茶具十咏》诗。[43] 这不仅表示了文征明对茶具的注意,而且将自己的品茶与唐贤相接,为之增加了一层历史的兴味。茶具本为饮茶所必须之器具,其制作与运用关乎茶事之成败甚巨,故陆羽在《茶经》中已有专节讨论。皮日休之诗咏实是对陆羽作文学性的呼应,而文征明以之题画,则将茶事的实际过程与文化层次再加扩充,使题咏、绘画也成为茶事的构成部分。这种做法,当然非一般人饮茶所能想象,也大有助于文人雅致形象的展示。饮茶中文人趣味的追求与呈现,可以说是茶史在十六世纪前期起开始浮现的新景观,那也是许多文士品茶图出现的实际背景。

茶事的过程既有扩充,文人的雅趣也呈现在对细节的深入讲究上。雅趣的判准通常聚焦在含蓄幽微的品味深浅。就茶事而言,泉水的品味则最能突显此点。这种对茶事用水的重视,大约也始自唐代。张又新在《煎茶水记》中便记录了刘伯当与陆羽的两套品第清单,成为后世论述的重要文献基础。[44] 但是,对饮茶用水的重视,只有到了十六世纪才到达了一个新的高峰，光是在1554年，就出现了两篇重要的著作，一为田艺蘅的《煮泉小品》，一为徐献忠的《水品》。[45]赵观在为《煮泉小品》作序时说，田艺蘅"故尝饮泉觉爽，啜茶忘喧，谓非膏粱纨绮可语。爰著《煮泉小品》，与漱流枕石者商焉"。[46]这是以泉品的高下，归诸"漱流枕石"高人雅士的专利，而作为与一般俗人的区别所在。这种观念，在当时可能已经得到相当普遍的认可。小说《唐解元一笑姻缘》中便有一段讲到主角唐寅在初遇秋香后，乘船直追到无锡，当他见到对方画舫摇进城里，反而不急着跟踪，却说："到了这里，若不取惠山泉也就俗了。"遂命船家移舟至惠山取了水，到隔日早晨，方才进城继续他的追寻。[47]小说中本来刻意以唐寅不回家收拾行李、不与朋友作别等等举动来显示他追赶秋香画舫的焦急，却又接着安排了取惠山泉的不相干情节，让他冒着隔夜后失去秋香踪影的危险，一急一缓之际，充分彰显了主人翁"不俗"的特质。取惠山泉的雅兴居然可以压制爱情的诱惑与焦虑，这确实显示了对高雅的极致肯定。作为如此高雅之表征的惠山泉，原本就是陆羽等人所赞美的天下第二名泉，素为茶道中人所熟知，但到十六世纪时则在江南文人生活中扮演了更为重要的角色，像唐寅故事中所显示的，文人刻意取之用为表达高雅形象的符码，而成为其生活风格中的一个部分。文征明亦在绘画上表达了这个现象。他的《惠山茶会图》（北京故宫博物院藏），作于1518年，便是融合了品茶图与雅集图的两种模式，而以惠山泉作为全卷的焦点。此种茶会图与《品茶图》等共同见证了茶事在文人生活风格形塑过程中的重要地位。

  生活风格的形塑过程中，经常伴随着"仪式化"的现象，茶会之进行亦可见之。文征明的惠山茶会曾有其友人蔡羽为之作序。[48]序文中不但提及此会之众多缘由之一乃是王宠兄弟"以煮茶法欲定水品于惠"，而且叙及当时茶会的过程为"乃举王氏鼎立二泉亭下，七人者环亭坐，注泉于鼎，三沸而三啜之，识水品之高，仰古人之趣，各陶陶然不能去矣"。鼎本为古代礼器，特选之为惠山泉的容器，并遵照陆羽所订的煮水三个阶段，作"三沸而三啜之"，这使得整个饮茶的动作变得具有一种类乎仪式的程序。通过这种仪式化的程序，便可以让蔡羽、文征明等人觉得其所进行的茶事已是一种"全吾神而高起于物"的精神修炼，不仅高出于俗人，甚至能感到"岂陆子（即陆羽）所能至哉"的骄傲。据蔡羽的序文，此茶会举行于该年的清明日。有着具有如此丰富意涵的活动,肯定使得这些文士在这节日时,不仅自觉也可展现其与一般人生的绝对不同。

茶事与茶会当然可在除夕或新年的节日中进行,但此时又另有其他活动可供文人建立其高雅不俗的生活风格。在文征明文集及手迹中屡见不鲜的新年或除夕诗即可如此理解。在这些诗中,他经常显露出其与一般人有别的意识。例如《甲寅除夕杂书》一诗中有云:

> 千门万户易桃符,东舍西邻送历书;……人家除夕正忙时,我自挑灯拣旧诗,莫笑书生太迂阔,一年功课是文词;……[49]

不仅除夕夜如此,元旦一早更需以文人的姿势来开启新的一年。文征明文集中不乏元旦日所作的诗,其中己巳年《元日试笔》一诗中即云:

> 晨光蔼蔼散祥烟,宝历初开第四年;……雪残梅圃难藏瘦,日转冰池欲破坚,老大未忘惟笔砚,小窗和醉写新篇。[50]

对于新岁的到来,不论心中有何感慨,窗下案前克服冰冻的笔砚,写出一年的第一首诗篇,这几乎已成为新年的第一要事。元旦的"试笔",因此也可谓是文士新年的"仪式",其重要性要远超过一般人祈福的节日。除了试笔作诗之外,文征明又进一步将这些诗作抄寄友人,与之互相唱和。[51] 或是透过雅集的场合,或是作为代替信函的问候,也有的是单纯的技巧切磋,这些新年诗作的传布,同时也起着一种共同风格的形塑作用,让文人们得以在新年的节日中,展现不同于俗人的高雅。

从这个角度来看,文征明所制的《寒林钟馗》直是文人在新年节日中生活风格形塑的一个部分。它与如元旦试笔这种反流俗、无实利功能考量的文雅行为不仅性质相近,而且也具有一种在朋侪间互动、传布的类似发展模式。这个现象,如果再考虑到上文所及之书斋布置、茶事讲究等其他生活面向,则几乎可以立即感受到它的普遍性。换句话说,《寒林钟馗》的出现,正是十六世纪文人生活风格形塑脉络中的一个有机成分。

七、后语

　　文人文化实意不在"不食人间烟火",它与大众文化在生活层面上仍坚持着相同的基调。这是它没有转化成完全反俗世的方外文化的关键。但此坚持同时也伴随着身份区别的焦虑,它与大众文化在生活风格上表现的迎拒现象,便成为两者互动时的明显表征。文征明刻意地在除夕新年时节创制一种"无用"的钟馗像因此可以视为因应这双向需求的结果,也是他竭力在此状况下形塑文人文化的具体实践。从后来的发展来观察,文征明的努力显然有成效,《寒林钟馗》果然成为文人新年生活中的要件。

　　文征明的努力尚可在现存的资料中追索。除了1535年那件之外,清人的著录中还记载了另外四件文征明安排制作的《寒林钟馗》,其中两件也是与仇英合作的。[52] 这些作品看来大多数是送人之用,可以想见他的做法确已得到同侪的正面回应。在他周围晚他一辈的画家也接续地以之共为倡导,文征明的儿子文嘉、学生钱谷都作了好几件《寒林钟馗》,形式上皆十分接近。[53] 我们几乎可以想象,到了十六世纪后期,这种无用但文雅、只是含蓄地表达对春天之期待的《寒林钟馗》,已经普遍地出现于苏州地区文人的雅致书斋中,作为新年时节的必要装饰。

　　《寒林钟馗》在文人圈中的流行,意味着文人生活风格自主性的落实,也为后世各色各样"无用"的钟馗画开启了一个不同于大众文化的表现模式。但是,它的意义还不止于此。由文人文化与大众文化的互动来看,《寒林钟馗》图绘由成立到流行的过程尚且提示了一个罕为吾人所注意的层面,那即是文人面对来自大众文化之诱惑所表现出来的迎拒反应。

　　文人与庶民在社会地位上虽有高下之分,但在文化行为之互动中,却非尽是如此单向。当文征明等人在新年时节创制、使用《寒林钟馗》之际,实非完全自由的取用大众文化的内涵以为其创作之资,反而是因节庆之不能废,显得有些被动地设法因应。在此过程之中,害怕被大众文化同化的焦虑,无形地扮演一个相对重要的角色。而当这种新的钟馗图式开始透过交际的管道流行,其效果其实也有所限制。它的流行大致不出文人圈的范围,即使在文人中,也不能保证所有成员都会舍流行的辟邪相而采用新样。文征明的曾孙文震亨在《长物志》中还是建议大家"十二月宜钟馗迎福、驱魅、嫁妹",[54] 便是个有趣的反例。如果进而

图169. 明 **李士达**《**寒林钟馗**》1611年
轴 纸本 水墨 124.3厘米×31.7厘米 大阪市立美术馆

左图局部 树梢的小鬼

观察到文人圈之外,《寒林钟馗》所起的作用实则更为有限。大众文化中的钟馗图像在文征明之后基本上仍我行我素,继续其强有力的辟邪祈福功能。这个传统似乎极为坚固,其强度甚至可以反过来改变窜入其中的文人式钟馗。与文震亨同时的苏州职业画家李士达所绘《寒林钟馗》【图169】,就提供了这种例子。李士达之钟馗明显地借用了文征明的图式,仰头上望寒林枯枝的姿势尤其指示了这层关系;但在此借用的同时,他却未服膺文氏的旨意,反而在树梢添加藏身其中的鬼物,重新赋予一个驱邪的意涵。

李士达的例子充分地显示了文人文化的部分限制与大众文化传统的坚实及不易撼动。文征明在通过《寒林钟馗》之创制而推动文人生活风格之时，是否也有意于"移风易俗"，不得而知。即使有之，他的尝试也注定要失败。大众文化传统之不易撼动，因此也成为精英文化的永恒威胁。它的存在，随着社会风俗的持续变动发展，在不同的时空，由不同的角度，包围着精英阶层的生活，使其产生焦虑，迫其做出回应。由此角度观之，文人在面对大众文化时所生的焦虑，便值得吾人在探讨两者之互动时，给予更多的注意。

这焦虑其实正是雅俗之辨问题的核心所在。它不但是促生精英阶层成员进行与一般大众之区别，进而形塑其独特的生活风格与价值体系的动机，而且是具体理解此文人生活风格形塑过程的最有效切入点。当精英分子需要选择某些重点来对大众文化的威胁进行突破之时，雅俗焦虑最深刻之生活面向，即成为文人生活风格优先建立的项目。旅游、饮茶等莫不是自十六世纪以来江南地区的流行，雅俗的焦虑感自易在此激发；而如新年的年中节庆，更是两阶层文化的交锋之处，焦虑感亦迫切需要纾解。文征明等人于除夕之制《寒林钟馗》，新年之试笔、赋诗，以之相互投赠等行为，便都是形塑其独特生活风格的因子，也都是针对焦虑之直接回应。由此推之，如果焦虑之所在有所转移，文人精英亦需调整其生活风格之形塑方向，因而启动雅俗内涵的实质变化。雅俗之辨的历史发展，表面上看来虽然复杂多变，但其基本轨迹，应即在此。

3-4 董其昌《婉娈草堂图》 及其革新画风

1586年,松江才子陈继儒裂其儒冠,隐居于小昆山,象征性地标志着一个新的"山人"时代的来临;十一年后,1597年,陈氏在小昆山读书台构筑其婉娈草堂,董其昌访之,并为作《婉娈草堂图》立轴【图170】,此则标示着一个全新风格的诞生,开启了绘画史上可以称之为"董其昌时代"的契机。

"山人"的名号虽然不新,宋时文人社会中已经颇为流行,但是陈继儒的选择"山人"为其一生的生活归宿,却有其特殊值得注意的新意涵。[1]他生于1558年,小董其昌三岁,幼年时即以优秀的才赋为乡人所称道。年二十一为诸生,长于诗歌文辞,并以才思敏捷、顷刻万言而有声于时,得到当时士大夫领袖王锡爵、王世贞等人的推重。据当时的一些资料记载,江南一带的文士皆争相与之为友,这很可以让人想象陈继儒年轻时的声名。可是,这种声名并没有保证他在科举上的成功。在1585年,陈继儒与他的同乡好友、当时亦颇享文名的董其昌,双双在南京的乡试中落榜。乡试的落榜,无疑是对董、陈两人声名的一大讽刺,也给予了这两位年轻才子无情的打击。对于这个打击,董其昌显然没有认输,以其耐心,再接再厉,终于在1588年得中乡试,次年得成进士。[2]陈继儒的回应则完全不同。科举的失利虽然没有摧毁他个人的信心,但似乎以一种启示的方式让他觉悟到俗世功名之途的不可捉摸与不堪忍受。他在乡试后的次年,便写了一篇公开的告白,声明将永远弃绝对科考功名的追求。他在这篇文章中指斥一般人所谓的"进取之路"实在不过是"鸡群""蜗角"之争,令人生厌,因而决心由之解脱,选择"读书谈道"的单纯生活,来追求"复命归根"的生命价值。[3]陈继

图170. 明 董其昌《婉娈草堂图》1597年 轴 纸本 水墨 111.3厘米×68.8厘米 台北私人收藏

儒的选择"复命归根"的生命价值，不仅意味着放弃传统文人经由科举以求仕进的一般模式，也放弃了传统儒家学者以经世济民为己任的价值坚持，取而代之的则是对个人修养境界的追求，以及对文学艺术成就的钻研。这种不同于正统的生命关怀，虽然亦早见于古代隐士的身上，甚至亦可求之于稍早的沈周，但确实与明代中期常见的山人行为举止有所不同；后者虽然也是不取一般的仕进之途，但总是仆仆游走于贵宦之门，以一种较为不受官场规范限制的方式，试图去善尽他们作为儒者的传统使命，在嘉靖至万历初期的著名山人如谢榛、吴扩、徐渭等人可以说都是这种例子。[4] 可是到了万历中期之后，类似陈继儒的山人行径则广为流行，尤其是江浙地区最为明显，其中原因牵涉到当时此地区的社会经济状况，此则非本文所能详述。[5]

董其昌的具体抉择虽与陈继儒不同，但他对人生价值的追求，实际上却与陈继儒出人意料地类似。董氏在1589年于北京会试，中进士，选为翰林院庶吉士；1592年散馆，授翰林院编修，至1597年他画《婉娈草堂图》为止，他基本上都在翰林院过着清闲的官署生活。即使是他在1598年担任皇长子朱常洛的讲官，该工作也没有激发他经世济民的大志而兢兢业业地努力从事儒臣的事业，仍然日与陶望龄等同事以谈禅为乐，这如与差不多时候张居正、焦竑等人担任幼君教席时的戒慎恐惧的严肃态度相较，实有莫大的差距。[6] 董其昌此时最大的兴趣仍在于对艺术的追求，尤其表现在他对古代名家书画名迹的搜求及学习之上。他于艺事的热衷甚至发展到"本末倒置"的程度，即表面上服官，实质上却以艺事为其真标的，服官反不过是为达到这个标的之手段罢了。

在这一段任职翰林院的时光中，董其昌不仅在北京积极地寻求观赏、研究书画名迹的机会，连出使在外，因事离京，亦莫不趁之争取艺事进境的提升机会。他曾经在1591年护丧归葬田一俊至福建，归途中即刻意停留松江数月，大搜元四家墨迹。1592年及1596年，他为持朱节使臣，分别至武昌及长沙册封楚王朱华奎与德化王朱常汶、福清王朱常灜。对董氏来说，这两次任务亦成为其自我在艺术追求上的最好掩饰；他趁之分别到了当时收藏最富的江浙地区停留了相当长的时间，在松江向顾正谊等人借画临仿，在嘉兴观项元汴家收藏，在杭州观高深甫收藏，在苏州则至韩世能家，与陈继儒同观书法名画。在这些以公事为表，研究访问参观为里的旅行中，他不仅看到了包括王羲之、颜真卿在内的晋唐书法名迹，也获观郭忠恕摹王维《辋川图》、王诜《瀛山图》、李公麟《白莲社图》、王蒙《山水》等宋元名画，甚至还自己购得了赫赫有名的黄公望《富春山居图》、江参的《千里江山图》等。[7] 这些收获对他形成影响后世最深的"南北宗论"，以及他自己的创作，都具有相当重要的意义。由这一点来说，董其昌几乎是一个穿着朝服的山人，借着服官而在追求经国大事之外的个人艺术理想。一般的山人必须在社会上找寻赞持者以遂行其山人生活；陈继儒在昆山隐居生活的赞助人是如王衡等的松江地区乡绅，[8] 而董其昌这种"朝服山人"生活的赞助来源，则实是万历政府。

《婉娈草堂图》的制作，正是董其昌此期"朝服山人"行为的最具体呈现。此图作于1597年的旧历十月，是他从江西南昌回到松江，访陈继儒的隐所时所成。这次返乡距离上次趁到长沙册封吉藩之便回松江还不到一年，而此番表面上的公务则为奉派到南昌担任该地乡试的考官。乡试固然为地方大事，但董其昌实际上并没有因之在南昌停留很久的时间；他在八月抵南昌，大概考完不久，约在九月上旬时即离开该地，而在九月二十一日到达浙江龙游县的兰溪，于船上为李成之《寒林归晚图》、江参之《千里江山图》及夏圭的《钱塘观潮》作跋，至九月底到在杭州的高深甫家重观郭忠恕摹的《辋川图》，并在高氏所藏之开皇刻本《兰亭诗序》上作跋。董氏在高家停了一段时间后，十月初转回到上海、华亭一带，而约于十月底访陈继儒于小昆山的婉娈草堂，并在松江至少停至十一月中，于长至日（该年之十一月十四日）还第二次题其《婉娈草堂图》。[9] 由时间的长度观之，他因公务在南昌的时间不会超过四十天，但停留在松江区域却长至一个半月以上。这段期间他所作的事，除了探亲之外，主要还是与公务无关的艺事；他不仅为陈继儒作了《婉娈草堂图》，还在此期间搜得了数件名迹，其中又以董源的《龙宿郊民》（现藏台北故宫博物院）、李成的《烟峦萧寺》及郭熙的《溪山秋霁》[现藏美国弗瑞尔美术馆（Freer Gallery of Art）] 等北宋作品最为重要。由此似可清楚地感到艺事在董其昌心中凌驾公务的地位。

此次返乡的旅途，细察其路线，亦能体会董其昌在艺事追求上的用心。由现存零星的题跋综合起来，可知他此次返乡与上回在1596年由长沙册封的归程不同，未取长江的水路，而是由南昌经江西东南的瑞虹、龙津、贵溪、弋阳到广信府的上饶，再由之经玉山走衢江而至浙江衢州府，经龙游、兰溪到建德县富春驿，再走桐江、富春江，经富阳县而至杭州府，复行运河经嘉兴而达松江府。[10] 这个路线其实颇为曲折，

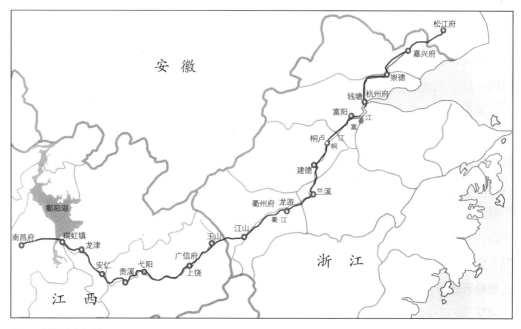

地图 1　董其昌之行程路线图

不仅有水路，亦有陆路，途中亦须在不少站驿停下，换接不同的水路，据粗略的估算，由南昌到杭州可能即需二十多天的时间。假使董其昌走另一条路线，即由南昌过鄱阳湖走长江，顺流而下至南京，全程虽约有一千两百里，但要单纯得多，舟途亦较快，大约在十日左右即可完成全程。董其昌为什么舍后者而取前者呢？其中的一个重要原因恐怕是他想再度到杭州高深甫家重览郭忠恕的摹王维《辋川图》，或许还盼望有再研究冯开之所藏的传王维作《江山雪霁》卷（现藏日本京都小川广巳家）的机会。这两件与王维有关的作品是董其昌此时期探寻王维风格的关键资料，前者在他去年道经杭州时已见过一次，而后者则在同时由北京携来杭州归还冯开之，结束了他一段几乎长达一年对该卷的研究。[11] 虽然董其昌对此两件作品已有某种程度的了解，但由于这个时期正是他热衷探讨王维画风，欲将之置于南宗之祖的时刻，既然再有机会出差南方，岂有随意放过再予鉴赏机会之理。董氏之所以离南昌后，故意取道杭州而不走便捷的长江水路，可能正是这种艺事追求之用心所致。

1597年的旧历九月底，董其昌如愿以偿地在杭州看到了郭忠恕摹王维之《辋川图》；但是，此时似乎没有得到机会再见《江山雪霁》图卷。此中原因，不得而知。不过，这两卷画作确实在董氏探索王维画风,尝试掌握王维笔墨的努力中,扮演着重要的角色。董氏在1595年给冯开之的信函中即表示:王维之风格可见有两种,一种为"简淡"者,另一种为"细谨"者;前者脱略皴法,后者则如李思训。他在此前所见过的王维风格,如项元汴家的《雪江图》及赵令穰所临的《林塘消夏》皆属前者,但有轮廓而无皴染,而其经常所见之《辋川图》摹本则为后者,系细谨设色,亦无皴染,皆不能完全显示他心目中王维风格的全貌。[12]董其昌相信王维应该还有具皴染的一种风格,而这个推断终于在1595年秋天见到冯开之藏的《江山雪霁》时得到初步的证实。可是,董其昌并没有就此而停止他对王维风格的探求。《江山雪霁》虽被他定为王维,但与之比较起来,《辋川图》才真是当时公认的最重要之王维名迹,真本虽未传世,但北宋初郭忠恕的摹本还藏在杭州的高深甫家;董其昌想要将他的发现在《辋川图》上加以印证的迫切心理,足堪想象。他因此在将《江山雪霁》送还冯开之时,立即想办法看到了郭摹的《辋川图》。据董氏在郭忠恕摹本上的题跋,及今日尚可见到的郭忠恕摹本的石刻拓本——此为1617年郭世元所摹刻——来看,董其昌应该是把《辋川图》归为细谨而有皴染的一类风格,而与简淡无皴染者有别,正能呼应今日在小川家《江山雪霁》卷上所能见到的笔墨风格,故而大加赞赏此画正好符合"云峰石迹,迥绝天机,笔意纵横,参乎造化"的传统评价。[13]换言之,董其昌在1596年以前追寻王维风格的努力中,虽曾多方通过如赵令穰、赵孟頫等人作品与王维风格的关系,试图找到一些具体的了解,但让他自觉对王维笔墨皴染的"笔墨"开始有所认识的,基本上即来自《江山雪霁》与《辋川图》的郭忠恕摹本这两件作品。对董其昌来说,解决了历来对王维风格的迷惑,无疑地是他足以自豪的成就;如果较之典试为国抡才的公务,其在董氏心中所引发的激情,自要强烈许多。这种心理,实部分地说明了董其昌在1597年由南昌返乡时刻意绕道杭州的原因。

  董其昌就王维"笔意"之探讨,并非意在解决一个鉴赏课题而已,其更重要的目的乃在于创作上的指引。董其昌对《江山雪霁》及《辋川图》摹本的研究,除了确认其风格之外,更要求能以其自身的笔墨来重新掌握,并呈现王维下笔时的原意,以求为他本人创作时的立足点。正如同一位书家学古代之典范一般,重点并不在求外形上的模仿,形似与否并不重要,真要用心的却在于形式之外的"神似",自己也为书家的董其昌对王维"笔意"的追求亦是如此,而希望在"得其神"之际,仿佛回到王维落笔之前的状况，如"前身曾入右丞之室，而亲揽其磐礴之致"。[14] 董其昌既然深信王维之画已得"云峰石迹，迥绝天机"，而其根本来自于"笔意纵横，参乎造化"，如果他能经由了解王维笔墨的原意，回到王维创作时"解衣磐礴"的原始心理状态，他便可以自然地进入王维"迥绝天机"的境界，不但成为王维，甚至超出王维，而与天地造化等同起来。这个创作考虑上的企图，也就是他之所以将《江山雪霁》的借期向冯开之展延到一年之久的根本原因，亦即为他两次到杭州求观《辋川图》郭忠恕摹本的真正理由。董其昌在第二次看完《辋川图》摹本后三个月所作的《婉娈草堂图》，即首度具体地呈现了他在此实践的结果。

　　《婉娈草堂图》上的笔皴确实有比过去所见自宋以下各家皴法更为简朴的现象。如以画面右边山崖石块来作例子，可见重复层叠，但少明显交叉编结的直线皴笔，由岩块分面边缘处的密浓，逐渐过渡到较为疏淡，最后终于消失而成似具强烈反光的空虚边缘，而隔邻的另一片岩面则由此未着笔墨的边缘起，再开始另一个由浓密转疏淡的渐层变化。这种变化基本上皆依赖单纯的直笔重复运作而成，叠合的时候几乎只追求平面的效果，其中虽有疏密之分，但却刻意地避免造成交叉纠结的印象，而后者则是所谓董巨流派的披麻皴所常见的。董巨风格的山水画风其实正是元代以来文人业余画家所熟习的，元末黄公望、吴镇、倪瓒与王蒙四人尤其对其推展起过积极的作用，明代沈周、文征明等重要画家大部分皆是通过元四家的转介而得以上接董巨遗风的。[15] 但是，不论是元代或者明代这些董巨风格拥护者的皴法，都没有像《婉娈草堂图》上所见的那么平直，反而是愈到后来，尤其是文征明及其门生、后继者们，皴法表现得更为扭曲而复杂。这种现象很清楚地可以由比较文伯仁《天目山图》（1574年，【图171】）中与《婉娈草堂图》颇为形似的中景巨石的皴染中得到证实。即使是在十六世纪七八十年代新兴的松江业余文人画家的笔下，虽说是企图超越文征明以下苏州风格的影响而直接上溯至元四家风格，其在笔墨上仍不免有此现象。董其昌早年习画时请益的对象中，顾正谊及莫是龙皆属于此类，前者的《溪山秋爽》（1575年，【图172】）及后者的《仿黄公望山水》[1581年，埃里克森（Erikson）收藏] 都是在追求元人风致时仍然流露文征明影响的例子。[16] 董其昌曾自述自己学画始于1576年二十二岁之时，[17] 类似《溪山秋爽》及《仿黄公望山水》如此的风格，应该就是他当时所学到的。《婉

图 171. 明 文伯仁《天目山图》1574 年
轴 纸本 设色 151 厘米×41.8 厘米 日本私人收藏

图 172. 明 顾正谊《溪山秋爽》1575 年
轴 纸本 浅设色 128.2 厘米×33 厘米 台北故宫博物院

图 173. 传唐 王维《江山雪霁》(局部) 卷 绢本 水墨 28.4 厘米×171.5 厘米 日本京都小川家族

婉娈草堂图》与它们在笔墨上的差距,即为他在此间数年中追求王维"笔意"之结果。

然而,《婉娈草堂图》上的皴法如与《江山雪霁》者比较起来也不一样,显然董其昌并非忠实地在复制他所认为的王维笔法。《江山雪霁》的岩石画法亦有强烈的明暗对比,但那是因为所画为雪景而来,故覆雪的光亮面较大,仅在石块下部或分面内侧边缘区留下来的些许空隙来作较深暗的阴影效果【图173】,这与《婉娈草堂图》上因"有皴"面较广,墨色较深,遂与"无皴"处形成较强烈的明暗对比,实有明显的区别。不仅如此,《江山雪霁》图上山石岩块处的表面除了一些少量的线条勾勒之外,也缺乏可见的如后者的细皴,阴暗处也是由墨染而成,未见如后者由皴笔层叠的现象。但是,两者在笔墨所成的效果却有类似之处,都在岩块简易的平行重复分面之中,呈现平面的强烈明暗对比。

《江山雪霁》向董其昌所呈现的笔墨效果,并不意味着某种偶然而不易理解的"顿悟"。董其昌虽然对《江山雪霁》在王维绘画中的地位有绝对的肯定,但他对此图笔墨的理解基本上仍与他在此前对王维风格的研究有承续的关系。值得注意的是:包括《江山雪霁》在内,董其昌所赖以研究王维风格的资料,几乎全是雪景山水。他在《江山雪霁》跋中所提到的王维《雪江图》及赵孟頫《雪图》都是他在从事此工作时重要的比较，也都是雪景山水。后来在程季白处收藏的两件有关作品——传王维的《雪溪图》及传徽宗的《雪江归棹》——亦为雪中之景。前者为清代皇室旧藏，上有传宋徽宗题签者，董其昌曾在1621年题跋，云曾见过多次，或许在1597年之前已经寓目；后者即现藏北京故宫博物院之本，董其昌评为可见王维本色，而可与《江山雪霁》并称"雌雄双剑"。[18]此卷于程季白入手前系在王世贞家收藏之中，王世贞为董氏成名之前南方最重要的收藏家之一，虽在政府中历任要职，但在1576—1588年间家居距离松江不远的太仓，与松江地区包括莫是龙、陈继儒及董其昌在内的青年文士有相当亲密的关系，[19]而此时期又正是董其昌开始学画、探访名迹之时，传徽宗的《雪江归棹》极可能也是他当时研究王维风格的重要参考资料。除此之外，现存《小中现大册》（台北故宫博物院藏）第一开的仿李成山水，旁有董氏1598年跋，云其"古雅简淡，有摩诘之韵"，[20]遂确认其与王维之关系；此画在何时入藏于董氏之手，不得而知，但由其题跋语气看来，乃非新藏，原来可能在1597年，甚至更早之前已经在其家中。这张有王维韵致的李成山水，也是幅雪景。至于董氏学习王维风格另一张重要依据的《辋川图》郭忠恕摹本，虽非雪景，但《画禅室随笔》提到郭忠恕之《辋川招隐图》，则又是雪景，应也对其学习王维有所作用，而此图据云得之于北京，很可能亦是《婉娈草堂图》出现以前的准备功课。[21]总而言之，董其昌对王维笔墨风格的理解相当偶然地受到雪景山水这个题材的影响，而这个现象即转而对董其昌自己创作时的笔墨产生了莫大的作用。

《婉娈草堂图》上强烈的明暗对比，实际上即来自与王维有关的诸雪景山水，而其中细致但平面化的直皴组合，也可由那些雪景山水来加了解。《婉娈草堂图》中岩石坡岸上的明暗关系，在延续了雪景上于此的强烈感觉之后，由于画家本意已与雪景无关，遂将"有皴"面加以延伸，"无皴"面予以缩减。从表面上看，这似乎只是阴暗面的扩大，但由明暗的虚实关系来说，此则是原关系的颠倒。至于直皴组合在《婉娈草堂图》上的运用，亦是如此手法。董氏所见与王维风格有关之雪景山水中，包括《江山雪霁》，都是以渲染来制造山与石的阴暗面，而几乎不用细皴，只是用饱含水分的墨笔，呈现不具笔痕的成面的效果。董其昌在《婉娈草堂图》上所作的则采相反之道，以较干的线条代替墨染，造成阴暗面上的成面直皴的效果。这种以干代湿，以线代面的转换，亦即虚实、阴阳原则的人为颠覆。他的这种运用虚实原则而作的转化，很清楚地显露其本人对结构问题的兴趣。他曾在《戏鸿堂稿自序》中忆及自己在1586年时读曹洞《语录》，了解到"偏正宾主互换伤触之旨"，因而得到文章的宗趣，然后即以此证之于"师门议论与先辈手笔"，竟"无不合者"。[22] 这种学文的经验实可与他后来学古人画的经验互相参照。

　　当然，董其昌对王维笔墨风格的转化，并非意在脱离王维，而却企图在转化之过程中确认并进一步地发挥王维风格的内在笔意。他在学习王维的笔墨之时最关键的问题在于如何自那些雪景山水中看起来"无迹可寻"而"迥出天机"的自然渲染之中，发掘其可供师法的规则。故而当董氏在从事以干代湿、以线代染的转化工作时，便须就其所呈现各自不同形状及角度的染面中，去求得某一个共通的用笔原则，希望此原则能一举解决各皴面的纷歧需求，而呈现其某种理想性，使之足堪与所谓的"天机"互相比拟。要解决这个问题，同时为一优秀书家的董其昌在书法之实践上亦有类似之经验。他在学习王羲之书风时所感慨的"其纵宕用笔处，无迹可寻"，[23] 正是他初见王维《江山雪霁》时觉得"所恨古意难复，时流易趋，未能得右丞笔法"的困难。在他学习古代书风的过程中，后来即由米芾处得到"取势"的观念，而终于能由之理得王羲之的"笔势"，自己之书法亦终能达"即右军父子亦无何奈也"的境界。[24] 书法中的"取势"亦是他研习画法的法门。此"势"由笔墨上来说，亦可如在书法上解为因笔而生的运动方向。王维画中的渲染虽无笔迹可见，但其形成仍为饱含墨水之笔的运动所致。它们虽在雪景中因覆雪状态不同、山石之位置面向不同，而有不同的面积与方向，因而也就呈现表面不同之"势"，但在这众多"势"的表相中，是否能寻出一个根本的"笔势"，即墨笔运动的基本规则，便成为董其昌掌握王维笔墨成功与否的关键。董其昌从他所研习的与王维有关之雪景山水中，自认终于找到了潜藏在那看似浑然天成的墨染中之"笔势"的奥妙，即为平行而下的"直笔"。这个根本的笔势乃重在其运动本身的平行性，以及其在画面各部位单元中的一致性，因此可以被视为是山水画法中最单纯且饱含最丰富古意的一种笔墨。《婉娈草堂图》上山石阴暗面原来该有的墨染，因之被转化成这种笔势的直笔皴面，单纯而巧妙地装饰了其画上山与石的不同正侧面。

　　董其昌以"直笔"为王维笔意的判断，在当时罕见唐画的状况中或许无法找到令人信服的证据来自圆其说，但却让人惊奇地与今日可见之

图174. 唐
《骑象奏乐图》
8世纪
捍拨画 木 设色
40.5厘米×16.5厘米
奈良 正仓院

图175. 宋李公麟
《龙眠山庄图卷》
（局部）
卷 纸本 水墨
28.9厘米×364.6厘米
台北故宫博物院

若干十世纪以前的古画所呈现出来之皴染原型有相合之处。例如古原宏伸曾举之与《婉娈草堂图》比较的正仓院藏八世纪琵琶上的《骑象奏乐图》【图174】中的山崖，其阴暗处即具此直笔的笔势。近期所出土的辽墓山水《深山棋会》上，山壁的皴擦亦有一致的平行运动方向。[25] 董其昌当年是否有机会看到如此的唐、五代真迹，自然很有疑问。但是，他确实有相当多的机会认识到许多以简单的平行刻画方式为基调的带有古风的作品，而在中国画史上也确有一种以平行刻画来作复古风格的传统，如李公麟的《龙眠山庄图卷》【图175】[26] 及钱选的青绿山水画等，董氏亦应十分熟悉。董其昌对这些资料的知识可能在其以直笔为王维笔意之判断上起过相当的影响作用。

不论其原因如何，董其昌自从在《婉娈草堂图》上作此判断之后，终其一生对之一直深信不疑。是故直到1621年他作《王维诗意图》【图176】[27] 时，皴染虽变得稍更疏率，但基本上仍属直笔之皴，其笔势基本上同于二十四年前的《婉娈草堂图》。除了王维风格之外，董氏对于其他与王维有关的古代名家风格亦作了相似的处理。十世纪的李成所作的雪图，自米芾始即认为师法自王维，《小中现大册》中第一开的雪图即被董氏重定为李成，而该开摹本虽出自其后辈画家王时敏之手，但应有董氏之指授，故画中阴暗面之皴染，亦作王维的"直笔"【图177】。[28] 除了李成之外，王诜是另一位董氏信为得传王维画法的北宋画家之一，所以董其昌在1605年以己意再创王诜名作《烟江叠嶂图卷》（台北故宫博物院藏）时，于山石的皴擦亦采直而平行的笔势，其中段云霭周围的壁面【图178】，直皴而成，尤极似《婉娈草堂图》右边的崖壁。即使

图 176. 明 董其昌
《王维诗意图》
1621 年
轴 纸本 水墨
109.5 厘米×49 厘米
台北石头书屋

图 177. 清 王时敏
《仿宋元人缩本》
册 绢本 浅设色
60 厘米×31.9 厘米
台北故宫博物院

3-4 董其昌《婉娈草堂图》及其革新画风

图178. 明 **董其昌**《烟江叠嶂图》(局部) 1605 年 卷 绢本 水墨 30.7 厘米 × 141.4 厘米 台北故宫博物院

是对笔墨运用方式与王维者实有段差距的黄公望风格，亦是如此加以诠释。由于黄公望乃是董氏理论中南宗体系继王维、董源之后的枢纽人物，其笔意应亦有上承王维之处才是，因而他便在如《江山秋霁》【图179】这种仿黄公望风格的山水图上，以直皴来重新诠释黄氏的风格，并以为经此转化后，不仅可与黄公望并行，且能得到古人的终极韵致，故最后不免志得意满地要感慨"尝恨古人不见我也"了。[29] 董其昌的这些工作充分地显示了他对王维笔意掌握的自信，而此信心亦即意味着直皴笔墨图式的理想性。对他来说，这不但可以让他将南宗体系中诸古代大家之风格一以贯之，还可以为他自己的创作求取"迥出天机""参乎造化"的境界。由这个角度观之，《婉娈草堂图》作为董氏画业中首见此"笔意"之作品，自有其重要意义。

　　自信掌握了理想之"势"的直皴，也带给《婉娈草堂图》中诸多取自古人之形象更丰富的活跃生气。画面最下方的土坡及小树林，极像是取自传董源所作《龙宿郊民》【图180】的前景，该画是董其昌在1597年返乡时从上海顾家所购得的。但是在《婉娈草堂图》上由于那些具有清晰运动方向的直皴的作用，不仅使土坡的各面显得含有饱满的动能，也使得整个坡面在各单元的连续之中产生斜向的充沛动势，这与一般仅赖物体外形来营造某种动感，在程度上确实极为不同。其树林中各树的形状虽有如《龙宿郊民》上者，但也由于那种似其山石皴擦的直笔的作用，更富有苍厚的动态力量，使得几棵看似安静的直挺树干，本身即产生其后方作扭曲姿态之小树所不能比拟的内敛动势。《婉娈草堂图》中段的奇岩则是借自《江山雪霁》江边的巨岩，两者都有垂直但不规则弯曲外缘的若干块面的平行结组，也有因形状方向不同而生的不稳定感。但是，当《江山雪霁》利用线条勾勒其岩面的结构，并就不同方向来布列其特殊造型岩块时，《婉娈草堂图》的中景奇岩则舍弃勾勒的廓线，代之以直皴，而经由直皴虚实变化的连续运作，产生一种与其周围山岩连成一气的动势。这个动势又经过其上来自黄公望《九峰雪霁》（参见图106）[30] 或传黄氏所作的《山居图》（南京博物院藏）[31] 的坪顶的中继，配合坪顶左右峦头的轻度倾斜，以一个似"S"形的扭转，到达上方浮出云上似来自《辋川图》前段的圆峰而停止。[32] 在这个动势里，至少牵涉五个不同形状、不同方向的山体，但在直皴的虚实变化中，却连续成为一个具有缓慢但充沛内在动力的整体。如此的处理方式，实与画面右方的崖壁与平台有异曲同工之妙。此高耸入云的崖壁，其来源已无法完全确定，可能与董氏见过的某些郭忠恕、王诜的画本有所关联，后二者在董其昌1603年的《临郭忠恕粉本》[斯德哥尔摩远东古物博物馆（Museum of Far Eastern Antiquities, Stockholm）][33] 与1605年的《烟江叠嶂》等画中还有所保存。不过，在此重要的亦非其图像源自哪个古人，而在于其直皴之虚实运用。在画家有意地安排下，直皴的动势被汇聚到崖体的三分之一处，不仅可向上下延展，并往左生出有屋舍的平台，以及更远处向左方大块延伸而嵌入其中的低平远山。像这里所见的形象在外形上并无甚新鲜之处，无论浙派、吴派或新起的松江画家，多少有过类似的高崖造型，但《婉娈草堂图》的崖壁却因直皴的作用，而

图179. 明 董其昌
《江山秋霁》
卷 纸本 水墨
38.4厘米×136.8厘米
克利夫兰美术馆

3-4 董其昌《婉娈草堂图》及其革新画风 | 307

图180. 传五代
董源《龙宿郊民》
轴 绢本 设色
156厘米×160厘米
台北故宫博物院

产生似乎随时要释放而出的巨大动能。如此的整体效果，甚至在郭忠恕或王诜的作品中亦是未曾经验过的。

直皴不仅使得《婉娈草堂图》中各部分小单位充满着动势，也使其相互结合成左边前后及右边的三个大块。这便是董其昌在《画旨》中所说："今人从碎处积为大山，此最是病。古人运大轴，只三四大分合，所以成章。虽其中细碎处甚多，要之取势为主。"[34] 他所攻击的有细碎之病的"今人"，无疑地是指文伯仁、钱谷等文徵明之后的吴派画家，这可以由1574年文伯仁的《天目山图》（参见图171）及钱谷差不多同时所作的《山水》（台北故宫博物院藏）[35] 得到印证。不过，文伯仁及钱谷之由细碎处积成大山的风格，亦自有其理，尤其适合在来自文徵明影响的窄长画面中营造由下往上蜿蜒而升的动感。董其昌显然不满于吴派晚期的作风,更有意地舍弃了文征明以来常用的狭长繁密构图,而将三个大块分布在一个较宽广画面的两边,空出中间的部位,画了曲折向后伸展的河流,而于此曲折之中,三个大块各形成某些角度不等的三角形,分别自左右两方交错地向中央的河谷斜入。如此的构图模式可以说即是早期的"平远",只不过董其昌在此将左右两边的交错形状作得变化多端,而不似原来那么单纯了。董其昌在1597年以前的经验中,似乎没有机会了解真正唐代的立轴构图;他所见的《江山雪霁》等作品都是手卷,虽都呈现"三四大分合",却非纵向画面的安排。但是,经由他所收藏的传董源《秋山行旅》、[36]《龙宿郊民》(参见图180)及李成的《雪景山水》(即《小中现大册》第一开所摹者),董其昌倒是能够通过这些五代风格一窥唐代"平远"及"深远"构图的秘密。《婉娈草堂图》中三个大块的位置亦即由此了解而来,其"平远"构图的基调也是他话中所说古人构图的古意。

可是,《婉娈草堂图》平远构图所呈现的动势,毕竟还是与唐或五代者大为不同,这又是董其昌转化古代风格的另一个结果。原来如《龙宿郊民》构图左边之平远处理的要旨系在通过河谷的曲折,而创造出一个往后延伸的无限空间感。《婉娈草堂图》中的平远构图所造成的却是一个几乎封闭的自我空间。即使在平远的构成上,董其昌也改变了原来的主从关系,不把重点置于曲折之河谷,而将之转至河谷旁的大块之上,进之利用块中之势,将三个大块联结一气。前景的三角形状大块实际上包含另一个更小的三角块体,两个三角形各自的二斜边分作虚实互换的变化,而其与中段大块之联系即由往左上堆置的岩列斜边所推动。至于左边大块的动势在到达圆峰之后,并未往更深远处前进,反而下降而自低平的远岭与右方相呼应,而被导回到充满涌动之势的崖体中央与祥和安静的平台。唐代"平远"构图经此"势"的转化之后,所形成的是一个以画面为框围的独立力场,在此场中,三个大块被"用笔"所成之"势"连接起来,并使之成为向画中回转,似乎可以生生不息的自足动态整体。这种画面动势实在是前无古人的发明,遂成为董其昌立轴构图的一大特色,他后来在1602年的《葑泾访古》【图181】、1625年的《仿董源山水图》【图182】及1623—1624年成之《山水高册》(王季迁藏)[37]等重要作品中皆一再地显示了他对此的追求。

画面动势归结点所在的崖边平台,实际上亦居全画之正中央,上

图 181. 明 董其昌
《葑泾访古》
1602 年
轴 纸本 水墨
80 厘米 × 29.8 厘米
台北故宫博物院

图 182. 明 董其昌
《仿董源山水图》
1625 年
轴 纸本 水墨
108 厘米 × 43.5 厘米
苏黎世里特堡博物馆

3-4 董其昌《婉娈草堂图》及其革新画风 | 311

有受树掩蔽之草屋数间,此即意指陈继儒采陆机之诗句为名而建的居所,董其昌之图就是在该年旧历十月访此草堂后所作者。由画时的情境推之,此图应与实地景物有关,故而在上文所述董其昌转化古代风格而创造出来之山水中,如何陈示其与婉娈草堂周遭景物的关系,遂成为了解此图乃至整个董其昌山水画艺术的另一关键课题。正如其他与文人有关的史迹一般,婉娈草堂至今日亦已无踪迹可寻,甚至连读书台的确切位置亦不见得可以肯定,幸好对于当日婉娈草堂的大概环境,今天还可以由陈继儒儿子陈梦莲的记述中得到一些认识。在《眉公府君年谱》中,陈梦莲描述婉娈草堂是"依岗负壁,构堂五楹",草堂有柱,柱上有董其昌的题句:"贤者而后乐此,众人何莫游斯。"壁上又有"人间纷纷臭如帤,何不登山读我书"一联,也是董其昌所题。此外,草堂附近尚有两个水池,一曰藤萝池,另曰墨池,流泉一道,名曰白驹泉;所种的植物则有花与竹,面积虽不大,但已足称幽胜。[38] 陈梦莲的记述虽然简略,但提到相当多具体的细节,可供与画上所见比较。然而,比较结果却可发现两者之差异极大。画上之读书台既无花无竹,亦无池水,更无五楹的房舍,只有屋旁之峭壁勉强符合"依岗负壁"之说。至于读书台左方之山体,究竟为昆山之哪个地点,也相当模糊。但如与董氏早一年所作《燕吴八景》(上海博物馆藏)[39] 中第七开画陈继儒在"九峰深处"的居处环境来加比较,《婉娈草堂图》中景的巨岩和坪顶与所谓《九峰深处》的中央部位者,仍有一些类似,而它们的左上方也都有一道飞泉,或许即是白驹泉。董氏画《九峰深处》时,陈继儒尚未建婉娈草堂,故其所画自非本文所论之草堂,但此页所属之册既自题云"燕吴八景",显属明代常见之"纪游胜景"类图作,纪实性较高,可视为董其昌所见陈继儒居处附近景物的重要参考。由此推之,《婉娈草堂图》所画之山水不能说与实景毫无关系,不过,由于其形象已经大幅度之转化,此关系也只能说是隐而未显。

换句话说,董其昌作《婉娈草堂图》时,确实曾在某种程度上以该地实景为基础,但却不在于就之作外表形似的追求,反而如他对古代风格的态度一样,作了转化的处理。这种态度与文人画传统中的"山斋图"可说完全相反。自元代末期以后,文人画家为朋友的隐所作图的情形大盛,至董其昌之时,早已自成体系。[40] 朱德润的《秀野轩》(北京故宫博物院)、赵原的《合溪草堂》(上海博物馆)、沈贞的《竹炉山房》(辽宁省博物馆)及文征明的《真赏斋》(上海博物馆)等,[41] 都是这种"山斋图",他们基本上都对实景保持了一定的忠实度。董其昌自然不会不知道这个由来已久的传统。他在《婉娈草堂图》上对实景的转化,意味着对此部分的文人画传统的刻意逆反。而其一生,大致都坚持着这个态度,如《容安草堂》(上海博物馆)[42]等作品皆几乎见不到任何对实景的忠实描写。

然而,如果就此便论断董其昌之山水画艺术与外在自然的关系毫不重要,这也是值得商榷的。就《婉娈草堂图》来说,它虽不意在忠实地描绘草堂周遭的风光,但却是针对该草堂而发,这点是毫无疑问的。画面上以读书台及其上草堂为中心点的处理,让全幅其他各部分充满力势的山体环绕其旁,就显示着董其昌对婉娈草堂的观感。他在此所构成的是一个以草堂为中心的自足世界。草堂虽然静止不动,但却似乎统摄着所有山体的生命力,而此生命力的呈现只是纯粹的笔墨组合,而无向来所赖以提点的樵夫、行旅、隐士、访友等人世的活动,甚至没有可供外界参与其中活动的路径,而整个画中山水的动势又被内收于中,形成一个不假外求,与尘世无关而自具内在生气的山水世界。这种不假外求的山水意象,实际上恰好呼应着董其昌在草堂壁上为陈继儒所题"人间纷纷臭如帤,何不登山读我书"的诗联。此诗联实出自《黄庭内景经》,[43]其用意本为拈出草堂主人隐居所标指的境界,重点在于对尘俗价值之超越,而真的能在精神上与天地之"道"相契合。这实即为陈继儒"裂其儒冠"选择及读书婉娈草堂行为的内在精神。由此情境观之,原来董其昌所画的只是由草堂的实地景物出发,而将目标指向它的内在精神之结晶——一个超越世俗,而能体认天地造化之生命的理想境地。换句话说,婉娈草堂的外在自然形式,由于陈继儒的隐居,在董其昌的心目中产生了另一层次的人文意义,此即自然对他所呈现的内在精神,而他的《婉娈草堂图》所要传达的就是其地山水的这个内在精神,也就是陈继儒隐居的心灵世界。

如《婉娈草堂图》所示的,山水画的旨趣在于为自然山水"传神",这是董其昌绘画理论中的基本信条。"传神"的要求数见于董氏之论画文字之中,[44]其与古人风格、真实山水之间的关系究竟如何,一直是学者争论的问题。[45]董其昌对此之看法,显然在1597年作《婉娈草堂图》时已经成型。他在《婉娈草堂图》中对古代风格所作的转化,其意亦非作形式上的摹仿,而系纯在追求其"笔意",此即可视为另一种"传神"。他这种对古代风格的"传神",固然非出自于任何对草堂实景的描绘要求,但在目标上却仍与传其山水之神的企图,两者是相通相合的。《婉娈草堂图》画上风格形式基本上指向南宗之祖王维的身上,掌握其"笔意"则意味着得其"云峰石迹,迥出天机,笔意纵横,参乎造化"的表现能力。而此处所追求的具有天机、与造化同参的效果,实即他在追求草堂一地景物内在精神的相同实质。换言之,当董其昌在画上转化古人风格时,不仅是要作一个历史性的了解而已,更重要的还是在参悟其中所含造化的元始生命。这便是为什么他在研究黄公望《天池石壁》不得其真之际,在吴中石壁之下突有所悟之时,会大呼"黄石公"的道理。[46] 他所呼之"黄石公"实意不在指黄公望,而系《史记》之中所记秦汉之际的黄石老人,而此黄石公正是将造化之奥秘传给张良的神秘媒介;[47] 通过这个媒介的作用,董其昌所体悟到的不仅是他所未曾见过的黄公望《天池石壁》真迹,而且是其背后的精神,以及石壁山水所显示出来的造化天机。这也是他为什么归结出"画家以古人为师,已自上乘,进此当以天地为师"这个结论的根本理由。

当董其昌登上小昆山的读书台,造访陈继儒的婉娈草堂时,极目四望,他所看到的不仅是他好友超俗的心灵世界而已,也看到了理想山水里的充沛元气。在他的《婉娈草堂图》中,他不仅转化了古代风格,也转化了实景物象,并不为着记录他的游览,也不是在摹仿古人,也不为着发泄他在现实无法实现的隐居梦想,而只是以其笔墨企图现出一个以造化元气所生成的山水。这是一个既不为人,亦不为己,毫无实利考虑的企图;《婉娈草堂图》的创作,由这个角度观之,亦是董其昌这个"朝服山人"超俗之心灵世界的呈现。通过《婉娈草堂图》,董其昌与陈继儒这两个表面行迹大相径庭的才士,正就一个他们共有的生命理想,互相唱和。

IV
区域的竞争

由奇趣到复古——
十七世纪金陵绘画的一个切面

神幻变化——
由陈子和看明代闽赣地区道教水墨画之发展

4-1 由奇趣到复古
——十七世纪金陵绘画的一个切面

一、复杂时代中的一些复杂问题

十七世纪的中国历经着有史以来罕见的巨变。由前所未有的经济社会繁荣,一变而遭到天崩地解的政治动荡,最后又复归于一统的安定,这一切都集中地发生在这短短的百年之中。在此百年之中,既有逐渐没落的明帝国皇帝,又有被尊为"农民英雄"的流寇"皇帝",接着出现了非汉人的清朝皇帝,同时还存在过势力薄弱到极点的南明皇帝;既有由清朝开国元勋转变成叛清大逆的三藩,又有由海上走私武力集团蜕化为"民族英雄"的明郑势力。如此政局,其多变难测,实令今人难以想象。而对当时人来说,又何尝不是如此?!一般的庶民或许还无选择的权利,但对自认身负天下安危使命的中国十七世纪之知识分子而言,何去何从,确实无法如有后见之明的今人那般地觉得易于掌握。他们之中在改朝换代之际有的做了明朝的遗民,有的做了清朝的贰臣,也有的先做了贰臣后又变成遗民,当然,还有一些原来是遗民,后来终向现实妥协的例子,数量也不可小觑。人处在那种复杂的时代情境之中,其彷徨无助,是无可脱逃的绝境;对知识分子,更是如此。

金陵在此复杂剧变的时代中,其程度尤其深刻。明末的金陵曾经享受过最高度的城市文明;前一代所盛赞的"仙都""乐土",在此时城市商业蓬勃发展的推波助澜之下,得到了更高一层的表现。秦淮河的繁华世界所代表的晚明"情色文化",尤其吸引着当时及后世人的注目。但是,悠游其中的清雅风流文士却在同时也卷入了明末激烈的政治斗争漩涡之中,而不可自拔。接着而来的改朝换代,冲击更大。金陵既是明末的政治中心,而且又是太祖陵寝之所在,自然成为凝聚怀想前明情绪的焦点,以及明朝遗民的集中地,它的文化中心地位在此变局之中亦无可避免地被复杂化;它一方面是汉文化在新政局之中的象征性圣地,另一方面则有文士文化与新兴商业文化、城市群众文化之间的争执,甚至由明末耶稣会教士所传入的西欧文化,也在此期金陵的文化激变中,扮演着另一个变数。这些复杂的现象,如果再加上入清之后金陵社会、经济诸方面环境之丕变,其程度则更加剧烈。十七世纪的金陵文化,由此观之,可谓是中国当时文化中各种问题被推至最极致而不容忽视状况的表现。

画家们处于如此巨变的文化环境之中,其表现不仅复杂多变,而且也为尝试要为此段画史理出一个头绪的学者,提出了许多棘手但饶富兴味的问题。董其昌的南北宗论之发明,无疑是中国近四百年画史中最重要的成就之一;但是这个理论在南都金陵的反应如何?这却不易回答,即使学者们都意识到董氏本人实际上也在金陵的官署中度过晚年最尊荣的一段宦期,而且也曾积极地参与到金陵的文化活动之中。但是,明末之时接续董其昌风格的画家,不是在松江就是在杭州、太仓等地,此时的金陵难道与董其昌风格绝缘吗?金陵又似乎有它自己的突出画家,吴彬便有着惊人的奇矫造型表现,可说是明末最吸引人的画家之一,这种画家的出现如何在金陵的文化脉络中得到一个解释?金陵更有着较其他区域为深的与西洋艺术接触的因缘。它的绘画到底有没有受到西洋传入艺术的影响?无论其答案为何,这又须与金陵的独特文化情况一起来理解。除此之外,今日通称的十七世纪中国的个人主义画家,大多数也与金陵有关。龚贤与髡残基本上都是大半生在金陵度过的,石涛也在金陵经历了一段关系着后半生变化至巨的日子。他们也都被或深或浅地与遗民连上关系,同时又与出仕清朝的贰臣多有来往,他们的艺术创作究竟与其政治立场之间有何种牵连?

这些问题实在极为复杂,不可能有一个直接的答案。但是,在十七世纪中国这些最出色的画家们之间,却还有一个值得注意的共同点——他们都是必须仰赖卖画维生的画家。他们虽都具有高度的人文教育背景,但却与沈周、文征明那种家富恒产的文士有颇大的差别。尤其是在国变之后的不安局势之中,经济的压力更大,经常迫使他们必须选择一种职业画家的生涯。[1] 由于这个缘故,他们与赞助者所处之金陵文化环境之间的互动关系便显得特别重要。他们之间表现的差异,以及经由时间演进而呈现的复杂多变,因此可由他们与环境间各自有别的因应方式,得到一些初步的认识。这个观察角度虽然无法对此期复杂的艺术世界求得一个全面的解释,但至少能提供一个有效的切面,为日后更完整的诠释从事初步奠基的工作。然而,在这个观察角度之下,对某些研究课题的取舍亦是必要的。所谓"金陵八家"的争议即属此种。"金陵八家"究竟应包括哪八家?而其是否可被归为具有同种风格的"画派"?且此"画派"假如可以成立,是否适于被称为"金陵画派"?等等问题,向来论者意见纷纷。[2] 本文亦不拟对这些问题进行处理,但将这些画家一并纳入到金陵之文化环境脉络之中,观察其中几种不同的因应方式,并由其绘画创作中的具体表现,来探讨金陵艺术本身内部的差异。在此关怀之下,金陵绘画在十七世纪末叶所呈现的并非是某个画派的独秀,而是诸种风格并呈的多元峥嵘局面;其所重要的并非在于此中是否有着某种独立的"金陵本地风格",而在于显现诸种外来风格如何在金陵之环境中被接纳与使用。金陵在当时中国画坛中的主角地位,以及其后之退居边缘角色,此变化之所以然亦应由此来予理解。

二、明末金陵文士的"奇趣"品味

明末的金陵文化界表面上看来似乎与十六世纪后期的差别不大,仍然以文士为其主导。在这些文士之中,既有在朝身居高位的官员,也有在野的隐士与期待将来能踏入仕途的青年才俊。但与前期最大的不同则在于那种因挫折而起的不遇心态,不再是他们之间的共相。不论他们来自何方,这些在金陵活动的文士们似乎已经能坦然面对中国传统知识分子与政治威权之间龃龉不合的宿命,而且还能反过来以文化成就之追求作为其人生之目标,并充分享受其所伴随而来的声名与物质上的社会回报。董其昌便是如此的例子。他是华亭人,于1625—1626年间在金陵任礼部尚书。虽然宦途顺畅,终至高位,但董氏却从未对政治权力产生过积极的企图心,终其一生,他只不过是利用他在官场上的地位与种种机缘,来追求文化上的,尤其是书画艺术上的最高目标。[3] 明末的文化人喜称自己为"山人",意为他们可以一种绝对超俗的生活来创造文化之独立价值;如以之来看董其昌,他虽身着朝服,但却实是个"朝服山人"。他在金陵的清闲高位,因此可谓是其一生最理想的终结。

董其昌的行为模式可以说是十七世纪初中国文士的典型,而为许多人所奉行。足称为此期金陵本地文士代表的顾起元也是这个群体的一分子。顾起元是 1598 年的会元，博学多闻而有文采，其《客座赘语》即为后世研究金陵及晚明社会经济文化状况所必须参考的重要著作。他曾在金陵的南京国子监任职，最后还担任国子监祭酒、南京吏部右侍郎等职。1621 年召改吏部右侍郎兼翰林院侍读学士协理詹事府事纂修两朝实录副总裁，但他却以病力辞，不肯赴北京就任。在其《请告三疏》中，顾起元即以"槁项黄馘于岩穴之中""愿与田更野叟歌咏如天祝圣寿于万万年"之语，向皇帝表达他宁可留在金陵的愿望。[4] 他的一生虽在行政上有一点小成绩，但似以其文艺成就，以及"以文衡清望自接，而接引后学孳孳如不及"为人所重。他显然也是不积极在政治上求发展功业的那种文士，后人特记其"通籍三十年，立朝仅五载"，[5] 由这一点来看，顾起元与董其昌是十分类似的。

顾、董二人虽然属于同型文士，但就金陵文化之立场来观察，却有值得注意之不同。董其昌虽亦曾在金陵活动，但主要扮演着一种将以他本人为代表的松江品味输入者的角色。顾起元则明显地表现了一种较具金陵本土意识的立场。他所抗拒的文艺品味，除了董其昌那种极重复古倾向者之外，自然尚包括了在金陵已流行一段颇长时间的苏州文派品味，一种愈来愈流于细腻文雅而清淡的美感趣味。对于这两种趣味，顾起元皆曾明白表示质疑。他并非执意不喜吴派的沈周与文征明，但对吴人一味学习沈、文二家，而不知有王维、唐寅则不以为然。尤其对于以吴派风格用在金陵的环境中，他更有意见，遂在一件《六朝遗迹画册》作跋云："往见文太史征仲写金陵十景，美其妍媚，郁纡之致，掩映一时，惜不能尽揽古今之胜。"[6] 这表面上似乎只批评了文派画风不能传达金陵风神的缺点，实际上还在表示他对前一期中吴派画风演变成全国性主导风格后的不满。他因此又在一首为宫廷画家钟钦礼之《西湖春霁》所作的诗中，批评这个现象道："国初人才多古质，即论画笔言真果，后来吴趋何靡靡，刺促毫端多负堕。"[7] 至于对十七世纪初声势强大的董其昌所推动之复古品味来说，顾氏当时则更是不肯认同。他在为《归鸿馆画册》作序时，便特别揭出一味尚古的流弊：

> 余尝见今之论画者曰，某唐某宋某元，其估十百，曰为今某氏也，估十不得二焉。试取所谓古人而阅之，其隃胜于今之人者，不数数见也。即隃胜于今之人者，又或出于今人之所赝为而非其真

者也。……人轻真今而重伪古，欲售伪者必假真，为今愈工则为古愈伪矣。……或曰今之画者必师古人，否则不足以言画。应之曰，穷缣素之寿，千年已矣，其迹必归于尽，而其理则久而弥新。世有真能悬解顾陆张展之理者，即超然独出，不必袭其迹可也。……[8]

正如文中所述，顾起元认为一味尚古的弊病在于反而产生"伪古"，而要救正此弊则应提倡"超然独出"，不必袭古人之迹，但得真解的作品。他所说的"超然独出"品质，其实要求的倒不在于如何忠实地继承古人，而在于如何以与古人相合的精神，创出与众不同的新变。[9] 顾氏以这种眼光来看当时文学之发展时，则又将"新"与"奇"的效果，作了风格上的联系。他在一篇《金陵社草序》的文章中，便对他所欣赏的金陵新文风作了如此的描述：

十余年来天网毕张，人始得自献其奇。都试一新，则文体一变，新新无已，愈出愈奇。论者往往指目□行卷，以为足当开元大历之风。澄汰芜秽，登纳菁英，斯固休明之盛际也。[10]

这个社集规模颇大，钱谦益在《列朝诗集》中亦曾注意及，但对其艺术表现评价并不像顾起元在此所记的那么赞赏。[11] 由此观之，顾氏文艺品味中所追求的新奇趣味，很可能还包含了一种金陵地方意识之作用在内。

顾起元的"新奇"品味让他在绘画上特别推重吴彬的成就。吴彬虽非籍隶金陵，但显然在1568年左右已居金陵，至此时已有相当长的时间。[12] 他的作品集中在十六世纪末到十七世纪初的二十几年之间，这也正是顾起元在金陵最活跃的时刻，两人之间也建立了颇为深厚的友谊。顾氏在一篇为吴彬在金陵之居所枝隐庵所作的歌中，便称赞他：

大地山川无不有，神奇尽落吴郎手。
吴郎手中管七寸，吴郎胸中才八斗。……[13]

另外在《梦端记》中，顾氏在记述吴彬作栖霞寺五百罗汉图时，则称他：

文仲吴君八闽之高士也，凤世词客，前身画师。飞文则万象缩于毫端，布景而千峰峙于颖上。……[14]

"夙世词客，前身画师"之语乃用唐代王维之自比，而王维在当时之画史观中占有绝高的地位，在董其昌的理论中更是奉为南宗之祖，以之来比吴彬，真可谓推崇备至。至于说吴彬"布景而千峰峙于颖上"，尽得山川之"神奇"，此则可显示顾氏对吴彬山水画所着重之要点确有掌握。顾起元的赞美，在当时的金陵并非孤例。同时的金陵文坛祭酒焦竑也对吴彬在栖霞寺的这个巨作大加赞美，云是"以五百躯尽千万状""移众善于笔端，貌群形之云变"。[15]与此相较，同时期身在金陵的董其昌则似乎根本不认得吴彬的山水风格，或者不认为其"出奇"有任何值得注意之处。董氏在1603年为吴彬所作《栖霞寺五百阿罗汉图记》一文中，甚至还对众金陵文士（包括顾起元及焦竑）赞不绝口的吴彬殊形诡状之罗汉形象，加以批评为：虽然可传，但有不足，其所画者仅为"仙相、幻相、鬼相、神相，非罗汉相，若见诸相非相者，见罗汉矣"。[16]由此可想见董其昌品味与金陵者之不同，亦可想象"奇"之作为金陵品味已经在1600年左右的金陵画坛具体存在的情形。

三、吴彬与其他金陵画家作品中的奇趣

吴彬为栖霞寺所作的五百罗汉图作于1601年的夏天到1602年春天之间，原迹可能现已不存，但他稍早在1601年春天另为栖霞寺作过一幅《罗汉图》【图183】，可以为顾起元所称赞的"神奇"风格作一参证。[17]此图作六罗汉坐大石上，天空中有飞龙下降，气势逼人，确实比一般的罗汉画，例如由南宋宁波林庭珪、周季常所代表的南方职业画家所熟知者【图184，大德寺五百罗汉图】有极大的差异。吴彬画中的罗汉不仅更具梵相，且在造型上有故意刻板化的夸张现象。罗汉所处的山水环境亦被加以变形的处理，岩块的硕大、坚实与扭转之势，都是他费心特意经营的结果。画中树木在比例上及枝干扭曲交错的夸张，更加强了整个环境的神奇感。这些都造成了与一般罗汉画绝异的感觉。

吴彬在稍后的创作中一再地追求这种"奇"态的实态与突破。现藏美国克利夫兰美术馆（The Cleveland Museum of Art）的《五百罗汉图》【图185】即在罗汉的神奇形相上作了极致的表现。他们的脸形几乎已超出"人"的范围，而近似于某种人兽之间的怪物，变形可谓到了极点；而全卷在如此各不相同的怪奇形象充斥之下，则几乎成了类似山海经的"异形"大观图，原来罗汉画的宗教气息遂为之冲淡不少。在山水画方

图 183. 明 吴彬
《罗汉图》
1601 年
轴 纸本 设色
151.1 厘米×80.7 厘米
台北故宫博物院

4-1　由奇趣到复古——十七世纪金陵绘画的一个切面　｜　**323**

图184. 宋 周季常
《天台石桥图》
(《五百罗汉图》之一)
1178年
轴 绢本 设色
109.4厘米×52.4厘米
华盛顿 弗利尔美术馆
(原藏京都大德寺)

图 185. 明 吴彬
《五百罗汉图》
(局部)
卷 纸本 设色
37.7厘米×2345.2厘米
克利夫兰美术馆

面，成于1617年的《千岩万壑》[【图186】，纽约哈里森收藏（Harrison Collection, New York）]也有相通之处。吴彬在此仍然以装饰的手法，将山石分成许多小块，而精细地刻画其如宝石切面般的炫目效果。此外，他又特别追求山石形体之奇矫，不仅有着自然界罕见的扭曲与悬垂，甚至还制作了似花园湖石中的穿透造型，且置之于画面正中，更显出一种于自然界所不可得见的幻境之感。《千岩万壑》的构图似乎有意地回复到北宋单纯的三段式结构，[18]但在那些奇矫形式的刻意呼应之下，整个山水却无北宋山水中雄壮的秩序感，而在骚动之中呈现着一种奇幻的气息。如果说北宋的山水画想要捕捉的是伟大自然的内在生命，那么吴彬的奇幻山水则是借着那生命的理解，为山水作"奇观"式的呈现。对于吴彬来说，奇观式的山水虽不免予人如入幻境之感，而有陷入"不真"的魔境之危险，但他必然认为：只有在那近乎不真实，或不可能（不可思议）的临界点上，造化生命之"神奇"才能被充分地体认。

如《千岩万壑》所体现的吴彬之艺术观，董其昌自然无法首肯，但却是金陵文士顾起元等人所赞赏不已的。顾起元在其文集中不止一次地称赏吴彬的作品；他读吴彬的山水画亦如读一件"鬼斧神工"的灵璧奇石一般。[19]他们之间对"奇"趣的共鸣共赏，在当时的金陵来说，应该不是特例，而有相当普遍的代表性才是。与吴彬同时的另一位金陵画家高阳即为此品味倾向，提供了另一个例证。高阳的《竞秀争流》【图187】也有奇矫如云的山岩，互相以不可思议之方式勾连在一起，造成许多石梁与窟洞的奇景效果，全景又笼罩在或浓或淡的烟岚之中，更增许多似

4-1 由奇趣到复古——十七世纪金陵绘画的一个切面

图186. 明 吴彬《千岩万壑》1617年
轴 绫本 设色 170厘米×46.8厘米

图187. 明 高阳《竞秀争流》1609年
轴 纸本 水墨 219厘米×44.8厘米 加州景元斋

仙境般的神秘感，基本上与吴彬的《千岩万壑》有相同的对"奇"趣之追求。高阳与吴彬也曾互相认识，他俩皆为胡正言在1633年出版的《十竹斋书画谱》作插图，画风之间如有互相影响的现象，应该不会让人感到意外。纵使如此，如果根据文献所云，高阳本为宁波人，后因事避至金陵求发展，而以山水在该地成名，[20]那么《竞秀争流》所显示者便是他据以得名的风格，而他亦因此声名而被胡正言延聘为《十竹斋书画谱》作插图。由此观之，高阳之具有奇趣的山水画风格，便与当时金陵文化环境中的特定品味有着不可忽视的相辅相成之关系。

吴彬与高阳皆非金陵人，但挟其制作奇景山水之技能，而在金陵得到事业上的成功。金陵本地籍的画家也没有自外于这个新兴的潮流，其中魏之璜便是一个值得注意的例子。魏之璜可说是一位有文人背景，但因家境贫困必须以卖画维生的职业画家。或许是由于这个文士背景的关系，魏之璜的绘画本来即与吴派者有密切的关系，他以兰竹为题材的作品，无论是其笔墨或者构图，大都与文征明的同类作品极为相似。[21]但是，在山水画方面，魏氏则另外反应了金陵追求奇趣的品味要求。他作于1604年的《千岩竞秀》【图188】虽然在笔墨的表现上仍然保存着吴派细雅风格影响的痕迹，但在形象的创造上则显得大为不同。为了要达到"千岩竞秀，万壑争流"的那种瑰奇多变效果，画家在卷中制造了许多外形扭曲得十分奇特的峰峦与岩块，它们不但具有奇异诡怪的造型，而且有平行地扭转的皴裂，互相之间亦以一种推挤的方式聚结在一起，有时甚至分不清楚他们与平台、水流及路径等的界线。这种情形，在卷中呈璎珞形的瀑布前方之景观，显得最为突出。在各种扭转交错的形象处理之下，那些山体岩块几乎要让人误认为不可捉摸且正在缓缓运动之中的飘浮体，有如卷尾那段山中的云彩。除此之外，卷中尚有许多点景细节之处理亦意在于增强此瑰奇效果。向来被画家以留白交代的山中坡面或平台，在此处则被加上了明亮的淡蓝，但其下的流水却故意只存画纸的颜色，似在引人产生错觉；卷末尾处一条小径竟也飞越山涧，到达远处的山腰，则是吴彬、高阳画中石梁的变体，在不合常理的状态中表现一种不同的细巧奇趣。魏之璜《千岩竞秀》图卷虽与吴彬及高阳者不同，缺乏他们画中那种与北宋壮硕山水的关联性，但其奇趣之韵味却可指为同调，皆是当时金陵品味的产物。

为了要追求画面上的奇趣效果，金陵的画家们除了要发挥其个人的想象力之外，势必要努力寻求各种可资其达到惊人效果的素材，尤其是

图 188-1. 明 魏之璜《千岩竞秀》(局部) 1604 年 卷 纸本 设色 32.5 厘米×584.5 厘米 上海博物馆

图 188-2. 明 魏之璜《千岩竞秀》(局部)

一些未为吴派或松江派画家所熟知的新鲜图像。此种素材的来源之一便是以往少为人所知的自然奇景。即以吴彬的奇观山水而言,其奇矫的造型可能便与其家乡福建的某些名胜奇景有关。上世纪七十年代,饶宗颐曾指出吴彬山水画乃系以武夷山实景为基础而发展出来的。[22] 吴彬是莆田人,他是否熟知武夷山区中那些大岩山块的奇景,虽有可能,但尚未有足够的资料可以证实。即使吴彬不是取用武夷山的造型,他可能对同种地质的福建山景并不陌生。事实上,吴彬本人曾在莆田县南之壶公山上拥有别墅,根据顾起元所写的《吴文仲壶山别墅十八咏》,该山亦有如"夭矫架飞梁"之类的鬼斧神工。[23] 他的山水画中那些奇特的造型,很可能即为根据壶公山的几处胜景,而再加以夸张、营造而来的。

奇矫造型素材的另一个来源可能是非中国的艺术作品。明末的中国在沿海的若干重点城市,要见到异国风味的事物,似乎并不困难。尤其是伴随着对外贸易之进行,异国之艺术便跟着商业与宗教活动登陆了中国。这些具有异国情调的艺术品应该很能引起人们的新奇之感,而被画家用来帮助他创作要具有奇趣的作品。吴彬现存最早的一卷罗汉图卷【图189】

图189. 明 **吴彬**《罗汉图》(局部) 1591年 卷 纸本 设色 32厘米×414.3厘米 纽约 大都会美术馆

图190. 明 吴彬《画佛像图》
轴 绢本 设色
188.5 厘米 × 85.2 厘米
台北故宫博物院

为1591年在泉州所作。泉州本为中国对外交流的重要港口,在明末之时外商在此之活动应颇为频繁,其中葡萄牙及荷兰之西洋商人(或海盗)因其长相上深刻的五官轮廓,不同的头部造型,应最能予中国居民奇特的印象。吴彬罗汉卷上的怪异脸部描绘虽说可属五代贯休的古拙罗汉造像传统,但实际上可能与其当日在泉州等处所见之西洋人形象有较直接的关系。再看吴彬罗汉的衣着通常是一袭正前中分的长身披风,这也不是惯见的罗汉或中国人的衣着,倒接近西欧的服装。吴彬除了罗汉之外,尚有观音形象之制作,极为奇异,尤其观音头部之方正,发型及

图 191. 元《摩尼佛像》
高 154 厘米, 宽 85 厘米, 深 11 厘米
福建晋江草庵

开脸也与中国传统不同【图 190】,而竟然与泉州附近摩尼教传元代所造的摩尼佛浮雕颇为神似【图 191】。此摩尼佛造像现存福建晋江草庵,是今日中国仅存的摩尼教遗址,但在元明之时,连吴彬家乡之莆田一带应有不少的摩尼教寺庙或墓地。[24] 吴彬可能便是由这种异国宗教的图像出发,而发展出他的特殊宗教画造型。

而就金陵而言,追求奇趣之品味环境确实对这两个管道的素材取得,提供了相当有利的条件。金陵都下人士此时似乎持有较诸其他城市为高的对新奇事物之包容力,这或许与金陵自十五世纪以来自由开放的文化传统有关,它的结果便是一方面鼓励本地的艺术家追求新奇之表现,另一方面则吸引了外地擅于制作奇景的画家到此寻求发展。就地理奇观的兴趣而言,吴彬的福建奇景能在金陵大受欢迎,只不过是其中的一个例子。魏之璜的《千岩竞秀》背后可能也有某些地理奇景的启示。此际在金陵之画家喜用顾恺之"千岩竞秀,万壑争流"的名句作画,已成一个风气,吴彬、高阳莫不如此,这显然与他们热衷于自然奇观之搜罗的心态息息相关。而就西洋异国的影响而言,金陵亦显得较邻近之苏州、松江或杭州更为国际化,遂能更勇于接纳外来文化。利玛窦便在此建立了耶稣会的重要据点,并在此与金陵文士多所交往,产生了相当的影响力,徐光启受洗入教便是在南京教堂举行仪式。[25] 利玛窦等人因传教需要而携来的西洋风格绘画及版画,亦在金陵颇有流传,并因其新奇之效果而受到商业市场的注意,《程氏墨苑》遂将之收入其中,以增加其对购买者的吸引力。《程氏墨苑》虽成于徽州,但金陵无疑是其最主要的市场之一,这由金陵人士的品味来看,亦可理解。[26]例如顾起元便在其《客座赘语》一书中,很热心地记载了利玛窦的事迹,并对他所带来的西洋画,如圣母像,表示了很大的兴趣。他在该条记载中除了对其画人"其貌如生,身与臂手俨然隐起幰上,脸之凹凸处正视与生人不殊"的视觉效果之外,也详细地记录了利氏向他解释的画理。[27]顾起元所表现的这种对外来文化的积极态度,实在是董其昌所不能比拟的。

四、国变后的金陵与其怀旧画风

金陵的清平安逸世界到了1636年以后终于也卷入了明朝激烈的政治斗争漩涡之中。先是在1636年,声名狼藉的魏忠贤遗党阮大铖至金陵匿居,遂有1638年复社士子针对他而举发的《留都防乱公揭》,为这一段金陵的复杂局面揭开了序幕。接着而来的是1644年崇祯皇帝于煤山自缢,吴三桂引清兵入关,黄河以北各省陷入混乱;此年五月,马士英等人在金陵拥立福王朱由崧,建立了南明王朝。可惜南明王朝的状况并未能有所改善,不仅内争不断,而且也不能抵挡南下的清军;金陵终于在1645年旧历五月,陷于清军之手,金陵人士有的成了贰臣,有的则成为遗民。这一段日子里的金陵,基本上是风月繁华与政治倾轧、国事如麻的混合体,后来孔尚任写《桃花扇》传奇时,便是以如此的金陵作为舞台。

金陵的艺术家们处在这种局势里,其心中之彷徨无助,很能令人同情。他们之中的许多人,不论为官与否,基本上都是拙于处理那种情况之下,事事牵涉政治斗争的微妙复杂之人际关系的。《桃花扇》中的杨文骢便是这种艺术家的典型。杨文骢本是贵州人,但在此期大部分时间即以类似董其昌那种"朝服山人"的形态,活跃于金陵的文化界之中,属于时人称为"画中九友"的成员。可惜他的时代已与董其昌不同,无法容许他再无所牵挂地悠游于艺术的天地之中,而半强迫地将他推入了明亡之前的各种政治风暴之核心里,最后于1646年死于乱兵之中,落得个"身败名裂"的下场。[28]杨文骢的后半生,十足是时代的悲剧。但是,置身其中的他本人,却似乎并未警觉及此。他在1638年有一幅精彩的作品《仿吴镇山水》【图192】,画中以优雅含蓄的笔墨,描绘着

图 192. 明 杨文骢
《仿吴镇山水》
1638 年
轴 纸本 水墨
121.9 厘米 × 61.8 厘米
上海博物馆

4-1 由奇趣到复古——十七世纪金陵绘画的一个切面

一个具有古意的平静隐居山水,不但有如吴镇遗世独立的气质,另还透露着一种祥和满足之感。他在画上自题云:

> 余闲居神仙山水之乡,日与逋仙西子为伍,孤山之阳,种梅花千树,以香魂洗其笔砚,吾知和尚再来,此帧长留天地间,因当有仙灵呵护耳。

语气中尚且以为他可以永远地长留在他心目中的仙乡之中,与林和靖、吴镇等古代隐士隔着时空作心灵的交流,殊不知他的外在世界已经一步步地走向崩解的厄运。他的这幅《仿吴镇山水》虽然品质精美,但却似乎正在宣判着他日后的悲惨结局。

如与杨文骢比较起来,金陵的另一位画家张风则显得对时局极为敏感,并意识到艺术家身处其中的无力与孤独。他的《山水册》(现藏纽约大都会博物馆)作于1644年七夕,距离福王朱由崧即位于金陵才不过二个月。此时金陵的南明小朝廷非但毫无中兴气象,更是充斥着党派斗争以及争官买职的糜烂。朝中马士英及阮大铖等人用事,史可法被排挤到扬州,江北四镇又不为其控制而自相水火,正是夏完淳《续幸存录》上说"朝堂与外镇不和,朝堂与朝堂不和,外镇与外镇不和,朋党势成,门户大起,虏寇之事,置之蔑闻"的时局。[29] 张风1644年山水册之中的画页,虽有来自实景之片断,亦有取自元代名家的风格影响,但却都共有着一种落寞的情绪充塞在山水之中。如其第二页【图193】乃以倪瓒式风格作金陵燕子矶景致,但画面留白大增,让空荡之感凌越燕子矶向来引人注目的奇险效果。另页【图194】作枯树兀立画面正中,树侧几只寒鸦则又凝聚着浓郁的寂寥之感。至于第十一页的夕阳山景【图195】,在淡淡落日余晖之中的干笔细皴山体,也有抹不去的苍凉与孤独。在中国的文艺传统里,日暮的意象经常带有改朝换代、国破家亡之喻,这在元代钱选、倪瓒的诗与画中便曾一再地出现,如此观之,张风此页图画似乎又隐含着艺术家在那不知如何自处的乱世中的不祥预感。

张风的预感很不幸地成为他所必须要面对的事实。在他作"山水册"的隔年五月,金陵的南明王朝即土崩瓦解,在主权易手的过程中,金陵遭受到了相当的破坏。这对明末热爱金陵的文士来说,是痛心的经验。再加上这里本来是明室中兴希望之所寄,乱后的金陵对于遗民倾向

图 193. 清 张风
《山水册》之一
《燕子矶》1644 年
纸本 设色
15.5 厘米×23 厘米
纽约大都会美术馆

图 194. 清 张风
《山水册》之一
《枯树寒鸦》

图 195. 清 张风
《山水册》之一
《夕阳在山》

4-1　由奇趣到复古——十七世纪金陵绘画的一个切面　｜　**335**

较强的人来说，更有另外一层严肃的意义。孔尚任在其《桃花扇》中，便通过一首《哀江南》，表达了这种情感，其中的段落即云：

  山松野草带花挑，猛抬头秣陵重到。残军留废垒，瘦马卧空壕；村郭萧条，城对着夕阳道。
  横白玉八根柱倒，堕红泥半堵墙高，碎琉璃瓦片多，烂翡翠窗棂少，舞丹墀燕雀常朝，直入宫门一路蒿，住几个乞儿饿莩。
  问秦淮旧日窗寮，破纸迎风，坏槛当潮，目断魂消。当年粉黛，何处笙箫。罢灯船端阳不闹，收酒旗重九无聊。白鸟飘飘，绿水滔滔，嫩黄花有些蝶飞，新红叶无个人瞧。
  俺曾见金陵玉殿莺啼晓，秦淮水榭花开早，谁知道容易冰消。眼看他起朱楼，眼看他宴宾客，眼看他楼塌了。这青苔碧瓦堆，俺曾睡风流觉，将五十年兴亡看饱。那乌衣巷不姓王，莫愁湖鬼夜哭，凤凰台栖枭鸟。残山梦最真，旧境丢难掉，不信这舆图换稿。诌一套哀江南，放悲声唱到老。[30]

  由当年的"金陵玉殿莺啼晓，秦淮水榭花开早"，到乱后的"乌衣巷不姓王，莫愁湖鬼夜哭，凤凰台栖枭鸟"，不能不让人感叹，但这事实又残酷得让金陵文士不能坦然接受。"残山梦最真，旧境丢难掉，不信这舆图换稿"之抒怀，对在乱后流连金陵不忍去的人来说，不论其是否抱着遗民的志节，都是当时心境的写照。金陵画家们此际所作之绘画，有许多便如实地反映了这个情感性的氛围。在他们之中，樊圻的表现很值得注意。樊圻在乱后居金陵回光寺，全赖卖画为生。他的赞助者中周亮工是极为重要的一员。周氏虽在入清之后接受了清廷的官职，但他对金陵的情感仍十分浓厚，且对年轻时所经历的金陵生活，也有"旧境丢难掉"的眷恋。[31]周氏对樊圻知之甚深，曾赠诗叙及十七世纪六十年代时樊圻的境遇：

  兄弟东园户自封，不教人世见全龙。
  疏灯梦稳长桥雨，破砚欹磨近寺钟。
  白云荒唐胸五岳，青来迢递笔三峰。
  北山云树萧条尽，老去朝朝拜废松。[32]

图 196. 清 樊圻、吴宏《寇湄像》
1651 年
轴 纸本 水墨
79.3 厘米×60.7 厘米
南京博物院

此诗中所及树色萧条之感，即是樊圻画作中的商标之一。他在1651年与另一画家吴宏合作的《寇湄像》【图196】，便将当时秦淮名妓寇湄置于烟气弥漫下的大枯树之下。画中之寇湄可能系樊圻所作，使用吴伟式的流荡白描，人物姿态妖媚，可比吴伟所作之《武陵春》。[33] 但当妖媚之寇湄被置于吴宏的枯树之下时，全画却呈现了一种与《武陵春》之浪荡完全相反的萧瑟与哀愁，这正是画中左上余怀题记中所写寇湄在乱后"日与文人骚客相往还，酒酣耳热，或歌或哭，自叹美人之暮，嗟红豆之飘零也"的情感。余怀亦是对金陵之旧日繁华带着无限怀念的文士，其《板桥杂记》忆写金陵旧事，迄今仍是后人据以了解金陵在明末清初状况的重要文献。[34] 对余怀、樊圻与吴宏等人来

图 197. 明 郭存仁《金陵八景》之一 卷 纸本 设色 28.3厘米×644.5厘米 南京博物院

说，寇湄这位迟暮的秦淮美女，似乎象征着整个金陵的文化，而写寇湄的嗟叹亦如同写他们内心对金陵世变的感怀。此际文士常以女妓寄寓作者本人在此乱世中的家国之感，[35] 樊、吴合作的《寇湄像》亦当作如是观。

以如此的心境，再来观看金陵的佳丽山水，结果自与十六世纪末时深受苏州文派画风影响的郭存仁《金陵八景》【图 197】的淡雅或者十七世纪初时吴彬的奇趣大为不同。樊圻所作的《山水图》[柏林东方美术馆（Museum für Ostasiatische Kunst, Berlin）] 虽无纪年，但与北京故宫博物院所藏成于1669年的《柳溪渔乐图卷》在画法上颇为近似，应可定在十七世纪六十年代。此图可能系以金陵附近的长江景致为基础而作，而笔触细腻处有文派之趣，山石之坚实堆叠则有吴彬之影响，其江景采用俯视角度而作，地平线颇为清晰，线上帆影点点，不见舟身，此又可见有取自西洋风景画之借镜【图 198】。但是，这些与稍早金陵山水画传统的亲密关系，却掩盖不了画中山水的孤寂感。全卷山水虽然清丽平和而优雅，但在树叶尽脱的多数枯树的衬托下，自然中的生趣被减到了最低的程度，似乎是被凝固、冰冻后的结果。再加上高视角的处理，空阔无波江面的作用，全卷遂有一种梦境之感。樊圻在此所要呈现的其实不是当下的金陵江岸景观，而是他梦境中对旧日金陵风神的忆写。他自己曾有诗写其卜居青溪畔之心境：

一曲青溪卜筑宜,柴扉临水影参差。
云森萧寺穿芒屩,雨涨长桥理钓丝。
诗境老寻斜日里,睡乡春去落花时。
可怜江令繁华歇,剩有荒畦发兔葵。[36]

在平静的隐居生活之中,仍然禁不住怀念着金陵旧日之繁华浪漫,虽可在梦中追寻,但已笼上一层淡淡的哀愁。此诗此情,正是樊圻山水图卷的贴切注脚。

樊圻对金陵山水的怀旧忆写,可说是乱后金陵山水的典型代表。当时除他之外,叶欣、吴宏、高岑等人,都有类似风格的作品,可见其在金陵已经蔚成一个风尚。他们在进行此种怀旧风格之制作时,总是以金陵的某些实景为基础,除了清丽的描绘之外,再加上一层如诗化之处理,将金陵地景与"断草荒烟孤城古渡"之淡淡凄迷感叠合在一起。例如叶欣于1663年所作《山水册》中之第七开《亭台游春》【图199】即是如此表现。画中亭台可能确有所指,只是无法可考;画上局部设色,清淡却颇亮丽,是典型的金陵用色风格,令人觉得有一种诗情的浪漫。但此种浪漫却因兀立而少叶的独木以及广阔低平的野水,而被转化成冷清的孤寂。路上两位游春的士人,似乎便在这种"断草荒烟"之中,正兴起着对往日金陵的不舍情怀。不过,叶欣之作法仍与樊圻有值得注意的不同。叶欣的金陵怀旧山水之物象显得较为疏落,而且喜以尺寸较小的册页为之,更增其表现之细腻感。由这一

图198. 清 **樊圻**
《山水图》(局部)
卷 纸本 设色
31厘米×207厘米
柏林东方美术馆

图 199. 清 叶欣
《山水册》之一
《亭台游春》
1663 年
纸本 设色
14.5 厘米 × 18 厘米
广州美术馆

点来看，此种金陵怀旧山水与张风 1644 年所作的《山水册》间，确仍保有一种相承的关系。

五、由感伤至复古的转化

虽然清丽而稍带感伤的山水画，在乱后的金陵大行其道，而且张风本人早在 1644 年明室未亡之前也已有相关的作品，但是，张风在乱后却走了另一个途径来表达他个人对金陵过往文化的缅怀。他在 1648 年底（或 1649 年初）曾为炯伯社师作《携琴人物图》卷【图 200】。画中除人物为细笔白描之外，其周遭之树石则以如狂草之笔，快速而若不经意地挥洒而出，笔墨亦干湿并用，形象则几乎要脱离自然之限制，使得原本无法行动之树与石，不但具有如倪瓒树石的凄凉气息，甚而产生强烈的骚动不安之感。而炯伯社师则端立于卷中枯树与石交界之处，似乎正以其矜持，一面申诉其感伤，一面则抗拒周围的骚乱。由今日所留存有关炯伯社师的资料来看，这个画中表现确实与他的状况颇能契合。炯伯社师即杨炯伯，为江宁庠生，性耿介，出与不苟，"时扶杖矫首郊野，则剧饮纵谈大乐，或乐未毕而继之以哀"，可说是乱世中的狷介奇士，其对世事，带着激越的情感冲突。他的交游中，以余怀这位《板桥杂记》的作者与之友情最深，其中又有许多前明的遗民。屈大均曾记一日与林古度、王璜、方文、汤燕生、杨炯伯等诸"遗民""集璜之南陔草堂，为威宗烈皇帝设蘋藻之荐"，可见杨炯伯身处金陵对前明之感情。张风本人亦可称"遗民"，其兄张怡也是当日金陵众多遗民文士的领袖。[37]《携琴人物图》卷因此可说是一方面图现杨炯伯的心境，另一方面也反映着张风本人的情感共鸣。它的树石虽非特指金陵某处景观，但却可说是他们对所处环境的感情投射。

《携琴人物图》卷中既狂而草的世界，后来在1660年所作的《观枫图》【图201】有更进一步的发展。此画作高士立于崖上，上有巨石悬空，前隔空枫树遥望，物象疏简、用笔更快，枫树部分则施以淡红，草草数点，既疏而浅，有似铅华洗尽，为此山水增添一分萧瑟。如果《携琴人物图》卷上表现的确是杨炯伯与其对周遭世界的感怀，既感伤而又有不可抑止的激昂，那么张风在《观枫图》上所表现则是此感怀的更激烈显示。这是否也暗示着张风等人在金陵之隐居生活起了波动不安的状况？答案可能是肯定的。此际之金陵正是南明残余势力向刚建立之清朝反扑的目标。1659年旧历八月，郑成功与张煌言的船队攻到了江宁，金陵震动，像张风、张怡、杨炯伯等聚集在金陵的明遗民很可能在那之前便参加了秘密地在进行中的各种里应外合的准备工作。[38]虽然郑、张此次突袭并没有成功，尔后南明势力又日渐衰弱，1662年底，永历帝甚至于缅甸落入吴三桂之手，但这对金陵地区的遗民们心情之激动影响，可想而知。《观枫图》的山水世界，充满着感伤与激昂不安的混杂情绪，正可看成当日张风在金陵的心境写照。

张风在国变后的山水，在表现上具有极强之抒情成分，但在形式上却也伴随着一种特殊而久为人所忽视的复古倾向在内。传统画史记载大都强调他风格的特立独行，即使勉强寻出其渊源，也定在赵孟頫等宋元名家的范围之中。[39]其实以《观枫图》等作品的狂草表现来看，倒与十五世纪末至十六世纪初的史忠、吴伟那种"水走山飞"山水风格，无论在形神上都有亲近的关系，而那正是作为张风山水感伤对象之金陵文化中稍早的绘画遗产。[40]史忠、吴伟的这个山水传统，可能是因为不属后人所认为的文人风格领域之中，当张风本人被视为文人中最重气节之"遗民"时，诸画史的作者遂不及认清，或甚至不肯承认它与张风山水风格之间的关系。其实史忠与吴伟在明末如顾起元、周晖等金陵意识

图 200. 清 张风
《携琴人物图》
1648 年
卷 纸本 水墨
20.5 厘米 × 86.6 厘米
香港虚白斋

较强之人士心目中,已经变成可贵之金陵文化传统之一部分,而在他们与金陵有关的著作中一再提及。[41]当张风在国变之后对金陵之繁华消逝充满感伤之际,会引其来作为表达内心激越情绪之手段,颇可理解。如此观之,史忠、吴伟"水走山飞"之风格在历经一段几乎长达百年之久为金陵文人画家所漠视的过程后,到了清初的二三十年间,竟以一种"复古"之姿势,重新出现于金陵上层社会之中,此时其形式虽仍自由、畅快,但却被用来执行一种与它原来浪荡风神完全相反的感伤任务。

张风之因感伤而追溯金陵传统之"复古"行为,可谓与董其昌所提倡之"复古"颇为不同。董其昌者与个人情感毫无瓜葛,纯粹是智性地要回到古人的基点去共参造化之天机。[42]张风者则反是,企图在回复某一古代传统之时,满足个人之情感需求。对于历经巨变的金陵画家来说,董其昌的复古似乎不够实际,无法平抚他们沉痛的文化失落感。龚贤在乱后的金陵环境中选择的也是张风的复古形态。龚贤的年轻时期亦如张风一般,在明末之金陵过着与复社文士们浪漫而又充满政治激情的日子。南明政权在金陵垮台之后,他曾避到泰州过了一段隐居的时光,但仍与许多遗民有密切的来往,甚至也可能参加过一些反清复明的工作。[43]龚贤在1667年左右结束在外浪迹的生活,回到家乡金陵,定居在清凉山下过着卖画为生的隐居日子。此时的金陵环境对他来说,已完全是另一个面貌,明室的复兴似乎也已遥不可及。郑成功在1661年的退守台湾,对台湾来说固然是值得兴奋之事,但对明室遗民来说,却产生复国希望日益渺茫的忧虑;[44]再加上隔年四月永历帝被杀,五月,

342 | 从风格到画意——反思中国美术史

郑成功卒于台湾，十一月鲁王亦在台湾崩逝，这个最后的希望可说也终于完全破灭。这对如龚贤等金陵遗民来说，真是巨大的打击；他们的反应自然会比其他仅对金陵文化之繁华不再抱着感伤的一些画家来得更为沉痛吧？！在如此的心境之下，龚贤在绘画中的"复古"工作便蕴含着与张风类似，却又较之更激烈的情感因素在内。

一幅现存瑞士苏黎世里特堡博物馆（Museum Rietberg）的山水《千岩万壑》【图202】，很精彩地显示了龚贤这个与感伤相联的复古行为。此画具有一个相当值得注意的画幅形式，其纵62厘米，横100厘米，现虽裱为立轴，但实与一般立轴之长条形相去甚远。有的学者以为此种形式近于西洋之绘画，甚而进一步以为其系受较早时由耶稣会教士传入的西洋风景版画的影响。[45] 所谓西洋版画的影响或许可能存在，但此画如果视为一大型之册页，揆诸画上中央有折痕之事实，或许亦非全无可能。[46] 而由画之风格来看，其中若干特点倒可在金陵之绘画传统中找到根源。例如极为醒目之坡石虚实与云水之间作抽象式的交互嵌置效果，即见之于魏之璜的《千岩竞秀》，唯龚贤者在此则达到了一种惊人的动态气势；而画中竞秀之奇峰，其块面之分割及突兀的柱椎状造型之平行并置处理，亦颇与稍早之吴彬有相通之处。然而，吴彬与魏之璜的渊源毕竟尚属次要，最主要的古典风格在此产生作用者仍是五代的董巨传统，尤其是其对山水受光照射之下所产生光影效果的强调，可谓是龚贤对此古老典范的最有价值之再发现。龚贤在《千岩万壑》所创造的形象虽然表面上与董巨的江南山水并无明显的借取关系，但其在画面

图 201. 清 张风
《观枫图》
1660 年
轴 纸本 水墨设色
149.1 厘米 × 45.1 厘米
奈良 大和文华馆

上特别夸张地处理墨色的浓淡对比，便造成了强烈的光影之丰富陆离效果，这显然是有意识地师法久已为画界所遗忘的董巨原型而来的结果。《千岩万壑》并无纪年，但一般皆依其风格将之定在 1670 年左右，虽然如此，龚贤对恢复董巨山水的复古兴趣却不必迟至此时才有发展，早在 1655 年的《列巇攒峰》图轴【图 203】便已见到其前景坡面及树干、远景峰头棱脊等处皆以强烈之墨色浓淡，制造董巨山水特有的"返照之色"。而龚贤本人对此亦有清楚的意识，故而在另一轴风格相近、创作年代相近的作品《山居图》【图 204】中便将此风格归之于"既无刚狠之气，复无刻画之迹"，"几乎道矣"的董源与巨然两位南宗祖师。

　　龚贤在《千岩万壑》中所表现的并非只是纯然向金陵的董巨古典传统回归的意念而已，其中亦包含他对所处周遭之纷扰不安的深刻感伤。此画中山水之动荡表现与龚贤此时之心境间的关系早为学者所指出，[47] 但仍值得做进一步的阐发，尤其是其所呈现的一种逼人的压迫感更值特别的注意。此压迫感的来源基本上为画家刻意略去山水中必有之天空，

图202. 清 龚贤
《千岩万壑》
轴 纸本 水墨
62厘米×100厘米
苏黎世里特堡博物馆

而让全轴为各种互相挤压之物象所充塞。对龚贤来说，繁密地交代着的千山万壑，正表示他在此乱局中求避之处所。他曾有诗云：

千山万壑一人家，白石为粮酿紫霞。
尚尔逃尧犹未出，避秦若个向云涯。[48]

这种做法让人立即想到十六世纪由文徵明所发起的"避居山水"，这也无怪乎在龚贤早年之《列巘攒峰》等山水画中也可见到文徵明《千岩竞秀》那种典型文派避居山水的影子。[49] 不过，龚贤的避秦之地并未给他带来心灵上的平静，他在一首写于1670年左右的诗中，便透露道：

山居亦有山居苦，只见群峰不见天。
闻说江湖富明月，从今急买钓鱼船。[50]

《千岩万壑》的压迫感正来自于那种"只见群峰不见天"的构图处理。身处金陵乱后萧条而又暗潮汹涌情境之下的龚贤，虽然避居至清凉山，

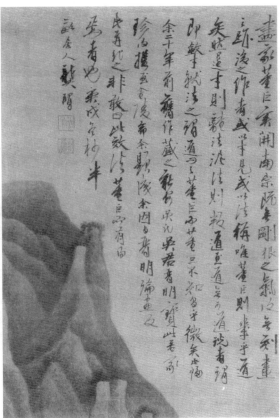

图 204. 清 龚贤《山居图》（局部）
轴 绢本 设色 216.4 厘米×57.5 厘米 克利夫兰美术馆

图 203. 清 龚贤《列嶂攒峰》1655 年
轴 纸本 水墨 305.5 厘米×87.7 厘米 台北石头书屋

并以力追金陵的古代董巨传统企图抚慰他的心灵,但是终究不能得到平静,这或许该说是他亦无可奈何的悲哀吧。

六、趋向一统中的金陵复古风格

不过,金陵的环境在此时也开始了一个本质上的变化。随着明室复兴希望之破灭,金陵的遗民情绪逐渐消退,而此区域内的复建工作,不仅是社会的,也是文化上的,亦逐步地开始进行。自1663年起,名刹大报恩寺便有修建工程,赞助者包括由工部右侍郎职位归老而居金陵的士大夫画家程正揆;禅僧髡残尚且为此而作《报恩寺图》(现藏京都泉屋博古馆)赠程正揆以为寿礼。1665年,清廷诏令明宗室隐匿者回籍,颇有收揽安定人心之意。1666年江宁知府陈开虞拓新牛首山弘觉寺,次年又修凤台山之凤游寺,并开修《江宁府志》,这些文化性建设的推动,自然予人新政府复兴金陵的正面印象。而至1668年,朝廷甚至下旨祭孝陵,以官方立场公开向明太祖致敬,并象征着清廷正式接手太祖所留下来之江山。孝陵之祭本朝廷大典,原不准人参观,但此次清廷之祭孝陵,却许多人士皆得纵观,果然引起正面而热烈的反应,时人颇有诗咏记其事,可见此举确实收得良好的群众效果。[51]从某一个程度来说,这个象征意味极强之祭孝陵举动,亦正标示着金陵文化向乱后的不安、感伤之阶段告别,开始朝一个新阶段前进的分界。

相应于这种金陵文化新氛围的发展,金陵的山水画中也出现了一些值得注意的新现象,其中有一种与感伤忆旧无关的复古,乃为此时代中极具意义的部分,龚贤本人在其晚年亦转向此发展,试图为其绘画事业树立某种较具有历史性的地位。如此部分的发展,在龚贤于十七世纪八十年代全力投入之前,已可见之于六七十年代的髡残与程正揆两人的创作之中。髡残在明亡之前已经出家,甲申之后常见他与前明之遗民往来,如钱谦益、熊开元、张怡等人都有与他来往的资料,但要将他也视为以逃禅来掩饰其对亡明之思的许多清初之遗民僧人之一,却未有肯定的凭据。[52]髡残的绘画艺术尤其难以寻出如此政治内涵,即使他本人确曾一度同情亡明之悲惨命运,但此可能性似乎也与其艺术丝毫无涉。今日所存的髡残作品,几乎全是在1660年至1670年间所作,这一段时间在金陵的遗民情绪已逐渐消退,而他本人此期间在创作上最亲近的朋友程正揆其实也是个"贰臣",这些事实皆足以排除他山水画艺术中深藏遗民思想的可能性。至于程正揆，既非遗民，亦未对金陵之过去文化传统有深刻之认同，虽在六十及七十年代活跃于金陵文化界中，但基本上也可视为一种与稍早极具金陵意识的文士颇有不同的新典型。他的艺术中的复古，因此也与髡残相同，并不具有张风等人的强烈感伤在内，反而在性质上颇与董其昌者有接近之处。[53]

现存髡残的山水画作，风格本身的发展变化并不如龚贤那般阶段分明，基本上乃是由元代王蒙与黄公望出发，而作自我之诠释表现。如其较早之《报恩寺图》【图205】可视为其标准作。此画主题虽为金陵名刹，但画中所示与实景实无直接之关联。其风格之重点仍在笔墨之上，盖以秃笔短皴作率意自然之结组，来处理取自黄公望之平台、王蒙之山形等的质理，可谓是将"粗服乱头"融入了黄王之风格形式之中而别开生面。他的技巧其实高出许多当时的画家，经常在画中以其简笔巧妙地勾画房舍、人物，可说具有职业画的成分在内。虽然如此，他风格的要点仍在于追求一种理想而统一之笔墨形式，来再创元人风格中的生机气质，以期与参禅时对造化真理之体认有所参证。他自己曾在1666年的《溪山无尽图卷》上为他的艺术作了一个说明：

> 残衲时住牛首山房，朝夕焚诵，稍余一刻，必登山选胜，一有所得，随笔作山水画数（幅），或字一两段。总之，不放闲过。所谓静生动，动必作出一番事业，端教作一个人立于天地间无愧。若忽忽不知，惰而不觉，何异于草木。[54]

髡残最忌者即是"惰而不觉"的"闲汉"，亦一再宣示"佛不是闲汉，乃至菩萨、圣帝、明王、老庄、孔子，亦不是闲汉，世间只因闲汉太多，以至家不治，国不治，丛林不治"，[55]而他的绘画亦是"教一个人立于天地间无愧"的"一番事业"，亦即为其禅修的一部分。这正是程正揆说髡残"以笔墨为佛事"的意思。他的画虽由师法元人起手，且曾自云："画必师古，书亦如之，观人亦然，况六法乎？"[56]但却在通过对古人之诠释，以其粗服乱头的笔墨印证造化之功。换句话说，他所追求的正是能统合古人与造化于一的"迥出天机"的笔墨，那也正是半个世纪以前董其昌创作及理论之精髓所在。

程正揆之山水画创作的目标亦复如此。他一生在艺术上的成绩在于其《江山卧游图》。程正揆曾想作五百卷，是否达成此目标，虽不清楚，

图 205. 清 髡残
《报恩寺图》
1663 年
轴 纸本 设色
131.8 厘米×74.4 厘米
京都泉屋博古馆

4-1 由奇趣到复古——十七世纪金陵绘画的一个切面

但周亮工已经见过其二百幅,其数量可谓惊人。[57]如此就单一主题创作如此大数量的作品,在艺术界中确属奇特,但如较诸佛教弟子发心抄写经文数百、数千回之行为,程氏之举则颇可理解,而其以绘画为宗教所投注之热诚,亦可拟诸髡残。程正揆虽未出家落发,但亦是精通禅理之居士,他与髡残之深厚友情,能够超越其曾仕清为贰臣之事,而成至契,完全植基于此。程氏之画,如其《山水卷》【图206】所示,亦是以如髡残那种自出机杼的方式,来诠释元代黄公望之风格。此卷未纪年,但大约成于1674年,可谓达到其一生笔墨之极致。他的笔墨形式正好与髡残相反,髡残以繁,他则出之以极简,速度更快,形象更加不受拘束,草草而成,间以浓淡干湿变化极大之墨色为之;表面上虽由黄公望出发,但已不与黄公望有所形似,却又深得黄公望生机勃发的神气。程氏的此种表现,由此观之,亦正是董其昌复古论的实践。

程正揆与髡残师古而自出机杼,既与董其昌遥相呼应,亦皆与禅有关,但其与金陵传统的关系也不可忽略。他俩实无意于恢复任何金陵的古来传统,但其与当时娄东王时敏等人直接董其昌衣钵的复古做法相比,在自由度上却又有天渊之别,这个自由度之获得,未尝与金陵自明代以来文化上广大的包容性格没有关系。周亮工在谈髡残时,便特别称赞此种对古人之自由诠释,而又能与古人抗衡,甚至超越古人的成就;而其《石溪和尚》传记便以"所谓不恨我不见古人,恨古人不见我耳!"作结。[58]金陵的这个文化特质,稍后也影响了石涛。石涛在1680—1690年间主要居于金陵,此期间他亦感受到金陵的这股自由豪迈之风,也自认他应该"不恨我不见古人,恨古人不见我也"地要去"我自用我法"。[59]而在画风上,此期作品中亦出现了笔墨之大胆挥洒,尤其是极度自由的干湿对比之运用,这些技法应即直接取自金陵之绘画传统。例如石涛作于此时之《探梅诗画图》【图207】,其干湿互用之笔墨,以及奇特造型之老梅枝干,皆与半个世纪前魏之璜在1633年所作之《梅花图》【图208】相近,可能有所借助。而石涛1685年所作之《万点恶墨》【图209】,在湿笔大水墨自由挥洒上,也有张风《携琴人物图》(参见图200)影响之影子。石涛之有如此发展,如置于当时金陵有着髡残、程正揆所留下来的自出机杼之风的部分环境来看,其实也不难理解。

然而,石涛在金陵所为,究竟意不在复古。这也意味着髡残、程正揆那种自出机杼式的复古所会面临的困境。自出机杼的复古一旦被

图 206. 清 程正揆《山水图》(局部) 卷 纸本 设色 22.4 厘米×205.2 厘米 柏林东方美术馆

图 207. 清 石涛《探梅诗画图》(局部) 1685 年 卷 纸本 浅设色 30.6 厘米×132.2 厘米 普林斯顿大学美术馆

推至极端,便易与古人脱节,陷入所谓"野狐禅"的魔境而不自知。对于金陵来说,自从十七世纪七十年代之后,单纯的自由创作虽是其旧有传统之一部分,且有吴伟、史忠、吴彬等先锋在前作见证,但却已不易重得文化界的充分赞助。石涛在 1690 年北上京师求发展,后来又转到新起的商业中心扬州,才在那儿得到较为适合其湿笔风格开展的空间。这个境遇的变化,也只有在金陵的复古脉络下考虑,才能得到一个较合理之解释。

与石涛的状况比较起来,龚贤在十七世纪七八十年代的发展,对金陵而言,便显得较为重要。此时他画风已经逐渐减低他在《千岩万

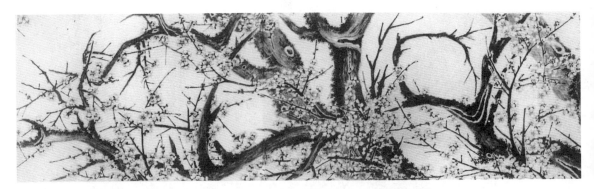

图208. 明 魏之璜《梅花图》(局部) 1633年 卷 纸本 水墨 43.2厘米×882厘米 北京工艺品进出口公司

图209. 清 石涛《万点恶墨》(局部) 1685年 卷 纸本 水墨 25.6厘米×227厘米 苏州博物馆

壑》时所呈现之动态,转而追求另一种宁静而恢宏的气度。而其所依据的手段,则是另一种复古,一种褪去感伤,而又不同于髡残与程正揆的复古。他的这种表现,在1673年所作的《千岩万壑》长卷(南京博物院藏)中已可见端倪。本卷长达980厘米,除了首尾处稍有低平的水景之外,全卷大部分皆如里特堡博物馆所藏之《千岩万壑》一般,充塞着无天的山景。可是1673年之《千岩万壑》之山景较诸前者之充塞压迫,则大有改变,显得较有空间景深,而且也未再依赖斜角线交叉而构筑形体间的镶嵌挤压,因此也加强了物象之间的舒缓感【图210】。如此之改变,似乎清楚地指向他对新一种山水空间模式的追求。如果再仔细观察卷中主体的山石结构,亦能立即意识到一种不同的形体观的运作。里特堡藏本的山石虽然描绘坚实,但总以小块切割来营造光照其上的各面反射光影效果,但在南京本的山石上,虽然在许多部分仍然保留对光之返照的兴趣,但山与石的个体则显得更为完整而少切割,通常可见其作

图210. 清 龚贤《千岩万壑》（局部）1673年 卷 纸本 水墨 27.8厘米×980厘米 南京博物院

图211. 清 龚贤《千岩万壑》（局部）南京博物院

正面之处理，且减少了瘦峭之奇形，而代之以浑圆之或高或低之造型，因此得到了一种在里特堡本中所未被重视的雄浑量块感【图211】。造成这种变化的新空间感及块体感其实即为北宋山水画所重之质素，尤其是以范宽为代表的关陕区域的山水传统最为其中典型。[60] 龚贤虽然很早就注意及宋代的山水画，但似乎到了此时才有意识地力追北宋关陕风格的神气。他的好友戴本孝曾称赞他为"今之范宽"，[61] 言人所未言，最能得龚贤晚期力追北宋风格的复古企图。

南京博物院《千岩万壑》卷中所示之新取向，到了1685年的《木叶丹黄》【图212】则又可见进一步的发展。此画为立轴，观者透过前景的萧瑟寒林，可以逐步进入到中景空旷处的屋舍以及更后的流水，再由水际顺坡而登上由几个大块体结成的主山，最后顺着主山尾脉的转

图 212. 清 龚贤《木叶丹黄》1685 年 轴 纸本 水墨 99.5 厘米 × 64.8 厘米 上海博物馆

下，再回至山下侧边的水口。全图可谓充满空间之感，而在物象之横直排列中，壮硕之山体则又赋予了宁静之中的一种恢宏神气。如此之表现可视为北宋李成与范宽风格之融合，而此融合之结果正是他通过复古之手段而达到的全新境界。龚贤对北宋巨障山水之兴趣，在当时之金陵画坛并非孤例。与他同被归为金陵八家之一的高岑亦在其《秋山万木》【图213】有明显地取法范宽的现象。《秋山万木》画中耸立的巨峰清楚地是范宽传世名迹《溪山行旅》中主峰的翻版，画家亦自题云："临范中立"，其复古企图十分可信。另一位金陵画家吴宏则对李成特具兴趣。他的《江城秋访》图轴【图214】虽与传世任何李成作品不类，但其平远构图，以及烟林清旷之气氛，亦即其在画上自识"摹李营丘墨法"之所指。由此二人对北宋山水画之复古兴趣来看，当时金陵确曾兴起一股对北宋古典之复古风潮，龚贤晚年之发展只不过是此新风气之下的产物而已。

但是如此来看龚贤之晚年事业，却也未尽公平。吴宏与高岑之复古北宋风格，基本上杂入了金陵地景之描绘，而其中亦不乏来自金陵怀旧山水之影响。高岑之山石清冽，基本上与樊圻风格相近，而吴宏时有快速之笔线草草勾勒物象，又可见张风风格之作用在内。他们对北宋之复古，似乎重于借取，以之来符合他们描写金陵某些景观的需要。龚贤晚年之复古则在此观照之下，具有重要之不同意义。他此时的复古不仅脱离了对原型的忠实，由复古中得到新变，而且已完全与金陵无关，进入了无关地域的文化思考领域之中。在他的复古画中，既不追忆金陵旧事，亦不以之为政治目的，也不似髡残般自由地"以笔墨为佛事"，而是理性地思考如何统合古典与自我的"集大成"问题的解决。如果说髡残与程正揆接近于董其昌理论中来自禅的一面，龚贤之复古则可谓趋近于董氏理论中理智的儒学之部分。在此时刻，龚贤乃是以一个纯粹画家的身份，在追求一个让他自己能在历史中有所定位的文化成就。

龚贤画业目标的变化正是金陵文化环境在清初变迁过程的缩影。他晚年的复古工作已经不再感伤，也不像髡残那般地自由自在，而是十分严肃地、理性地由古典传统中重新建立一个他自创的文化典范。当时的金陵环境中确实有如此一股重建的生气，正取代着怀旧情绪，而居于脉动之主导，鼓动着这个生气脉动的金陵文士，从各个角度而言，都是一群与前代完全不同的人物。在这一批新文士之身上，人们已经寻不到前辈们那种对金陵繁华的眷恋，反而经常以一种理性的态度对待之。王安修与王概都属这群新兴的文化主流。王安修曾在1686年后不久，于读

图 213. 清 高岑
《秋山万木》
轴 绢本 设色
148.2 厘米 × 57.7 厘米
南京博物院

图 214. 清 吴宏
《江城秋访》
轴 绢本 设色
160.8 厘米×78.2 厘米
旅顺博物馆

完《秦淮诗钞》这本怀旧诗篇总集之后,写下他的感想:

> 曩闻杜茶村［浚］《秦淮灯船鼓吹行》,妙绝古今,……余既爱杜诗之瓌伟,而又叹诸君子者,徒以舞衣歌扇争相流连,而无复有人心风俗之感。于风人之义何当也。……茶村谓天下治安则秦淮盛,天下乱亡则秦淮衰。不知有明天下之乱,成于万历中年,而旧京淫靡之俗,秦淮士女嬉游之盛亦惟万历中年为最甚。物力既耗而廉耻复丧,此安乐足以死人,而风俗人心之所以载胥及溺者也,岂得夸此为治安之盛事乎哉。[62]

王安修既以理性来批判杜浚这最后一位金陵怀旧文士的代表作《秦淮灯船鼓吹行》,自然不会对秦淮所代表的金陵旧日文化有何感情;如以此态度施之于绘画之品鉴,任何与金陵忆旧有关的作品自然不易再得青睐。王概在文学创作上颇为推重王安修,而在绘事上则为龚贤的学生,他本人也以类似的理性来进行对金陵文化的重建工作。中国著名的画法整理集成大作《芥子园画传》即是由王概在1679年于金陵刊行的。由此文化脉络来看龚贤晚年的复古,则又可谓其确为金陵新文化之产物。

　　由艺术上看,龚贤晚年之复古是他一生画业的巅峰;但由金陵绘画之发展而言,它却意味着一个伟大传统的终结。他所追求的复古理想,虽在金陵续有为数不少的跟随者,但其成绩却乏善可陈,尤其无法与四王一派在北京发展的成果相提并论。此中原因还在于金陵这个环境已无法提供复古工作所最迫切需要的资源配合——古画收藏。金陵虽在1660年之后逐渐走上文化重建之路,但它已经失去经济及政治上的特殊地位,古画收藏所赖以保存的资源条件逐渐丧失,古画遂重新开始一个固有的循环模式:由零星之私家集中流向有权势的新官僚与富商之家,最后则汇聚至皇家的宝库之中,等待另一个乱世到来再重新散归诸多私家之手。对十七世纪末期的中国来说,古画流向的目标乃是聚集众多大官僚以及皇室所在的北京;缺乏了这个资源的金陵,它的复古工作,注定了要夭折。在此状况之下,金陵绘画前途之困窘,可想而知。复古之途既然无望,失去了秦淮回忆的金陵则已不是金陵,仅成了一个大一统大清帝国下的小小省城罢了。金陵的绘画自此之后,再也没有机会重新扮演全国主导的角色。

4-2 神幻变化
——由陈子和看明代闽赣地区道教水墨画之发展

假如董其昌知道今天有人会慎重地去讨论陈子和（活跃于十六世纪初中期）与他的绘画，一定深为惊讶，而且大不以为然。对董氏及他的文人同道而言，陈子和只不过是个福建浦城地方的职业画工，画一些道教人物、粗笔花鸟、山水讨好俗人，至多被称作"浙派"的末流，哪里懂得什么绘画的奥妙真理。他们或许也知道陈子和与道教有亲密的关系，但他们同时也对这层关系嗤之以鼻，认为仅是媚俗、愚民之举，根本是离经叛道，不可登大雅之堂。可是，陈子和作为一个职业画家而言，在十六世纪却相当地成功；而作为福建画家的一分子，他在那个具有高度文化发展的区域历史中，扮演什么角色，也实在不容忽视。[1] 至于陈子和所牵涉的道教，虽非如文人们所常乐道的老子、庄子的具有思想深度，而常予人以符咒欺人的邪术之印象，但其影响中国庶民生活之深远，亦也无法否认。这种民间道教如何影响到中国绘画之表现，甚而在画史上产生某种作用，因此也是一个值得探究的问题。[2] 而如果在中国的历史中确实存在过一种可称之为"道教绘画"的风格，那么吾人又如何来定义它？它的形式表达是否依循着一种与一般所谓的文人绘画不同的准则？这些问题的解决不仅牵涉到今日吾人如何更客观地看待非文人绘画的讨论，也对中国绘画之发展如何可由单元转为多元之理解有所影响。关于陈子和的研究，由以上的角度观之，便具有十分积极的意义。

即以对明代画史之研究而言，如此由一个以福建或闽赣地区与道教的角度来探讨一位向来被归为广义的浙派画家之问题，亦望能有所贡献。明代的浙派绘画，虽不为传统史家所重视，但近年来经过多位学者

图 215. 明 陈子和《吹笛仙人图》
轴 绢本 浅设色 163.3 厘米 × 100.6 厘米

图 216. 明 陈子和《山鸟图》
轴 绢本 浅设色 136 厘米 × 79.4 厘米 东京国立博物馆

之努力，其重要性已无可置疑。它的存在不仅是明代历史中的重要现象，而且在艺术上的表现亦自有其成就，显现了另一种与文人所不同的典范。其风格除了作为文人绘画的对照资料之外，甚至也对其发展产生了直接或间接的影响。[3] 然而，我们今日对浙派的理解仍然相当有限。诸如浙派如何与宫廷分途？吴伟如何在浙派发展过程中产生分殊的作用？浙派末期一批被称为"狂态邪学"的画家是否真的须为浙派的失势负起责任？以上种种问题，都待更深一步的探讨。陈子和一生未入画院，又一向被认为属于吴伟的流派，更可以被归入浙派末流支派的福建画家群之中；对于他的研究，应该能对以上所提及的问题，提供一点意见。

陈子和传世的作品，较诸其他浙派大师而言，并不算多，而且其中大多数原来都在日本的收藏之中。由于福建濒海，自南宋以来便有蓬勃之海外贸易，其在中日之贸易交流中更是占着重要的地位，因此陈子和的作品便极易与这种贸易活动联系在一起，他的绘画所显示的粗放风格遂亦被怀疑乃与此贸易之需求有关。[4] 这个可能性或许无须否定，但是，陈子和的粗放风格之所以如此，仍可能有其他更根本的因素牵涉在内。罗伊和玛丽莲·帕普（Collection of Roy and Marilyn Papp. Courtesy of Phoenix Art Museum）所收一幅称作《蓝采和》，或应仅称《吹笛仙人》【图215】的大幅作品，虽原亦来自日本收藏，但与现存日本的一些典型的陈子和作品，还有一些差别。[5]例如东京国立博物馆藏之《山鸟图》【图216】，在其形象的描绘上，除了也是使用丰富的水墨外，确实显得比较简略。《吹笛仙人》虽也行笔快速，但对细节之处理则仍颇为注意；不仅仙人立姿的微妙动作交代清楚，而且其吹笛时头、手之配合亦掌握得十分精确。这种对细节的留意，与其仙人身躯上衣纹的粗放挥洒，恰形成一种巧妙的互动。相类的互动亦可见之于画家有意地以细笔勾勒发肤，以及粗笔描绘衣纹的对照之中。而在仙人之外的波浪与天空，画家则笔墨兼用，并且十分注意营造细致而丰富的浓淡层次，遂使海天水雾与仙人身上线描自具的类似墨色变化，形成一种"无笔"与"有笔"之间的互动和最终的融合效果。总而言之，《吹笛仙人》根本是一个对物体结构与笔墨效果刻意追求的结果，无法仅以应付市场需求的简率来作完全的说明。

　　《吹笛仙人》的表现并非陈子和作品中的特例。《苏武牧羊》【图217】也有类似的现象。此画中对苏武及枯树的描绘笔触显得更草、更快、更多转折，更表现得漫不经心，其实画家在形象的结构上仍然保持着高度的注意。苏武倚节而立，前倾之余且尚回望枯树的细腻动作，尤其是画家倾力表现之重点所在。这可以说是整个明代人物画掌握结构技巧最为精妙的少数作品之一了。《苏武牧羊》图上对水墨浓淡变化的追求，亦与《吹笛仙人》有相似的状况，甚至还更为戏剧化；但是这种水墨淋漓的效果仍与物象结构的细节要求，有着充分的配合，并未脱离之而成独立的表演。《苏武牧羊》款题成于七十二岁，《吹笛仙人》则作于八十三岁之际，两者虽相去十一年，但都属于陈子和晚年的作品。由此可见他虽有如《山鸟图》那种简放的作品，但由《苏武牧羊》及《吹笛仙人》所代表的一种极端重视线条、墨晕、速度及造型技巧的作品，可说是其至晚年一直持续保持的风格。

　　这种极端讲究变化技巧的风格，在人物的描绘上来看，可能令人想到南宋梁楷所代表的"减笔"风格。梁楷的这种人物画风，如《李白行吟》【图218】或《六祖截竹》（亦藏东京国立博物馆）所示者，通常被视为与佛教的禅宗有所关联。[6]但如仔细地比较起来，陈子和的人物与那种禅画风格仍有值得注意的差异。梁楷及其追随者所作的人物形象大

图 217. 明 陈子和《苏武牧羊》
轴 绢本 设色 148.5 厘米 × 101.5 厘米
浙江省嵊州市文物管理委员会

都简略；虽然基本上并未乖离物体的结构要求，但对于各部的细节却不耐费心处理。陈子和在作品上纵使也尽情地、快速地挥洒笔墨，但却掩不住其对细节变化的高度关心。这个区别意味着创作理念上的差异，也指示着陈子和本人与禅的艺术创作观之间并无直接关系的可能性。

陈子和的这种人物画风格虽与梁楷一系有所不同，但也有如《李白行吟》那种营造飘然世外气氛的企图。尤其是他又刻意强调各种形式的变化效果，这似乎使他的风格从本质上特别适于制作道教中的仙人题材。朱谋垔在其《画史会要》上说陈子和"写水墨人物，甚有仙气"，[7] 即特为拈出此"仙气"来概括他的风格。朱谋垔的时间距陈子和活跃的十六世纪初期尚还不远，而他编撰《画史会要》的态度也不至于像许多明末的论著充斥着文人的偏见，而仍对职业画师的成就抱着颇为持平的评价。他对陈子和的意见应该很能反应陈子和在当时普遍受到欢迎（或许除了文人圈之外）的原因。

图 218. 南宋 梁楷
《李白行吟》
轴 纸本 水墨
81.1 厘米×30.5 厘米
东京国立博物馆

图 219. 明 刘俊《刘海戏蟾》
轴 绢本 设色 139 厘米×98 厘米 北京中国美术馆

图 220. 元 颜辉《虾蟆仙人》
轴 绢本 设色 161.5 厘米×79.7 厘米 京都知恩寺

《吹笛仙人》可说是朱谋垔所指"仙气"的最具体见证。《吹笛仙人》上所示的"仙气"当然不止来自画上的仙人题材,不论他是否为民间传说中八仙里的蓝采和,更重要者或恐还是出自其表现形式之本身。这个论断可以由它与其他职业画家作仙人题材之作品的比较中得到进一步的支持。

在诸多明代仙人图画中,成化(1465—1487)时宫廷画家刘俊所作的《刘海戏蟾》【图 219】代表着一种重要的典型。此画正中作仙人刘海抱一蟾立于浪涛之上,制作严谨,乃是十五世纪宫廷绘画的标准产品。这一类型的道教人物画在风格上与元代流行于浙江、江西等地以颜辉为代表的职业画风十分接近。从颜辉的《虾蟆仙人》【图 220】即可见到刘俊那种对结构细节的丰富描绘、线条勾勒的华丽表现之源流,他们对人物情态的表达,也都有着类似的轻度夸张之取向。如此的道教人物画似乎在十五世纪时十分流行;另一位宫廷画家赵麒所作的一些仙人图像，便与刘俊相当接近。[8] 但是，这些画像虽然精工生动，却无朱谋垔所云的"仙气"。他们的仙人似乎多少还须仰赖法术的表演，方能显示出其与凡人的差异。如果由《李白行吟》的鉴赏经验来看，刘俊等人精致但又控制严格的笔描可能对此目标是个不利的因素。不过，即使他们尝试加强线描的转折，或是本身的粗细变化以求补救，其效果也相当有限。如传商喜所作之《四仙献寿》【图221】，就是在仙人的轮廓线描上极度夸张了忽粗忽细的表现，并使转折角度有更多的变化；但如果略去他们浮海破浪的神迹不看，他们仍然只像是凡间的异人，或是混迹尘世的仙人化身罢了。

陈子和的《吹笛仙人》则不然，即使没有水浪的衬托，人物本身确令人觉得有某种朱谋垔所说的"仙气"。这种表现在稍早的李在作品中也见不到。李在亦为宫廷画家，是宣德时期技巧最为纯熟的名家之一。由他在辽宁省博物馆的《归去来辞图卷》（与夏芷、马轼合作）中《临清流而赋诗》一段来看，他对梁楷的减笔风格应有深入的理解与掌握才是；[9] 但是，他在作仙人形象时却没有使用近似的风格。李在曾作《琴高乘鲤》【图222】描写仙人琴高的神异事迹，画中的琴高其实与岸上的凡人相去不远。他们都有巧妙的姿势动作，衣袍头巾受风吹动也被表现得淋漓尽致。李在的笔描能力甚至强过刘俊，其在勾绘形象时的准确及粗细变化，表现得十分自然而流畅。然而，其效果仍不见《吹笛仙

图 221. 明 商喜
《四仙献寿》
轴 绢本 设色
98.3 厘米 × 143.8 厘米
台北故宫博物院

图 222. 明 李在《琴高乘鲤》轴 绢本 设色 164.2 厘米 × 95.6 厘米 上海博物馆

人》那种"如仙"的感觉。由此可见，技巧之高低显然不是造成陈子和与较早其他职业画家所画道教人物画差别之原因。画家之间对仙人之所以为仙，即对仙人本质之诠释不同，这才是造成这个区别的关键因素。

陈子和的仙人予人一种其本身即自具变化之感的印象。而造成此特殊效果的原因，除造型、线条之外，最主要者根本还在于墨法的巧妙运用。墨法自从晚唐以来已取得中国画家的高度重视，尤其在一些企图传达"变化"之意的作品中更被视为不可缺的法门。例如画龙即明显地有依赖墨法的现象。陈容于南宋末之时在此画科中所建立的典范作用，实际上便与此有关。元代的汤垕曾试图说明陈容的成就，指出陈氏"画龙深得变化之意，泼墨成云，噀水成雾，醉余大叫，脱巾濡墨，信手涂抹，然后以笔成之"，[10] 明白地以为陈容的墨法与其能"深得变化之意"息息相关。汤垕虽然仍坚持以"用笔"为主的"画法"在画龙创作过程中之不可或缺，但他同时也意识到"若拘于画法，则又乏变化之意"的危险。[11] 陈子和在《吹笛仙人》上水墨的使用，看起来也有陈容画龙时的自由与快速，也非常可能是趁醉之时的挥洒。据《浦城县志》（序于1650年）的记载，陈子和的写意人物"酣后落笔尤佳"；[12] 浦城是陈子和的家乡，县志所记可能确有所据。如此看来，陈子和所画仙人几与陈容画龙如出一辙，皆在借助酒精之力，以其自由的墨法来捕捉"变化"的真义。

陈子和将仙人的本质定义在变化之上，而以其酣余之墨法来落实此变化之意，这整个创作行为也显示了他与道教信仰的密切关系。陈容本人虽一再地为汤垕指为"本儒家者流"，但其与道教关系之亲近，却不容质疑。陈容所擅长的龙画，经常出现在道教祈雨的仪式之中，若干位龙虎山的张天师也都以道教领袖的身份兼长于龙画之制作。事实上，传世仍有一个第三十八代天师张与材所作的《霖雨图》手卷【图223】，其风格便与波士顿美术馆（Museum of Fine Arts, Boston）所藏1244年陈容的《九龙图》十分类似。陈容与张与材虽相距大约四分之三个世纪，但看起来这个龙图的传统并没有历经太大的改变。陈容虽本为儒者，但他曾任职在江西龙虎山一带，而且自许其画可堪道观供养，他的龙图显然深受道教的影响。[13] 陈子和在《吹笛仙人》上所依赖的自由墨法，既与深得变化之意的道教龙图上所见者相似，也不可忽视他与道教的关系。

陈子和与道教的关系或许较陈容更为亲近。关于他的生平事迹，今

图 223. 元 张与材
《霖雨图》(局部)
卷 绢本 水墨
27 厘米 × 271.4 厘米
纽约大都会美术馆

日所知虽然极少,但是由他自号"酒仙",则可推测陈子和本人极可能是个道教的信徒。中国历史上画家以"仙"为号的现象并不十分普遍,在文人画家中尤其罕见,但是在职业画家中倒不乏这种例子,而只要其以"仙"为号,十之八九应该都是道教信徒。浙派中期的大师吴伟便是其中有较多线索可寻的道教信徒。他出身湖北江陵的文士家庭,祖父曾是颇有治绩的地方官,父亲亦曾中过举人,但吴家家道中落却是因为"用烧丹破其家"。[14] 所谓"烧丹"即道教用以求长生之炼丹术,吴伟之父会将其家产用之于炼丹,可见是个沉迷于此的信徒。吴伟后来到了南京发展,其在当地最主要的赞助者乃是成国公朱仪。朱仪也是个道教信徒,而且还是龙虎山第四十七代天师张玄庆的岳父。[15] 吴伟之号"小仙"即为朱仪所取,可见吴伟应该也深崇道教,故而此后便以之为号。何乔远在《名山藏》中曾记吴伟少时遇道士(神仙?)授以神水后遂以画名世,此故事基本上是张良见黄石公事的翻版,也有清楚的道教内涵。不仅他艺术的来源有此神奇的传说,吴伟的画亦被认为是神仙所成。当宪宗皇帝将吴伟召至宫廷,命作《松泉图》,吴伟"诡翻墨汁,信手涂成",皇帝不禁叹为"真仙笔也"。[16] 宪宗会将吴伟比拟为仙人,亦非偶然;原来宪宗本人亦极为崇道,是明代诸帝中最为笃信道教者,他的死很讽刺地竟是因服食企求长生的丹药而中毒不治。[17] 如此看来,吴伟之受知于宪宗,与他俩人皆为道教信徒大有关系。

吴伟的道教信仰其实也可说是他画风的内在源头。他的山水画本学戴进,后来则利用形体的巨大倾斜造型,制作更强的动势感,至于他的作品中最有特色的一些例子,如《长江万里》【图 224】所示,则更是充分地运用了快而草的线条,以及趋于极致的浓淡、干湿的水墨变化,来突显山水的沛然猛气与变化不已的万千气象。他的人物画则亦似其他的宫廷画家一般，也有南宋梁楷或元代颜辉的影子。但是这些传统风格到了他手上，则变得更为粗放，尤其是水墨使用的自由度被提高了许多，其浓淡、干湿之变化效果也被特别加以注意。例如《二仙图》【图225】即是其此种水墨人物画的代表。当此画作时，我们几乎可以想象吴伟也是像在为宪宗作《松泉图》之时，"诡翻墨汁，信手涂成"，让充沛的水墨在"有笔"与"无笔"的交互运作中，达到变幻莫测的画面效果。对于吴伟的这些发展，当时人也都特别指出"用墨过前人远甚，而风韵神妙变化，直追古作者"[18]为其艺术之要点。而此处所言来自变化而致的神妙气韵，基本上即通于陈容或张与材的画龙，都有道教的渊源在内。

由此观点言之，浙派在中期以后的发展，原来是由于道教因素的加入，而使其越发往粗放的方向表现。这个发展除了牵涉到吴伟本人之外，也因为有皇室及金陵贵族的强烈道教背景的赞助，方才得以成功。而此时明代文人们对这个发展的反感，也与其背后的道教信仰有关。此部分的道教不止倡言符咒炼丹，而且大作斋醮，鼓励各种"怪力乱神"的"迷信"行为，最为严肃的儒者所不齿。对于基于此种信仰而发展出来的后期浙派风格，文士们会诋之为"狂态邪学"，遂也不难理解。

陈子和的《吹笛仙人》与《苏武牧羊》用的也是吴伟那种与道教可以连在一起的墨法变化，但在程度上似乎比吴伟更高。这个区别唯有由

图224. 明 吴伟《长江万里》(局部) 1505年 卷 绢本 水墨 27.8厘米×976.2厘米 北京故宫博物院

图 225. 明 吴伟《二仙图》轴 绢本 水墨 174 厘米×94.5 厘米 私人收藏

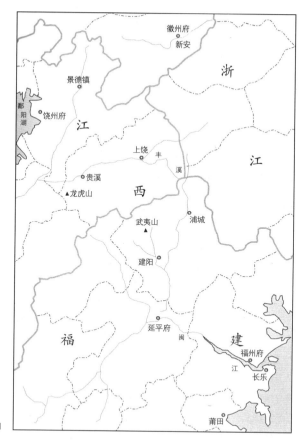

地图 2　闽北、赣东、皖南简图

陈子和活动的环境来加以探讨才能得到解释。陈子和家乡所在的浦城,系闽北重镇,位居由闽入浙陆路主线的要冲;除此之外,它距离位于其西南方的道教圣地武夷山亦不过七十公里,可以想见该地除了商业活动颇盛之外,必然也充满着浓厚的道教气息。至于武夷山的道教,其实也与龙虎山素有渊源。[19]在南宋时,它是南方道教首要人物白玉蟾的住处,到了元代又有金蓬头在此修道,金蓬头不但自己与龙虎山有渊源,龙虎山道士兼元末明初的著名画家方从义也是他的徒弟。[20]由这些看来,武夷山可以和距离不远的江西龙虎山合之视为一个教区,而陈子和的活动范围就是在这个教区之中。

在这个区域之中,由于道教的关系,也产生了一个相当独特的绘画传统。关于这个传统的起始,我们今日所知不多。文献虽记白玉蟾亦能画,但或许已无作品传世,其风格如何不得而知。上文所及第三十八代天师张与材的龙画,当然也可以算是这个传统的一部分,但由于系仅限于一科,并不能提供太大的帮助。但是,至迟到了十四世纪后期,这个绘画传统便已呈现出明显的讲求快速变化效果的水墨风格。而此风格的最佳代言人则是曾随金蓬头住过武夷山的方从义。

方从义与武夷山的渊源可举其作于1359年的《武夷放棹图》(参见图92)为例。此画乃以其在武夷九曲之实际旅游经验为基础,作一当空而立的突兀山头于溪流之中,虽属其较早作品,但已能在技巧地掌握山水结构的基础之上,更用饱含水分的墨笔作粗放的描绘。他的另幅名作《高高亭图》(参见图93)则更是全用水墨,其造型与布置看来十分简单,但对山路及其上的人物,仍有技巧的交代,全画且更具有大胆而醒目的墨色变化,可以想见必然是在一种快速而放纵的情境下完成的。事实上,《高高亭图》上有方从义自己的题识,即直言系其"醉后纵笔写之"。这种趁醉而快速挥洒的行为,一方面是在追求画面上的自发性的变化效果,另一方面则是在捕捉画家内心对"道"的瞬间体悟。明代初期的诗人王恭便曾为一幅方从义的《醉墨山水》题云:

　　林下多白云,溪口饶水木。长啸鸾鹤群,翛然在空谷。
　　悠悠山色闲,浩浩波光绿。寄醉墨壶中,唯应道机熟。[21]

这可说十分恰当地说明了方从义那种水墨风格与其本人道教信仰的直接关系。

王恭是福建长乐人,在永乐四年(1406)受荐至南京修永乐大典,被后人称为"闽中十子"之一。他对方从义的崇拜在当时福建文化圈中十分具有代表性,这也显示了方从义的绘画在明初已经成为福建艺术传统中的重要部分。受到这个发展的影响,福建地区遂出现了大批学习方从义,或者被认为系方氏风格所自出的宋代米芾、米友仁的水墨山水风格。相较之下,在元末时居主流地位的黄公望、吴镇、倪瓒与王蒙四家的文人风格作品,虽在江南地区仍得到传承,但在福建地区却几乎乏人问津;在文献资料中,明初福建人士甚至极少在文字上提到他们的名字与作品。[22]这在当时的整个中国文化圈中可说是个极为独特的现象。

这个明初以来的福建绘画传统,因系源自以龙虎山为主的道教信仰,其流布的范围可能不止于福建地区,而应亦包括江西东部龙虎山所在的地区才是,它的发展,因此也与龙虎山产生密切的关系。龙虎山上的张天师们,本来在其宗教工作中便须有绘画的技能配合,元时三十八代天师张与材能作龙图之事，只不过是其中的一个例证而已。方从义的绘画也可以说是基于那个龙虎山的道教绘画而发展出来的成就。到了十五世纪，由于有了方从义而再度产生蓬勃气象的这个绘画传统，也反过来使得龙虎山的道士在艺术上得到更一步的鼓励。四十五代天师张懋丞便是其中值得注意的例证。近年在淮安王镇墓出土的文物中，便有一件张懋丞所作的《撷兰图》【图226】，送给一位北京的收藏家，也可能是他的俗家弟子郑均，成画的时间大约是在1430年左右。[23]画中仅作兰一株，草草而成，并不似一般画兰时刻意表现兰叶曼妙翻转，甚至也不易分清兰花之所在，画中几乎仅剩水墨淋漓的线条奔走，以及忽浓忽淡交错在一起的墨色变化而已。这真是方从义《高高亭图》作风的延续，也是以"深得变化之意"的形式来呼应内心对"道机"体悟的创作过程之完成，充分地显示了道教水墨风格之本色。

据文献之记载，张懋丞尚能作二米风格的山水，[24]可惜并无画迹可见，不知其成就如何。但是，如果基于龙虎山与方从义的密切关系，以及该地区之绘画传统的表现，而说他的山水画大致也是取法方从义，而非如文人般地直接学自二米的真迹，这个推测可能不会距事实太远。在淮安王镇墓与张天师的《撷兰图》一起出土的作品中有幅李政之《烟浦渔舟》【图227】，其作风极近方从义对米家山水风格的诠释，甚至显得更为随兴，令人想起明代另一位道士画家张复（1403—1490）的作品，如其现存北京首都博物馆的《山水图卷》【图228】。李政究为何人，画史无考，但他即使不像张复是个道士，可能也是个道教信徒，因此在作品的形神上可与方从义、张复等合为一体。由李政《烟浦渔舟》所见，或许即能推想第四十五代天师张懋丞所擅长的二米风格山水的大概吧。

在王镇墓所出土，原由郑均所收集的绘画作品中，居然有五件作米家风格的山水，这个奇特的现象应与郑均和龙虎山道教的密切关系有关。正如前文所言，龙虎山教区对米芾、方从义的风格有着特别高的兴趣，郑均既蒙天师亲赠以画兰，除了显示他本人与龙虎山道教之渊源外，也意味着他亦接受了来自该地区的道教水墨绘画风格。因此当郑均在要求北京的许多名画家为他作画之时，可能便已显示了他的偏好，而许多画家也随其所好而做了反应。北京画家在做此反应之时，有时可能便超越了他平时所习用的风格，而让今日的史家颇为惊讶。例如宫廷画家谢环为郑均所作的《云山小景》【图229】，其全以水墨完成的简放风格与其传世名作《杏园雅集》【图230】所显示的精谨作风，有天渊之

图 226. 明 张懋丞《撷兰图》卷 纸本 水墨 25.8 厘米×55.2 厘米 江苏省淮安市博物馆

图 227. 明 李政《烟浦渔舟》（局部）卷 纸本 水墨 28.1 厘米×53.7 厘米 江苏省淮安市博物馆

别。另一件马轼所作的《秋江鸿雁》[25]虽非属米氏云山风格，但也与一般所熟知的他和其他两位宫廷画家夏芷、李在合作的《归去来辞图卷》（辽宁省博物馆）[26]大有不同，前者构图极简，用笔极为快速而以高度之技巧同时处理了该有的细节，与后者之优美马远风格相较，如出二手。相似的笔墨狂肆随兴现象亦见之于夏芷为郑均作的《枯木竹石》【图231】之上，这不仅与夏芷所学及所长的戴进风格不同，[27]而且显示了与天师张懋丞所作《撷兰图》相近的道教水墨风格。看来这些北京画家的特殊表现，应是受到郑均个人品味的引导或指示的结果。事实上，谢环之《云山小景》便在画后题识上自承："景容（郑均）持此卷索写云山小景，遂命题随笔，画以归之。"

郑均所"索"之画,大约皆作于第四十五代天师张懋丞的卒年1455年之前,对象则以北京的宫廷画家为主。[28] 张懋丞为他所作的《撷兰图》也是天师受诏到北京进行道教祈福仪式时的副产品,时间应该是在1427—1445年他任天师之位的十九年当中。在这十九年之间,他至少十一次到北京为皇帝举行仪式。[29] 天师此种在北京活动的频繁,不仅意味着天师与皇室的良好关系,龙虎山教区与北京的密切联系,也意味着张懋丞《撷兰图》所代表的那种道教水墨风格,可以赖此管道扩展到北京,并产生某种程度的影响。谢环、马轼、夏芷等人为郑均所作的水墨作品,便是这个发展的证据。

　　可是,龙虎山教区的势力并不能永久地持续下去。至迟到了宪宗卒后,孝宗弘治时期(1488—1505)以来,北京宫廷之中便渐渐少见龙虎山天师的踪影;此时的第四十七代天师张玄庆,在孝宗朝的十八年中,似乎仅被皇帝召至北京三次,[30] 此与张懋丞所受之倚重,真不可同日

图228. 明 张复《山水图卷》(局部)卷 纸本 水墨 33.2厘米×136.4厘米 北京首都博物馆

图229. 明 谢环《云山小景》(局部)卷 纸本 水墨 28.2厘米×134.4厘米 江苏省淮安市博物馆

图230. 明 谢环《杏园雅集》（局部）1437 年 卷 绢本 设色 37 厘米×401 厘米 江苏省镇江博物馆

图231. 明 夏芷《枯木竹石》卷 纸本 水墨 19 厘米×49.2 厘米 江苏省淮安市博物馆

而语。这一方面是孝宗皇帝企图反宪宗之崇道形象，较有意识地去营造一个较符合儒家理念的朝廷文化有关；[31]另一方面则是朝中士大夫势力的逐渐强化之结果。在此情势之下，吴伟放弃了他在北京宫廷所取得的荣耀，回到南京寻求另一个事业的发展，便可以视为这个道教势力自北京退出而转移其阵地至南京的辅证。

虽然失去了北京，但是十五世纪末至十六世纪前期的南京仍然是龙虎山道教的势力所在。其影响力不仅没有萎缩的现象，而且通过婚姻关系，龙虎山道教在南京的力量，似乎更加地兴盛起来。自十五世纪后期起至十六世纪中，龙虎山几位天师几乎皆与南都最有权势的贵族联姻。上文所及第四十七代张玄庆即娶成国公朱仪之女，第四十八代张彦頨之第一任妻子为襄城伯李鄘女，后又娶安远侯柳文女，第四十九代张永绪则娶定国公徐延德女。[32]明代之宗室与勋贵本来即一直未完全褪除民间色彩，与道教的关系更是十分密切，在南京者再加上与龙虎山张天师府的联姻，道教气息自然更加浓厚，可谓提供了吴伟那种道教水墨风格的最佳舞台。吴伟晚年作品之所以日趋狂放变化，除了他个人生活形态之日益放荡之外，源自龙虎山而环绕在南京贵族周遭的浓厚道教气息，应该是其不可缺的背景。

不过，道教水墨风格在南京的流行，随着贵族势力在南京文化界中逐渐没落，在十六世纪中期也日益萎缩。新兴的文士们在此时逐渐掌控了南京文化的主导权。他们所认同的艺术风格是由苏州的文征明长期经营而来的，一种讲究清雅抒情的文人风格；这与讲究粗放而夸张变化的道教水墨风格，几乎是背道而驰。像吴伟那种以"仙"为号的画家们，自此不易再于南京的上层社会中得到积极的支持。这个发展状况，更由于1555年左右苏州之文士乡绅阶级因为躲避倭寇的侵扰而大批移住南京，变化更加深化。[33] 南京文化之主导权此后便与龙虎山教区日益隔绝，道教水墨风格与整个所谓浙派的风格势力，因之也日渐萎缩。陈子和的画艺虽高，但其声名始终未见行于南京地区，这应该也是受制于南京整个文化环境的改变。

由现存的极少资料推测，陈子和虽得享高寿（至少活到八十三岁），活跃的时间横跨正德（1506—1521）与嘉靖（1522—1566）两个时代，但他的活动范围似乎只以福建为主，[34] 或许还及于江西东部一带。这正呼应了龙虎山道教势力衰退之后，相关的道教水墨画风格流布范围萎缩的状况。虽然如此，这种风格在其本源地却似乎没有衰落的迹象，仍然产生了若干位可与陈子和比拟的画家。其中尚有作品传世可供讨论者首推郑文林。郑氏生平几乎无可考，今日仅能由御倭有功的苏州官员任环（1519—1558）曾与他有所来往，推测郑氏大约亦是活跃于十六世纪前期至中期的画家。[35] 但是，郑氏号为颠仙，任环为他写的一首诗上也称呼他为"仙人"，可推测他也如陈子和一般是个道教信徒。他的《龙虎图》双幅中的《龙图》【图232】就显示了快速的水墨运用，强烈地表现了龙在风云中出没的"变化之意"，其效果较之陈容或张与材者更加具有动态。这种画如果说是为当时的道士拿来祈雨之用，倒也不令人感到奇怪。当时福建颇多善画龙虎这种题材的画家，如长乐县的张士达即是，可惜作品今多不见，郑文林此幅或可作为其中的代表。而现存日本若干被归为南宋牧溪所作的《龙虎图》，其实风格上与郑文林者极为类似，很可能根本是此时福建这批与道教有关的画家所作的，或后人据之而作的临本。[36]

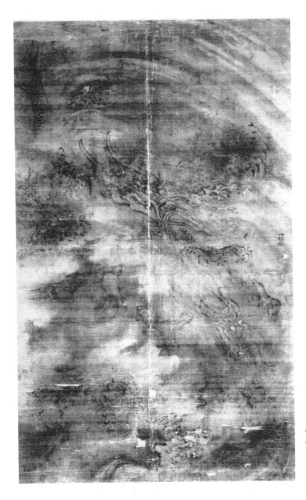

图232. 明 郑文林
《龙虎图》之一
《龙图》
对幅 绢本 水墨
179.2厘米×105.9厘米
宫津国清寺

  郑文林亦能作人物山水画,其中题材大部分也都与神仙有关,《壶中仙人图》【图233】即为精彩的例子。此卷原标为龚开,但由其人物造型及笔墨风格与日本桥本家收藏及高居翰(Cahill)收藏之郑文林作品相同,可以定为郑文林之手笔无误。[37] 画中使用大量之水墨,用笔快速,不仅线条急剧地连续转折,而且浓淡交融,相互渗透,颇与陈子和之《苏武牧羊》及《吹笛仙人》有相同之表现。这可以说是典型的南方道教水墨风格的表演,其目标也正如陈子和尝试要达到的,通过水墨的变化技巧,来感应"仙气"本质所在之神通变化。

  另一位在此龙虎山教区活动而值得注意的水墨画家是朱邦。他的《空山独往》【图234】在人物之描绘上近于郑文林,[38] 而在树法上也近于陈子和。虽然保持了他个人的风貌,但朱邦在使用线条及水墨时则

图233. 明 郑文林《壶中仙人图》(局部) 卷 纸本 水墨 29.7厘米×298厘米 普林斯顿大学美术馆

与陈、郑二人类似,强调紧张之线条转折运动、墨色深浅之激烈变化,并试图表现在极短之时间内求取最大之变化效果的高度技巧。这种风格表现正好印证了《明画录》上对他画风所云"用笔草草,墨渖淋漓"[39]的概括,也明示了道教水墨风格所给予他的深刻影响。

事实上,朱邦也是个道地的道教信徒。《空山独往》图上有他本人的印章,印文为"蓬山第一洞天仙长",自比为居住于道教第一洞天蓬莱的仙人。而在一幅《老子与释迦》(现藏日本薮本家)上,朱邦亦自署"鼾仙",[40] 这与《明画录》上记载他自号"酣鮈道人"实有异曲同工之处,显示了他的道教背景。至于他所接触的教派,可能即龙虎山的系统。《明画录》虽记朱邦为位于龙虎山之北两百公里的新安人,但那可能只是他的本籍。大英博物馆(The British Museum)尚存一幅朱邦之《早朝图》,有"朱邦之印"一印,其上又自署"丰溪"。[41] 此"丰溪"实非朱邦之名号,而为位于江西东部上饶附近的河流。此溪源自江西福建交界处的山区,距离陈子和家乡的浦城极近,也是龙虎山地区通往江南必经之处。朱邦显然曾在此居住过一段时间,而与龙虎山道教产生更密切的关系,其画风之与陈子和、郑文林同调,因此也不难理解。

朱邦如果确为来往于新安与丰溪之间的道教信徒画家,那么他的存在可能意味着新安也与龙虎山地区还有着以往吾人未曾注意过的密切关系。从画风上来看,朱邦的那种道教水墨风格即使置于此时之新安画坛中,实在并不孤单。他的"用笔草草,墨渖淋漓"作风基本上在他的同乡画家汪肇的作品中也可以见到。汪肇存世的作品较多,风格的同质性很高,其中又以北京故宫博物院所藏的《起蛟图》【图235】最称杰作。

图 234. 明 朱邦
《空山独往》
轴 纸本 浅设色
161 厘米×91.5 厘米
普林斯顿大学
美术馆

图 235. 明 汪肇
《起蛟图》
卷 绢本 水墨
167.5 厘米 × 100.9 厘米
北京故宫博物院

此画不仅有狂恣的墨法，强速的笔触，而且在人物及蛟龙的造型上也表现了高超的描绘技巧，在在都显示了与陈子和、郑文林相一致的创作关怀，如果将之归类为道教水墨风格，其实亦颇适当。值得注意的是：汪肇虽无以"仙"为名的字号，但是，他很可能也是个重符咒数术的道教信徒。晚明的新安画家兼批评家詹景凤（1528—1602）[42]即曾报道汪肇乃其从兄詹景宣之徒，而景宣除精绘事之外，又是"善谈玄虚，亦精天文遁甲六壬"的术士，汪肇既"好神仙"，[43]显然除了学画之外，也向詹景宣修习此种道教中人常备的神秘之术。由此观之，汪肇之水墨风格应与其道教背景息息相关，此与陈子和、朱邦等人实为同一模式。新安地区究竟还有多少像汪肇、朱邦的画家，今日所存之文献已无法提供详情，但是，他俩的例子至少在一定的程度上证实了龙虎山道教水墨风格对其邻近地区确曾产生过不可忽视的影响力。

福建、江西东部为主的龙虎山教区，虽然直到十六世纪中叶左右，仍然蓬勃地在实践他们的道教水墨风格，但是逐渐地它也面临与南京相同的命运。以陈子和所在的福建而言，上层的士大夫们，自十六世纪的后期起，在艺术上便已濡染江南文人之风，许多人在绘画上所学的已是沈周、文征明、唐寅等人的秀雅气质，对于稍早时所重的二米、方从义风格，显然不再有浓厚的兴趣。在艺术评论上，福建文人基本上亦认同了江南的复古观，而与以往闽人评艺采取了完全不同的立场。约在1500年前不久，莆田名儒周瑛（1469年进士）还曾立论，以"变化"为绘画之首务，而其所谓"变化"之内容则在于"将浓而淡，将显而隐"，正与当时蓬勃发展的道教水墨风格完全呼应。[44]但是到了1600年左右，长乐名士谢肇淛（1567—1624）写《五杂俎》时，意见则有了巨大的改变。他对于道教水墨那种富于变化之意的风格十分鄙视，对于如陈子和、郑文林这些画家更是评为"今之画者，动曰取态、堆墨、劈斧，仅得崖略，谓之游戏于墨则可耳"，只是一些比"气格卑下已甚"的戴进还不如的匠人而已。在他认为，绘画如"必欲诣境造极，非师古不得也"。[45]

在谢肇淛的心目中，莆田画家吴彬是全闽堪与董其昌匹敌的大师。他对吴彬的人物画尤其推崇备至，但其立论则与今日之美术史家不同，而认为其精妙处全"从顾陆探讨得来"。[46]不论我们是否同意他的意见，由吴彬于1601年所作的《罗汉图》（参见图183），陈子和与郑文林的影子，确已不复可见。

V
近现代变局的因应

绘画、观众与国难——
二十世纪前期中国画家的雅俗抉择

中国笔墨的现代困境

5-1 绘画、观众与国难
——二十世纪前期中国画家的雅俗抉择

前言：如何面对新局

二十世纪初期的美术发展，为中国美术史之重大变革，这几乎已是学界之共识。但是，要如何描述，进而说明这个巨变，却是美术史家所必须面对的挑战。它的难处不在于资料的多寡，而在于其现象之复杂，尤其是与各种环境因素的纠结状态，更是美术史中其他变革期所难以比拟的。如果再考虑各地区间发展之歧异，它的全貌的如实掌握，则又更加困难。在此状况之下，史家不得不以更谨慎的态度选择一个自认为最佳的切入角度，设计其概观全局的纲领。自二十世纪中期以来，许多作者曾致力于此，并取得初步的成果。他们的取径互不相同，各有重点，但如果加以整合归纳，他们大部分系以"西方冲击—中国回应"作为基本的思考架构。从1959年苏立文（Michael Sullivan）出版的中国现代绘画史之专著，到1997年柯律格（Craig Clunas）为牛津大学美术史丛书所撰写的中国艺术史通论，史家基本上皆不离此，并以源于欧洲的西方美术如何进入中国，并改变中国现代美术的面貌为论述的主调。[1]

这些著作的贡献，固然值得肯定，但也有明显的缺憾。其中之一在于许多当时最活跃的、最负声望的美术工作者，由于其风格无法被纳入"西化"或"现代化"的"主流"中，不是被排除在论述之外，就只能以诸如"保守派"的类别，勉强地以配角的地位来衬托"主流"而存在。另外，对于许多"主流"艺术家在发展中常出现的转向传统的"倒退"之复杂现象，既有的论述架构也难以提供适宜的说明。研究者是否可以不再视以西方文化为依归的"现代"为历史发展的既定目标，或以进入与西方世界一体的"现代世界"为二十世纪中国文化发展的唯一而既定的进程，便是一个值得深思的问题。在美术史的领域中，一个以"内在脉络之变化"为主轴之思考，可能可以提供一个不同的尝试。在此思考之中，艺术工作者如何同时面对过去传统与当代文化氛围，在此纵横双轴并重的脉络性之时空坐标中，为自我觅一适当之定位，成为最核心之关怀；任何外在的变化，例如外来艺术之引进中国之场域，其实都是在经过此脉络的一个转化过程后，才产生某种作用。这个内在脉络的变化，也必然牵涉一定程度的社会性，也就是说，艺术家在变化之脉络中所思考的经常不只是其艺术之新旧与否的单纯问题而已，更重要的实是其艺术如何与当下社会中其他成员互动，而参与至社会文化中之某个价值形塑过程之中，因为只有如此，其地位才能得到认同，而其艺术方能得到具吸引力的合法意义。

由此言之，当吾人观察二十世纪初中国美术内在发展脉络之变化时，其中艺术家与观众的关系便显得值得特别注意。不论是属于艺术家所设定的，或是其实际上得到的，观众的存在不仅是作品诉求的对象，而且更是艺术家与其所处社会间的最直接联结，任何涉及艺术家的外界变化，一旦发生，便立即作用到其与观众的关系之上。二十世纪初中国美术界的最大变局，由这个角度来看，因此在于由时局危机所导致的艺术家与其观众关系的巨大改变。

自二十世纪初以来，中国新文化的发展始终与日益艰难的国家处境分不开关系。在全球性的帝国殖民主义浪潮冲击之下，古老而缺乏快速应变能力的中国，不由自主地被卷入列强相互争夺的漩涡之中。旧秩序如摧枯拉朽地垮了，新秩序却在混乱之中迟迟不能建立；在漩涡的底部，那时的中国几乎看不到未来的明光。1911年的辛亥革命，虽然结束了清王朝，却没有真正改善中国的困境；许多有识之士认为：只有经过政治、经济、社会甚至到人心的彻底改革，中国才能在那个前所未有的危局之中生存下来。换句话说，如何及时重建一个能够解决当时危机的新文化，成为二十世纪初感时忧国的中国知识分子的普遍关怀。可是，科学也好，民主也好，不论改革者所提出的解答为何，他们也都意识到一个关键问题：如何将改革的理念推及广大的基层群众，让中国文化产生一个全盘的改造？如果不能克服这个实践的难题，所有的文化革新运动，不论如何高瞻远瞩，光彩炫目，皆不过是漂浮的泡沫罢了。

于是，自从1919年前后"五四"新文化运动展开以来，"走向民众"

便成为改革者思考与实践的核心问题之一。由胡适与陈独秀等人所发动的"白话文运动"之所以坚持以白话文为唯一合法的新文学语言,原因即在于那才是属于全体群众的活生生的语言,只有借此媒介,新文学中所要传达的革新理想才能触及民众,进而产生力量。文学的革新是如此,其他的新文化运动也莫不作此思考。国难的深重,逼使文化革新的终极目标不能仅止于文化本身,而须与救国的民族主义结合。在此状况之下,"走向民众"遂成为评鉴新文化之发展成果及其救国贡献的重要准绳。

当时的美术界也在国难当头之际,认同着新文化运动的终极关怀。但是,当文学界、思想界同仁得以在"走向民众"的具体指引下作全力投入时,他们却遭遇了明显的困难,亦因此感受到一种强大的焦虑。在1919年"五四"运动热烈展开之时,中国新教育的领导人蔡元培便呼吁"文化运动不要忘了美育",[2] 而到了1927年,作为蔡元培在艺术方面之主要支持者的北京国立艺术专门学校校长林风眠,在其《致全国艺术界书》中终究还须沉痛地承认:"艺术,到底被'五四'运动忘掉了;现在,无论从哪一方面讲,中国社会人心间的感情的破裂,又非归罪于'五四'运动忘了艺术的缺点不可!"[3] 等到中日战争爆发,中国的前途更加危殆,傅抱石在1944年写《中国绘画在大时代》一文时,便深刻地感受到社会的责难:

> 中国绘画在今日,颇有令人啼笑皆非的样子。现在是什么时候了?你们还在"山水"呀,"翎毛"呀的乱嚷,这能打退日本人吗?……和"抗战"或是"建国"又有什么关系?[4]

当局势日愈恶化,责难随之升高,艺术家的救国焦虑亦逐渐严重至无可化解的地步。他们为何不能也像同时代大多数的文学家一样,决定以其艺术"走向民众"、改造社会,以成其救国淑世之任务?如果说"走向民众"意味着艺术创作者与其观众关系的重新调整,那么,到底是什么因素使这些艺术家无法进行这个改变?他们难道可以在不调整他们与群众间关系的状况下,达成他们重建文化、救国救民的时代任务吗?

中国文化传统中的雅俗对立

新文化运动中所要求的"走向民众",在创作思想上来说,乃是要求作者消除作品与一般民众沟通的任何障碍，甚至要以一般观众的需求为创作的动机，放弃以作者为主体的思考模式。这种作者与观者关系的重新定义，因此便是对"为谁而作""为何而作"两个问题的再思考。在从事此思考时，不论答案为何，不仅牵涉到观众的数量多寡，而且也针对著作者独立性的问题。由此角度观之，这并非二十世纪初中国创作者所需特别面对的难题，而可以视之为中国传统文化中"雅俗之辨"议题在新的时代脉络中的变化展现。

"雅俗之辨"在中国文化史中的起源甚早，大概在有"士""民"阶层之分时已经出现。在孔子之时，音乐便有"雅乐"与"郑声"之别，前者是"士"等统治阶级的音乐，后者则是流行于一般民众的民间音乐。孔子既是士大夫阶级的成员，他的立场自然是"恶郑声之乱雅乐"。以孔子意见为代表的这种"雅俗之辨"后来即为中国大多数知识分子所继承，而成为其文化传统中一个品评艺术的重要议题。而在此议题的讨论中最值得注意的则是："雅"与"俗"不仅表示两种艺术品味，而且关系着统治精英与受统治庶民上下两个阶级的区别。"雅"者属于精英阶级，而"俗"者则为大众所有，且为精英阶层所排斥，以维护其"精英性"之不受扰乱，保证其阶级之绝对优越性，以及附带而来的所有社会经济上的利益。中国传统社会中，任何舆论的发言权都掌握在具有知识与文字能力的精英阶层手中，因此所谓的"雅俗之辨"大部分状况下也只是由精英阶层所发动的品味甄别，只有对"真雅"与"非雅"的厘清，从未真正表现过任何对"俗"本身正面讨论的兴趣。对中国的这些精英分子而言，教化人民虽是他们的"天职"或不可逃避的使命，但他们似乎绝无意于与大众分享他们的艺术品味。

由于雅俗观与社会阶层的紧密联系，当社会阶层关系产生变化时，原来既成的雅俗界定也必然地受到冲击，因而引起精英分子进行某个新的"雅俗之辨"。在绘画史上，十一世纪后期苏轼、米芾等人所倡的"文人画"主张，以及十六世纪末董其昌所提出的"南北宗"理论，从某一个程度上说，都是针对着当时特定的社会阶层关系而作的"雅俗之辨"。他们的内容多少有些不同，[5]但所针对的问题却相当一致，都是企图将他们的艺术跟一般流行者区隔开来，而其背景皆是因其所属群体之社会阶层性有重新被界定的必要。北宋的苏、米等人都是在政治上有挫折经验的士大夫，对于他们与一般民众以及大批经由科举管道进入精英阶层的"俗士"的区别,有清楚的意识。董其昌及其友人则是针对另一种"士""民"阶层混淆的状况。此一方面是大批文人无法进入政府工作,即使进入了也因各种因素无法分享政治权力,可说与传统士大夫的统治阶层性格产生了严重的脱节;另一方面则是因为社会经济的发展,产生了文人商业化、商人文人化的现象,很实际地迫使董其昌等人对其所属群体的社会地位重新厘清。[6]在进行这种重新定位的过程中,艺术也扮演着重要的角色。但是,既有的雅俗之分的标准却已不能应付新的情况,他们必须重新划定界限,在艺术上显示他们与一般大众与俗士的区别。苏轼所主张"论画以形似,见与儿童邻"、米芾的"平淡天真"以及董其昌的"正宗"笔墨,都是新的雅俗之分的依据。重点虽各有所偏,但总是将雅趣的艰难度加以提升,企图让其观众局限在少数人的范围之中,既不愿投大众所好,实也刻意地排斥社会上大多数人接近的可能性。如此雅俗之辨的传统,深刻地影响到二十世纪初的大部分中国艺术家。

二十世纪初雅俗情境的改变

中国传统社会中"雅俗之辨"进行的结果,产生了文人绘画与平民绘画之间在理念上(但不一定在实质上)日益严重的对立。文人传统在此过程中,一再地警告画家不可"媚俗",而只将其观众定位于社会上少数的"雅士"。这种艺术活动的具体呈现可见之于一幅1437年谢环所作的《杏园雅集图卷》【图236】。[7]画中一段作两位朝臣在公余雅集时观赏绘画,另有三个童仆在旁为其服务,一在前以竹棍撑挂画轴,另二人则在稍后处分别作卷收及解开的动作。这三个童仆所做者虽为欣赏绘画时的三个最必要的工作,他们实际上却被摒除在两位官员与画轴三者所形成之欣赏活动之外,显得只是此空间的外缘边饰。而正在赏画的雅士,身着正式之朝服,则意味着此种文雅身份与政治权力的相互依存关系,而且因其官职乃由国家制度授予,另有一层不得让俗人随便混入的意思。

与《杏园雅集图卷》完全相反的则是张路于十六世纪中期所作的《读画图》【图237】。[8]画中的赏画活动已无旧有的封闭空间,观众也被换成一般平民,他们的贫穷与"无文",也特别以赤足、衣上补丁与工作装扮来予以显现。这是张路刻意反抗文人传统而为之的作品,以将

图 236. 明 谢环
《杏园雅集图卷》
（局部）1437 年
卷 绢本 设色
36.7 厘米×240.7 厘米
纽约大都会美术馆

文人雅士排除在其观众群外的方式，来宣示一种完全不同的平民品味，以及另类的、以俗为主的雅俗关系。它与《杏园雅集图卷》之间，势力虽无法相比，但还具有着一种竞争性的共存关系；这种关系在社会上的"士""民"阶级之分没有产生根本变化之状态下，大致可以继续维持。

但是二十世纪初的中国社会却经历了最激烈的阶级变迁，其中传统的文化精英阶层所受之冲击也最大。他们在新的政治体制之下，逐渐失去固有的优势地位，不仅在参与统治运作的管道上失去保障，经济力也因特权身份的丧失而被大幅度地削弱。代之而起的是以往受尽歧视的商人阶级。在沿海的大城市中，新兴的商人阶级更是成为社会的主导力量。在 1905 年当上海成立中国第一个西方式的市政局时，全体三十八位代表之中即有二十位具有商人背景。而在 1905 年废科举之后，西方式的学校教育成为新管道，而出洋留学更是晋身上层社会、获取高位的最有效途径之一，据 1939 年的全国名人录中所记，其中百分之七十一具有国外大学之学位。商人阶级以其较为优裕的经济能力，当然为他们的子弟在此教育竞争中取得绝大的优势，逐渐取代了传统的士绅在文化活动中的主导地位。[9] 如此发展不仅使传统的士民之分日益模糊，且使原来的雅俗关系产生根本的改变。

社会环境的改变直接地影响到艺术家与观众两方面。许多原来自

图 237. 明 张路
《读画图》
轴 绢本 水墨
148.8 厘米×98.9 厘米
纽约大都会美术馆

认属于"士"的阶层的艺术家,现在由于此阶层的崩解,失去依附之所在,逐渐无法维持其与一般民间职业画家的身份区别。其中少部分人幸运地可以寄身于新式的学校之中,以教育为本职,仍然维持着业余艺术家的身份,似乎还可以与传统的文人艺术家的理想与生活方式保有一点关系。但是,学校之教职虽可比拟为传统体制中的学官,却无其经济特权,薪俸也不高,经常无法提供充分的生活保障,故常需赖其作品之出售,来弥补生活资源之匮乏。他们的赞助者也与过去不同,而他们作品所设定的观众则已不是传统的文化精英所能规范。较为富裕的传统型雅士（拥有前清功名或有高深的传统文化学养者）虽未完全自艺文活动中退出，但具有工商背景、受过新式教育、崇尚现代文明的新社会精英、已经逐渐扮演主导的角色。如何吸引这批文化新贵的注意，便成为二十世纪初中国艺术家不得不面对的新课题。而就这些文化新贵而言，他们的艺术品味究竟与传统士绅有何不同？与新时代的一般民众间又存在着何种关系？这些则是研究中国现代艺术史中最令人感兴趣，但又相当困难的工作。

要想对上述问题提供任何解答，我们得先考虑艺术品与其观者接触的情境是否有所改变的问题。在传统的运作模式中，除了一对一的赠送或买卖之外，"雅集"是精英阶层中成员与其支持艺术品相接的最平常场合。即使赠送或购买的艺术品，也大多数会在入藏稍后不久在主人或其友人的集会中，成为交谊、共赏的对象。《杏园雅集图卷》中便有这种雅集赏画的典型呈现。到了二十世纪初，尤其在大城市中，这种雅集活动应该仍有不少，虽然主人的身份背景可能不再是过去的雅士，参加的客人也可能以新精英为主。不过，最值得注意的新形式则是美术展览会。展览会的形式本非中国原有，而系取自西方的概念。但到1910年末期上海已有广仓学会主办的古物陈列会、"上海书画善会展览会"、"海上题襟馆书画展览会"、"天马会第一次展览会"等，苏州则有"苏州画赛会"，北京于1917年也有收藏家叶恭绰、金城与陈汉第于中央公园举行之收藏展，1920年则有中国画学研究会的首展。这种展览活动在二十世纪二三十年代日益蓬勃，几乎成为各大城市中最主要的艺术活动。[10] 它们的举办动机，除了单纯的艺术交流之外，也夹杂着买卖、社会慈善募款等不同的考虑。但是，无论如何，它们的流行，以"公开性"的展示取代了过去"封闭式"的雅集活动，将艺术的观众由朋友知交的具体少数扩及不计其身份姓氏的芸芸大众。艺术家们似乎也热心地支持着这种活动，并且接纳了其所带来的作品与群众间的新关系。高剑父在其《我的现代国画观》中便以为展览会是"现代的社会进步制度"，不仅促成现代画与传统画之分野，而且也是中国画需要改革，需要走上"大众化"的主要依据。[11]

如果照此推论下去，城市民众既是作品所诉诸的对象，传统的雅俗之辨应即丧失存在的理由，而由"以俗代雅"来领导新时代的艺术潮流才是。然而，事实却非如此。1917年北京中央公园展览会后，陈衡恪有《读画图》【图238】"以记盛事"。在这图中所出现的观众，正

图 238. 民国 陈衡恪
《读画图》
1917 年
轴 纸本 设色
87.7 厘米 × 46.6 厘米
北京故宫博物院

呈现了新时代的特点,即全是与集会主办者无特殊关系的群体。他们的人数众多,使画面产生一种拥挤感,而且互相之间毫无交谈动作,半数人甚至以背影出现,使得整个"读画"活动成为许多个人观赏行为的集结,与传统雅集图所透露之少数人间的亲密互动关系,大异其趣。这确实是展览会形式的本质之一,而其之是否可以有效地消除观众间相互疏离的障碍,而吸引其注意,经常需赖有某些普遍为大众所共同关心之议题的提出。中央公园展览会为此所提出的是京城地区水灾的救济;这虽是社会上普遍关心的时事,可以号召群众的参与,但却与展品之艺术无关。或许也正是因为这个缘故,画中的观众全是较为富裕的中上阶层,其中多有着西式衣冠者,甚至包括了一个高鼻的西方绅士。如此的观众组合,显然不是可能前往参观展览会之各界、各阶层民众的实录,而只是陈衡恪心目中设定的"理想"观众。它多少暗示了陈衡恪等人对于将一般民众视为艺术之当然观众的理念,仍然持着一种迟疑的态度。[12]

或许有人会以为陈衡恪本人出身传统文人书香世家,又在较为保守的北京活动,故而不能充分认同在艺术上以民为主的理念。可是,如果观察职业画家人数最多、绘画市场最为开放、市民参与文化活动最为积极的上海,情况仍然十分类似。在那里,即使是全国展览会最密集、频繁的地区,不论艺术家的出身如何不同,其所诉诸的对象,仍局限在具工商背景的新精英阶层。虽然人数众多,与艺术家也只有陌生的关系,这个阶层仍与一般市民有清楚的差别,他们对艺术的要求,也不能等同起来。如果说陈衡恪所描写的展览会是以往日之精英艺术来吸引新精英观众的支持,上海的情况其实也相差不远。雅俗之辨在此二十世纪初之新环境中如何以新的形态继续运作,遂须进行更仔细的观察。

上海艺术市场中的雅俗考虑

作为全国商业化程度最高的城市,自十九世纪末叶以来,上海之文化环境在与北京相较之下,确实不得不让人注意到其中的差异。由于外国租界之存在,催化了现代化的进展,也加快了文化上"商品化"的步调,上海以市民为主体的大众文化出现了与北京大为不同的格调;而所谓的"海派"不仅意味着与传统对立的现代文化,也有着以大众文化来与精英文化相抗的含义。[13] 艺术也在此"海派"文化的运作中,扮演着重要的角色。其中吴友如主绘的《点石斋画报》创办于1884年，是十九世纪末期在上海颇受欢迎的新闻传播媒介之一，其上之插图多以线描加上西方之透视与比例等方法，纪写当时时事新闻、上海十里洋场之特殊现象等，有时还加以讽刺、批判，易于为一般读者观众所理解，因而也曾被学者视为中国现代早期大众文化的镜子。虽然《点石斋画报》的读者群可能只集中在上海租界中的某些特定阶层，并不普及，可能很难说其本身已是一个全然大众的媒体，所代表的也尚不足称之为大众文化。[14] 但是，无论画报的属性如何，其上图画之主题与风格，已经逸脱出传统的范围，而且确实企图尽力接近一般市民观众，甚至可谓与之几乎毫无距离，其在上海之受到欢迎，又似乎指证了当时上海文化新氛围中艺术上"俗"的品味已经取得压倒性的胜利。[15] 然而，如揆诸实情，这个推论却有简化与夸大之嫌。

即以吴友如的例子而言，他在《点石斋画报》的工作显非其一生志业之所在，而只是他以画为业时不得不然的谋生手段而已。他在1893年画名有成后即脱离西人控制之《点石斋画报》，别创《飞影阁画报》。他对此举的说明是：

> 蒙阅报诸君惠函，以谓画新闻，如应试诗文，虽极揣摩，终嫌时尚，似难流传。如绘册页，如名家著作，别开生面，独运精思，可资启迪。何不改弦易辙，弃短用长，以副同人之企望耶！[16]

不论是否真有读者如此建议，吴友如毕竟觉得：一味地迎合时尚，绝非画家所当为，而如要求取画史上的地位，能"独运精思"的传统式册页方是他努力的方向。可是，他在册页上究竟希望达到哪种不同于流俗时尚的成绩呢？在上海博物馆收藏之《仕女册》（1890年）中《鬓影帘波》【图239】一页可以提供一些讯息。如果将此图与他在《点石斋画报》中所作的插画【如图240】加以比较，可见画家有意识地做了一些改变。首先是对如透视等西方技法的放弃，改采横式的铺排，而在室内之清雅陈设上特为用心，并以帘、屏的半穿透性遮蔽效果来展现一种丰富的视觉趣味。此画右上角所题之诗联也回到了旧体，而企图营造传统所标举的"诗画合一"之境界。最后，画中两位仕女的造型亦值得注意。她俩虽着当代服饰，但却不是写实纪录之作，而系刻意参用唐代画家周昉所创的模式而来。这三种手法都是深植于文人画传统中，用来经营其超俗

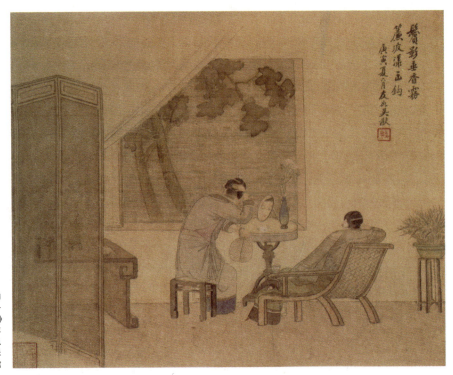

图239. 清 吴友如
《仕女册》之一
《鬓影帘波》
1890年
绢本 设色
27.2厘米×33.3厘米
上海博物馆

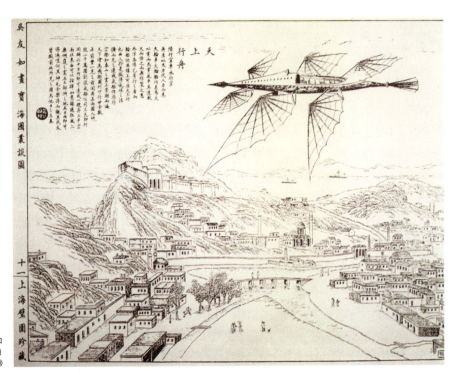

图240. 清 吴友如
《天上行舟》取自
《点石斋画报》

396 | 从风格到画意——反思中国美术史

的雅趣的。由此看来，吴友如虽因广受上海市民之欢迎而成名，在他心中，仍然存有对雅俗之辨不能解的情结。

正如吴友如的例子所见，借用西方绘画技法所得的新奇效果，似乎在上海颇受市场的欢迎。陶冷月是另一位因此而在上海艺术市场中大受欢迎的山水画家。他作于1935年的《月照蒹葭图》【图241】运用了西方之空间与光线处理手法来画月夜下的湖光山色，可说是他多数作品的典型。在画中表现水面上阳光或月光的反射，这在油画中并不罕见，但引之入中国的山水画中，则显得特别新奇，正好投合上海文化之所好，此正为陶冷月所以大受市场宠爱的原因。他在1926年公告了一份"润格"，其画按尺寸计价，每尺价格居然为其他一般画家之两倍到三倍，可见其炙手可热的程度。[17]"润格"虽是向市场大众作画价的公布，但也带有商业广告的宣传目的。陶氏的"润格"上即有蔡元培所写的介绍：

　　冷月先生夙精绘事，先民絜矩，海外见

图 241. 民国
陶冷月
《月照蒹葭图》
1935 年
私人收藏

闻，分别研炼，各还其是。近进一步互取所长，结构神韵，悉守国粹，传光透视，特采欧风，苦心融会，尽化町畦，生面别开，知音非寡。

不仅为文作介绍，此润格之后更由蔡氏署名，与一般润例由画家本人署名的情况颇有不同。蔡元培曾任北京大学校长，为当时中国学术界与文化界的领袖；有他为作润格，自然使陶冷月显得不同于在市场上讨生活的一般职业画家。

求得蔡元培的文字为他的艺术与价钱背书作保，亦可视为陶冷月企图制造其高雅社会形象的手段。这种企图在他的画上也有所呼应。1935年的《月照蒹葭图》除了来自欧法的"传光透视"外，其实在水草与坡渚的安排上则刻意取用元代画家吴镇的图式，尤其与1342年的名作《渔父图》（参见图112）最为接近。二者不仅皆为月夜之景，且都题有合于唐代隐士张志和所创《渔父词》传统格式的词作，这层关系透露着陶冷月想要借着上溯吴镇渔隐山水之源头来赋予其通俗作品内在的雅趣之企图。据说陶氏本人虽能画，却不能作诗词，其画上所题诗词皆为表叔王佩净所为。[18]如果此报道确实，那么陶冷月在普受上海画市欢迎之际，仍极力想维持高雅形象之处心积虑，就更加明显了。

上海绘画市场在蓬勃的二三十年代，似乎表现着一种对新奇效果的高度兴趣。而西方艺术在形式上的新鲜感则时常提供着必要的刺激。倚赖这种新鲜效果而在上海艺术市场上获致成功的，除了陶冷月之外，杨渭泉一派的画家是另一个有趣的例子。他们的作品当时在上海颇为流行，买者甚多，但或许被收藏家认为过于俗气，不受青睐，后来甚少受到注意。由幸存的一些作品来看，它们的风格相当一致，其内容大都是将古籍、残帖、古器拓本、破扇旧纸等物加以拼贴，极似欧洲1910年左右毕加索（Picasso）、布拉克（Braque）等人所创之"collage"（拼贴），他们可能是通过某种管道，得知此新艺术形式而加以运用。[19]不过，当毕加索用collage形式来表达他立体主义（Cubism）的某些理念时，上海画家则借之表现新奇，并炫耀他们的画技。正如一件作于1941年，署名杨渭泉的折扇【图242】所示，画家所做实是对collage的平面式模仿，由各个碎片的交错组织之中，制造一种丰富多变的新奇视觉效果；而在此之上，画家还刻意地刻画碎片的正反、撕裂、折角、虫蛀以及火痕等细节，做得栩栩如生，几让人产生错觉。[20]这种画技

图 242. 民国 杨渭泉
《仿 collage》
1941 年
扇 纸本 设色
18.3 厘米×48 厘米
岐阜县 私人收藏

的表演,本即职业画家最常使用以求声名的手段,在这些上海画家手下则更增其新奇引人之胜。关于这种仿 collage 的作品,有一个报道指出实为另一名职业画家郑达甫所作,而由杨氏题识署款。[21] 证诸另一幅署名郑达甫的同风格作品【图243】,此说相当可信。而如此的合作行为则接近陶冷月与其表叔的诗画配合。杨渭泉的题识也是以古典诗词形式为之,内容则多对画中象征中国古文化的破败形象,发出一种对旧文化的缅怀情感。它的存在,为这种投合时潮以新为尚的作品罩上一层文雅的薄纱,也暗示着作者不甘于屈居下层的雅俗情结。

与陶冷月、郑达甫同享上海绘画市场者,还有一批具有旧日文人背景的画家,他们在雅俗问题的取舍上,则有另一种做法。吴昌硕是其中一个鲜明的典型代表。吴昌硕是前清的秀才,还做过一个月的县令,可以说是旧社会中的士大夫。但他在辞去县令后,便到上海以卖画维生,成为二十世纪初上海声望最高的画家。他的身份虽与吴友如、陶冷月不同,赞助者中可能也有部分较具传统文化素养的文士与商人,然而他的绘画作品仍多有高度的市场取向,经常以富贵或福、禄、寿为题材的花卉、静物画为主,例如作于1918年的《玉堂富贵图》【图244】就是其中典型。

像《玉堂富贵图》这种画大多写牡丹、玉兰、水仙等有吉祥寓意的花卉,而且色彩鲜艳、活泼喜气,向来是祝寿或如新年节庆等场合的最佳礼物,市场上的需要量极大,因此也易流于固定的格式,让人

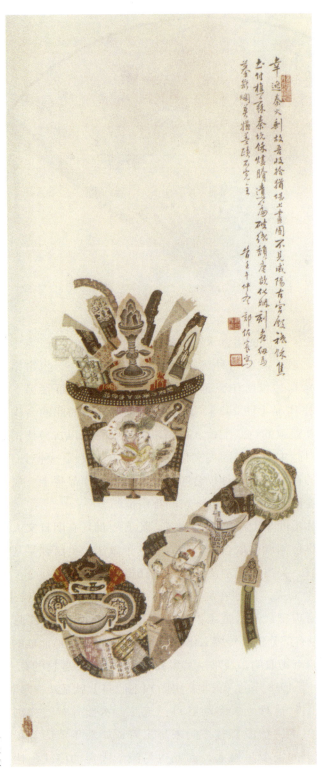

图 243. 民国 郑达甫
《锦灰堆》1942 年
台北 私人收藏

图 244. 清 吴昌硕
《玉堂富贵图》
1918 年 轴 纸本 设色
177 厘米 ×95 厘米
上海朵云轩

以为"俗气"。吴昌硕此作亦画牡丹、水仙等,且用色强烈,充分呼应了市场的流行品味。但是,他同时也显示了对于"媚俗"的戒惧。他自己对人说:"画牡丹易俗,画水仙易琐碎,只有加上石头,才能免去这两种弊病。"[22]《玉堂富贵图》即有此用来破"俗"之石头;其画法不施色彩,不求形似,水墨淋漓之风格则令人想起十八世纪的扬州画家李鱓。这层风格上的关系也是吴昌硕用来表示他"不媚俗"的手段之一。十七、十八世纪的扬州画家如石涛、李鱓、金农等人,也曾与上海画家一样,积极地迎向商业化的市场。但他们在"谐俗"之余,仍在作品中经营一种打破传统格式的"独创性",以维持雅俗之辨的最后防线。[23] 这些扬州画家虽然没有成为中国画史上的主流，但在此时却为吴昌硕等上海画家引为典范。吴氏在1911年春天完成的《四季花卉屏》（上海博物馆藏）之第一、二幅【图245、246】便指明系分别取法李鱓与石涛的风格。

　　1911年的这两幅画虽云是取法李鱓与石涛，但在风格上也有吴氏独创之处，尤其是在线条的运作上，自由挥洒之中仍见圆浑而顿挫起伏的韵致，充分显示出吴氏深受古代篆籀影响的自家书法之古拙趣味。如此书法性线条之作用，一方面可加强其"不求形似"的效果，另一方面又遥指古代中国文化，以"复古"来求得少数具同等程度文化素养观众的共鸣，亦可视为吴昌硕在其超俗的作品中，力持文雅于不坠的根本考虑。[24]

　　吴昌硕的手段虽然不同，但在面对市场之时，他与许多如陶冷月、郑达甫的上海画家一样，都表现出一种不愿被归为"媚俗"的戒慎恐惧。他们的绘画，大致上说，正与当时上海的文学、戏剧一样，呼应着"走向民众"的潮流，共同组成具有现代感的上海新市民文化。但是，在这些画家的心态中，却仍无法消解由传统而来雅俗之辨的情结。

国难中的雅俗抉择

　　国难当头是促使艺术家走向民众的另一个重要驱力。这对那些坚持不肯放弃文雅立场的艺术家们，自然产生一些心理上的压力。当吴昌硕制作《四季花卉屏》时，他也已经不免透露出一种对时局无所裨益的焦虑。该年正是辛亥革命发生之1911年，作画时的暮春，革命虽尚未发生，但时局之动荡不安，即使避居在上海租界的人士也都有深刻的感受。吴昌硕在此四连屏的第三幅《庭院秋光》【图247】中，以较淡之色彩作秋季花卉，并以萧瑟之枯枝相配，含蓄地影射着正处动乱之中的现实世界。但是，这又于事何补？他只好在题诗中最后一句自叹："输他郑侠绘流民。"郑侠之《流民图》乃画史上以绘画批评时政的典范，据说当时此画也成功地迫使北宋皇帝取消伤民的政策。吴昌硕在画上特别举出与花卉传统无任何关系的郑侠典故，固然是在自嘲自己之画道于世无益，但同时也显露这种国难焦虑之深刻，已到令人不能不有所回应的地步。

　　这种情况，到了1937年中日战争全面爆发之后，终于演变至其极端，逼得艺术家们非得采取行动不可。在1939年，唐一帆在一篇名为

图 245. 清 吴昌硕《玉堂贵寿》
取自《四季花卉屏》第一幅 1911 年
轴 纸本 设色 250.7 厘米 × 62.4 厘米 上海博物馆

图 246. 清 吴昌硕《乾坤清气》
取自《四季花卉屏》第二幅

图 247. 清 吴昌硕《庭院秋光》
取自《四季花卉屏》第三幅

5-1　绘画、观众与国难——二十世纪前期中国画家的雅俗抉择 | 403

《抗战与绘画》的短文中,便严厉地批判"中国绘画对于革命文化基础上,迄未显出它伟大的效用",要求艺术家们不要再一成不变地作"山水、花卉、翎毛、走兽、士女、仙佛的国画和那些美丽柔和的风景、静物、人体的西画",而应该"创造一种与民族国家有极大关系的独特艺术,爇起中华民族的生命之火来"。[25] 如此之舆论,不能说全无根据。当时的画坛,不论是所谓的国画界或西画界,似乎在形式上很难立即符合时局的要求,以其艺术来投入抗战的工作。不过,也正如唐氏在文中很有见地指出的,其内在症结在于"中国的美术界,专以个人观赏为前提,对于大部分的民众,极少有容许接触的机会"。换句话说,雅俗之辨的情结还是最终的心理瓶颈。在舆论的压力之下,它与国难焦虑在艺术家的心中产生了最大的冲突。

但是,中国画家们现在毕竟需要做个抉择。有的画家不愿放弃原来的形式,勉力地做了一些修正。岭南派画家中的高剑父与其弟子关山月便是这种例子。高剑父虽有艺术应大众化的主张,而且在二十年代便有以飞机入画来赋予中国绘画更强的现代感的做法,但在战争期间,他却很少直接去描绘战时的生活现象。他对此时人民所受的痛苦,文明所受的破坏,当然也有深刻的感受,但在大多数的画中却选择了一种较为曲折的寓意式手法来予表现。例如 1941 年的《风暴中的十字架》【图 248】就是以岭南派的写实风格画风雨中半倒的十字架,来发抒他个人对文明遭受战争摧残之感受。他的学生关山月则比较直接。在其《从城市撤退》(1940 年) 长卷中首段【图 249】即为对城市受日本军机轰炸,民众受迫逃难的控诉。有趣的是:长卷的后段却是水天一色的平和渔村风光【图 250】,颇近于传统山水画中的隐逸境界,这在配上岭南派丰富而柔和的色调处理后,反而产生一些不合时宜的悦目感。[26]

在西画风格的领域中,类似的现象也普遍地存在。即使以其领导者,坚持写实主义信念的徐悲鸿而言,亦无例外。徐悲鸿战前即鼓吹以写实来改良中国绘画,并以其为创造新中国文化之关键工作自任。但是,当他面对国难之时,却很少以与战乱直接有关的病态或苦痛为题材,而采取类似高剑父的寓意手法,来作爱国的呼吁。他在 1943 年所作的《群狮》【图 251】系为桂林的一位将领而作,以雄狮("雄师"的谐音)之群聚来激励士气,并宣传敌人必将溃败的口号。如此富含寓意的动物画本非徐悲鸿的新创,中国传统的花鸟畜兽画中早已有之,但徐氏既素擅写动物,又以"艺术救国"为己任,故取此模式者甚多,而在

图 248. 民国 高剑父《风暴中的十字架》1941 年 香港中文大学

图 249. 民国 关山月《从城市撤退》（局部）1940 年 卷 纸本 设色 42 厘米×750 厘米 深圳 关山月美术馆

图 250. 民国 关山月《从城市撤退》（局部） 深圳 关山月美术馆

图 251. 民国 徐悲鸿《群狮》1943 年 卷 纸本 设色 113 厘米×217 厘米 北京 徐悲鸿纪念馆

中日战争期间，为了响应抗战之呼声，其数量更大，寓意的宣传性也更强。除了动物画之外，他的历史故事画亦采此模式，1940年所作的《愚公移山》即是战争期间此类作品的代表。这些作品虽然都与现实局势有关，也都饱含着徐悲鸿对改善现实的热情，但就作品所设定的观众而言，似乎仍指向一些能解其寓意的少数，对于大部分的民众，仍有一定程度的隔阂。当时便有一批评家将徐氏的这种作品评为理想主义，未能真正触及现实的血肉，亦与广大群众的真实情感脱节。[27]

这种批评虽有其见地，但并不全然正确。国难焦虑虽仅使徐悲鸿在其动物画与历史故事画上进一步加强寓意的强度，而并没有根本改变其与群众的关系，但它却也在一定程度上将徐氏推向民间，促使其作了一些以平民生活为题材的作品，并且开始意识到其本身的价值。他1938年在四川作《洗衣》【图252】小画，即以二民间村妇河边洗衣为题材，景观虽平凡无奇，人物亦无足轻重，但他却在那寻常姿态中发现了动人的专注与力量。这种品质显然是在他那种知识分子的生活中所未曾领略过的。他因此便在画的右上角写下了一句颇有意味的感想："临清流而'洗衣'，较'赋诗'为更雅。""临清流而赋诗"乃是东晋陶潜《归去来辞》中的名句，向来代表着中国文人传统中最高雅的境界，现在徐悲鸿竟以村妇之"洗衣"代雅士之"赋诗"，并称之为"更雅"，可谓完全改变了固有的雅俗关系。这种改变，如果不是因为战争迫使徐悲鸿随学校迁往四川，让他得以深入体验内地平民生活，恐怕是不会发生的。

但是，徐悲鸿以俗代雅的改变，亦不宜过度夸大。毕竟以作品的数量而言，如《洗衣》、《巴人汲水》的作品在此期中所占的比例实在不大。除了寓意性题材作品之外，他在四川期间虽也作过为数不少的、以农村生活为背景的作品，但大多属于田园牧歌式的风格。在这种作品中，对象虽是农村生活，但他的态度却近于陶潜。有的时候，如1941年的《牧牛图》【图253】所示，他所关心的实在不是农村生活本身，而是在创作时无意中所发现的"隔夜残墨"在新纸上所呈现的墨色之美。作为一个声名已具的画家，在使用既定的艺术形式创作之际，似乎终究无法完全自雅俗情结中解放出来。战争期中的高剑父与徐悲鸿都是这种例子。

比起徐悲鸿有限度的改变来说，战争期间一批左派艺术家在雅俗的抉择上则显得彻底得多。蒋兆和的名作《流民图》系以战争中受难的民

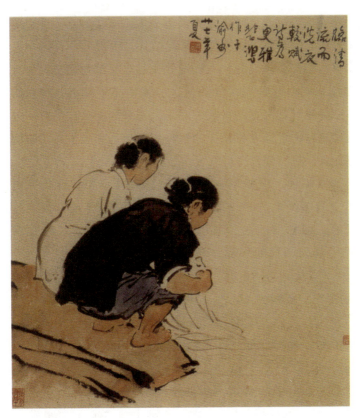

图252. 民国 徐悲鸿《洗衣》1938年 轴 纸本 设色 60厘米×52厘米 北京徐悲鸿纪念馆

图253. 民国 徐悲鸿《牧牛图》1941年 轴 纸本 设色 56厘米×83厘米 北京徐悲鸿纪念馆

图 254. 民国 李桦《怒吼吧！中国》1935 年 木刻版画

图 255. 民国 丰子恺《空袭》
取自 *China Weekly Review* 88.6 (1939.4.8)

众为对象，为水墨写实艺术之扬弃任何来自高雅的准则，提供了一个突出的个例。但是，这种新的平民立场的水墨画毕竟为数不多。较占多数的实集中在版画与漫画的领域，如李桦的《怒吼吧！中国》【图 254】，与丰子恺的《空袭》【图 255】都各自表现了全然通俗的强烈艺术感染力。[28] 漫画与版画二者在中国虽也早有渊源，但此时的木刻版画家与漫画家所使用的形式却是二十世纪初才由西方引进的，在创作内涵上也与传统者有决然的不同。相较于其他既定的绘画门类而言，他们算是全新的艺术形式。或许由于这种与传统无关的属性，艺术家在使用此种新形式时，反而能不受传统雅俗之辨包袱的束缚，而在面临抉择时，毅然选取了以俗为绝对价值的立场。由这个角度来看，李桦系学油画出身，后来才弃而自学版画；漫画家叶浅予除了作讽刺漫画外，亦能以中国笔墨作人物风格画，但格调已与其漫画不同，他们的这些经历似乎颇有助于了解他们所做的雅俗抉择。至于蒋兆和，也不能算是例外。他的《流民图》虽是以水墨作的写实画风，但他以此种风格在画坛起步时，第一件处女作《黄包车夫一家》却是发表在《上海漫画》的 1925 年第 53 期。[29] 看来他的艺术之所以能彻底免于雅俗的顾忌，也与漫画有一定程度的关系。

与蒋兆和、李桦等人相反的另一极端之选择则是反而以"至雅"的手段来处理因国难而生的心理焦虑。在这种画家中包括了若干江南出身的重要人物：林风眠、黄宾虹与傅抱石三人在战争期间的表现，尤其值得特别注意。林风眠虽然出身广东的平民家庭，祖父只是个石匠，后来他得到机会至巴黎学习绘画，归国即受蔡元培之大力支持，先后担任北京与杭州艺术学校的校长，成为全国性的领导人物。早在战争爆发之前，林风眠深刻的救国焦虑已经驱使他一再地在各种公开场合大声疾呼：以艺术运动来拯救中国的前途。而他所称的这个艺术运动的主体则是发展一种调和东西方艺术的新艺术来进行中国的"文艺复兴"。然而，到了战争期间，随学校迁至内地之后，林风眠几乎成为不理世事的隐士，全力投入于试图以他

图 256. 民国
林风眠
《秋游》1930 年
轴 绢本 水彩
波士顿美术馆

对中国笔墨的自我诠释调和东西艺术的各项实验之中。类似的工作虽见于居杭州之时，[30] 如 1930 年的《秋游》【图 256】，但如与 1945 年的《仕女》【图 257】加以比较，差异立见。如果说前者只是画在绢本立轴上的中国式水彩画，那么后者则清楚地出现了对线条韵律、墨色干湿浓淡、虚实变化的用心经营，融合在具有西方现代绘画意味的造型之中。他的这种成果，据他的学生叙述，系来自他居重庆乡间茅屋中一日数以百计的大量试验。[31] 而林风眠在这些试验中所进行的对中国笔墨的诠释与运用，其实与时人所知之传统形式少有直接关联，如果将之归为他

图 257. 民国 林风眠《仕女》
(局部) 1945 年 轴 纸本 水墨
35.5 厘米 ×31 厘米 私人收藏

个人对中国笔墨原型之创造性领悟的结果,倒更为恰当。

类似林风眠之退入自我之艺术探索的现象,亦见之于战争期中的黄宾虹。黄氏在战前居上海,艺术上主张发扬固有传统,其中尤重在文字金石书法之研究对绘画笔墨表现之积极影响。他本来即认同文人画传统的理念,以俗为恶,力求避俗;后来,自 1937 年起困居北京近十年,不得南归,且被迫在日方的统治之下过着一种半隐居的生活,他对古代传统的情感愈深,并与民族意识结合起来,这种反俗的态度也较前更为坚定。值得注意的是:黄宾虹也像林风眠一样,将关心的重点集中在笔墨之上。黄宾虹山水画中最具个人特色的浓墨法,即得之于困居北京时期。[32] 1943 年的《玉垒山纪游》【图 258】便显示此种层叠多次之墨染与浓黑墨点混和的尝试。稍后的《拟北宋夜山图意》(约成于 1947 年前居北京时,【图 259】)更是将此风格作进一步的发挥,表面上一片漆黑,细观则疏密分明,变化丰富。这可说是黄宾虹个人对古代山水传统中"华滋浑厚"意境的笔墨诠释。对他而言,如此诠释乃在董其昌以下的正统派文人绘画的基础上,对中国文化传统之根本精神与其之所以具有超强生命力的再发现。此种笔墨的探索,因此不仅关系到个人的艺术成就,"救国之要亦在是"。[33]

如此以笔墨之新道来呼应国难时来自内心与外界要求的方式,在傅

图258. 民国
黄宾虹
《玉垒山纪游》
1943年
私人收藏

图 259. 民国
黄宾虹
《拟北宋夜山图意》
私人收藏

抱石战时的作品中则有另一种表现。傅抱石在战前主要以研究古代美术史及理论知名,战争期间,转徙四川八年,则改以水墨创作为主。可能是由于身处国家受外敌侵侮的时局,傅抱石与黄宾虹等人对画史中的遗民画家最为重视,傅抱石即对清初的明遗民,如石涛、龚贤等人尤为倾倒,认为他们的成就甚至超过元人,并深信由他们的艺术中可以变化出"兴奋"与"前进"的力量。[34]他自己的山水画便深受石涛影响。1945年在重庆时作的《潇潇暮雨》【图 260】即在石涛的水墨风格之基础上,发展出他自己以散锋破笔挥洒的"抱石皴"水墨风格。此图中的"暮雨"主题,意象凄迷,是否承继了传统中以之暗夜喻乱世的意涵,不得而知;[35]但此主题在其破笔散锋的笔墨诠释之下,却改一般夜雨图的浪漫感伤而成"雄浑""朴茂"的气象。这种精神内涵正是傅抱石所见中国艺术精神之核心;他的笔墨探索,亦意在于将之昭示世人,并预证中国不灭、抗战必胜的前景。[36]

傅抱石的抉择,其实也和林风眠、黄宾虹一样,都是诉诸个人性很高的笔墨诠释。由雅俗的观点来看,这向来是最不利于与民众沟通

图 260. 民国
傅抱石
《潇潇暮雨》
1945 年
轴 纸本 水墨
103 厘米×59 厘米
南京博物院

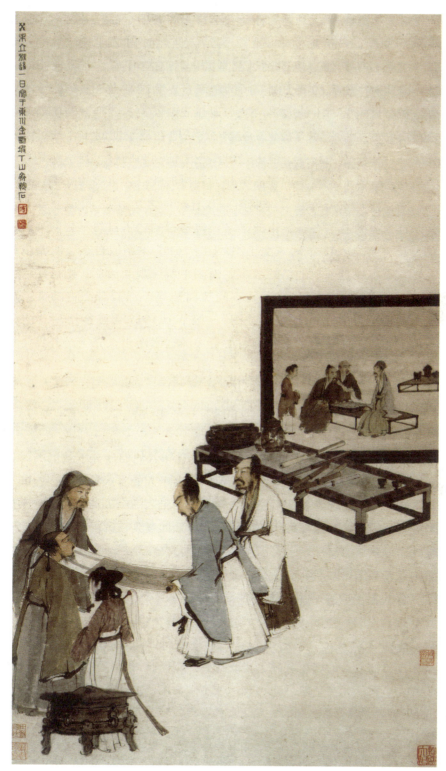

图 261. 民国
傅抱石
《洗手图》
1943 年
轴 纸本 水墨淡彩
110 厘米×62.2 厘米
纽约私人收藏

的管道，因此也可以说是一种朝"至雅"的转向。而三人之中，又以傅抱石表现了最清晰的"反俗"情结。他此时相信其所标举的"雄浑"、"朴茂"乃源自以遗民为范本的一种孤高而凛然不可侵犯的人格，因此对历史上的高士画家特为敬佩，以为国难当头之际，艺术之要乃在彰显这些高士的人格。这与他在战前以美术"唯一的使命在接近大众"的主张，真有极大的差异。[37]他在战争期间工作的另一部分成绩——历史人物画，便多是以高士之活动为题材。其中他最喜爱的主题之一是元末雅士倪瓒命童仆为桐树清洗俗客留痰的故事；在战争期间，傅抱石所作之《洗桐图》竟有数件之多，[38]可说充分显示其以雅为尚的避俗心态。由此推之，傅抱石的艺术自然不会以一般民众为其对象。1943年的《洗手图》【图261】本系取自东晋收藏家桓玄要求宾客观画前须洗手的故事，而画中所绘观画活动，则已是高人雅士主导鉴赏的理想状况，其空间疏朗洁净，洋溢着高古的文采风流。它也可被视为一种"读画图"，但不似1917年陈衡恪所作之仍与现实有关，而几乎只是傅抱石心目中的艺术净土，完全与外界尘世的纷扰与苦难无涉。

后语：走向另一个变局

傅抱石等人没有"走向民众"，并不意味着他们放弃了救国的时代使命。从另一个角度看，他们系以他们极端个人的方式投入了中国的对日抗战。他们的艺术在战争期间之转向"至雅"的个人探索，几乎不去考虑观众的问题，甚至将作者与观众的关系回复到董其昌他们那种追求极少"知音"的讲究，也显示了传统的雅俗之辨至二十世纪中期的持续影响力；其作用之深刻，连战争之大变局都无法根本撼动。

它的根本改变，由后来的发展证实，只有经由政治力所发动的思想改造，才能奏效。1957年，毛泽东在中国发动"反右运动"，开始大规模地整肃知识分子。在1959年，傅抱石向他的老朋友，但时为官方文化界领袖之一的郭沫若做了自我批判："'不食人间烟火'这句话，害了我大半辈子。"[39]他另在《政治挂了帅，笔墨就不同》一文中也说："脱离党的领导，脱离群众的帮助，'笔墨'！'笔墨'！我问'您有何用处'？"[40]这种转向群众的宣示，意味着一个"画家—观众"关系完全不同的时代在现代中国的正式来临。

5-2 中国笔墨的现代困境

一、前言

"笔墨等于零"或"无笔无墨等于零",这是中国水墨画界在近年所进行的最激烈论辩。参与论辩的双方最关心的问题其实不在于"笔墨"本身是什么,虽然他们的主张都是环绕这个具有悠久历史的概念而发。他们的讨论焦点实更是在中国水墨画的未来方向之上,而"笔墨"究竟在其中能否扮演积极而有建设性的角色,则是争议之所在。[1] 由一个史学工作者的角度来看,这个关于"笔墨"的精彩论辩不仅基本上是个创作思辨的问题,它所牵涉的也正是整个中国文化在过去一个世纪以来被强迫面对现代世界后,企图闯出一条生路的思考历程之延续。换句话说,它是环绕着"中国文化的现代化"的思想主轴而生,而在水墨画的范畴中,凝聚成"'笔墨'是否可以向'现代性'成功地转化"的核心论题。[2]

对于这个问题的答案,见仁见智,本无足怪。而且,由"现代性"的多元而歧异的表现而言,所谓的"转化"也实在无法定出一个必然的目标,"笔墨是否可以如何如何"的问题之无所定论,因此也显得理所当然。本文即试图跳脱这个"现代性"的争议,改由探讨中国笔墨在进入"现代"这个时间历程中所遭受的困境,来思考它在形与质上之所以变化因应的道理。这个历史性的讨论虽无法具体指出未来水墨画的具体方向,但或许能为之提供一些不同的思考角度。

二、中国笔墨意义的三个层次

笔墨在中国绘画的发展史中历经着很长而渐进式的改变。从最早的作为描绘物象的手段，逐步演变成为具有独立价值的存在体，其中最关键的发端，大约首见于十三世纪末的元代初期。在那个时候，吾人在赵孟頫等人的作品及言论中开始看到绘画中的使笔用墨本身，不再以写形状物为唯一的目标，而自具一种足供品味观赏的价值。这种现象虽然在传统上习以"书法入画"称之，而赵孟頫本人亦有"石如飞白木如籀"之说，但实与书法中的笔墨无具体的借用关系，只是在"非写形"的立场上，两者产生了本质上的互通与共鸣。[3] 它的发展在入明之后，得到更多的支持；不仅所谓的文人画家奉之为圭臬，职业画家中人亦多以能掌握笔墨本身的表现能力而自豪。这个趋势发展到明末，终于形成了可以称之为"笔墨中心主义"的高峰，而由董其昌提出"以蹊径之奇怪论，则画不如山水；以笔墨之精妙论，则山水绝不如画"的论调。[4] 在如此的主张中，笔墨终于脱离了描绘形象的功能性束缚，成为绘画中的首席角色。

由董其昌所代表的这种笔墨观，具有一种近似于抽象主义的倾向。笔墨的形式本质在此不必再附属于物象，甚至还超越之，带有着"反写形"的性格，而成为绘画的最高价值之所在。在这个理解中，笔墨纵使容许可有许多种不同的样貌表现，但基本上则在追求单一种最根本的完美形式【图262】。这种理想笔墨的形式的追求可以通过两个途径进行，一是师法古人，一是学习自然；但这些途径的最终标的皆不在于外表形貌的模仿，而是要借之体悟造化的内在生命，并将之化现在笔墨的形式之中。石涛在其《画语录》中所说，"借笔墨以写天地万物而陶泳乎我也"，[5] 即是此种概念的最佳宣示。一旦掌握了这个理想形式，由之而构成的作品便能得到可与造化创造生命相呼应的境界，画家亦得以超越时空的限制，和他所选择认同的古代名家进行平等但复调的对话。这可以说是中国笔墨的第一层意涵。

除了形式的意涵之外，笔墨亦因是一种精神文化的象征，而具有第二层次的社会性意涵。笔墨的发展自元代以降即已成为一种自具意识的行为，而其追求亦经常要求与传统产生契合，所企望的理想境界又极为幽微奥妙，因此对画家的学养、悟性与思辨能力的要求也日益提高。在此情况下，笔墨即成为一种文化符号，而得以在各阶段之社会脉络中产生文化作用。这种作用尤其在十六世纪以后商品经济逐步发展的环境中，

图262. 明 董其昌
《婉娈草堂图》
（局部）
台北 私人收藏

显得特别清晰。商品经济的发展对中国社会的冲击，最明显地表现在旧有士庶之分界线的崩溃上。士庶之分原本的根源在于所谓"士"的精英阶层之能与统治者分享政治权力，而与一般民众产生一种上下位的区别。但是，这个历史悠久的社会阶层之分，到了十六世纪后却产生了严重的混淆。此一方面是因为僧多粥少，大批士人无法进入政府工作，即使进入了也因无法适应日益复杂化的政治生态，纷纷受到挫折，无法分享政治权力，可说与传统士人的统治阶层性格产生了严重的脱节；另一方面则与其时（尤其在江南地区）的经济发展有关。经济的发展不仅使得受教育的人口快速增多，而且产生了文士商业化、商人文士化的现象，很实际地迫使原来的文士对其所属群体的社会地位重新厘清。[6] 在进行这个重新定位的过程中，艺术遂扮演着重要的角色，而落实在品味的雅俗之辨的工作上。绘画的笔墨在此即成为新的雅俗之辨的依据。它的难度既日益提升，能拥有它的人数便受到严重的限制，而其作为标志着高雅社会身份的文化符号也愈为有效。这可以说是笔墨的第二层意涵。

笔墨形式的精神性与社会性意涵当然都是一种理想境界，并不意味着所有奉行者皆能达到。但是，能否达到此境界的问题并不妨碍对其之认同。事实上，正是因为它的难度极高，方能具有如宗教般的魅力，吸引一代又一代的画家前仆后继地追求。在此追求之中，目标何时可达经常变成次要的问题，过程本身却反为主要之关怀所在，而如何克服过程中的外在障碍，以及超越自我本身天赋资质的限制，遂成为首要之务。这便是为什么如董其昌的理论家们会一边强调"气韵不可学，此生而知之"，一边又高倡"读万卷书，行万里路，胸中脱去尘浊，自然丘壑内营"的道理。[7] 所谓"读万卷书，行万里路"即是一种修炼的历程，其重点不止在于知识的获得，亦指向精神层次的提升。由这个角度来看，笔墨一事便又可与人格修养的历程相接通。中国文化传统中向来有个能与造化合一的"完人"典范之存在，笔墨的理想境界既在于与造化生命相呼应，其追求的历程遂亦可视之为趋向完美人格的努力。这便是笔墨论者一再将论述的路径归结到人品一事的理由。[8] 而在此，笔墨也因而呈现了其第三层的人文精神上之意义。

三、现代变局中的困境

传统笔墨的内在意义及文化价值基本上是中国传统社会生活形态中的产物。一旦这个生活形态受到冲击，它们的继续存在也就面临困境。中国在十九世纪末、二十世纪初所历经的内忧外患首先揭开了其近代动乱史的第一页。1911年的革命与国民政府的成立，并没有能终止中国的厄运，随之而来的却是日益严重的政治、军事与经济的动荡，国际势力的侵夺则更加深了恶化的程度。国难当头使得被勉强推入现代的中国，一点看不出有任何乐观的前途。此时文化知识界的思想核心，可说完全聚焦在如何抒救国难的论题上。[9] 旧有文化传统中如何进德修业、修身养性，追求天人合一人文典范之完成的目标，变得不仅不切实际，甚至显得迂腐不堪。中国画坛自明末以来尊奉了三百年的笔墨观，其内容既以参乎造化为核心，一旦陷入这国难的危机情境之中，便也显得无关紧要，退居边缘地位，丝毫不具时代的吸引力。

在此情况之中，笔墨之作为文雅社会身份之表征意义也陷入了困境。二十世纪初的中国社会正经历着史上最激烈的阶级变迁，其中又以传统的文化精英阶层所受的冲击最为严酷。他们在新的政治体制之下，逐渐失去旧有的优势地位，不仅在参与统治阶层的管道上失去保障，经济力也因其特权身份的丧失而被大幅度地削弱。代之而起的是以往受尽歧视的商人阶级。在沿海的大城市中，新兴的商人阶级更是成为社会的主导力量。在1905年当上海成立中国第一个西方式的市政局时，全体三十八位代表之中即有二十位具有商人背景。而在1905年废科举之后，西方式的学校教育成为人才养成的新管道，而出洋留学更是晋身上层社会，获取高位的最有效途径。据1939年的全国名人录中所记，其中百分之七十一皆具有国外大学之学位。商人阶级以其较为优裕的经济能力,自然能为他们的子弟在此教育竞争中取得绝大的优势,逐渐取代了传统士绅在社会中的领导地位。[10] 除此之外,上述的国难意识也促发了"实业救国"的论调,积极提倡以商业来提升国力,以与外国势力抗衡。商人阶级之作为社会之主流遂在此取得了意识上的正当性。从现代早期中许多士人甚至转业投身商界的事实,[11] 吾人亦可以具体感受到此种变迁大势之所趋。此时传统士人所曾力持的身份界线也在新的社会情势之中,日益模糊。

社会环境的改变意味着传统笔墨观所依附之社会机制的消失。原来笔墨之作为文雅的表征,基本上出于文士精英阶层中成员的普遍认同,并通过其在社交网络中的传递、演练、宣传,来抗拒其下阶层成员的混入,以维持其阶层的超俗性声望与相关的实质利益。文士阶层传统优势地位的丧失,不仅使其不再具有维持身份区别的强烈心理需求。即使有之,机制上也无力配合。这种现象,首见之于画家的职业化。由于笔墨本身的内涵与人文意义,它的奉行者在传统社会中皆有意地与职业画家的生活行为有所区别,并尽可能地标榜其业余性格。即使在实际上仍有各种程度不同的物质、财货上的交换行为存在,[12] 他们的作品流通也是在文士群的社交网络中以"赠答"的模式进行,避免接触公开性的市场。但是,到了文士阶层之优势崩解之后,他们也无法继续坚持其与一般民间职业画家的区别。正如许多传统文士到城市中栖身于新兴的报纸、杂志媒体以其文字能力维生,许多相同背景的画家也进入了如上海的大都市中面对公开性市场,卖画为生,依其"润例",按件计酬。[13] 其中少部分人幸运地可以寄身于新式的学校之中,以教育为本职,仍然维系着业余艺术家的身份,似乎还可与传统的文人画家的理想与生活方式保有一点关系。但是,学校之教职虽可比拟为传统体制中的学官,却无其经济特权,薪俸也不高,经常无法提供充分的生活保障,故也需赖其作品之出售,来弥补生活资源之匮乏。[14] 他们的赞助者(或买主)也与过去大有不同,已非传统的文化精英所能规范。较为富裕的传统型雅士虽未完全自艺文活动(及市场)中退出,但具有工商背景、受过新式教育、崇尚现代文明的新城市社会精英,则已逐渐扮演主导的角色。他们中的大多数并不具备充分欣赏笔墨奥妙境界的人文素养,更重要的,对于笔墨的崇高精神价值亦缺少认同。[15] 新的上层社会虽自有其社交网络,但以笔墨为尚的绘画却已无法用之为流传的通路。

自二十世纪初以来,中国画坛在运作上确实也产生了新的机制,但却不适于传统笔墨观的持续发展。传统笔墨观所依附的机制基本上是一种以画家与其观者间的亲密关系为主轴的、私密性较高的、可以"雅集"为代表的形式。在此机制中,参与者之间的同质性极高,也有相当程度的直接或间接的交情存在。笔墨的意义与价值不仅可在此网络中顺畅地传递,而且可以凝聚成共识,进而加以宣扬,造成更大的声势。但是二十世纪初以来,这个机制的地位逐渐被新兴的展览会形式所取代。展览会的形式本非中国原有,而系取自西方的概念。至二十世纪一十年代末期,上海已有广仓学会主办的"古物陈列会"、"上海书画善会展览会"、"海上题襟馆书画展览会"等,苏州则有"苏州画赛会",北京于1917年也有叶恭绰、金城与陈汉第于中央公园举行之收藏展,1920年则有"中国画学研究会"的首展。这种展览活动在二三十年代,日益蓬勃,几乎成为各大城市中最主要的艺术活动。[16] 但是,在这种展览会中作品所面对的观众与参加雅集者大为不同。虽然有些属于画家的熟识,但大多数观众是包括各阶层在内的、与画家无关的市民。如此的"开放性"大大地妨碍了画家笔墨之精神内涵被理解的可能性。即使有的展览会安排了评介文字来作沟通,但观众所接触的仍以作品的形式为先,难得有进一步深入的机会。画家在此状况中即使仍以笔墨为作品价值诉求之所在,也不易在陌生的观众群中得到共鸣。

四、画家因应与笔墨意义的转化

　　大城市中的展览会与绘画市场在二十世纪初以来逐渐成为中国画家与其观众之间最主要的联系机制。如与传统者相较,它的特质最清晰地表现在其"公开性"之上,将艺术的观众由朋友知交的特定少数扩展到不计其身份背景的芸芸大众。这个趋势的发展基本上也呼应着新文化运动以来一再强调"走向民众"的救国呼吁。对当时所有倡言改革者,或是文化重建者而言,任何未来新蓝图的设计归究要回到一个关键问题:如何将改革的理念及实践推及至广大的基层群众,让中国文化产生一个全盘的改造?如果不能克服这个难题,任何文化革新运动,皆不过是浮夸的空谈罢了。艺术如果不想在这场文化救国运动中缺席,[17] "走向民众"自然成为当务之急。新机制所带来的作品与观众间的新关系,因此也得到画家们的衷心支持。其中尤以持革新立场的画家表现最为极致。高剑父在其《我的现代国画观》中,便以为展览会是"现代的社会进步制度",不仅促成现代画与传统画的分野,而且也是中国画需要改革,需要走上"大众化"的主要依据。[18] 即使是传统派的画家亦不排斥展览,并尽可能地参与。这其中或仍有些市场性的考虑,但其欲借展览之力而思对社会有所贡献之积极企图亦不容忽视。在二十世纪初期大城市中传统书画展经常以社会慈善募款为其发起宗旨之一,便是一个显而可见的现象,亦可视为此氛围中的产物。[19]

但是,"走向民众"却非原来笔墨中心主义者所长,甚至是与其精英式的笔墨内涵相矛盾的要求。对于"走向民众"的整体文化情境的压力,"笔墨"在无可逃避的状况下,如何依其各自之考量予以回应,便值得特别的注意。第一种反应的方式是刻意漠视外在的文化压力,并以之为个人向传统再认同,拒绝承认现实世界转变的手段。其中最极致的代表是在北京活动的逊清王孙溥心畬。他个人对传统笔墨之理解,由于得力于本人及清室的丰富收藏,自有超越常人之处,并刻意着力于表现其笔墨的秀雅韵味。他对此种笔墨韵味的重视远远地超过画中的造型与构图;他甚至经常使用古画稿中的造型与构图,但用自己的笔墨去钩写轮廓,再写物象。[20]【图263】这可说是完全将绘画之价值托之于笔墨之上,甚至漠视造型与构图之变的价值所在,其纯粹之程度可谓是董其昌所行者之更进一步的极致。作为被迫归隐,自大多数公共领域退出的清宗室成员的他而言,如此的笔墨不仅意味着他在向最精微的传统回归中寻求心灵的慰藉,而且也宣示着拒绝以其艺术配合现实需要的遗民心态。过去论中国近现代绘画的史家们,大致上倾向于视溥心畬为传统派,虽有其功力之表现,但因与现代中国之发展大势似无紧密关系,而置之于边缘性的位置。[21] 但从笔墨对时局之因应角度言之,溥氏的拒绝则自有其积极意义。他的笔墨坚持让笔墨传统中久为压抑的个人性抒怀功能再度予以实践,那部分的传统在董其昌之前的倪瓒与文征明的作品中仍有不可忽视的显示,[22] 但后来则在转向抽象哲学意涵的当道中,失去了论者的关怀。如此将艺术之价值向个人抒怀意义的回归,即使在新文化运动的氛围中显得不合时宜,但此不合时宜却正是艺术独立性的另一种表现。它在乱世中的存在,自有其令人珍惜的价值。

与溥心畬者相反的因应则是以"走向民众"的目标来修正笔墨,并以"写实性"来取代原来之"笔墨性"。以高剑父为主的岭南派可说是此种因应的佳例。在他们手中,中国笔墨原来所讲究的在画面上展现出来之用笔速度、轻重粗细以及用墨所生之干湿浓淡、涩润层次等效果,

图 263. 民国
溥心畬
《夏日村居图》
1939 年
轴 纸本 设色
124 厘米×31.9 厘米
台南私人收藏

被重新与自然界的现象，尤其是光影、肌理等，再建立起对应的关系。他们的这种画风虽较偏重色彩的运用，但对笔墨的讲究实没有松懈，只不过不再一味地追求笔墨本身的抽象价值，而改以与自然观察有所"实对"为关键的考量准绳罢了。岭南派画风的渊源虽与日本现代初期所发展之"日本画"，尤其与竹内栖凤一派有关，但其理路也有导向笔墨中心主义成立之前旧传统之一面。中国唐宋绘画之中的笔墨即是"皆有所指"的绘画语汇。在他们看来，这种重新与写实性结合的笔墨，真实而不故弄玄虚。以之来呈现他们对中国改革的热情与呼吁，肯定可以直接而有力地打动民众，达到以艺术救国的目标。高剑父的《风暴中的十字架》（参见图 248）则可以说是如此实践的代表作品。[23]

徐悲鸿的路径实亦与高剑父者相类。他对中国笔墨的欣赏也是在写实的监督之下进行的。他极少在公开的言论中赞美笔墨的艺术价值，相反的，自董其昌以下至吴昌硕等被视为"有笔墨"的传统大师却是他一再抨击的对象，以为是中国文化之所以陷入危机的部分因素。对他而言，中国绘画如果要能担负起新时代救国的任务，就必须要回到艺术的原点——写实之上。他对中国笔墨的观念亦如是。其实徐悲鸿对笔墨并非全然反对，这尤其在

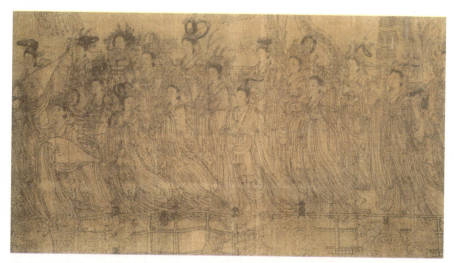

图264. 宋《八十七神仙卷》（局部）绢本 水墨 30 厘米×292 厘米 北京徐悲鸿纪念馆

他担任艺术学校校长而尝试延聘多位传统派画家（如张大千）以创造一种兼容并蓄的风气后，可以明显地觉察。当时他也开始收藏中国古画，其中最受他宝爱的作品即一幅宋人的《八十七神仙卷》【图264】。《八十七神仙卷》可能是与王季迁所藏《朝元仙仗》同一来源的壁画稿本，全卷仅以墨色线条绘成。徐悲鸿除了推崇其人物"尽雍容华妙，比例相称，动作变化"外，还特别感赞它"无一懈笔，游行自在"。[24] 在他的观念里，后者的笔墨成就显然是奠基在前者形象的成功掌握之上的，切不可倒因为果。因此他在评旧文人画时便以其"舍弃其真感以殉笔墨"为病根,并指出:"夫有真实之山川,而烟云方可怡悦,今不把握一物,而欲以笔墨寄其气韵,放其逸响,试问笔墨将于何处着落?!"[25]对于这种"着落"于"真感"的笔墨功夫,徐悲鸿确实也在他的水墨作品中一再地努力追求,并建立了他自己的风格,给予后来画坛极大的影响。李可染等人所作的写生山水画,基本上都是服膺这个将"笔墨"着落在"真感"之大原则的表现。

徐悲鸿与高剑父等人的笔墨变革皆出于"走向民众"的动机,也得到许多来自社会的支持。但是,这并非国难情境中的唯一选择。对某些画家而言,让"笔墨"走向民众,或将写实作为笔墨的框界,都可能限制了笔墨的潜力。明清以来的笔墨发展史除了将之从写形的束缚中解放出来外,其实另外也赋予了一种形式之外的足以应付困境的精神力量。清初的遗民画家们即是以此表达了身处逆境中的崇高气节,形成其精神提升的典范。在二十世纪之三四十年代中日战争发生之前后,画家如黄宾虹、傅抱石等人都在所谓明遗民画家的艺术中找到了这种精神力量,让他们深信对其之努力探索,可以转化为文化战力,救国家于危亡。黄宾虹自1937年起困居北京近十年,不得南归,且被迫在日军的统治之下过着一种半隐居的生活。这个情境让他似乎更能体会二百五十年前明遗民的内心与其艺术的精神意义。他对古代传统的情感因之更深,并与民族意识强烈地结合为一。黄宾虹山水画中最具个人特色的浓墨法,即在困居北京时期有了关键性的发展【图265】。较早期山水画中较明显的枯涩笔墨至此则代之以层叠多次的墨染与浓墨点混合,致使画面上呈现激烈的虚实变化,而在笔墨浓重处又自具一种内在的疏密差异,分明而丰富。这正是他个人对古代山水传统中"华滋浑厚"境界的笔墨诠释。[26]所谓"华滋浑厚"原本出于元末张雨对黄公望的赞辞"山川浑厚,草木华滋",后来在中国传统绘画论述中则被奉之为理想境界,以示山水之能得造化生气。对黄宾虹而言,他的笔墨诠释乃在此固有的笔墨基础之上,对中国文化传统之根本精神,与其之所以具有超强生命力的再发现。身处于国家危亡之际,此种笔墨的探索,因此不仅关系到个人的艺术成就,而且是民族气节之再凝聚,精神力量之再提升与展现之所系,"救国之要亦在是"。[27]

正如黄宾虹的探索,傅抱石在中日战争期间亦以笔墨之新道来因应国难变局的内外需求。傅抱石在战前主要以研究古代美术史及理论知名。战争期间,转徙四川八年,则改以水墨创作为主。他与黄宾虹颇为

图 265. 民国 黄宾虹《用写生稿作山水》1946 年 纸本 水墨 美国私人收藏

相似,在身处国家受外敌侵略的时局中,对画史中遗民画家所表现的气节最为重视。尤其对清初的明遗民如石涛、龚贤等人尤为倾倒,认为他们的成就甚至超过元代之大师们,并深信由他们的艺术中可以变化出"兴奋"与"前进"的力量。[28] 他自己的山水画便与石涛有密切的关系。在重庆时期,他曾计划完成一系列表现石涛一生活动的"史画",以纪念这个"吾中华伟大艺人"。其 1942 年所作的《石涛上人像》【图 266】即以淋漓充沛的水墨作巨松,细致使转的线条作红白梅枝,而将石涛置于其中,企图呈现他自己在题识中所休认的石涛形象:"性耿介,悲宗社沦亡,不肯俯仰事人,磊落抑郁,一寄之笔墨,故所为诗画,排奡纵恣,真气充沛。"[29] 石涛的画既是其伟大人格的呈现,其"真气充沛"的笔墨便成为他追求奋进的源头。傅抱石在重庆时所作如《巴山夜雨》、《潇潇暮雨》(参见图 260)等杰作,就是在石涛的基础上,发展出他自己以散锋破笔挥洒的"抱石皴",及因之而成的独特水墨风格。此时作品常见的"夜雨"主题,意象凄迷,乃是承继自传统中以暗夜喻乱世的意涵,但在其破笔散峰的笔墨诠释之下,却一改过去的浪漫感伤而追求

5-2 中国笔墨的现代困境 | **427**

图266. 民国 傅抱石
《石涛上人像》
1942 年
轴 纸本 设色
132.5 厘米×58.5 厘米
私人收藏

一种他自称之为"雄浑"、"朴茂"的气象。这种精神内涵正是傅抱石自遗民绘画传统中"再发现"的中国艺术精神之核心；他的笔墨探索，亦意在于将之昭示国人，并预证中国不灭、抗战必胜的前景。[30]

五、笔墨论辩的新情境

不论是回归个人抒怀也好，转向写实也好，抑或是化为民族气节精神的载体，笔墨在二十世纪前半期所产生的内涵转变都是在其传统三个层次的意义陷入困境之后，对其环境需求所做的不同因应。它们之间其实没有对与错的问题，该考虑的只是有效与否的衡量；而有效与否又只关系到个人对环境情势需求的感知与个人途径的选择间的契合而已。时代虽有所谓整体大势走向，但那大多是后来史家的一己之见，身处其中的人看向未来反而见到各式多样的可能性。艺术家尤其如此。他们对所处情境的感知皆与其各自情性、背景密不可分，其所选择的因应亦因此而各有所针对。溥心畬的因应与徐悲鸿者看似相反，但却各自有效；他们连同黄宾虹、高剑父、傅抱石等人的因应，皆都各自有所成就。如果就此来讨论其价值之高下，肯定不会有任何结果。但是，如果作为一种策略性的选择，各派主张固然可以据理力争其作为未来唯一正途的真确性；然而，从中国近代的历史经验看来，这种论争的最后却常取决于艺术以外的政治力。六十年代初期在《美术》杂志上便出现过一波对中国笔墨问题的热烈讨论，有趣的是：它的结束并非论理的胜负，而是来自毛泽东的批示。此批示中"许多共产党人热心提倡封建主义的艺术，却不热心提倡社会主义的艺术，岂非咄咄怪事"一语，终结了整个讨论，并让笔墨问题的讨论"完全销声匿迹，达十余年之久"。[31]

然而，从宏观的角度看，政治力的介入笔墨论争，虽然粗暴而惹人厌恶，却也不算"怪事"。历史上每一次笔墨意义的变化都是在某种特定的文化脉络中进行的，即使三百多年前出现的笔墨中心主义，其之成为区别雅俗的身份表征，也不是笔墨内部自然产生的，而系因应当时社会上士庶之分趋于混乱的情势而来。二十世纪初期笔墨意义的各种转化，亦有其因应社会之必然，且与国难的危机直接有关。这清楚地显示了一个规律：当社会文化情境有激烈而本质性的变化时，笔墨意义便须重新拟定，而为了要使其得到新的转化，论辩的过程势必出现。而在此论辩的过程中，笔墨意义何在的问题，实不只是艺术问题而已，更重要的还在于其考虑亦意味着论者对整体文化情势未来趋向的规划（或臆测）。换句话说，画家的选择或论者的判断，一方面是对当下的因应，另一方面是对未来的规划。这双向的思考共同构成笔墨意义的转化，两者缺一不可。

由这个角度来回顾近年来中国绘画界在笔墨问题的再一次争论，便可觉察到其症结实在于文化新情境的出现。九十年代中国文化情境与本文主要讨论的二十世纪前半者相较，最大的不同实在于国难危机的解除。面对二十一世纪的中国已经不须再担心亡国灭种，列强的殖民亦不复存在，中国反而已经昂然登上国际舞台，并且扮演着重要的角色。此时的文化发展基本上已无如何存续的问题。在此情况下，过去笔墨的各种意义也因而失去了存在的支撑，逐渐丧失其原有的吸引力。笔墨是否等于零的争论，其实正是此时催生新意义的必要过程。

参与论争的双方（或多方）虽各逞其雄辩，但如由上述笔墨意义转化之双向性来观察的话，仍尚有论辩的空间。持着笔墨等于零的论者并不全盘否定笔墨，但集中地批判"脱离了具体画面的孤立的笔墨"，强调它只能是作者"为求表达视觉美感及独特情思"的"造型手段"之一，[32] 这种主张系将笔墨的意义回归到造型之基本需要，不让它逸出画面构成的监控。其思路虽有些近似徐悲鸿等人者，但已无其"走向民众"的终极关怀之制约，而显得更为自由，正反映出九十年代新情境的氛围。但由意义建立之对未来面的规划而言，这"造型主体"则仍缺乏积极性。在以反叛传统为手段在进行革命之时，如果不愿以西方的现代主义为归宿，前辈们所持如"走向民众"等目标亦无法拥抱时，其意义之具体着落，便成为亟须解决的问题。有论者以其缺少"对笔墨的深层精神的感悟"评之，[33] 道理或亦在此。

另一方以反对笔墨等于零的主张亦见其对新情境之因应所在。当反笔墨论者在免除了政治性与社会性之干预的自由情境中重新去认识笔墨的造型主体时，这些论者则务实地注意到笔墨的工具性文化意义。这种主张以为笔墨之内涵来自中国之特殊绘画工具，而它长期累积的美感规范，实是"中国文化慧根之所系"。对他们而言，笔墨因此遂应视为"中国画的识别系统"，是中国画之得以在"西学东渐的狂潮中"继续生存的"最后一道底线"。[34] 其实这种主张曾在二十世纪中以不同的形式一再地出现，大致上都是以笔墨为国家民族主义下的文化认同符号，来因应各个不同的时代情境。例如"国画"一词在二十年代的出现，系因应着当时中国试图脱离半殖民之困境的迫切需要；[35]黄宾虹与傅抱石在中日战争期间将笔墨生气的探索与救国工作加以等同，亦显示着在国难紧迫关头下所有文化力量须立即予以落实的巨大压力。九十年代末期笔墨之作为民族文化认同符号，它所面对的新情势则是全球化趋势中地域文化如何生存发展的问题。在此情势中谈中国笔墨之文化认同意义，它的前提自然是在坚信地域性不能被全球化趋势所牺牲。如此的立足点固然有许多史实可以依据，让人相信由众多地域文化所共构之多元性正是人类文明的珍贵遗产；[36]但是，地域性文化在未来的发展空间，在肯定不至于完全被牺牲的情况下，究竟可以保留多少？这才是关键问题。

此地域性的讨论还牵涉到国家民族主义的问题。后者虽在二十世纪中曾经扮演绝对优势的主导角色，但在全球化的近期趋势中，亦正在快速地贬值、退潮，不仅显得格格不入，甚至成为欲除之而后快的障碍。在此新情势中，国家民族主义势必会无法继续留存，但必须代之而起的某种新的"地域—世界"关系却也尚未成形。这个新关系将来会以什么面貌出现，可能是二十一世纪最令人期待的新局。中国笔墨之作为民族文化认同的符号，在面对如此未来的考虑中，是否需要做"底线"式的坚持，因此也值得再加思索。

在全球化趋势尚在进行，新的"地域—世界"关系亦在形塑过程之中的情境里，关于笔墨意义的论辩，势必会继续下去。而在这个论辩过程中，所有参与者将为其自己及时代逐步探索出新的笔墨意义，并一起规划一个具有未来性的新的"地域—世界"关系。

注 释

导 论

〔1〕方闻的结构分析法及其研究成果，可见 Wen C. Fong, "Toward a Structural Analysis of Chinese Landscape Painting," *Art Journal*, vol. 28 (1969), pp. 388–397; Wen C. Fong et al., *Images of the Mind: Selections from the Edward Elliott Family and John B. Elliott Collection of Chinese Calligraphy and Painting at the Art Museum, Princeton University* (Princeton, N.J.: The Art Museum, Princeton University, 1984). 此书有新出中译本，见李维琨译，《心印——中国书画风格与结构分析研究》（西安，陕西人民美术出版社，2004）。

〔2〕对于这部分之成果，例可见于 James Cahill, *An Index of Early Chinese Painters and Paintings: T'ang, Sung, and Yüan* (Berkeley, C. A.: University of California Press, 1980); 铃木敬，《中国绘画史》，全8册（东京，吉川弘文馆，1981—1995）。

〔3〕这些成就可见如铃木敬，《明代绘画史研究·浙派》（东京，木耳社，1968）; Richard Barnhart, *Marriage of the Lord of the River: A Lost Landscape by Tung Yüan* (Ascona: Artibus Asiae Supplementum, 27, 1970); Richard Barnhart et al., *Painters of the Great Ming: The Imperial Court and the Zhe School* (Dallas: The Dallas Museum of Art, 1993); 古原宏伸，《中国画卷の研究》（东京，中央公论美术社，2005）。

〔4〕Wen C. Fong, "Rivers and Mountains after Snow (*Chiang-shan Hsüeh-chi*), Attributed to Wang Wei (A. D. 688–759)," *Archives of Asian Art*, vol. 30 (1976), pp. 6–33.

〔5〕如见 James Cahill, "*Hsieh-I* as A Cause of Decline in Later Chinese Painting," in *Three Alternative Histories of Chinese Painting* (Lawrence, Kansas: Spencer Museum of Art, University of Kansas, 1988), pp. 100–112。

〔6〕以社会身份之角度探讨文人画之观念发展，可参见 Susan Bush, *The Chinese Literati on Painting: Su Shih (1037–1101) to Tung Ch'i-ch'ang (1555–1636)* (Cambridge: Harvard University Press, 1971)。

〔7〕对蒙元帝国多元文化探讨之最新成果，参见萧启庆，《内北国而外中国》，全2册（北京，中华书局，2007）。

〔8〕元代文人山水画的历史地位早在十七世纪时便由董其昌等论者所确立，在二十世纪七十年代

艺术史学界则进一步在作品风格上作了完整的研究，其例如何惠鉴，《元代文人画序说》，《文人画粹编·中国篇3·黄公望、吴镇、王蒙、倪瓒》（东京，中央公论美术社，1979）；James Cahill, *Hills Beyond a River: Chinese Painting of the Yüan Dynasty, 1279–1368* (New York and Tokyo: Weatherhill, 1976); 张光宾编，《元四大家》（台北故宫博物院，1975）。

［9］对于沈周、文征明、董其昌这三个重点的研究，至二十世纪九十年代时已大致完成，重要成果如：Richard Edwards, *The Field of Stones: A Study of the Art of Shen Chou (1427–1509)* (Washington D.C.: Freer Gallery of Art, 1962); Anne Clapp, *Wen Cheng-ming: The Ming Artist and Antiquity* (Ascona: Artibus Asiae Supplementum, 34, 1975); 江兆申，《文征明与苏州画坛》（台北故宫博物院，1977）；江兆申，《吴派画九十年展》（台北故宫博物院，1981）；北京故宫博物院，《吴门画派研究》（北京，紫禁城出版社，1993）；古原宏伸，《董其昌の书画》，全2册（东京，二玄社，1981）；Wai-kam Ho, *The Century of Tung Ch'i-ch'ang, 1555–1636*, 2 Vols. (Kansas City and Seattle: The Nelson-Atkins Museum of Art and University of Washington Press, 1992)。

［10］例可见James Cahill, *The Painter's Practice: How Artists Lived and Worked in Traditional China* (New York: Columbia University Press, 1994)。

［11］对文征明一生几个转折的详细讨论，请参见石守谦，《风格与世变：中国绘画史论集》（台北，允晨文化实业股份有限公司，1996；简体字版，北京大学出版社，2008），页229—337。

［12］Shou-chien Shih, "Calligraphy as Gift: Wen Cheng-ming's (1470–1559) Calligraphy and the Formation of Soochow Literati Culture," in Wen C. Fong et al., *Character and Context in Chinese Calligraphy* (Princeton, N.J.: The Art Museum, Princeton University, 1999), pp. 254–283.

［13］对董其昌绘画理论研究之大量成果，可参见古原宏伸、张连编，《文人画与南北宗论文汇编》（上海书画出版社，1989）。

［14］研究之例可见杨义著，郭晓鸿辑图，《京派海派综论（图志本）》（北京，中国社会科学出版社，2003）。

［15］金陵绘画在十五、十六世纪的发展，请另参见石守谦，《浙派画风与贵族品味》，载《风格与世变》，页181—228；石守谦，《浪荡之风——明代中期南京的白描人物画》，载《台湾大学美术史研究集刊》，第1期（1994），页39—61。

［16］永乐宫壁画的研究虽自二十世纪五六十年代已由傅熹年、王逊、宿白开端，但迄今尚无完整而深入的学术专书问世。最近则有较完整的图像资料汇集之出版，见金维诺编，《永乐宫壁画全集》（天津人民美术出版社，2007）。

［17］前者可见徐复观，《中国艺术精神》（台中，东海大学，1966），后者例可见詹石窗，《道教与文学艺术》，收在卿希泰主编《道教与中国传统文化》（福州，福建人民出版社，1990），页222—270。

［18］苏立文（Sullivan）与李铸晋两人分别于1959及1979年出版了他们对中国现代绘画史的专著，可说是这个次领域最重要的两位开拓者，而因应着新资料的增加，他们也都在原书出版约四十年后提出了更完整的成果，见Michael Sullivan, *Art and Artists of Twentieth-Century China* (Berkeley and London: University of California Press, 1996); 李铸晋、万青力，《中国现代绘画史·民初之部1912—1949》（台北，石头出版股份有限公司，2001）。

［19］中国现代绘画"西化"研究的另一个缺陷在于过度偏重欧洲的角色，较为忽略来自日本的影响，这在近年学界已有所检讨修正，见陈振濂，《近代中日绘画交流史比较研究》（合肥，安

徽美术出版社，2000）；Aida Yuan Wong, *Parting the Mists: Discovering Japan and the Rise of National-Style Painting in Modern China* (Honolulu: University of Hawai'i Press, 2006)。

〔20〕典型之例可见宗白华，《论中西画法的渊源与基础》，原发表于中央大学《文艺丛刊》，第1卷第2期（1934年10月），收在《美学与意境》（北京，人民出版社，1987），页148—162。

I 观念的反省

1–1 对中国美术史研究中再现论述模式的省思

〔1〕Cf. David Summers, "Representation," in R. S. Nelson and R. Shiff eds., *Critical Terms for Art History* (Chicago: The University of Chicago Press, 1996), pp. 3–16.

〔2〕Norman Bryson, *Vision and Painting* (New Haven: Yale University Press, 1985), pp. 1–66.

〔3〕利玛窦、金尼阁著，何高济、王遵仲、李申译，《利玛窦中国札记》（北京，中华书局，1983），第1卷，第4章，页22—23。

〔4〕关于这种意见，可以清初画家兼理论家邹一桂的意见为代表。见其《小山画谱》（美术丛书本，上海，神州国光社，1928），页137—138。

〔5〕Michael Sullivan, *The Meeting of Eastern and Western Art* (Berkeley: University of California Press, 1989), pp. 67–80. 并见 Ju-hsi Chou et al., *The Elegant Brush: Chinese Painting under the Qianlong Emperor, 1735–1795* (Phoenix: Phoenix Art Museum, 1985)。

〔6〕蔡元培，《我之欧战观》，《蔡元培全集》（台北，商务印书馆，1968），页710—712。

〔7〕宗白华，《中西画法所表现的空间意识》，《中国艺术论丛》（上海，商务印书馆，1936），现收入宗白华《美学与意境》（北京，人民出版社，1987），页163—170。

〔8〕邓椿，《画继》，卷10，见《中国书画全书》（上海书画出版社，1992—1999），第2册，723。

〔9〕宗白华，《中国艺术的写实精神》，收在其《美学与意境》，页204—207。

〔10〕徐悲鸿著，徐伯阳、金山合编，《徐悲鸿艺术文集》（台北，艺术家出版社，1987），册1，页99、220。

〔11〕童书业，《唐宋绘画谈丛》（北京，朝花美术出版社，1962），页78。

〔12〕此中最有名的论文是俞剑华，《中国山水画的南北宗论》（上海人民美术出版社，1963）。

〔13〕向达，《明清之际中国美术所受西洋之影响》，《东方杂志》，第27卷第1期（1930），页19—38。

〔14〕Roger Fry, *Last Lectures* (Boston: Beacon Press, 1962), pp. 97–149.

〔15〕Osvald Sirén, *Chinese Painting: Leading Masters and Principles* (New York: The Ronald Press, 1956–1958), vol. 5, pp. 88–94.

〔16〕Ibid, vol. l, p. 12.

〔17〕另有一种直接取用沃尔夫林（Wölfflin）风格论的中国美术史研究，请见方闻，《西方的中国画研究》，载《故宫文物月刊》，第45期（1986），页49—50。

〔18〕此可以1969年在普林斯顿大学（Princeton University）所召开之研讨会为代表。研讨会中的论文可见 Christian F. Murck ed., *Artists and Traditions: Uses of the Past in Chinese Culture* (Princeton:

The Art Museum, Princeton University, 1976)。

[19] 这种工作的最佳例子，可见 Wen C. Fong, *Summer Mountains: The Timeless Landscape* (New York: The Metropolitan Museum of Art, 1975)。

[20] Chu-tsing Li, "Rocks and Trees and the Art of Ts'ao Chih-po," *Artibus Asiae*, vol. 23, no. 3/4 (1960), pp. 153–192; *The Autumn Colors on the Ch'iao and Hua Mountains: A Landscape by Chao Meng-fu* (Ascona: Artibus Asiae Supplementum, 21, 1965). 亦见何惠鉴，《元代文人画序说》，收在文人画粹编·中国篇3·黄公望、吴镇、王蒙、倪瓒》（东京，中央公论社，1979），页110—130。

[21] Chu-tsing Li, "Rocks and Trees and the Art of Ts'ao Chih-po," p. 176.

[22] Richard Edwards 此书为其退休演讲集，出版时间为1989年。但其背后的研究则可回溯至1962年的 *The Field of Stones: A Study of the Art of Shen Chou* 及1967年的 *The Painting of Tao-chi*。

[23] 这种工作可以傅申在《故宫季刊》上的论文为代表。见其《巨然存世画迹之比较研究》，载《故宫季刊》，第2卷第2期（1967），页51—79。这在后来则形成一个更完整的系统，见其 *Studies in Connoisseurship: Chinese Paintings from the Arthur M. Sackler Collection in New York and Princeton* (Princeton: The Art Museum, Princeton University, 1973)。

[24] 李霖灿，《中国山水画中的"皴法"研究》，载《故宫季刊》，第8卷第2期（1973），页1—26；《中国山水画上苔点之研究》，载《故宫季刊》，第9卷第4期（1975），页25—46。

[25] 李霖灿，《中国美术史稿》（台北，雄狮图书股份有限公司，1987），页79—130。

[26] 江兆申，《从画家构图意念来看中国山水画的旧有发展》，载《故宫季刊》，第4卷第4期（1970），页6。

[27] 同上书，页11。

[28] 江兆申，《关于唐寅之研究》（台北故宫博物院，1976）；《从唐寅的际遇来看他的诗书画》，载《故宫学术季刊》，第3卷第1期（1985），页1—4。

[29] Michael Sullivan, op. cit., pp. 244–269.

[30] 对此可见张光宾编，《元四大家》（台北故宫博物院，1975）。

[31] Wen C. Fong and Marilyn Fu, *Sung and Yuan Paintings* (New York: The Metropolitan Museum of Art, 1973). James Cahill, *Hills Beyond a River: Chinese Painting of the Yüan Dynasty, 1279–1368* (New York and Tokyo: Weatherhill, 1976).

[32] James Cahill, *Hills Beyond a River*, p. 3, 译文取自中译本《隔江山色》（北京，三联书店，2009），页2。

[33] 江兆申，《文征明与苏州画坛》（台北故宫博物院，1977）；张光宾编，《元四大家》。

[34] 石守谦，《嘉靖新政与文征明画风之转变》，收在《风格与世变：中国绘画史论集》（台北，允晨文化实业股份有限公司，1996），页261—297。

[35] 孙纪元，《敦煌彩塑与制作》，载《中国石窟·敦煌莫高窟》（东京，平凡社，1986），第3卷，页213—214。

[36] 例如孙纪元便以为五代宋元明之佛教雕塑"作者过于追求细致、写实，衣褶渐趋繁琐，造像气质已不如前代"。见其《麦积山石窟雕塑艺术》，载《中国美术全集·雕塑编8·麦积山石窟》（北京，人民美术出版社，1988），页15。

[37] 史岩，《五代两宋雕塑概说》，载《中国美术全集·雕塑编5·五代宋雕塑》，页15。

[38] James Cahill, *The Compelling Image: Nature and Style in Seventeenth-Century Chinese Painting* (Cambridge: Harvard University Press, 1982), p. 70. 译文取自中译本，《气势撼人》(北京，三联书店，2009)，页 92。

[39] James Cahill, "Hsieh-I as A Cause of Decline in Later Chinese Painting," *Three Alternative Histories of Chinese Painting* (Lawrence, Kansas: Spencer Museum of Art, University of Kansas, 1988), pp. 100–102.

[40] 此研讨会乃 1992 年 4 月 17 日至 19 日，配合 "The Century of Tung Ch'i-ch'ang" 展览，在 Nelson-Atkins Museum, Kansas City 举行。

[41] 参见 Wai-kam Ho, "Tung Ch'i-ch'ang's New Orthodoxy and the Southern School Theory," in Christian F. Murck ed., *Artists and Traditions*, pp. 113–130。

[42] 许多学者都怀疑董其昌主张 "以自然为师" 时的真诚性，并以为其并未在创作中实践此主张。见 Richard Edwards, *The World Around the Chinese Artist: Aspects of Realism in Chinese Painting* (Ann Arbor: University of Michigan, 1989), p. 125；James Cahill, *The Compelling Image*, pp. 36–69。

1-2 中国文人画究竟是什么？

[1] 徐悲鸿，《世界艺术之没落与中国艺术之复兴》，收在《徐悲鸿艺术文集》(银川，宁夏人民出版社，1994)，页 498—507。

[2] 陈衡恪，《文人画的价值》，收在何怀硕编《近代中国美术论集》(台北，艺术家出版社，1991)，页 49—52。

[3] 汪亚尘，《国画上题诗问题》，同上书，页 53—54。

[4] 钱锺书，《中国诗与中国画》，同上书，页 35—48。

[5] 滕固，《关于院体画和文人画之史的考察》，同上书，页 23—29。

[6] 滕固，《唐宋绘画史》(北京，中国古典艺术出版社，1958)，页 100、106—107。

[7] 沈颢，《画麈》，收在《中国书画全书》(上海书画出版社，1992—1999)，第 4 册，页 814。

[8] 董其昌，《画禅室随笔》(艺术丛编本，台北，世界书局，1968)，页 43。

[9] 同上书，页 34。

[10] 俞剑华，《中国山水画的南北宗论》(上海人民美术出版社，1963)，页 111—113。

[11] 江兆申，《谈中国文人画》，《故宫文物月刊》，第 40 期 (1986)，页 27。

[12] 江兆申，《文征明与苏州画坛》(台北故宫博物院，1977)；Anne Clapp, *The Painting of T'ang Yin* (Chicago: The University of Chicago Press, 1991).

[13] 张彦远，《历代名画记》，卷 1，见《中国书画全书》，第 1 册，页 124。

[14] 石守谦，《"幹惟画肉不画骨" 别解》，《风格与世变：中国绘画史论集》(台北，允晨文化实业股份有限公司，1996)，页 53—85。

[15] 苏轼，《书鄢陵王主簿所画折枝二首》，见《苏东坡集》(万有文库荟要本，台北，商务印书馆，1965)，卷 4，页 63。

[16] 黄庭坚，《豫章黄先生文集》(四部丛刊初编本)，卷 26，页 9。

[17] 郭若虚，《图画见闻志》，卷 1，见《中国书画全书》，第 1 册，页 468。

[18] Chu-tsing Li, *The Autumn Colors on the Ch'iao and Hua Mountains: A Landscape by Chao Meng-fu* (Ascona: Artibus Asiae Supplementum, 21, 1965).

〔19〕刘巧楣，《晚明苏州绘画中的诗画关系》，《艺术学》，第 6 期（1991），页 33—103。

〔20〕Cf. Susan Bush, *The Chinese Literati on Painting: Su Shih (1037–1101) to Tung Ch'i-ch'ang (1555–1636)* (Cambridge: Harvard University Press, 1971), pp. 151–178.

1-3 洛神赋图——一个传统的形塑与发展

〔1〕关于《兰亭序》传世所见风格是否原属王羲之的争端，可见文物出版社编，《兰亭论辨》（北京，文物出版社，1973）。

〔2〕褚遂良《晋右军王羲之书目》及何延之《兰亭记》，收于张彦远《法书要录》，卷 3，见《中国书画全书》（上海书画出版社，1992—1999），第 1 册，页 48、57—58。

〔3〕《陶隐居与梁武帝论书启》，收于张彦远，前引书，页 40。

〔4〕褚遂良，《晋右军王羲之书目》，收于张彦远，前引书，页 48。

〔5〕赵孟頫，《松雪斋集》（四部丛刊初编本），卷 10，页 16。

〔6〕张丑，《清河书画舫》，见《中国书画全书》，第 4 册，页 159。

〔7〕董逌，《广川书跋》，卷 6，见《中国书画全书》，第 1 册，页 788。

〔8〕同上。

〔9〕黄庭坚，《题洛神赋后》，《山谷题跋》，卷 4，见《中国书画全书》，第 1 册，页 682。

〔10〕杨守敬的意见写在现存 Freer Gallery of Art 的《洛神赋图》卷后，见 Thomas Lawton, *Chinese Figure Painting* (Washington D.C.: The Smithsonian Institutions, 1973), pp. 18–29。

〔11〕Pao-chen Chen, "*The Goddess of the Lo River*: A Study of Early Chinese Narrative Handscrolls" (Ph. D. dissertation, Princeton, N.J.: Princeton University, 1987)；韦正，《从考古资料看传顾恺之〈洛神赋图〉的创作年代》，载《艺术史研究》，第 7 辑（2005），页 269—279。

〔12〕关于北宋人对"古代"的兴趣与研究，参见陈芳妹，《追三代于鼎彝之间——宋代从"考古"到"玩古"的转变》，载《故宫学术季刊》，第 23 卷第 1 期（2005），页 267—332。

〔13〕秦公，《洛神赋（十三行）解说》，《中国美术全集·书法篆刻编 2·魏晋南北朝书法》（北京，人民美术出版社，1986），图版说明页 41；王壮弘编著，《晋王献之书洛神赋十三行》，《帖学举要》（上海书画出版社，1987），页 127—134。

〔14〕见秦公对玉版十三行原石的解说。

〔15〕黄伯思，《东观余论》，见《中国书画全书》，第 1 册，页 883。

〔16〕《宣和书谱》，卷 16，见《中国书画全书》，第 2 册，页 45。

〔17〕张怀瓘，《书断》，收在张彦远，《法书要录》，卷 8，见《中国书画全书》，第 1 册，页 89。

〔18〕徐松辑，《宋会要》（续修四库全书本，上海古籍出版社，2003），卷 1753，页 9。

〔19〕关于北宋本和辽宁本制作时间的推定，见 Pao-chen Chen, op. cit., pp. 53–109, 258–275。

〔20〕对马和之《毛诗图》之研究，参见 Julia Murray, *Ma Hezhi and the Illustration of the Book of Odes* (Cambridge: Cambridge University Press, 1993)。

〔21〕熊克，《中兴小记》（文渊阁四库全书本，台北，商务印书馆，1983），卷 31，页 9。

〔22〕其时内至少两次，分别为乾道七年春及淳熙十一年四月二十四日，见王应麟，《玉海》（文渊阁四库全书本），卷 34，页 31—32。

〔23〕王铚，《题洛神赋图诗并序》，《雪溪集》（文渊阁四库全书本），卷 1，页 7。

〔24〕本文对全赋结构之分析，乃采用陈葆真的研究成果，见陈葆真，《传世〈洛神赋〉故事画的表现类型与风格系谱》，载《故宫学术季刊》，第23卷第1期（2005），页175—223。

〔25〕陈韵如，《〈雪霁江行〉解说》，见《大观——北宋书画特展》（台北故宫博物院，2006），页240—245。

〔26〕李昉等编，《太平广记》（文渊阁四库全书本），卷311，页286—288。

〔27〕曾慥，《类说》，卷32，收于《北京图书馆古籍珍本丛刊》（北京，书目文献出版社，1988），第62册，页531。

〔28〕唐圭璋编，《全宋词》（北京，中华书局，1965），册3，页2146。

〔29〕高似孙，《水仙花后赋》，见陈元龙等奉敕编，《御定历代赋汇》（文渊阁四库全书本），卷121，页560—561。

〔30〕《故宫书画图录》，第5册（台北故宫博物院，1990），页107—108。

〔31〕刘秉忠，《藏春集》，卷4，收入陈元龙等奉敕编，《御定历代赋汇》（文渊阁四库全书本），页15。

〔32〕此《题凌波仙图》一诗未见于《东维子文集》与《铁崖古乐府》等书，但可见于陈邦彦等奉敕编《御定历代题画诗类》（文渊阁四库全书本），卷61，页15。

〔33〕石守谦，《隐逸文人の内面世界——元末四大家の生涯と艺术》，《世界美术大全集·东洋编·第7卷·元》（东京，小学馆，1999），页151—161。

〔34〕徐邦达，《古书画伪讹考辨》（南京，江苏古籍出版社，1984），上卷，页21—27。

〔35〕Shou-chien Shih, "The Mind Landscape of Hsieh Yu-yü by Chao Meng-fu," Wen C. Fong et al., *Images of the Mind: Selections from the Edward Elliott Family and John B. Elliott Collection of Chinese Calligraphy and Painting at the Art Museum, Princeton University* (Princeton, N.J.: The Art Museum, Princeton University, 1984), pp. 237–254.

〔36〕赵孟頫至少临过楷书《洛神赋》一次，另以自己风格写过四次，并于1320年得到墨迹本。见虞集，《道园学古录》（四部丛刊初编本），卷11，页5—6；及任道斌，《赵孟頫系年》（郑州，河南人民出版社，1984），页78、92、94—95、206。

〔37〕王连起曾就赵孟頫多次以其行书重写原为小楷的《洛神赋》全文提出说明，以为存在着一种"既要翩若惊鸿的婀娜，又要婉若游龙的矫健"的艺术追求心理。见王连起，《赵孟頫行书〈洛神赋〉真伪鉴考》，载《文物》，2002年第8期，页78—90。

〔38〕关于白描《九歌图》的研究，参见 Deborth Del Gais Muller, "Chang Wu: Study of a Fourteenth-Century Figure Painter," *Artibus Asiae*, Vol. 47, no.1 (1986), pp. 5–34。

〔39〕《仕女画之美》（台北故宫博物院，1988），页22。

〔40〕《故宫书画图录》，第18册（台北故宫博物院，1999），页372。

〔41〕Ellen Johnston Laing, "Erotic Themes and Romantic Heroines Depicted by Ch'iu Ying," *Archives of Asian Art*, 49 (1996), pp. 68–91.

〔42〕陈邦彦等奉敕编，《御定历代题画诗类》（文渊阁四库全书本），卷61，页13。

〔43〕Ellen Johnston Laing, "Notes on Qiu Ying's Figure Paintings," Papers from the Symposium on Painting of the Ming Dynasty, Hong Kong (1988.11.30–12.2).

〔44〕徐邦达，前引文。

〔45〕这也可以视为明末整个对顾恺之概念形塑中的一环。关于此点，可参见尹吉男，《明代后期鉴

藏家关于六朝绘画知识的生成与作用——以"顾恺之"的概念为线索》，收在薛永年、罗世平主编，《中国美术史论文集——金维诺教授八十华诞暨从教六十周年纪念文集》(北京，紫禁城出版社，2006)，页 223—229。

〔46〕见《内务府活计档：造办处各作成做活计清档》，乾隆二十一年十月，裱作，Box No. 101，页 164。此资料由王静灵先生提供，谨此致谢。

〔47〕改装后的全貌，见《中国历代绘画·故宫博物院藏画集》Ⅰ (北京，人民美术出版社，1978)，页 1—19。

〔48〕《女史箴》入宫时间之推测系依：一、1741 年对《洛神》题诗时似仍不知《女史箴》。二、1745 年《女史箴》已入《石渠宝笈初编》。关于乾隆帝与《女史箴》，可参见 Nixi Cura, "A 'Cultural Biography' of the *Admonitions Scroll*: The Qianlong Reign (1736–1795)," in Shane McCausland ed., *Gu Kaizhi and the Admonitions Scroll* (London: The British Museum Press, 2003), pp. 260–276。

〔49〕《故宫书画图录》，第 21 册 (台北故宫博物院，2002)，页 55—60。

〔50〕对于清朝宫廷绘画特质的讨论，近年来已由"写真"修正为"如真"或"写真感"，参见陈韵如，《时间的形状——〈清院画十二月令图〉研究》，载《故宫学术季刊》，第 22 卷第 4 期 (2005)，页 103—139；陈韵如，《制作清明上河图》(未刊稿，发表于 2005 年 10 月北京故宫博物院研讨会)。

〔51〕乾隆帝对古画的摹制，除《洛神赋图》外，尚有多件，其中大多数由丁观鹏执行。这些计划可能与藏传佛教的"再生"(rebirth) 观念有关。参见 Patricia Berger, *Empire of Emptiness: Buddhist Art and Political Authority in Qing China* (Honolulu: University of Hawai'i Press, 2003), pp. 124–166。

〔52〕现在所知至少已有六本，见 Howard Rogers, "Second Thoughts on Multiple Recensions," *Kaikodo Journal*, vol. 5(1997), pp. 46–62。

〔53〕此可以傅抱石《为罗时慧作仕女图》(1945 年，傅家藏) 为代表。图版可见于《20 世纪中国画坛の巨匠・傅抱石・日中美术交流のかけ桥》(东京，涩谷区立松涛美术馆，1999)，页 63。

1-4　风格、画意与画史重建——以传董源《溪岸图》为例的思考

〔1〕Michael Sullivan, *The Birth of Landscape Painting in China* (Berkeley & Los Angeles: University of California Press, 1962); Wen C. Fong et al., *Images of the Mind: Selections from the Edward Elliott Family and John B. Elliott Collection of Chinese Calligraphy and Painting at the Art Museum, Princeton University* (Princeton, N.J.: The Art Museum, Princeton University, 1984), pp. 20–73.

〔2〕这种例子可举《夏山图》由燕文贵改归为屈鼎作代表，见 Wen C. Fong, *Summer Mountains* (New York: The Metropolitan Museum of Art, 1975), pp. 15–17。

〔3〕张彦远，《历代名画记》，见《中国书画全书》(上海书画出版社，1992—1999)，第 1 册，页 120。

〔4〕郭若虚，《图画见闻志》，见《中国书画全书》，第 1 册，页 467。

〔5〕同上注，页 469—470、478、482。

〔6〕关于董其昌与王维关系的讨论，请见古原宏伸，《董其昌における王维の概念》，收于古原宏伸编，《董其昌の书画・研究篇》(东京，二玄社，1981)，页 3—24；Wen C. Fong, "Rivers and Mountains after Snow (Chiang-shan hsüeh-chi) Attributed to Wang Wei (A.D. 699–759)," *Archives of Asian Art*, vol. 30 (1976–77), pp. 6–33；石守谦，《董其昌〈婉娈草堂〉及其革新画风》，载《中央

研究院历史语言研究所集刊》，第 65 本第 2 分（1994），页 307—326。

[7] 米芾，《画史》，见《中国书画全书》，第 1 册，页 979，张修条；页 986，王士元条；页 987，王晋卿条等处，皆提到这种现象。

[8] 《宣和画谱》，见《中国书画全书》，第 2 册，页 89。

[9] 同注 4，页 478。

[10] 同注 4，页 483。

[11] 同注 7，页 979。

[12] 同注 7，页 989，"颍州公库"条。关于米芾对顾恺之追索过程的精彩重建，见古原宏伸，《米芾〈画史〉札记》，载《台湾大学美术史研究集刊》，第 4 期（1997），页 91—107。

[13] Kohara Hironobu, "Tung Ch'i-ch'ang's Connoisseurship in T'ang and Sung Painting," in Wai-kam Ho, ed., *The Century of Tung Ch'i-ch'ang, 1555–1636* (Kansas City and Seattle: The Nelson-Atkins Museum of Art and University of Washington Press, 1992), pp. 94–101.

[14] 关于董其昌的《云藏雨散》，见石守谦，《略论董其昌之〈云藏雨散〉》，载《名家翰墨》，第 32 期（1992），页 66—75。

[15] 沈括，《梦溪笔谈》（四部丛刊续编本，台北，商务印书馆，1966），卷 17，页 8 下。

[16] 关于《深山棋会》与中原地区绘画的关系，可参见杨仁恺，《叶茂台辽墓出土古画的时代及其它》，《辽宁省博物馆藏宝录》（香港，三联书店，1994），页 133—134。

[17] 河北省文物研究所、保定市文物管理处，《五代王处直墓》（北京，文物出版社，1998）。

[18] 江兆申，《从画家构图意念来看中国山水画的旧有进展》，载《故宫季刊》，第 4 卷第 4 期（1970），页 2。

[19] 关于唐代山水画的空间表现，见 Wen C. Fong，同注 2，pp. 2–5。

[20] Kiyohiko Munakata, *Ching Hao's "Pi-fa-chi": A Note on the Art of the Brush* (Ascona: Artibus Asiae Supplementum, 31, 1974), p. 14.

[21] 卫贤《高士图》早见于《宣和画谱》之著录，见《宣和画谱》，同注 8，页 84。

[22] 这个细节可见于《故宫藏画大系》（台北故宫博物院，1993），页 48—49。

[23] Wai-kam Ho et al., *Eight Dynasties of Chinese Painting: The Collections of Nelson Gallery-Atkins Museum, Kansas City, and the Cleveland Museum of Art* (Cleveland: The Cleveland Museum of Art, 1980), pp. 18–19.

[24] 其例可见陕西省文物管理委员会编，《陕西省出土唐俑选集》（北京，文物出版社，1958），图 69，该俑出自史思礼墓（744 年）。

[25] Wu Hung, *The Double Screen: Medium and Representation in Chinese Painting* (Chicago: The University of Chicago Press, 1996), pp. 176–177.

[26] 同注 8，页 73、84、91。

[27] 陈葆真，《南唐中主的政绩与文化建设》，载《台湾大学美术史研究集刊》，第 3 期（1996），页 62。

[28] 米芾，同注 7，页 981；《宣和画谱》，同注 8，页 114。

[29] 同注 8，页 99。

[30] 同注 8，页 95。

〔31〕郭思,《林泉高致》,见《中国书画全书》,第1册,页500。

〔32〕李公麟作此图之意,含有相当强的私人性,请参见 Robert Harrist, *Painting and Private Life in Eleventh-Century China: Mountain Villa by Li Gonglin* (Princeton, N.J.: Princeton University Press, 1998)。

〔33〕同注8,页91。

〔34〕同注17,页65—66。

〔35〕同注17,页65—66。

〔36〕有关《浮玉山居图》的较详细讨论,请见 Shih Shou-ch'ien, "Eremitism in Landscape Paintings by Ch'ien Hsüan (ca. 1235–before 1307)" (Ph.D. dissertation, Princeton, N.J.: Princeton University, 1984), pp. 167–173。

〔37〕James Cahill, *Hills Beyond a River: Chinese Painting of the Yüan Dynasty, 1279–1368* (New York and Tokyo: Weatherhill, 1976), pp. 67–68.

〔38〕Richard Barnhart, *Along the Border of Heaven: Sung and Yuan Paintings from the C. C. Wang Family Collection* (New York: The Metropolitan Museum of Art, 1983), pp. 152–154.

〔39〕关于王蒙与十世纪山水画的关系,请参见 Richard Vinograd, "New Light on Tenth-Century Sources for Landscape Painting Styles of the Late Yüan Period,"《铃木敬先生还历记念中国绘画史论集》(东京,吉川弘文馆,1981),页152—154。

〔40〕Wen C. Fong, "Riverbank," in Maxwell K. Hearn and Wen C. Fong eds., *Along the Riverbank: Chinese Paintings from the C. C. Wang Family Collection* (New York: The Metropolitan Museum of Art, 1999), pp. 7, 158–159.

〔41〕汤垕,《古今画鉴》,见《中国书画全书》,第2册,页896。

〔42〕同上注,页897。

〔43〕同注41,页902—903。

〔44〕夏文彦,《图绘宝鉴》,见《中国书画全书》,第2册,页862。

II 多元文化与文士的绘画

2-1 冲突与交融——蒙元多族士人圈中的书画艺术

〔1〕关于杨琏真加,参见陈高华,《略论杨琏真加和杨暗普父子》,收在《元史研究论稿》(北京,中华书局,1991),页385—400。

〔2〕此事见于元佚名之《广容谈》,亦见于陶宗仪之《辍耕录》。参见萧启庆,《元朝多族士人的雅集》,载《香港中文大学中国文化研究所学报》,新第6期(1997),页182—185。

〔3〕关于郑思肖,参见姚从吾,《铁函心史中的南人与北人的问题》,载《食货》,第4卷第4期(1974),页1—18;萧启庆,《宋元之际的遗民与贰臣》,收在《元朝史新论》(台北,允晨文化实业股份有限公司,1999),页100—118。

〔4〕《大阪市立美术馆藏中国绘画》(大阪,大阪市立美术馆,1994),页334。

〔5〕参见张光宾,《郑思肖墨迹孤本——跋叶鼎隶书金刚经册》,载《故宫文物月刊》,总第4期(1983),页79—82。

〔6〕石守谦著，林丽江译，《钱选：元代最后的南宋画家》，载《故宫文物月刊》，总第96期（1991），页4—9。

〔7〕例如东京国立博物馆所藏传赵昌《竹虫图》即此种作品。图见小川裕充等编，《花鸟画の世界》（东京，学习研究社，1983），第10册，图62。

〔8〕例如赵孟頫即曾以枯木竹石画为道教大宗师吴全节的母亲作寿。见虞集，《道园学古录》（四部丛刊初编本，台北，商务印书馆，1967），卷46，页1—2。

〔9〕参见陈葆真，《管道昇和他的竹石图》，载《故宫季刊》，第11卷第4期（1977），页51—84。

〔10〕关于鲜于枢书法与北方传统关系之讨论，详见 Marilyn Wong Fu, "The Impact of the Re-unification: Northern Elements in the Life and Art of Hsien-yu Shu（1257?–1302）and Their Relation to Early Yüan Literati Culture," in John D. Longlois, Jr. ed., *China under Mongol Rule* (Princeton, N.J.: Princeton University Press, 1981), pp. 371–433.

〔11〕《双松平远》之说明见 Wen C. Fong, *Beyond Representation: Chinese Painting and Calligraphy 8th-14th Century* (New York: The Metropolitan Museum of Art, 1992), pp. 439–441.

〔12〕元代复行科举在政治与社会上的意义，参见萧启庆，《元代科举与菁英流动：以元统元年进士为中心》，见《元朝史新论》，页156—191。

〔13〕任道斌，《赵孟頫系年》（郑州，河南人民出版社，1984），页83—84。

〔14〕对唐棣生卒年及其画作风格与意义之讨论，见石守谦，《有关唐棣（1287—1355）及元代李郭风格发展之若干问题》，收在《风格与世变：中国绘画史论集》（台北，允晨文化实业股份有限公司，1996），页131—180。

〔15〕关于送别图的研究，可参见 Miyeko Murase, "Farewell Paintings of China: Chinese Gifts to Japanese Visitors," *Artibus Asiae*, vol. 32, no. 2/3 (1970), pp. 211–236；石守谦，《〈雨余春树〉与明代中期苏州之送别图》，收在《风格与世变》，页231—260。

〔16〕正臣为阿鲁辉之字号，见《元文宗永怀二字卷》上康里巎巎之跋；陆心源，《穰梨馆过眼录》（台北，学海出版社，1975），卷6，页1、2。阿鲁辉在秘书监的经历，见王士点、商企翁编，高容盛点校，《秘书监志》（杭州，浙江古籍出版社，1992），卷9，页162。

〔17〕张丑，《清河书画舫》，尾字号第八，见《中国书画全书》（上海书画出版社，1992—1999），第4册，页279。

〔18〕卞永誉，《式古堂书画汇考》（文渊阁四库全书本，台北，商务印书馆，1983），卷49，页31。

〔19〕关于沈王朱德润的关系，见西上实，《朱德润と沈王》，载《美术史》，第104号（1978），页127—145。《雪猎图》与其他赠画资料，见朱德润《存复斋文集》（历代画家诗文集本，台北，学生书局，1973），页67、323—327、245、248、249；石守谦，《有关唐棣（1287—1355）及元代李郭风格发展之若干问题》，收在《风格与世变》，页158—164。

〔20〕对赵雍马图政治意涵的研究，首创之功当归 Jerome Silbergeld。见 Jerome Silbergeld, "In Praise of Government: Chao Yung's Painting 'Noble Steeds' and Late Yüan Politics," *Artibus Asiae*, vol. 46, no. 3(1985), pp. 159–202. 另对"揩痒马"图像在元代社会脉络中的运用，则为陈德馨提出。见陈德馨，《从赵雍〈骏马图〉看画马图在元代社会网络中的运作》，载《台湾大学美术史研究集刊》，第15期（2003），页140。有关孛颜忽都之资料，承萧启庆教授指正，特此致谢。

〔21〕陈镒，《午溪集》（文渊阁四库全书本），卷5，页7。

[22] 郑真,《荥阳外史集》(文渊阁四库全书本),卷39,页2;卷90,页9;袁华,《耕学斋诗集》(文渊阁四库全书本),卷5,页4、5;张昱,《张光弼诗集》(四部丛刊续编本,台北,商务印书馆,1966),卷3,页34;吕诚,《来鹤亭集》(文渊阁四库全书本),卷5,6;张宣,《青旸集》(丛书集成续编本,台北,新文丰出版公司,1989),卷4,页4。

[23] 乃贤题诗之全文可见《中国历代绘画·故宫博物院藏画集》(北京,人民美术出版社,1983),第4册,页82。

[24] 乃贤生平的详细研究,见陈高华,《元代诗人乃贤生平事迹考》,载《文史》,第32辑(1990),页247—262。

[25] 徐显,《稗史集传》(丛书集成续编本,台北,新文丰出版公司,1985),页62。

[26] 对泰不华的研究,见萧启庆,《元代蒙古人的汉学》,收在《蒙元史新研》(台北,允晨文化实业股份有限公司,1994),页132—133;《元朝多族士人圈的形成初探》,收在《元朝史新论》,页225—227。

[27] 参见宫崎法子,《西湖をめぐる绘画:南宋绘画史初探》,收于梅原郁编,《中国近世の都市と文化》(京都大学人文科学研究所,1984),页199—246。对高克恭《夜山图》的完整记录,可见卞永誉,《式古堂书画汇考》,卷47,页56—70。

[28] 萨都刺的生卒与仕履皆有争议,见张旭光,《萨都刺生平仕履考辨》,载《中华文史论丛》,1979年,第2辑,页331—352;周双利,《萨都刺》(北京,中华书局,1993)。他的词在近代更享有盛名,甚至还为毛泽东所引用,见田卫疆,《论元代畏兀儿人对发展中华文化的历史贡献》,载《西北民族研究》,1993年,第1期,页221—222。

[29] 关于《棘竹幽禽》的深入研究,参见洪再新,《元季蒙古道士张彦辅〈棘竹幽禽图〉研究》,载《新美术》,1997年,第3期,页4—17。该文对张彦辅画风之理解则与本文不同,而将之归于元之前北方系统风格之影响。

[30] 对《山鹧棘雀》之研究,可参见江兆申,《山鹧棘雀、早春与文会(谈故宫三张宋画)》,载《故宫季刊》,第11卷第4期(1977),页13—22。

[31] 王渊在花鸟画上之复古,实际上用意却不在北宋早期的自然主义上。此讨论可见 James Cahill, *Hills beyond a River: Chinese Painting of the Yüan Dynasty, 1279–1368* (New York and Tokyo: Weatherhill, 1976), pp. 156–158.

[32] 弘仁与石涛的扰龙松,前者可见其《黄山六十景图册》中,现存北京故宫博物院。图可见于《世界美术大全集·东洋编·第9卷·清》(东京,小学馆,1997—2001),第九卷,图41;石涛的扰龙松,见于《黄山八胜图册》,现存京都泉屋博古馆,同前引书,图33。

[33] 学者们在讨论这些非汉族书家之成就时,向来皆重在其"华化"的程度。关于贯云石、余阙等人之书法,参见王连起,《元代少数民族书法家及其书法艺术》,载《故宫博物院院刊》,1989年,第2期,页68—81。

[34] 参见洪再新,《从盛熙明看元末宫廷的多元艺术倾向》,载《故宫博物院院刊》,1998年,第1期,页18—28。

[35] 此意见乃张光宾所提出,见张光宾编,《元四大家》(台北故宫博物院,1975),页40—41。

[36] 关于方从义的整体研究,可参 Mary Gardner Neill, "Mountains of the Immortals: The Life and Painting of Fang Ts'ung-I," (Ph.D. dissertation, New Haven: Yale University, 1981).

〔37〕岛田修二郎,《逸品画风について》,载《美术研究》,161号（1951）,页264—290。

2-2　元代文人画的正宗系统——由赵孟頫到王蒙的山水画发展

〔1〕关于蒙元对装饰艺术之重视,在织品一门表现得相当清楚。最近的研究可见于 James C. Y. Watt et al., *When Silk Was Gold: Central Asian and Chinese Textiles* (New York: The Metropolitan Museum of Art, 1997), pp. 14–18, 95–99, 107–163, 190–199。

〔2〕关于杨琏真加,参见陈高华,《略论杨琏真加和杨暗普父子》,收在《元史研究论稿》(北京,中华书局,1991),页385—400。

〔3〕石守谦,《有关唐棣（1287—1355）及元代李郭风格发展之若干问题》,收在《风格与世变：中国绘画史论集》(台北,允晨文化实业股份有限公司,1996),页131—180。

〔4〕关于宗炳《画山水序》之研究,参见 Susan Bush, "Tsung Ping's Essay on Painting Landscape and the 'Landscape Buddhism' of Mount Lu," in Susan Bush and Christian Murck eds., *Theories of the Arts in China* (Princeton, N.J.: Princeton University Press, 1983), pp. 144–152。

〔5〕参见 Richard M. Barnhart, *Marriage of the Lord of the River: A Lost Landscape by Tung Yüan* (Ascona: Artibus Asiae Supplementum, 27, 1970)。

〔6〕Wen C. Fong et al., *Images of the Mind: Selections from the Edward Elliott Family and John B. Elliott Collection of Chinese Calligraphy and Painting at the Art Museum, Princeton University* (Princeton, N.J.: The Art Museum, Princeton University, 1984), pp. 66–68.

〔7〕Maxwell K. Hearn 指出此山水可视为赵孟頫为周密所作之"肖像"。见 Wen C. Fong and James Watt, *Possessing the Past: Treasures from the National Palace Museum, Taipei* (New York: The Metropolitan Museum of Art, 1996), pp. 276–277。

〔8〕Sherman E. Lee, *Chinese Landscape Painting* (New York: Harper & Row, 1960), p. 40. 在此 Lee 将此山水视为 "a skeleton or outline of the past"。

〔9〕黄公望《写山水诀》中云："松树不见根,喻君子在野。杂树喻小人峥嵘之意。"亦可参照。

〔10〕Chu-tsing Li, "Rocks and Trees and the Art of Ts'ao Chih-Po," *Artibus Asiae*, vol. 23, no. 3/4 (1960), pp. 153–190.

〔11〕西上实,《朱德润と沈王》,载《美术史》,第104号（1978）,页133—135。

〔12〕这个解读系参照 John A. Hay, "Huang Kung-wang's *Dwelling in the Fu-ch'un Mountains*: The Dimensions of a Landscape" (Ph.D. diss., Princeton, N.J.: Princeton University, 1978)。

〔13〕关于以荆关为主之十世纪山水对元末山水画之影响,参见 Richard Vinograd, "New Light on Tenth-Century Sources for Landscape Painting Styles of the Late Yüan Period,"《铃木敬先生还历记念中国绘画史论集》(东京,吉川弘文馆,1981),页1—30。

〔14〕Richard Vinograd, "Family Properties: Personal Context and Cultural Pattern in Wang Meng's Pien Mountains of 1366," *Ars Orientalis*, vol. 13 (1982), pp.1–29.

2-3　隐逸文士的内在世界——元末四大家的生平与艺术

〔1〕对于被迫性隐居之讨论,参见 Frederick W. Mote, "Confucian Eremitism in the Yüan Period," in Arthur F. Wright ed., *The Confucian Persuasion* (Stanford, California: Stanford University Press,

1960), pp. 202–240.

〔2〕黄公望的生平事迹,请参见温肇桐,《黄公望史料》(上海人民美术出版社,1963);张光宾编,《元四大家》(台北故宫博物院,1975),页9—16;张光宾,《元四大家年表》,载《台湾大学美术史研究集刊》,第9期(2000),页101—177;第10期(2001),页161—243;第11期(2001),页133—205。

〔3〕赵孟頫此书现裱在黄公望《快雪时晴图卷》(北京故宫博物院藏)之前,对其之详细考证,可见徐邦达,《古书画伪讹考辨》(南京,江苏古籍出版社,1984),下卷,页76—79。

〔4〕在这幅不长的手卷上,黄公望所画的只是一个简单的山水景致。既没有令人惊叹的奇峰,也没有咫尺千里的空间幻觉,画面上显现的只有一角坡岸、一列缓缓起伏的云山,隔着江面静静地相望,共同沐浴在似有雨意的温润空气之中。虽然在画中随处显现了黄公望学自赵孟頫之圆缓山峦与高克恭之山脊点苔的痕迹,但在物象的组合上却有着独特的细致韵律感。前景岸边缓缓降低的平列立树之间,疏疏地杂以简笔小树,特显生意盎然。与此相呼应的则是远山的和缓律动,带状云气的穿插其间更增添其中的变化。除此之外,黄公望还刻意地使用干湿不等的各种笔法去描绘山水中的多种质感,并烘托出一种湿气迷蒙的感觉。这种温润的触感,正是他所体认的一种自然生气,也是他对江南山水的新诠释。

〔5〕中国的雪景山水画向来以萧瑟为表现之主调,但是黄公望的《九峰雪霁》却在冷冽宁静的氛围中,企图剖显其中生机待发的气质,可谓是雪景传统中的新格。此画构图回到了北宋山水立轴的中轴模式,以巨大的岩体端正地伫立画面正中,四周环绕河流、村舍、寒林以及数座覆雪的峭峰。中央主体山岩由许多形状奇特的岩块组成,由下而上构筑一个垂直而具凹凸的动线,甚至有种浮雕的效果。这个动势终止于岩顶平台,平台上的寒林虽然树叶落尽,其抖动而断续的点线,似乎凝聚了驱使岩体上升的生气,发露出复苏的无限生机。《九峰雪霁》完成于1349年,系为其友班惟志所作。画面右方的水际山居可能即指班氏居所,但也是黄公望心中理想隐居之所在。

〔6〕此图原来或许被标为《九峰雪霁》,但在十七世纪后为藏家取来与赵孟頫所书"快雪时晴"四大字横卷书法裱在一起,而成今日所见形式。赵孟頫四字原系写赠黄公望者,其文出自王羲之的同名书帖,该帖现存有唐代之拓摹本藏台北故宫博物院,其上即有赵氏作于1318年的题跋。赵书四字,可能便是写于1318年后不久,此时黄公望仍以类似弟子的身份出入赵氏门下。虽然黄公望此图是否原意在为赵书四字补图,实在无法确知,但画中形象则与"快雪时晴"之意颇有相通。卷上首列雪后冈峦,中接疏林环绕的山楼,隔着深谷与后段远峰之上的鲜红朝阳遥遥相望。雪景山水中出现朝阳,在以往作品中较为罕见,此或许与道教中吸纳日月光华以助修炼之道有关。卷中笔墨表现极为即兴自由,也呈现着一种特殊的生气感。这正是黄公望雪景山水图中的独具气质。

〔7〕这是黄公望晚年隐居于富春江一带时,为其全真教友郑无用所作,历时三年多而成的山水长卷。现在所存者虽已是火劫后的残本,但在割去前段的《剩山图》之后,仍有六米以上的长度,充分发挥了画家在此种极为横长的画面上经营山水意象的能力。本卷起始的江边平坡水村,实是《剩山图》的残余。其后的主体山水则分为三段,各自显示不同距离观察所得之物象,促动一种目光的游移感。第二段借着多种山峦、树石及层叠干笔皴擦之组合,呈现着一种浑厚而华茂的气质。第三段则在山脉斜向延展与前方平坡铺陈之连接中,追求一种舒朗中的活泼动态。最后一段即缓缓归于平静,仅有一峰稳立当中,其上的简洁笔墨则似是由内而发的生气。这可说是前所未有的对山水生命之最丰富诠释。

〔8〕吴镇生平事迹之讨论,基本可见张光宾编,《元四大家》,页16—20。近年在浙江平湖发现了1668年所修的《义门吴氏谱》,引起学者对吴镇家世的重新讨论,见余辉,《吴镇家世及其思想形成和艺术特色——也谈〈义门吴氏谱〉》,收在《画史解疑》(台北,东大图书公司,2000),页359—384。但是,此谱修成的时间很晚,其中资讯亦不能尽信。

〔9〕画上两株古木挺立正中,虽为后人标为"双松",但由其枝叶判断,应为双桧。这在吴镇的作品中算是"渔隐山水"及墨竹之外较为少见的主题。画中对巨大之平远空间的描绘,也是元四大家作品中相当独特的表现。从构图的形式看,穿越前景枯林远眺一望无际的平野,这是北宋山水画宗师李成所创造的典范。吴镇在取法之际,也有所变化,除了改采来自另一传统的圆弧线条与丛聚墨点来作山石之外,也撤去了一般平远山水常见之烟气处理,让整个空间显得更为清旷。最特别的则是巨桧的描绘:它不仅高达画顶,而且上部两相纠缠,特为强调侧出枝干扭转曲折的奇矫之姿。道教中人常视此种古木为龙之化身,赞之为造化生气之体现。《双松图》正是吴镇为道士张善渊(雷所)所画。此亦可见吴镇与道教的关系。

〔10〕渔隐主题因广受文人喜爱,在八世纪时便有吴兴隐士张志和创立了具有独特格律的"渔父词",吸引友人相唱和。他还曾依颜真卿作之渔歌五首内容,随句赋象,创作了最早的渔父词画。据吴镇自题,《渔父图卷》系仿五代画家荆浩之《唐人渔父图》而来,可能是在这张志和的图式传统基础上,加以其个人的诠释而成的。全卷题渔父词十六首,为张志和与同时诸贤唱和所赋者。每首词各配一渔舟,只有第八首注云"无船"(Freer本),可能唐本原图只绘了十五艘之故。这些渔父词画的重点都在表达渔父生活的悠闲自在,如第十五组即以渔人举头望月之姿画出词中"棹月穿云任情"之意。在作此诠释之时,吴镇独特的率意笔法与其擅长的平静山峦也为此充满古意的构图,另外赋予了一层自由而宁谧的气质。

〔11〕渔父的意象在中国文化传统之中有两层涵义:一是指真正以渔为业的渔父,另一则是指向往渔家生活中悠闲自在情调的隐士。吴镇作于1342年之《渔父图》轴所采取的是后者。画中小舟上的人物即为此种怀抱渔隐理想的高士;他周围的世界则是他内心理想山水的展现。画中以几株直立的近景树木和水平横列的波渚与远山,结构出一个稳定而平和的江景。中间江面特别开阔,其上空无一物,只有几抹波纹,荡漾着一片浮动的月光。在此清丽的夜色之中,远处和缓山峦沐浴于淡淡烟气之内,寂然不动,静穆无声,只有微风拂过苇草,小舟行过水面发出的细细音响,或许还有鱼儿偶尔激起的泼刺,吸引着舟中隐士的谛听。通过这个在烟水空阔中的谛听,吴镇提供了中国画史中对渔隐生活中自由静谧境界的最美好诠释。

〔12〕元代文人最喜画墨竹。这一方面是因为墨竹寓意高洁,最适于作个人节操之宣示;而且在描绘上可以书法行之,不必受到形似要求的束缚;再者则是因其与北宋苏轼等文人典范的渊源关系,让画家得以借之获致身为此传统一员的满足感。吴镇所画墨竹特多,正是为此,而《竹石图》可谓是其中代表。作于1347年的《竹石图》之画面极为淡雅有致。石以淡墨层染,加以浓淡不等之横点,稳定而自然含蓄。竹只两竿,枝叶极少,几乎在现实中不可能出现,但在细腻的角度转换与弧线错落中,却呈现出一种有如轻柔舞姿的形态。苏轼画墨竹曾有"美人为破颜,恰似腰肢裹"之句,吴镇此轴之竹,意即在此。它既是对苏轼墨竹风格的新诠释,也是吴镇本人性格的如实化现。

〔13〕倪瓒家世与生平的研究,除上文所引张光宾,《元四大家》与《元四大家年表》外,尚可见黄苗子,《读倪云林传札记》,载《中华文史论丛》,第3辑(1963),页247—272。方闻著,李

维琨译,《心印——中国书画风格与结构分析研究》(西安,陕西人民美术出版社,2004),页116—141。

〔14〕这是倪瓒四十多岁时的画像,画家虽不知确为何人,但描绘精致严谨,肖像部分也非一般的格式化处理,可信度很高,可以视为倪瓒弃家前的写照。画中倪瓒凝神正视,着白袍趺坐榻上,手中握笔及纸,正欲赋诗,呈现出一种秀逸素雅的风神。室内家具皆极精美,但陈设简洁,足见主人脱俗之品味。背后屏风上为一横幅淡墨山水,以空旷的水域为主,近景岸边草堂与起伏有致的远山隔江遥望,正是倪瓒当时画风的摹写,起着定义主人人格的象征作用。这些都让整个画面呈现出一种超越尘俗污染的清修境界;倪瓒成长于道教家庭,如此境界亦为其追求的目标。这种清静优雅,超俗不群的形象,既是对自我的定义也是对世人的宣示。由此亦可想象倪瓒在弃家之后的严重失落感。

〔15〕与倪瓒晚年常作的枯寂平淡山水相较,《水竹居图》显示了一个决然不同的隐居世界,也反映了迥然有别的内在心境。这是在1343年的中秋,友人进道到无锡探居于清闷阁中的倪瓒,提及方在苏州城东得一居所,有水竹之胜,倪瓒虽未亲见,但以想象图之,作为祝贺之礼。

他在进行此想象图绘之时,首先选择了盛行于江南的董源山水图式,在圆形的远山之前作一片水域及近景的弧状缓坡,并于其上植上数株杂树。在此之后,他则在坡岸左方空出一小空间,画出有竹林环绕的进道的草堂,巧妙地点出本画的主题。在描绘的笔墨上,本图使用的也全是标准的董源风格,可以证明他早年画风的渊源。但全幅所呈现的平淡情调已可预见其后来之特质,只不过此幅另以黄绿着色,特有一种晚年未可得见的清丽与愉悦之感。这也是他存世唯一的设色山水。

〔16〕1352年的弃家,不仅改变了倪瓒的生活,也改变了他的画风。自此之后,在飘荡不定的旅泊途中抒发他对远离家园,不得归去的悲伤,成为他山水画中的主调。《松林亭子》作于1354年,可以说是这一系列悲情山水的起始。前景优雅挺立的树木陪伴着江边岸上的小亭,远山低缓地横过画面,与亭旁的坡石遥遥相对;这些原在早期作品中见过的母题现在则承载了不同的情感内容。亭中的空无一人意味着主人的远离,清静的山居变为勾起思家愁绪的触媒,也成为隐士欲归,"清晨重来此,沐发向阳晞"愿望的寄托。画中笔墨虽仍用董源风格,但在坡石上已间用方折皴擦,枯涩之意渐多,可想见倪瓒此时试图寻找新绘画语汇以抒其心境之努力。

〔17〕在完成《松林亭子》后一年的1355年,倪瓒来到了朋友王云浦的渔庄,客中作此《渔庄秋霁》立轴。画中山水较之以往更见素净,且带有更浓的感伤。失家怀乡的愁绪似乎驱使倪瓒很快地找到一种适合他的抒情风格。倪瓒在此幅山水之描绘上,使用来自五代时北方的荆浩、关仝风格,以方折的笔势运动让原来的平和坡石变得古朴而苍茫。干笔绘成的几株树木虽依然秀雅,但枝叶却几乎脱尽,正是他自己所说"似我容发,萧萧可怜"之相。一片空白的江面也被扩大至几乎填满观者之视野的地步,让两抹远山波渣退至画面顶端,在傍晚的暮色中显得有种凄迷的模糊,更增添了几许寂寞之感。十八年后,倪瓒重见此画,感叹之余也在题诗中写下了"悲歌何慨慷"之句。时为1372年,他仍漂泊在外。

〔18〕所有倪瓒的山水画几乎只用一种构图,只是随着母题配置关系的调整,表达出不同的情感内涵。在这之中,《容膝斋图》可说是代表了他风格的极致。较诸他中年时期的作品,画于1372年的《容膝斋图》更为萧瑟平淡。坡石远山皆以淡淡的柔和笔触为之,在有如"折带"的笔势动作中,配合着空旷的江面、无人的小亭、枝叶疏朗的三四棵树木,使得整个画面特别显

得透明而清静，似乎完全不受尘世的污染。如此山水仍有他思家情感的投射，但也已经内化为他心中的理想世界。它一方面可以作为他个人的慰藉，也可以转为他人追求隐逸生活的认同形象。此画原为某位樊轩翁而作，两年后应其之请，题诗改赠潘姓医生，以配其居所容膝斋。这也显示了如此山水在传播隐逸文化上的功能。

[19] 在倪瓒1352年弃家于太湖地区中飘泊后的某个春天，有位朋友在萧萧风雨的恶劣天候下，带着一些酒菜前来探望。倪瓒在低沉的情绪里，强自振作，提笔作此图来答谢友人的慰藉情意。图中仅有简单的物象：二株枯木、一方园石以及几竿细竹，画的是他故居中庭园里的清幽角落。他们的造型基本上都有着来自其性格的洁净秀雅。然而，枯木虽作简洁而稍带弧度的姿态，枝叶却极为疏落，但见藤蔓攀垂而下，这在他的枯淡用笔之下，尤其显得别具一种荒凉寂寞之感，似乎正在诉说他思及故园荒芜，却又无法归家治理的愁绪。就主题而言，本图属枯木竹石画科，向来具有高士道德操守的象征意涵。倪瓒在此则将之转化为个人抒情的媒介，为之罩上一层淡淡的哀愁。

[20] 王蒙生平事迹之介绍，亦可见于张光宾《元四大家》与《元四大家年表》，另外可参考 Richard Vinograd, "Family Properties: Personal Context and Cultural Pattern in Wang Meng's Pien Mountains of 1366," *Ars Orientalis*, vol. 13 (1982), pp. 1–29。

[21] 在所有传世的王蒙山水画中，这是众人公认的最精彩杰作。十七世纪时的画史权威董其昌即评之为天下第一，它的声望自此之后便再也未曾经历任何波动。此画作于1366年，标题中之青卞为他家乡吴兴附近之卞山，其中有赵孟頫家的别业。在此不久前，王蒙的表兄弟赵麟因乱事不得不弃此居所而他去，《青卞隐居图》可能即为他画来安慰赵麟的。画中的隐居之所以偏处左方一角，似乎渺不可归，可能正是在叙述隐士失家的心境。不过，画面上最动人的部分却在于奇矫山体串联而成的强烈骚动中的山脉。这里的某些造型可能与十世纪的北方山水画有些关系，但如此大胆的结组却是王蒙的新创。在各处不断变化的笔墨形式也加强了物体的内在动力，有时甚至突破自然理则的束缚，造成如真似幻的效果。从这一点上来说，它正预示了中国晚期山水画的发展方向。

[22] 此画山水结构奇特，不仅物象充塞满幅，而且苍崖峻壁，层层扭曲，怪怪奇奇不可名状。前者可能非王蒙原来的设计；据十六世纪画家文伯仁所作的摹本来看，现存之构图只是原本的下半部，其上方应该尚有较为清楚的空间留白。至于画中山体结构之特殊则来自对实景的描绘。所谓具区即太湖，林屋则为湖中西山下的浸蚀洞穴，其内无所不通，是道教十大洞天之一的奇景。王蒙此画的主题便是位于林屋洞边的友人日章的居所。这个日章可能就是画中右边由洞中走出的白袍男子。他同时以坐姿出现于右角的树林之中，并以阅书状出现于中央的水阁之内。王蒙在此正是以坐赏、冥思与读书三种活动，来叙述日章在这如仙境般奇景中的隐居生活内容。画面上散布各处的株株红树，也有效地增强此境的瑰奇之感。

[23] 王蒙的隐居山水图总是显现充沛的动感，这是在元四大家中他独具的特质。这种特有的动态生气有时系通过造型的结组而来，有时则几乎全赖笔墨本身而成。他为愚懒翁所作的《惠麓小隐》即是后者最佳的例证。由标题推测，愚懒翁的隐居应在无锡惠山之下，这是有所谓天下第二泉所在的名胜佳处。但王蒙在画中并未对此多加着墨，重点倒是放在隐居旁的树木与岩石的描绘之上。在此工作中，观者但见各种变化多端的线条快速而敏感地游走纸面，时而扭动、勾转着去定义岩石的质面，时而绵密如波、轻跳而层叠地去交待树木的枝叶，整个隐

居所在因此显得充满活泼的律动。此画看来似不经意，但其笔墨所示之自由与实验气质却让它在元代山水画中显得十分独特。

[24] 太白山位于浙江宁波附近，中有天童寺，始建于四世纪，在南宋时为官方定为全国最尊崇的五山之一，宋元之时日本禅僧渡海至中土作宗教巡礼者，亦多至此朝圣。王蒙此卷可能作于晚年之时，系应当时天童寺住持之请而绘。这种胜景图的制作，在他一生以隐居山水为主的画业中，特别显得别出一格。建筑宏伟的天童寺虽然确在卷中出现，但它却偏处卷尾，且又受到周围松林的掩蔽，显然并非画中的唯一主角。王蒙的兴趣似乎更集中于表现参拜者入山之后到达寺前的一段朝圣过程。这一部分几乎占去四分之三的画面，主要为贯通手卷下半部的浓密松林，其中行者小径时隐时现，浸浴于郁郁葱葱之林气中，仿佛正进行一种涤净的洗礼。远处太白山区则布满密实的苔点，在画面中形成横向的生气脉络，与其下的朝圣之旅相呼应，共同将此人间山林化成圣域。

[25] 例可见王蒙在1365年访其友袁凯所作之山水，袁凯有歌相唱和，其词见陈高华，《元代画家史料》（上海人民出版社，1980），页415。

III 绘画与文人文化

3-1 隐居生活中的绘画——十五世纪中期文人画在苏州的出现

[1] 此种看法流传十分普遍，其中可以作为代表者为：单国霖，《吴门画派综述》，见《中国美术全集·绘画编7·明代绘画·中》（上海人民美术出版社，1989），页1—26，尤其是页5—9；以及 James Cahill, *Parting at the Shore: Chinese Painting of the Early and Middle Ming Dynasty, 1368–1580* (New York and Tokyo: Weatherhill, 1978), pp. 59–60。

[2] 关于十六世纪以前北京宫廷绘画发展的研究，可以说是二十世纪末期学术的贡献。其中最具代表性者为：穆益勤，《明代院体浙派史料》（上海人民美术出版社，1985）；Richard M. Barnhart et al., *Painters of the Great Ming: The Imperial Court and the Che School* (Dallas: The Dallas Museum of Art, 1993)。不过，这部分研究的开拓之功，当推日本的铃木敬。见铃木敬，《明代绘画史研究·浙派》（东京，木耳社，1968）。

[3] 关于明代宫廷绘画之由盛转衰，笔者曾由皇室品味之角度另作过一些探讨，见石守谦，《明代绘画中的帝王品味》，载《台大文史哲学报》，第40期（1993），页227—291。

[4] 穆益勤，前引书，页7—17。

[5] 近年学界曾对元代宫廷绘画进行更积极之研究，以为由其扩展所示之广泛性与艺术性为历朝所不及，参见余辉，《元代宫廷绘画研究》，收在其《画史解疑》（台北，东大图书公司，2000），页269—335。但相较之下，蒙元宫廷更重视的则是织品及金银工艺等制作。参见 James C. Y. Watt et al., *When Silk was Gold: Central Asian and Chinese Textiles* (New York: The Metropolitan Museum of Art, 1997)。

[6] 关于明初画院中的画家及其活动，可见铃木敬，前引书，页126—183；Richard M. Barnhart et al., *Painters of the Great Ming*, pp. 21–125。

[7] 杨士奇，《翰墨林记》，《东里续集》（文渊阁四库全书本，台北，商务印书馆，1983），卷4，页

18下—20上。

［8］谢环所作《杏园雅集图》现有两本，一存镇江博物馆，另者存 The Metropolitan Museum of Art, 但只有前者有谢环形象。见《中国美术全集·绘画编6·明代绘画·上》（上海人民美术出版社，1989），页48—49。

［9］《明宣宗实录》（中研院校刊本，台北"中央研究院"历史语言研究所，1966），卷23，页618。

［10］《竹鹤双清》图版可见同注8，页22。此题记"陇西边景昭同孟端王中书为诚斋写竹鹤双清图"，不仅是由边氏所书，且其姓名亦排在王绂前。

［11］Kathlyn Liscomb, "The Eight Views of Beijing: Politics in Literati Art," *Artibus Asiae*, vol. 49, no. 1/2 (1988–9), pp. 127–152.

［12］穆益勤，前引书，页30—31。

［13］杜琼，《沈公济先生行实》，《杜东原集》（明代艺术家集汇刊本，台北"中央图书馆"，1968），页150—152。

［14］参见黄逸芬，《沈遇南山瑞雪图轴》图版解说，《悦目——石头书屋所藏中国晚期书画》（台北，石头出版股份有限公司，2001），《解说篇》，页12—13。

［15］单国强，《戴进生平事迹考》，载《故宫博物院院刊》，1992年，第1期，页44—52。

［16］本画在右下裱边有清皇十一子题："黄克美此图有旧签题为独镇朝纲图，当必有来历也。"见穆益勤，前引书，页238。

［17］例如元代浙江职业画师孙君泽的《楼阁山水图》（静嘉堂文库美术馆藏），图版可见《元时代の绘画——モンゴル世界帝国の一世纪—》（奈良，大和文华馆，1998），页51。

［18］郎瑛，《七修续稿》（笔记小说大观本，台北，新兴书局，1983），页838。

［19］陆深，《俨山集》（文渊阁四库全书本），卷2，页9下—10上。

［20］张廷玉等撰，《景帝本纪》，见《明史》（新点校本，台北，鼎文书局，1979），卷11，页1—3。

［21］张廷玉等撰，《英宗后纪》，见《明史》（新点校本），卷12，页1—3。

［22］王鏊，《姑苏志》（文渊阁四库全书本），卷52，页31上—33上。

［23］沈周，《石田先生集》（明代艺术家集汇刊本），页460。

［24］王鏊，《姑苏志》（文渊阁四库全书本），卷52，页25上—下。

［25］同上书，卷52，页42下—43上。

［26］沈周，《东原先生年谱》，见《杜东原集》（明代艺术家集汇刊本），页6—7。

［27］同上书，页9。

［28］石守谦，《隐逸文人の内面世界——元末四大家の生涯と艺术》，见《世界美术大全集·东洋编·第7卷·元》（东京，小学馆，1999），页159—161。

［29］关于太湖之林屋洞在道教中的位置，见杜光庭，《洞天福地岳渎名山记》，收在《道藏要籍选刊》（上海古籍出版社，1989），第7册，页188。

［30］杜琼，《杜东原集》（明代艺术家集汇刊本），页69—70。

［31］《归去来辞》图像的典型化在南北宋之际已经完成，代表作品可见现藏于 Freer Gallery of Art 的传李公麟《归去来辞图卷》，及其散存各地的后代衍生本。

［32］祝颢，《刘完庵墓志铭》，见钱谷编，《吴都文粹续集》（文渊阁四库全书本），卷42，页12—16。

［33］徐有贞，《灵岩雅集志》，见钱谷编，《吴都文粹续集》（文渊阁四库全书本），卷31，页25—28。

〔34〕图版见《中国美术全集·绘画编 7·明代绘画·中》,页 21。

〔35〕近年 Craig Clunas 特由"赠礼—回报"的角度探讨文征明及其时代中的艺术创作。见其 *Elegant Debts: The Social Art of Wen Zhengming, 1470–1559* (Honolulu: University of Hawai'i Press, 2004)。

〔36〕士大夫作文收取润笔自唐宋即盛,见洪迈,《容斋续笔·文字润笔》(文渊阁四库全书本),卷 6,页 3 下—5 上。

〔37〕杨循吉,《桐村健文》,《苏谈》(丛书集成新编本,台北,新文丰出版公司,1985),页 14 上—下。

〔38〕俞弁,《山樵暇语》(四库全书存目丛书本,台南,庄严文化事业有限公司,1995),卷 8,页 7—8。此条与上条史料较早时 Joseph McDermott 即加引用,以全面讨论十六世纪中国文人之营生,十分值得参考。见氏著,"The Art of Making a Living in Sixteenth Century China," *Kaikodo Journal*, vol. 5 (1997), pp. 63–81。

〔39〕钱谦益,《列朝诗集小传》(台北,世界书局,1961),页 195。

〔40〕朱谋垔,《画史会要》,卷 4,见《中国书画全书》(上海书画出版社,1992—1999),第 4 册,页 567。

〔41〕T. W. Weng, "Tu Ch'iung," in Carrington L. Goodrich and Chaoying Fang eds., *Dictionary of Ming Biography* (New York and London: Columbia University Press, 1976), p. 1322.

〔42〕杜琼,《与陈永之书》,见《杜东原集》(明代艺术家集汇刊本),页 119—121。陈永之即陈颀,其传记可见王鏊,《姑苏志》(文渊阁四库全书本),卷 54,页 46 下。

〔43〕王鏊,《姑苏志》,卷 54,页 43 下—44 下。

〔44〕Susan Bush, *The Chinese Literati on Painting: Su Shih (1037–1101) to Tung Ch'i-ch'ang (1555–1636)* (Cambridge: Harvard University Press, 1971), pp. 163–164; James Cahill, *Parting at the Shore*, pp. 77–78; Kathlyn Liscomb, "Before Orthodoxy: Du Qiong's (1397–1474) Art-Historical Poem," *Oriental Art*, vol. 38, no. 2 (1991), pp. 97–108.

〔45〕此长诗可见杜琼,《杜东原集》(明代艺术家集汇刊本),页 70—71。但此明末版《杜东原集》却未收入最后一段。最完整的全诗应见明中的张习抄本,此抄本《东原集》,可见于《四库全书存目丛书》,此诗有标题《述画求诗寄刘原博》,见其卷 2,页 13 上—下。此张习抄本只有诗集,文章部分仍须求之于《明代艺术家集汇刊》本。

〔46〕对于题画文学较早的研究可推青木正儿,《题画文学の发展》,《支那学》,第 9 卷第 1 期(1937)。近年来更吸引多人进行更细部之工作,例如衣若芬,《苏轼题画文学研究》(台北,文津出版社,1999)。

〔47〕例如元代最重要的雅集——鲁国大长公主雅集中,参与者多以诗词题咏作品为主。对此公主雅集的最新研究,及其在当时政治文化脉络中的意义,请参见陈韵如,《蒙元皇室的书画艺术风尚与收藏》,收在《大汗的世纪:蒙元时代的多元文化与艺术》(台北故宫博物院,2001),页 274—278。

〔48〕杜琼,《题云林画》,见《杜东原集》(明代艺术家集汇刊本),页 123—124。

〔49〕杜琼,《题云林画赝本》,见《杜东原集》(明代艺术家集汇刊本),页 9。

〔50〕杜琼,《题黄大痴画卷》,见《杜东原集》(明代艺术家集汇刊本),页 126—127。

〔51〕夏文彦之《图绘宝鉴》中的黄公望传为:"黄公望,字子久,号一峰。又号大痴道人。平江常熟人。幼习神童科,通三教,旁晓诸艺。善画山水,师董源。晚年变其法,自成一家。山顶多岩石,自有一种风度。"见《中国书画全书》,第 2 册,页 887。此传记中言黄氏"幼习神童科",

经陈高华考证,已知不确。见陈高华《元代画家史料》(上海人民出版社,1980),页371。

[52]《录鬼簿》为钟嗣成所编的元代曲家传记书,其中黄公望条云:"公望,字子久。乃陆神童之次弟也。系姑苏琴川子游巷居。髫龀时,螟蛉温州黄氏为嗣,因而姓焉。其父年九旬时,方立嗣,见子久乃云:'黄公望子久矣!'先充浙西宪令,以事论经理田粮获直,后在京为权豪所中,改号一峰。原居淞江,以卜术闲居。目今弃人间事,易姓名为苦行净竖,又号大痴翁。公望之学问,不待文饰,至于天下之事,无所不知,下至薄技小艺,无所不能;长词短曲,落笔即成。人皆师尊之。尤能作画。"见钟嗣成撰,《重校录鬼簿》,收在杨家骆主编,《历代诗史长编二辑》,第2册(台北,中国学典馆复馆筹备处,1974),页131—132。

[53]陶宗仪,《辍耕录》中有黄公望小传在其《写山水诀》前:"黄子久散人公望,自号大痴,又号一峰。本姓陆,世居平江之常熟,继永嘉黄氏。颖悟明敏,博学强记。画山水宗董巨,自成一家,可入逸品。其所作《写山水诀》亦有理致。迩来初学小生多效之,但未有得其仿佛者,正所谓画虎刻鹄之不成也。"见《辍耕录》(文渊阁四库全书本),卷8,页1。

[54]王鏊,《姑苏志》(文渊阁四库全书本),卷56,页10下。

[55]事见沈周,《东原先生年谱》,见《杜东原集》(明代艺术家集汇刊本),页13。

3-2 沈周的应酬画及其观众

[1] 关于沈周生平及其家族的理解,较早的研究有 Richard Edwards, *The Field of Stones: A Study of the Art of Shen Chou (1427–1509)* (Washington D.C.: Freer Gallery of Art, 1962)。后来则有林树中著,远藤光一、沈伟译,《新发现の沈周史料——出土墓志等から沈周の家柄、家学及びその他を论ず—》,《国华》,第1114、1115号(1988),页29—37、42—51。近年之新成果则可见陈正宏,《沈周年谱》(上海,复旦大学出版社,1993)。

[2] 沈周在1474年有《市隐》诗,诗中有句"经车过马常无数,扫地焚香日载之。市脯不都供座客,户庸还喜走丁男"。其友王鏊所撰《石田先生墓志铭》中亦云:"缙绅东西行过吴及后学好事者,日造其庐而请焉。……每黎明门未辟,舟已塞乎其港矣。"则可让人想象沈周后半生声名之盛与宾客众多之情况。见陈正宏,前引书,页123。

[3] 本文使用"应酬"一词,系希望强调画家与其观者间的互动关系,如由作品的角度言之,则可视其为"礼物"。学界中亦有以"礼物"的角度讨论这种作品,见郭立诚,《赠礼画研究》,收在台北故宫博物院编辑委员会编,《中国艺术文物讨论会论文集》(台北故宫博物院,1992),书画(下),页749—766;Shih Shou-ch'ien, "Calligraphy as Gift: Wen Cheng-ming's (1470–1559) Calligraphy and the Formation of Soochow Literati Culture," in Wen C. Fong et al., *Character and Context in Chinese Calligraphy* (Princeton N.J.: The Art Museum, Princeton University, 1999), pp. 255–283；Craig Clunas, *Elegant Debts: The Social Art of Wen Zhengming, 1470–1559* (Honolulu: University of Hawai'i Press, 2004)。

[4] 对雪舟之研究,文献极多,特别集中讨论其入明之事者,可见熊谷宣夫,《戊子入明と雪舟》,上、下,载《美术史》,第23、24号(1957),页21—34、24—33。海老根聪郎,《宁波の文人と日本人——十五世纪における一》,载《东京国立博物馆纪要》,第11号(1976),页218—260。

[5] 陈宽为元末名士陈汝言之孙。陈汝言为王蒙至交,两人曾合作《岱宗密雪》,留为艺坛美谈。关于陈宽之传记,见钱谦益,《列朝诗集小传》(台北,世界书局,1961),页220。至于陈汝

言之传记，可见翁同文，《画人生卒年考》，收在其《艺林丛考》（台北，联经出版事业公司，1977），页54—56。

〔6〕从现存沈周与雪舟的相关文献中，尚找不到俩人见面的可能线索。苏州地区文人画家与日本人交往的资料，现仅有唐寅《饯彦九郎还日本诗》（京都博物馆藏）一件珍贵的例子。双方较有来往的范围似乎局限在宁波地区。见海老根聪郎，前引文，页251。

〔7〕参见石守谦，《元时代文人画の正统的系谱》，收在《元时代の绘画——モンゴル世界帝国の一世纪》（奈良，大和文华馆，1998），页7—16。

〔8〕沈周为牧溪之写生卷所写跋语，现存北京故宫博物院藏之《写生蔬果图卷》摹本上。见户田祯佑，《牧溪·玉涧》，《水墨美术大系》，第3卷（东京，讲谈社，1973），页182。台北故宫博物院另藏有《写生卷》归为法常（即牧溪）所作，可能即沈周所作。见《故宫书画图录》，第16册（台北故宫博物院，1997），页57—62。

〔9〕这个意见几乎是元代文士作家的共识。见于庄肃《画继补遗》、汤垕《画鉴》及夏文彦之《图绘宝鉴》等书。只有影响力较小的吴太素《松斋梅谱》对其稍有好评。对此评价的深入讨论，可见小川裕充，《中国画家·牧溪》，收在《牧溪——憧憬の水墨画》（东京，五岛美术馆，1996），页91—101。

〔10〕这些1477年以前题诗的作者为杜董、陈毓、周诏、陈瑄、邹鸾、方训。其中仅有杜董后来因为能画而稍为知名，但在1477年以前，他的知名度恐怕还相当有限。见 Marshall P. S. Wu, *The Orchid Pavilion Gathering* (Ann Arbor: University of Michigan, 2000), pp. 20–22。

〔11〕第二批和诗的作者为陈璚（1478年进士）、孙霖（1481年进士）及姚绶（1464年进士），见同上，pp. 19–20, 27。

〔12〕姚绶与汤夏民关系通过汤氏兄长而来，汤夏民与沈周的关系可能也是间接的，此推测见同上，pp. 26–27。

〔13〕全诗为："桃李花开春正浓，笙歌无日不相从；由来艳沾人争爱，寂寞谁怜涧畔松。西风吹冷满天涯，秋老芙蓉始开花；自是幽姿宜向晚，任教桃李占韶华。"见同上，p. 19。

〔14〕沈周为刘献之作此画并题诗云："我闻东海医巫闾，山中有树青瑶株；参天直上有奇气，文章满身云雾俱；无双自以国士许，况是昔时称大夫。人间草木各适用，大材必待明堂须；呜呼大材必待明堂须，不与櫰桶论区区。"

〔15〕此画上有沈周自题云："布甥简静好学，为完庵先生曾孙，人以科甲期之，壬戌科果登第，尝有桂枝贺其秋闱，兹复写杏一本以寄，俾知完庵遗泽所致也。"完庵即刘珏，卒于1472年，时沈周有《哭刘完庵》诗。见陈正宏，前引书，页104—105。

〔16〕"招财进宝"为一般年画中最常见的题材，例可见《中国美术全集·绘画编21·民间年画》（北京，人民美术出版社，1985），图171之《财子天官》，此系江苏扬州之清代年画。

〔17〕韩襄家世及其经历，见吴宽，《宿田翁生圹志》、《鲍翁家藏集》（文渊阁四库全书本，台北，商务印书馆，1983），卷60，页15上—17上。沈周与韩襄的互动，见陈正宏，前引书，页82、139—140、145、152—153、154、162、169、192—193。

〔18〕关于《蜀葵游猫图》之讨论可参见板仓圣哲，《传毛益笔蜀葵游猫图、萱草游狗图をめぐる诸问题》，《大和文华》，第100号（1998），页28—37。

〔19〕图版可见《明代吴门绘画》（北京故宫博物院，1990），页32—37。自题见页214。

［20］Charles Hartman, "Literary and Visual Interactions in Lo Chih-ch'uan's Crows in Old Trees," *Metropolitan Museum Journal*, vol. 28 (1998), pp. 148–149. Maggie Bickford, "Emperor Huizong and the Aesthetic of Agency," *Archives of Asian Art*, vol. 53 (2002–2003), pp. 88–89.

［21］《菊花文禽》上有沈周自题云："文禽备五色，故伫菊花前。何似舜衣上，云龙同焕然。八十三翁写与初斋玩其文采也。正德己巳，沈周。"关于象征隐士的雉鸡形象，见《庄子·养生主》："泽鸡十步一啄，百步一饮，不蕲畜乎樊中，神虽王，不善也。"

［22］"初斋"或有可能为金陵名士陈沂（1469—1538）号为"遂初斋"的简称。如是，则1509年时，陈氏正四十岁，已成举人，但尚未成进士（1517），或有可能为沈周此画赠送之对象。其生平见顾璘，《明故山西行太仆寺卿石亭陈先生墓志铭》，《顾华玉集》及《凭几集续编》（文渊阁四库全书本），卷2，页10上—13上。不过，据此文，陈沂致仕后，筑"遂初斋"于家（页12上），其自号"遂初斋"，似在晚年；1509年使用此号，仍有疑问。姑留此待考。

［23］沈周曾以"眼花""耳聋""齿痛"作《老年三病》诗自嘲其衰态。见《石田诗选》（文渊阁四库全书本），卷5，页32上—32下。

［24］《齿摇》一诗见《石田诗选》，卷5，页30下—31上。另尚有多首有关齿病之诗，如见同卷，页27，《脱齿行》，页29上，《齿落》。

［25］沈周，《石田诗选》，卷5，页29上。

3-3 雅俗的焦虑——文征明、钟馗与大众文化

［1］Pierre Bourdieu, trans. Richard Nice, *Distinction: A Social Critique of the Judgment of Taste* (Cambridge: Harvard University Press, 1984).

［2］有关中国精英阶层及相关的社会流动问题，参见 Ho P'ing-ti, *The Ladder of Success in Imperial China: Aspects of Social Mobility, 1368–1911* (New York: Columbia University Press, 1962)。

［3］参见石守谦，《失意文士的避居山水——论十六世纪山水画中的文派风格》，收在《风格与世变：中国绘画史论集》（台北，允晨文化实业股份有限公司，1996），页299—337。

［4］Anne Clapp, *Wen Cheng-ming: The Ming Artists and Antiquity* (Ascona: Artibus Asiae Supplementum, 34, 1975), pp. 89–94.

［5］文征明之《仿董源林泉静钓图》，可见于江兆申，《吴派画九十年展》（台北故宫博物院，1975），页149。

［6］关于仇英的画风及其钟馗图，尚可参见 Stephen Little, "The Demon Queller and the Art of Qiu Ying," *Artibus Asiae*, vol. 46, no. 1/2 (1985), pp. 5–79。

［7］沈括，《梦溪笔谈》（台北，鼎文书局，1977），页320—321。

［8］参见胡万川，《钟馗神话与小说之研究》（台北，文史哲出版社，1980），页31—49。

［9］例可见于欧阳修，《新五代史》（台北，鼎文书局，1980），页842。苏辙，《栾城集》（四部丛刊初编本，台北，商务印书馆，1967），集3，卷1，页13上—下。

［10］黄休复，《益州名画录》，见《中国书画全书》（上海书画出版社，1992—1999），第1册，页195。

［11］郭若虚，《图画见闻志》，卷6，见《中国书画全书》，第1册，页494。亦见《宣和画谱》，卷16，《中国书画全书》，第2册，页108。

〔12〕《宣和画谱》，卷4，见《中国书画全书》，第2册，页75。

〔13〕陈元靓，《岁时广记》（笔记小说大观本，台北，新兴书局，1978），卷40，页6下—7上。

〔14〕《久保惣コレクション·东洋古美术展》（东京，日本经济新闻社，1982），图版16解说。

〔15〕关于《搜山图》的各方面探讨，可见金维诺，《搜山图的内容与艺术表现》，载《故宫博物院院刊》，1980年，第3期，页19—22。

〔16〕此二卷较详细的讨论可见于 Sherman E. Lee, "Yan Hui, Zhong Kui, Demons and the New Year," *Artibus Asiae*, vol. 53, no. 1/2 (1993), pp. 211–227; Wen C. Fong, *Beyond Representation: Chinese Painting and Calligraphy 8th–14th Century* (New York: The Metropolitan Museum of Art, 1992), pp. 367–373。

〔17〕孟元老，《东京梦华录》（台北，古亭书屋，1975），页620；吴自牧，《梦粱录》，同上，页181—182。

〔18〕Thomas Lawton, *Chinese Figure Painting* (Washington D.C.: The Smithsonian Institution, 1973), pp. 142–149。

〔19〕关于宋金元杂剧角色的图像，参见徐苹芳，《宋元墓中的杂剧雕砖》，收在其《中国历史考古学论丛》（台北，允晨文化实业股份有限公司，1995），页496—510。

〔20〕《庆丰年五鬼闹钟馗》，收在陈万鼐编，《全明杂剧》（台北，鼎文书局，1979），第10册，页6190—6255。

〔21〕胡万川，前引书，页154。

〔22〕徐邦达，《淮安明墓出土书画简析》，载《文物》，1987年，第3期，页16—18。

〔23〕见《中国美术全集·绘画编19》（上海人民美术出版社，1988），页94。

〔24〕文征明之例尚有如 Ericson Collection 之《古木寒鸦》，图见于 Osvald Sirén, *Chinese Painting: Leading Masters and Principles* (New York: The Ronald Press, 1956–58), vol. 6, pl. 209。除文征明外，当时其他画家亦有此种形象，例可见如杜堇，《陪月闲行》，图见 Wai-kam Ho et al., *Eight Dynasties of Chinese Painting: The Collection of the Nelson Gallery- Atkins Museum, Kansas City, and the Cleveland Museum of Art* (Cleveland: The Cleveland Museum of Art, 1980), p.191。

〔25〕凌云翰，《柘轩集》（文渊阁四库全书本，台北，商务印书馆，1983），卷3，页39上—下。

〔26〕瞿佑，《归田诗话》（笔记小说大观本），卷下，页7上—下。

〔27〕陆时化，《吴越所见书画录》，卷4，见《中国书画全书》，第8册，页1078—1079。

〔28〕文征明自己的诗作中亦常见于除夕新年时表达对春天的期待。例如《乙巳除夕》一诗云："樽酒淋漓半醉余，疏灯寂历夜何如？一行刚了床头历，四壁聊齐架上书。衰齿可堪年数换，穷愁应与岁俱除。东风喜得春来准，早有梅花慰索居。"见周道振编，《文征明集》（上海古籍出版社，1987），页342。

〔29〕书斋中该挂较小的画轴，这种意见自北宋米芾已有。见米芾，《画史》，见《中国书画全书》，第1册，页982。它至明代中期，文征明前后，应已相当普遍，图例可见于刘珏之《清白轩图》，见《故宫书画图录》（台北故宫博物院，1989—2008），第6册，页163。较晚的文震亨则直接宣示悬画应："堂中宜挂大幅横披，斋中宜小景花鸟，若单条扇面斗方挂屏之类俱不雅。"见文震亨，《长物志》（美术丛书本，上海，神州国光社，1929），卷10，页240—241。

〔30〕文征明的短暂公职生涯及其影响，请参见石守谦，《嘉靖新政与文征明画风之转变》，收在

《风格与世变》，页261—297。

[31] 对此《张雨题倪瓒像》中的山水屏风，James Cahill 以为系出自对倪瓒早期山水作品的直接摹写。见 James Cahill, *Hills beyond a River: Chinese Painting of the Yüan Dynasty, 1279–1368* (New York and Tokyo: Weatherhill, 1976), pp. 114–117。最近板仓圣哲教授对此山水屏风及坐像的风格进行了更进一步的探讨，见其《张雨题倪瓒像》，载《国华》，第1255号（2000），页42—45。

[32] 图及题跋俱见 Richard M. Barnhart, *Along the Border of Heaven: Sung and Yuan Paintings from the C. C. Wang Family Collection* (New York: The Metropolitan Museum of Art, 1983), pp. 164, 182。

[33] 冯梦龙，《喻世明言》（台北，桂冠图书股份有限公司，1988），卷12，《众名姬春风吊柳七》，页183。

[34] 高濂著，赵立勋等校注，《遵生八笺校注》（北京，人民卫生出版社，1994），卷7，页266，《高子书斋说》。

[35] 文震亨，《长物志》，卷5，页184。

[36] 明代中期以来的旅游风气，见傅立萃，《谢时臣的名胜古迹四景图——兼论明代中期的壮游》，载《美术史研究集刊》，第4期（1997），页185—222。

[37] 关于北京本《游春图》的确实制作年代，学界大致以为较晚，现存者可能是北宋时期在摹仿时又有所改动的结果。参见傅熹年，《关于展子虔〈游春图〉年代的探讨》，载《文物》，1978年，第11期，页40—52。

[38] 高濂著，赵立勋等校注，《遵生八笺校注》，卷6，页205。

[39] 例可见如钱谷，《晴雪长松图》，收在《中国美术全集·绘画编7·明代绘画·中》，页153。陆治，《幽居乐事图册》，第8页，《踏雪》，见同上书，页119。

[40]《停云馆言别》现存有数本，最佳者为 Franco Vannotti collection 所藏，现存 Museum of East Asian Art, Berlin。图版可见于《文人画粹编·中国篇4·沈周、文征明》（东京，中央公论社，1978），图版48。

[41] 参见古原宏伸，《中国の茶》，收在赤井达郎等编，《茶の汤绘画资料集成》（东京，平凡社，1992），页297—305。关于明代文人品茶与其文雅生活之营造，亦可参见王鸿泰，《明清士人的生活经营与雅俗的辨证》，发表于 Discourses and Practices of Everyday Life in Imperial China 学术研讨会（Columbia University, 2002.10.25–27）。

[42] 图版可见《故宫书画录》，第7册，页69—70。

[43] 北京1534年本有时亦题为《茶事十咏图》，图版可见于《中国美术全集·绘画编7·明代绘画·中》，页52。此本为水墨，不似台北1531年之设色，但构图布置全同。传世的这种水墨品茶图有若干本，但以北京此本最佳。

[44] 张又新，《煎茶水记》，收在阮浩耕等点校注释，《中国古代茶叶全书》（杭州，浙江摄影出版社，1999），页28—30。

[45] 田艺蘅《煮泉小品》及徐献忠《水品》二书，见同上书，页166—193。

[46] 同上书，页166。

[47] 冯梦龙，《警世通言》（台北，桂冠图书股份有限公司，1988），第26卷，《唐解元一笑姻缘》，页396。

[48] 文征明《惠山茶会图》及蔡羽的序文可见于《中国古代书画图目》，第20册（北京，文物出

版社，1999），页 226。

［49］周道振编，《文征明集》，卷 14，页 383。

［50］同上书，卷 9，页 202。

［51］现存此种文征明除夕、新年诗的写本或刻本颇多，著录可见周道振，《文征明书画简表》（北京，人民美术出版社，1985），页 191、192、199、263 等。

［52］著录可同上书，页 94、98、104、141。

［53］关于文嘉所绘之钟馗图的详细讨论，可见于 Stephen Little, "The Demon Queller and the Art of Qiu Ying," pp. 18–22。钱谷的钟馗画则见于《故宫书画图录》，第 8 册，页 101—104。

［54］文震亨，《长物志》，卷 5，页 184。

3-4　董其昌《婉娈草堂图》及其革新画风

［1］关于陈继儒之生平，请见陈梦莲编，《眉公府君年谱》，收在陈继儒，《陈眉公先生文集》（台北，中研院傅斯年图书馆藏明刊本），卷首。钱谦益，《列朝诗集小传》（台北，世界书局，1961），页 637—638。

［2］关于董其昌传记，请见陈继儒，《太子太保礼部尚书思白董公暨元配诰封一品夫人龚氏合葬行状》，收在董其昌，《容台集》（台北 "中央图书馆"，1968），卷首。并参见 Nelson I. Wu, "Tung Ch'i-ch'ang (1555–1636): Apathy in Government and Fervor in Art," in Arthur F. Wright and Denis Twitchett eds., *Confucian Personalities* (Stanford, California: Stanford University Press, 1962), pp. 260–293。

［3］王应奎，《柳南续笔》（笔记小说大观本，台北，新兴书局，1977），卷 3，页 10 下—11 上。

［4］谢榛、吴扩、徐渭传记可见钱谦益，前引书，页 423—424、453—454、560—561。关于明代山人的全盘研究，参见铃木正，《明代山人考》，收于中山八郎等编，《青水博士追悼纪念·明代史论丛》（东京，大安株式会社，1962），页 357—388。

［5］牵涉到苏州松江地区者，参见宫崎市定，《明代苏松地方的士大夫と民众》，收在《アジア史研究》（京都大学东洋史研究会，1964），第 4 册，页 321—360，以及王守稼、缪振鹏、王燮程，《松江府在明代的历史地位——明代上海地区研究之一》，收在中国地方史志协会编，《中国地方史志论丛》（北京，中华书局，1984），页 189—209。有关经济发展对风俗之影响，参见陈学文，《明代中叶民情风尚习俗及一些社会意识的变化》，收在《山根幸夫教授退休纪念·明代史论丛》（东京，汲古书院，1990），页 1207—1231。

［6］向来学者皆依《明史》的含糊记载，将董其昌任皇长子讲官之时间定在 1594 年，参见张廷玉等撰，《明史》（新点校本，台北，鼎文书局，1979），页 7395。然确切年代实为 1598 年，见顾秉谦等修，《明神宗实录》（台北，中研院历史语言研究所，1966），页 6031。此年代之使用亦见于李慧闻，《董其昌政治交游与艺术活动的关系》，载《朵云》，1989 年，第 4 期，页 99。董其昌在北京之禅会活动，见其《容台集》，页 1798—1799。关于张居正与万历皇帝，参见黄仁宇，《万历十五年》（台北，食货出版社，1985），页 9—43，焦竑则见钱谦益，前引书，页 623。

［7］以上诸事参见任道斌，《董其昌系年》（北京，文物出版社，1988），页 24—28、29—30、32—34、42—52。

［8］王衡为王锡爵之子，其传记可见钱谦益，前引书，页 625。他是陈继儒在 1586 年决定隐居小昆山时的主要赞持者。见王世贞 1586 年文，收于孙星衍等纂，《松江府志》（1817 年刊本，台北，

成文出版社，1970），卷7，页4上—下。

〔9〕任道斌，前引书，页50—54。并见郑威，《董其昌年谱》（上海书画出版社，1989），页34—35。

〔10〕此路线之推测乃根据鹤和堂辑定，《新镌示我周行》（1727年宝善堂藏版本，台北中研院傅斯年图书馆藏），卷1，页6下—9上。

〔11〕关于董其昌对王维之研究，参见古原宏伸，《董其昌における王维の概念》，收于古原宏伸，《董其昌の书画·研究篇》（东京，二玄社，1981），页3—24；Wen Fong, "Rivers and Mountains after Snow (*Chiang-shan hsüeh-chi*) Attributed to Wang Wei (A.D. 699–759)," *Archives of Asian Art*, vol. 30 (1976–77), pp. 6–33。

〔12〕见董其昌致冯开之信。古原宏伸，《董其昌の书画》，图版29。

〔13〕此语最早见于刘昫等撰，《旧唐书》（新点校本，台北，鼎文书局，1981），页5052。但原分作两句"笔踪措思，参于造化"及"云峰石色，绝迹天机"，至米芾时才将之连成"云峰石色，绝迹天机，笔思纵横，参于造化"，见米芾，《画史》，见《中国书画全书》（上海书画出版社，1992—1999），第1册，页979。董其昌此语显然取自米芾《画史》，并经常使用在其题跋中。如跋《郭忠恕摹王右丞辋川图》，见李日华，《味水轩日记》（嘉业堂丛书本，1863），卷4，页9上。余例可见董其昌，《容台集》，页2100、2145、2147。

〔14〕此为跋王维《江山雪霁》之语，见古原宏伸，《董其昌の书画》，图版30—2。

〔15〕沈周例可见1473年作之《仿董巨山水图》（北京故宫博物院）。图见于《中国美术全集·绘画编7·明代绘画·中》（上海人民美术出版社，1988），图版5。文征明例可见1555年作之《仿董巨山水图》（何氏至乐楼藏），见《文人画粹编·中国篇4·沈周、文征明》（东京，中央公论社，1978），图版79。

〔16〕参见 James Cahill, *The Distant Mountains: Chinese Painting of the Late Ming Dynasty, 1570–1644* (New York and Tokyo: Weatherhill, 1982), pp. 84–86, pls. 33, 34。

〔17〕董其昌，《容台集》，页1894。

〔18〕图与跋俱见《中国历代绘画·故宫博物院藏画集》（北京，人民美术出版社，1981），页84—91，《附录》，页13。

〔19〕关于王世贞与其对艺术的赞助活动，见 Louis Yuhas, "Wang Shih-chen as Patron," in Chu-tsing Li ed., *Artists and Patrons: Some Social and Economic Aspects of Chinese Painting* (Seattle: University of Washington Press, 1989), pp. 139–153。

〔20〕《景印明董其昌仿宋元人缩本画及跋》（台北故宫博物院，1981），页11。

〔21〕董其昌，《画禅室随笔》（艺术丛编本，台北，世界书局，1968），页53。

〔22〕董其昌，《容台集》，页219。

〔23〕董其昌，《画禅室随笔》，页2。

〔24〕同上。

〔25〕对早期这种皴法的讨论，参见 Wen C. Fong et al., *Images of the Mind: Selections from the Edward Elliott Family and John B. Elliott Collection of Chinese Calligraphy and Painting at the Art Museum, Princeton University* (Princeton, N.J.: The Art Museum, Princeton University, 1984), pp. 24–25。

〔26〕此图现知有四本，其中存台北故宫博物院本上即有董其昌题跋。见《故宫书画录》（台北故宫博物院，1965），册4，页22—23。

〔27〕图上董氏自题王维《积雨辋川庄作》,但其表现实与此诗无关。参见古原宏伸,《董其昌の书画·研究篇》,页240。

〔28〕《小中现大册》旧传为董其昌所作,实应为王时敏所摹,此考证可参见徐邦达,《古书画伪讹考辨》(南京,江苏古籍出版社,1984),下卷·文字部分,页152—54。

〔29〕《江山秋霁》之讨论参见 Wen C. Fong et al., *Images of the Mind*, p. 171。

〔30〕黄公望《九峰雪霁》挂轴传有数本,其中最佳一本董其昌时藏在南京魏国公家,董其昌对此收藏颇为熟悉,应有机会寓目。此资料出自邹之麟跋传黄公望所作另本《九峰雪霁》横卷中,见徐邦达,前引书,页78,图19—25。

〔31〕《南京博物院藏画集》(北京,文物出版社,1966),页10。

〔32〕可见1617年郭世元依郭忠恕摹本所刻之拓本,拓本曾出版于《文人画粹编·中国篇1·王维》(东京,中央公论社,1975),页9—19。

〔33〕古原宏伸,《董其昌の书画》,图5。

〔34〕董其昌,《容台集》,页2105—2106。

〔35〕钱谷此画见于《故宫名画》(台北故宫博物院,1968),第7辑,图22。董其昌对吴派晚期画风的批评,可见于《容台集》,页1704、1716、1894、2179等。

〔36〕此画或即旧藏香港陈仁涛处者。图版见《中国画坛的南宗三祖》(香港,统营公司,1955),页1。《小中现大册》中第十开即摹王蒙《仿董源秋山行旅》,并在跋中云董源原迹为其家所藏。但此本是否即为陈仁涛后来所藏本,仍有疑问,傅申近日指出陈氏藏本实为张大千伪作。见 Shen C. Y. Fu, *Challenging the Past: The Paintings of Chang Dai-chien* (Seattle and London: University of Washington Press, 1991), p. 308。

〔37〕图见于古原宏伸,《董其昌の书画》,图版18。

〔38〕见注1。

〔39〕《中国古代书画图目》,第3册(北京,文物出版社,1990),页243。

〔40〕关于"山斋图"在元代的情况,参见何惠鉴,《元代文人画序说》,《文人画粹编·中国篇3·黄公望、倪瓒、吴镇》(东京,中央公论社,1979),页112—113。

〔41〕朱德润画见《中国美术全集·绘画编5·元代绘画》,图版86;赵原及沈贞画见《中国美术全集·绘画编6·明代绘画·上》,图版3、78。文征明画见《中国古代书画精品录》(北京,文物出版社,1984),第1册,图版23。

〔42〕此图作于1604年,容安草堂或为其友徐道寅之居所。图见《董其昌画集》(上海书画出版社,1969),图69。

〔43〕《黄庭内景经·隐景章第二十四》原文云:"何不登山诵我书,郁郁窈窈真人墟。入山何难故踌躇,人间纷纷臭帮如。"见彭文勤等纂辑,《道藏辑要》(1906年重刊本,台北,新文丰出版公司,1986),页2184。

〔44〕如见董其昌,《容台集》,页2090、2108、2116、2132、2198。

〔45〕James Cahill, *The Compelling Image: Nature and Style in Seventeenth-Century Chinese Painting* (Cambridge: Harvard University Press, 1982), p. 37.

〔46〕董其昌,《容台集》,页2164—2165。

〔47〕对"黄石公",周汝式认为亦意指黄公望。见 Ju-hsi Chou, "In Quest of the Primordial Line: The

Genesis and Content of Tao-chi's *Hua-yu-lu*," (Ph.D. diss., Princeton, N.J.: Princeton University, 1970), p. 55。

Ⅳ 区域的竞争

4-1 由奇趣到复古——十七世纪金陵绘画的一个切面

〔1〕本文中所讨论的画家,不论其背景如何,几乎都可归入职业画家的范畴,甚至如出家为僧的石涛亦不例外。只有髡残比较缺乏直接卖画的迹象。即使如此,髡残也与金陵之文化环境有密切的关系。髡残虽为僧侣,似乎不必依赖卖画维生,但他亦与各种背景不一的人物来往,多少介入了现实世界的事务之中。有的学者甚至还认为髡残也是明遗民,此种意见可见陈寅恪,《柳如是别传》(台北,里仁书局,1981),页1069—1070,以及杨新,《为因泉石在膏肓——略论石溪的艺术》,收在其《杨新美术论文集》(北京,紫禁城出版社,1994),页293。

〔2〕Aschwin Lippe, "Kung Hsien and the Nanking School," *Oriental Art*, vol. 13, no. 2 (1967), pp. 133–135. Richard Vinograd, "Reminiscences of Ch'in-huai: Tao-chi and the Nanking School," *Archives of Asian Art*, vol. 31 (1977–1978), pp. 6–31. 何传馨,《明清之际的南京画坛》,载《东吴大学中国艺术史集刊》,第15卷(1987年12月),页343—388。单国强,《试析金陵八家合称的原因》,载《故宫博物院院刊》,1989年,第3期,页66—82。阮荣春,《难"金陵八家说",唱"金陵六大家"——兼谈戴本孝在金陵画坛的活动》,载《故宫文物月刊》,第131期(1994年2月),页98—105。

〔3〕石守谦,《董其昌〈婉娈草堂图〉及其革新画风》,载《中央研究院历史语言研究所集刊》,第65本第2分(1994),页307—332。

〔4〕顾起元,《懒真草堂集》(台北,文海出版社,1970),页1611—1612。

〔5〕陈济生、顾炎武、归庄等编,《天启崇祯两朝遗诗小传》(台北,世界书局,1965),页175。

〔6〕顾起元,前引书,页2951—2952,另见页2931。

〔7〕同上,页351—352。

〔8〕同上,页2564—2565。

〔9〕顾起元所发表的意见中,有时也使用类似董其昌南北宗论的语汇,而显得与董其昌理论有些接近。如他在《客座赘语》(四库全书存目丛书本,台南,庄严文化事业有限公司,1995)便以"华意古质,颇有五代以前气象"来称赞金陵画家胡宗仁,故有学者以为顾起元乃接受了董其昌的艺术理论影响。见 Hongnam Kim, *The Life of a Patron: Zhou Lianggong (1612–1672) and the Painters of Seventeenth-Century China* (New York: China Institute in America, 1996), pp. 30–31。然而,由《懒真草堂集》所提供的讯息来看,顾起元的艺术观与董其昌二者之间还是存在着本质上的差异。

〔10〕顾起元,《懒真草堂集》,页2554。

〔11〕钱谦益,前引书,页462—463。

〔12〕此乃据其1568年作《临唐六如山水卷》(台北私人藏)推测而来。此卷乃吴彬现存最早作品,其中山水形象尚未呈现他后来极具个性的奇矫造型,而系取自唐寅清雅舒缓但稍带角度的样

貌，其笔法亦全用干笔淡墨，转折流动也近似唐寅，而画中精致的舟轿人物细节则更是吴派在文征明之后常见的母题。吴彬这个手卷可说充分地反映了金陵在十六世纪后期深受苏州画风影响的现象。

〔13〕顾起元，《懒真草堂集》，页 284。

〔14〕同上书，页 3107。

〔15〕焦竑，《栖霞寺五百罗汉画记》，收在葛寅亮，《金陵梵·志》（台北，明文书局，1980），卷 4，页 21 下、22 上。

〔16〕同上书，页 23 下。

〔17〕亦有学者以为故宫之《画罗汉轴》即为栖霞寺五百罗汉之一。见李玉珉，《罗汉画特展图录》（台北故宫博物院，1990），页 78。惟此轴罗汉数非五百之约数，作为百轴之一，可能性不大。

〔18〕关于吴彬山水画与北宋山水传统间之关系，James Cahill 特别重视，并以为系受到西洋版画之刺激。请见 James Cahill, *The Compelling Image: Nature and Style in Seventeenth-Century Chinese Painting* (Cambridge: Harvard University Press, 1982), pp. 70–105。

〔19〕顾起元，《懒真草堂集》，页 344—347。

〔20〕对高阳生平及其《竞秀争流》之讨论，可见 James Cahill, *The Distant Mountains: Chinese Painting of the Late Ming Dynasty, 1570–1644* (New York and Tokyo : Weatherhill, 1982), pp. 180–181。

〔21〕例如现藏上海博物馆的《兰竹图卷》便是在力追文征明的兰竹画风格。此图卷可见于《中国美术全集·绘画编 8·明代绘画·下》，图版 84。

〔22〕此意见出现于饶氏在"中国古画讨论会"中向 James Cahill 所发表之吴彬论文提出之批评意见。The National Palace Museum ed., *Proceedings of the International Symposium on Chinese Painting* (Taipei: National Palace Museum, 1970), pp. 692–693.

〔23〕顾起元，《懒真草堂集》，页 1265—1271。

〔24〕林文明，《摩尼教和草庵遗迹》，载《海交史研究》，1978 年，第 1 期，页 39。林悟殊，《福建发现的波斯摩尼教遗物》，载《故宫文物月刊》，第 133 期（1994），页 110—117。

〔25〕参见利玛窦、金尼阁著，何高济、王遵仲、李申译，《利玛窦中国札记》（北京，中华书局，1983），页 356—382、464—470。

〔26〕关于《程氏墨苑》之研究，可见中田勇次郎，《程氏墨苑の研究》，收在其《中田勇次郎著作集》（东京，二玄社，1986），卷 7，页 217—378。蔡鸿茹，《明代制墨名家程君房及〈墨苑〉》，载《文物》，1985 年，第 3 期，页 33—35。而最近林丽江完成之博士论文则提供了最全面而深入的讨论。Li-chiang Lin, "The Proliferation of Images: The Ink-stick Designs and The Printing of the *Fang-shih mo-p'u*" and the *Ch'eng-shih mo-yuan* (Ph.D. dissertation, Princeton, N.J.: Princeton University, 1998).

〔27〕顾起元，《客座赘语》，卷 6，页 18 下—19 下。

〔28〕关于杨文骢，可见福本雅一，《杨文骢传》、《杨文骢の死》，收在其《明末清初：才粗集》（京都，同朋社，1984），页 166—208。白坚，《杨文骢传论》（上海人民出版社，1990），页 3—138。

〔29〕夏完淳，《续幸存录》（明季稗史汇编本，丛书集成三编，台北，新文丰出版公司，1997），页 3 下。

〔30〕孔尚任，《桃花扇》（台北，里仁书局，1991），页 259—260。

〔31〕对周亮工晚期与金陵关系的深入研究，可见 Hongnam Kim, *The Life of a Patron*, pp. 113–146。

〔32〕朱绪曾编，《四朝金陵诗征》（1885年刊本），卷4，页18上。另见周亮工，《读画录》（清代传记丛刊本，台北，明文书局，1986），页52。

〔33〕关于吴伟白描人物画风之讨论，请见石守谦，《浪荡之风——明代中期南京的白描人物画》，载《台湾大学美术史研究集刊》，第1期（1994），页39—61。

〔34〕余怀，《板桥杂记》（笔记小说大观本，台北，新兴书局，1974）。

〔35〕此可见陈寅恪，《柳如是别传》（台北，里仁书局，1981）及孙康宜，《陈子龙柳如是诗词情缘》（台北，允晨文化实业股份有限公司，1993）。

〔36〕朱绪曾编，前引书，卷4，页18上—下。

〔37〕对杨炯伯、张怡之研究，可见饶宗颐，《张大风及其家世》，收在其《画𩑺——国画史论集》（台北，时报文化出版企业有限公司，1993），页569—597。

〔38〕陈寅恪深信钱谦益在当时确曾四处奔走进行地下工作。见陈寅恪，前引书，页872—1224。

〔39〕前者可见周亮工，前引书，页42，后者则可见饶宗颐，前引文，页590。

〔40〕关于史忠与吴伟山水风格之讨论，请见 James Cahill, *Parting at the Shore: Chinese Painting of the Early and Middle Ming Dynasty, 1368–1580* (New York and Tokyo: Weatherhill, 1978), pp. 100–103, 140, 153。

〔41〕周晖所著《金陵琐事》成于1610年，专记金陵掌故，其中对史忠的记载，见其卷3，吴伟则在卷2、3、4等处。顾起元《客座赘语》卷7亦有吴伟生平及史忠"生殡"逸事之描述。

〔42〕关于董其昌的理论，可参见方闻，《董其昌与正宗派绘画理论》，载《故宫季刊》，第2卷第3期（1968），页1—18。Wai-kam Ho, "Tung ch'i-ch'ang's New Orthodoxy and the Southern School Theory," in Christian F. Murck ed., *Artists and Traditions* (Princeton, N.J.: The Art Museum, Princeton University, 1976), pp. 113–129.

〔43〕龚贤这一段时间许多活动及其感情状态，可见之于其诗集《草香堂集》中，参见汪世清，《龚贤的草香堂集》，载《文物》，1978年，第5期，页45—49。其中《除夕寄陈上人》诗尤其清楚。见萧平、刘宇甲编，《龚贤研究集》（南京，江苏美术出版社，1988），页111。关于他在泰州及扬州的活动，亦可见华德荣，《龚贤研究》（上海人民美术出版社，1988），页10—24。

〔44〕陈寅恪，前引书，页1183。

〔45〕James Cahill, *The Compelling Image*, p. 178.

〔46〕此意见首为方闻所提及，见其对 James Cahill, *The Compelling Image* 之书评，刊于 *Art Bulletin*, vol. 68, no. 3 (1986), pp. 504–508。

〔47〕Michael Sullivan, *Symbols of Eternity: The Art of Landscape Painting in China* (Stanford, California: Stanford University Press, 1979), p. 139. Jerome Silbergeld, "The Political Landscapes of Kung Hsien, in Painting and Poetry,"《明遗民书画研讨会记录》（香港中文大学中国文化研究所文物馆，1976），页561—573。

〔48〕诗见《清画家诗史》，此处引自萧平、刘宇甲编，前引书，页85。

〔49〕关于文征明的避居山水，请参见石守谦，《失意文士的避居山水——论十六世纪山水画中的文派风格》，《风格与世变：中国绘画史论集》（台北，允晨文化实业股份有限公司，1996），页299—337。

〔50〕此书迹现藏处不明，此处乃采自萧平、刘宇甲编，前引书，图264。又，此书法未纪年，但与Cleveland Museum of Art 所藏《山居图》上之题字风格极近，该题乃1670年所作，故此书法亦定于此时。

〔51〕例如叶方嘉有《戊申四月奉旨祭孝陵都人士皆得纵观，此盛典也，敬赋一章》，诗见朱绪曾编，前引书，卷7，页6上—下。

〔52〕关于髡残之生平，可见何传馨，《石溪行实考》，载《史原》，第12期（1982），页127—183。杨新，《石溪卒年再考》，收在杨新，前引书，页59—70。另请参见本文注1。

〔53〕事实上程正揆年轻时确曾师事董其昌，关于其艺术源流，可参见杨新，《程正揆及其江山卧游图》，前引书，页71—78。

〔54〕此《溪山无尽图卷》现藏上海博物馆，全图可见《中国古代书画图目》，第4册（北京，文物出版社，1990），页250。

〔55〕语出其《报恩寺图》轴上自题。

〔56〕语见《为青溪作四季山水图》之《秋景》部分，或称《秋山游侣》，此部分现藏 The Cleveland Museum of Art，图版可见 Wai-kam Ho et al., *Eight Dynasties of Chinese Painting: The Collections of Nelson Gallery-Atkins Museum, Kansas City, and the Cleveland Museum of Art* (Cleveland: The Cleveland Museum of Art, 1980), p. 315。

〔57〕周亮工，前引书，页30。

〔58〕同上，页32。周氏在此实取自髡残好友张怡题其《仿米山水卷》中的句子，见郑锡珍，《弘仁·髡残》，收在《历代画家评传·明》（香港，中华书局，1986），页23。

〔59〕对石涛在此理念上的发展，见张子宁，《清石涛古木垂阴图轴——兼略析其画论演进之所以》，《艺术学》，第2期（1988），页141—155。

〔60〕过去研究龚贤风格发展，皆着重在如李铸晋（Drenowatz）关于《千岩万壑》的中期改变，而对晚期发展较为忽视。这可能是受了以"创新"为终极价值之现代艺术观影响的结果。最近巫佩蓉曾对龚贤的晚期山水，由复古之角度重作分析，并特别指出范宽风格，如天津博物馆藏之《雪景寒林》，对此期作品之重要作用。请参见巫佩蓉，《龚贤雄伟山水的理论与实践》（台北，台湾大学艺术史研究所硕士论文，1993），页132—140。

〔61〕戴本孝纂，《江宁县志》（1683年刊本），卷12，页54上。

〔62〕王安修，《读秦淮诗钞有感并序》，收于朱绪曾编，前引书，卷14，页5下—6上。

4-2 神幻变化——由陈子和看明代闽赣地区道教水墨画之发展

〔1〕关于福建在明代的发展，可以参见 Ping-ti Ho, *The Ladder of Success in Imperial China: Aspects of Socail Mobility, 1368–1911* (New York: Columbia University Press, 1962), pp. 234–235, 238–240, 246–250。朱维幹，《福建史稿》（福州，福建教育出版社，1984），下册，页3—113。

〔2〕对于民间道教对中国文学、音乐与戏剧方面的影响，现代学者研究较多。可参见文史知识编辑部编，《道教与传统文化》（北京，中华书局，1992），页105—166。

〔3〕关于浙派研究，最重要的专书有：铃木敬，《明代绘画史研究·浙派》（东京，木耳社，1968）；James Cahill, *Parting at the Shore: Chinese Painting of the Early and Middle Ming Dynasty, 1368–1580* (New York and Tokyo: Weatherhill, 1978)；穆益勤，《明代院体浙派史料》（上海人民美术

出版社，1985）；Richard M. Barnhart et al., *Painters of the Great Ming: The Imperial Court and the Che School* (Dallas: The Dallas Museum of Art, 1993)。

〔4〕Richard M. Barnhart et al., op. cit., pp. 325–327.

〔5〕关于此图之详细说明，请见 Ju-hsi Chou, *Scent of Ink: The Roy and Marilyn Papp Collection of Chinese Painting* (Pheonix: Pheonix Art Museum, 1994), p. 18. 图录中称此仙人为八仙中的蓝采和，但笔者认为其图像仍无法确定，故在本文中径称之为"吹笛仙人"。对此陈子和的《吹笛仙人》，日本画家狩野探幽在1667年曾有缩临本，见文人画研究所编，《探幽缩图》（尼崎市，薮本庄五郎，1986），页90。可见此图在完成后不久即流入日本。探幽资料乃蒙京都国立博物馆西上实先生赐知。

〔6〕参见铃木敬，《中国绘画史》（东京，吉川弘文馆，1984），中之一，页204—208；Max Loehr, *The Great Painters of China* (Oxford: Phaidon Press, 1980), pp. 215–219。

〔7〕朱谋垔，《画史会要》，卷4，见《中国书画全书》（上海书画出版社，1992—1999），第4册，页572。

〔8〕《元代道释人物画》（东京国立博物馆，1977），页89—90；Richard M. Barnhart et al., op. cit., p. 107。

〔9〕Wen C. Fong et al., *Images of the Mind: Selections from the Edward Elliott Family and John B. Elliott Collection of Chinese Calligraphy and Painting at the Art Museum, Princeton University* (Princeton, N.J.: The Art Museum, Princeton University, 1984), pp. 135–137.

〔10〕汤垕，《古今画鉴》，见《中国书画全书》，第2册，页898。

〔11〕同上。

〔12〕李葆贞修，梅彦驹等纂，《浦城县志》（稀见中国地方志汇刊本，北京，中国书店，1992），卷8，页13上。

〔13〕Wen Fong and Maxwell Hearn, *Silent Poetry* (New York: The Metropolitan Museum of Art, 1982), pp. 30–35.

〔14〕周晖，《金陵琐事》（笔记小说大观本，台北，新兴书局，1977），卷3，页133。

〔15〕《皇明恩命世录》，卷7，取自《正统道藏》《续道藏》（京都，中文出版社，1986），第29册，页25233。

〔16〕穆益勤，前引书，页54。

〔17〕关于明代皇帝崇信道教之状况，见杨启樵，《明代诸帝之崇尚方术及其影响》，收入《明代宗教》（台北，学生书局，1968），页203—297。

〔18〕同注13。

〔19〕董天工，《武夷山志》（台北，成文出版社，1974），卷18，页7下—8上、12上—15上。

〔20〕张宇初，《金野庵传》，《岘泉集》，卷4，收在《正统道藏》，第27册，页24086—24087。Mary Gardner Neill, "Mountains of the Immortals: The Life and Painting of Fang Ts'ung-i," (Ph.D. Diss., New Haven: Yale University, 1981), pp. 41–46.

〔21〕袁表、马荧编，《闽中十子诗》（四库全书珍本，台北，商务印书馆，1971），卷15，页5上—下。

〔22〕同上。

〔23〕徐邦达，《淮安明墓出土书画简析》，载《文物》，1987年，第3期，页16—18。饶宗颐，《淮

安明墓出土的张天师画〉,收在《画领——国画史论集》(台北,时报文化出版企业有限公司,1993),页379—381。但上二文对郑均及《撷兰图》的时间皆未作推测。

[24] 朱谋垔,前引书,卷4,页86上。

[25] 图见江苏省淮安县博物馆,《淮安县明代王镇夫妇合葬墓清理简报》,载《文物》,1987年,第3期,页12。

[26] 图见《中国美术全集·绘画编6·明代绘画·上》(上海人民美术出版社,1988),页30。

[27] 夏芷另作见同上,页33。

[28] 徐邦达以为是在1446年以后所作,见前引文,页18。不过徐氏既将李在卒年定在1431年,而李在亦亲自画赠郑均,故郑均收集这些画的时间应该起自1430年左右。

[29] 见《皇明恩命世录》,卷5,《正统道藏·续道藏》,页25229—25230。

[30] 同上书,卷7,页25233—25234。

[31] 石守谦,《明代绘画中的帝王品味》,载《台大文史哲学报》,第40期(1993),页26—29。

[32] 见《皇明恩命世录》,卷7、8、9,《正统道藏·续道藏》,页25233、25235、25238、25240。

[33] Shou-chien Shih, "The Landscape Painting of Frustrated Literati: The Wen Cheng-ming Style in the Sixteenth Century," in Willard J. Peterson et al., *The Power of Culture: Studies in Chinese Culture History* (Hong Kong: The Chinese University Press, 1994), pp. 233–239.

[34] 参见古原宏伸,《陈子和笔高士观瀑图》,载《国华》,第918号(1968),页28;凑信幸,《陈子和について》,*Museum*,第353号(1980),页14。

[35] 近藤秀实,《郑颠仙资料》,*Museum*,第428号(1986),页26—32。

[36] 例如日本京都大德寺所藏的牧溪《龙虎图》双幅可能即是此种作品。

[37] James Cahill, op. cit., pp. 132–133.

[38] 关于朱邦与郑文林风格间的关系,参见 Roderick Whitfield, "Che School Paintings in the British Museum," *The Burlington Magazine*, vol. 114, no. 830 (1972), p. 293。铃木敬,《李唐·马远·夏圭》,见《水墨美术大系》,第2卷(东京,讲谈社,1973),页169。

[39] 徐沁,《明画录》(美术丛书本,上海,神州国光社,1928),页26。

[40] 此图未曾发表,蒙京都国立博物馆西上实先生示知,特此致谢。

[41] Whitfield, op. cit., p. 293.

[42] 关于詹景凤,请见西上实,《丁云鹏の衣褶表现にみる唐宋回归》,《大和文华》,第86号(1993年9月),页49—54。詹景凤之生卒年,亦为西上实先生新订。

[43] 詹景凤,《明弁类函》(1632年刊本,东京内阁文库藏),卷41,页19上,卷64,页12上。此两条资料系西上实先生惠示,特此致谢。

[44] 周瑛,《画评》,《翠渠摘稿》(文渊阁四库全书本,台北,商务印书馆,1983),卷4,页34上—下。

[45] 谢肇淛,《五杂俎》(笔记小说大观本,台北,新兴书局,1975),卷7,页21上、33上。

[46] 同上书,页22上—下。现代美术史家对吴彬的不同看法,可见 James Cahill, *The Distant Mountains: Chinese Painting of the Late Ming Dynasty, 1570–1644* (New York and Tokyo: Weatherhill, 1982), pp. 176–80; *The Compelling Image: Nature and Style in Seventeenth-Century Chinese Painting* (Cambridge: Harvard University Press, 1982), pp. 70–105。

V 近现代变局的因应

5-1 绘画、观众与国难——二十世纪前期中国画家的雅俗抉择

﹝1﹞ Michael Sullivan, *Chinese Art in the Twentieth Century* (Berkeley: University of California Press, 1959). Craig Clunas, *Art in China* (Oxford and New York: Oxford University Press, 1997). 另可参见阮荣春、胡光华,《中华民国美术史》(成都,四川美术出版社,1992)。李铸晋、万青力,《中国现代绘画史·民初之部 1912—1949》(台北,石头出版股份有限公司,2001)。对于"西方冲击—中国回应"的论述架构的整体讨论,参见黄宗智,《中国研究的规范认识危机》(香港,牛津大学出版社,1994)。

﹝2﹞ 蔡元培,《文化运动不要忘了美育》,收在孙德中编,《蔡元培先生遗文类钞》(台北,复兴书局,1956),页234—235。

﹝3﹞ 林风眠,《致全国艺术界书》,收在《中国绘画新论》(香港,富壤书房,1974),页44。

﹝4﹞ 傅抱石,《中国绘画在大时代》,收在叶宗镐选编,《傅抱石美术文集》(南京,江苏文艺出版社,1986),页496。

﹝5﹞ 关于苏轼、董其昌等人艺术理论的讨论,请参见 Susan Bush, *The Chinese Literati on Painting: Su Shih (1037–1101) to Tung Ch'i-ch'ang(1555–1636)* (Cambridge: Harvard University Press, 1971), pp. 29–42, 158–172。

﹝6﹞ Evelyn S. Rawski, "Economic and Social Foundations of Late Imperial Culture," in David Johnson et al., *Popular Culture in Late Imperial China* (Berkeley: University of California Press, 1985), pp. 3–33.

﹝7﹞ 关于谢环及《杏园雅集图卷》较详细的讨论,请见 James Cahill, *Parting at the Shore: Chinese Painting of the Early and Middle Ming Dynasty, 1368–1580* (New York and Tokyo: Weatherhill, 1978), pp. 24–25。

﹝8﹞ 对张路《读画图》的介绍,见 Wen C. Fong et al., *Mandate of Heaven: Emperors and Artists in China* (Zurich: Museum Rietberg, 1996), p. 108。

﹝9﹞ Lloyd E. Eastman, *Family, Fields and Ancestors: Constancy and Change in China's Social and Economic History, 1550–1949* (New York and Oxford: Oxford University Press, 1988), pp. 195–202.

﹝10﹞ 这些展览是现代初期中国美术社团的主要活动之一。见许志浩,《中国美术社团漫录》(上海书画出版社,1994),页8—176。

﹝11﹞ 高剑父,《我的现代国画观》(台北,德华出版社,1975),页24。

﹝12﹞ 关于《读画图》的解读,另可参考 Robert Thorp and Richard Vinograd, *Chinese Art and Culture* (New York: Harry N. Abrams Inc., 2001), p. 396。

﹝13﹞ Chang-tai Hung, *War and Popular Culture: Resistance in Modern China, 1937–1945* (Berkeley, Los Angeles, London: University of California Press, 1994), pp. 15–48. 另见李欧梵,《上海摩登》(香港,牛津大学出版社,2000)。

﹝14﹞ Harold Kahn, "Drawing Conclusions: Illustration and Pre-history of Mass Culture," 收在康无为(Harold Kahn),《读史偶得:学术演讲三篇》(台北中研院近代史研究所,1993),页84—85。以《点石斋画报》为大众文化之代表者的意见,可见于叶晓青,《〈点石斋画报〉中的上海平

民文化》，载《二十一世纪》，创刊号（1990），页36—47。

〔15〕李孝悌特别强调《点石斋画报》之"忠实地反映了上海在十九世纪末叶新旧杂陈的局面"，见其《恋恋红尘：中国的城市、欲望与生活》（台北，一方出版，2002），页141—160。对此画报之详细研究，可参见鲁道夫·瓦格纳，《进入全球想象图景：上海的〈点石斋画报〉》，载《中国学术》，第8辑（2001），页3—96。

〔16〕郑逸梅，《艺林散叶荟编》（北京，中华书局，1995），页405。

〔17〕鹤田武良，《陶冷月について——近百年来中国绘画史研究·三》，载《美术研究》，第358号（1993），页24—28。

〔18〕郑逸梅，前引书，页479。

〔19〕例如蔡元培留欧时便有收藏毕加索的collage（拼贴）作品，并曾在1919年夏天于天津的"欧洲现代画展览"中展出。见万青力，《蔡元培和毕加索》，《万青力美术文集》（北京，人民美术出版社，2004），页196—202。

〔20〕这些有杨渭泉款的仿collage作品，首先由鹤田武良介绍出来。见其《图版解说　杨渭泉的仿パピエ·コレ作品——民国期绘画资料》，载《美术研究》，第359号（1994），页28—29。

〔21〕恽茹辛，《民国书画家汇传》（台北，商务印书馆，1986），页320。

〔22〕郑逸梅，前引书，页215。

〔23〕关于十八世纪扬州画家对雅俗问题的处理，请参见 Ginger Cheng-chi Hsu, "The Drunken Demon Queller: Chung K'uei in Eighteenth-Century Chinese Painting," *Taida Journal of Art History*, no.3 (1996), pp. 111–175。

〔24〕Cf. James Cahill, "The Shanghai School in Later Chinese Painting," in Mayching Kao ed., *Twentieth-Century Chinese Painting* (Hong Kong: Oxford University Press, 1988), p. 61.

〔25〕唐一帆，《抗战与绘画》，载《东方杂志》，第37卷第10号（1939），页22—28。

〔26〕对岭南派在战争期间的表现，见 Ralph Croizier, *Art and Revolution in Modern China: The Lingnan (Cantonese) School of Painting, 1906–1951* (Berkeley, Los Angeles, London: University of California Press, 1988), pp. 142–164。

〔27〕参见郎绍君，《论中国现代美术》（南京，江苏美术出版社，1988），页115—117。

〔28〕Chang-tai Hung, op. cit., pp. 93–150；"War and Peace in Feng Zikai's Wartime Cartoons," *Modern China*, vol. 16, no. 1 (1990), pp. 39–83.

〔29〕王伯敏，《中国绘画通史》（台北，东大图书公司，1997），页1198。

〔30〕李霖灿，《我的老师林风眠》，收在《林风眠画集》（台北历史博物馆，1989），页9—10。

〔31〕席德进，《改革中国画的先驱者——林风眠》（台北，雄狮图书公司，1979），页58。

〔32〕裘柱常，《黄宾虹传记年谱合编》（北京，人民美术出版社，1985），页71—88。

〔33〕汪己文编，《宾虹书简》（上海人民美术出版社，1988），页10—11、13—14。1941年、1945年由北京致朱砚英函。

〔34〕傅抱石，《中国绘画"山水""写意""水墨"之史的考察》（1940年作），收于叶宗镐选编，《傅抱石美术文集》，页252。

〔35〕戴维·克拉克（David Clarke）曾由傅氏与屈原、雨等有关之主题，在1940年代初之出现，推测其与"抵抗精神"有关，见其 "Raining, Drowning and Swimming: Fu Baoshi and Water," *Art*

History, vol. 29, no. 1 (2006), pp. 108–144。

〔36〕见其1940年所撰《从中国美术的精神上来看抗战必胜》，收于叶宗镐选编，《傅抱石美术文集》，页225—227。

〔37〕见其1935年所发表之《中华民族美术之展望与建设》，收于叶宗镐选编，《傅抱石美术文集》，页104—106。

〔38〕为数不少的《洗桐图》中的两幅可见于《傅抱石／历史故实》（香港，翰墨轩，1995），页61—65。

〔39〕《俗到家时自入神》，收于叶宗镐选编，《傅抱石美术文集》，页599。

〔40〕《美术》，1959年1月号，取自水天中，《中国现代绘画评论》（太原，山西人民出版社，1990），页43。

5-2 中国笔墨的现代困境

〔1〕关于这个议题的讨论很多。如吴冠中，《笔墨等于零》，载《明报月刊》，1992年，第4期，页85。万青力，《无笔无墨等于零——虚白斋明清绘画论稿》，收在其《画家与画史：近代美术丛稿》（杭州，中国美术学院出版社，1997），页80—88。张仃，《守住中国画的底线》，载《美术》，1999年，第1期，页22—23、25。

〔2〕例可见刘骁纯，《对现代水墨画的回顾与思考》，载《雄狮美术》，第277期（1994），页69—79。

〔3〕参见方闻，《赵孟頫：书画本同》，收在《赵孟頫研究论文集》（上海书画出版社，1995），页243—253。

〔4〕语出《画旨》，见王永顺编，《董其昌史料》（上海，华东师范大学出版社，1991），页110。

〔5〕石涛，《画语录》，见《中国画论类编》（台北，河洛图书出版社，1975），页149。

〔6〕请参见拙著，《董其昌〈婉娈草堂图〉及其革新画风》，载《中央研究院历史语言研究所集刊》，第65本第2分（1994），页307—332。

〔7〕王永顺编，《董其昌史料》，页108。

〔8〕最典型者可以陈衡恪为代表。见其《文人画的价值》，收在何怀硕编，《近代中国美术论集》（台北，艺术家出版社，1991），页449—452。

〔9〕Cf. Hao Chang, *Chinese Intellectuals in Crisis: Search for Order and Meaning, 1890–1987* (Berkeley: University of California Press, 1987).

〔10〕Lloyd E. Eastman, *Family, Fields and Ancestors: Constancy and Change in China's Social and Economic History, 1550–1949* (New York and Oxford: Oxford University Press, 1988), pp. 195–202.

〔11〕参见费正清、刘广京编，《剑桥中国晚清史》（下卷）（北京，中国社会科学出版社，1993），页637—640。

〔12〕Cf. James Cahill, *The Painter's Practice: How Artists Lived and Worked in Traditional China* (New York: Columbia University Press, 1994), pp. 32–70.

〔13〕书画家在上海鬻字卖画的例子很多，如见陈定山，《春申旧闻》（台北，世界文物出版社，1971再版），页130、155、181。关于此时的润例，郑逸梅曾有短文讨论，见其《郑逸梅选集》（哈尔滨，黑龙江人民出版社，1991），第2卷，页441—443。

〔14〕在二十世纪初大部分较知名的艺术家大都以任职学校为常态，留学归国的艺术家尤多如此。见鹤田武良，《留欧美术学生——近百年来中国绘画史研究之一》，载《美术研究》，第369号

(1998),页 239—257。

〔15〕关于新城市社会精英的文化与价值观,以在上海租界者表现最为突出,参见熊月之,《上海租界与上海社会思想变迁》,载《上海研究论丛》,第 2 辑(上海社会科学院出版社,1989),页 124—145。

〔16〕许志浩,《中国美术社团漫录》(上海书画出版社,1994),页 8—176。

〔17〕林风眠便曾批评艺术没有参与"五四"运动之中。见其《致全国艺术界书》,收在《中国绘画新论》(香港,富壤书房,1974),页 44。

〔18〕高剑父,《我的现代国画观》(台北,德华出版社,1975),页 24。

〔19〕上文曾提及 1917 年在北京中央公园所办之展览即是为了救济京城地区的水灾。而如上海书画善会也是将慈善功能直接标示在会名之中。

〔20〕启功,《启功丛稿·题跋卷》(北京,中华书局,1999),页 74—75。

〔21〕在一些综论现代绘画发展的论著中,溥心畬经常只占很小的篇幅。如 Richard M. Barnhart et al., *Three Thousand Years of Chinese Painting* (New Haven: Yale University Press, 1997), p. 312。

〔22〕参见拙著,《风格与世变:中国绘画史论集》(台北,允晨文化实业股份有限公司,1996),页 263—337。

〔23〕关于高剑父与岭南派在此国难期间的表现,参见 Ralph Croizier, *Art and Revolution in Modern China: The Lingnan (Cantonese) School of Painting, 1906–1951* (Berkeley, Los Angeles, London: University of California Press, 1988), pp. 142–64。

〔24〕徐悲鸿,《〈八十七神仙卷〉跋一》,收在徐伯阳、金山合编,《徐悲鸿艺术文集》(台北,艺术家出版社,1987),页 354。

〔25〕徐悲鸿,《新艺术运动之回顾与前瞻》,收在徐伯阳、金山合编,《徐悲鸿艺术文集》,页 429。

〔26〕关于黄宾虹困居北京时期的心境,可见于裘柱常,《黄宾虹传记年谱合编》(北京,人民美术出版社,1985),页 71—88。

〔27〕汪己文编,《宾虹书简》(上海人民美术出版社,1988),页 10—11、13—14:1941 年、1945 年由北京致朱硕英函。

〔28〕傅抱石,《中国绘画"山水""写意""水墨"之史的考察》(1940 年作),见叶宗镐选编,《傅抱石美术文集》(南京,江苏文艺出版社,1986),页 252。

〔29〕《石涛上人像》之图版可见于《名家翰墨》,45 期(1993),页 20—21。

〔30〕见其 1940 年所撰之《从中国美术的精神上来看抗战必胜》,收于叶宗镐选编《傅抱石美术文集》,页 225—227。

〔31〕此语及毛泽东的批示,取自水天中,《中国画革新论争的回顾(下篇)》,收在《中国现代绘画评论》(太原,山西人民出版社,1990),页 47。对整个论争的评述,可见其页 44—47。

〔32〕吴冠中,前引文,页 85。

〔33〕见刘晓纯,《对现代水墨画的回顾与思考》,载《雄狮美术》,第 277 期(1994),页 77。

〔34〕张仃,前引文,页 22—23。

〔35〕见水天中,《中国画名称的产生和变化》,收在《中国现代绘画评论》,页 54—61。

〔36〕郎绍君,《廿世纪中国画面对的情境和问题》,载《艺术家》,第 296 期(2000),页 303—304。

图版目录

I-2 中国文人画究竟是什么？

图 1	东晋 顾恺之《女史箴图》(局部) 卷	55
图 2	元 赵孟頫《鹊华秋色》(局部) 1296 年 卷	57
图 3	元 倪瓒《渔庄秋霁》1355 年 轴	58
图 4	明 沈周《夜坐图》1492 年 轴	59
图 5	明 文征明《雨余春树》1507 年 轴	60
图 6	明 董其昌《秋兴八景图册》之一 1620 年	62

I-3 洛神赋图

图 7	东晋 王献之《洛神赋十三行》宋刻拓本	70
图 8	东晋 顾恺之《洛神赋图卷》(局部) "泛舟"	73
图 9	宋 郭忠恕《雪霁江行》轴	73
图 10	东晋 顾恺之《洛神赋图卷》(局部) "女娲、屏翳"	74
图 11	东晋 顾恺之《洛神赋图卷》(局部) "云车"	74
图 12	元 卫九鼎《洛神图》轴	77
图 13	东晋 顾恺之《洛神赋图卷》(局部) "凌波微步"	77
图 14	元 卫九鼎《洛神图》(局部) "倪瓒题"	77
图 15	东晋 顾恺之《洛神赋图卷》拖尾 "赵孟頫写洛神赋"(局部)	78
图 16	元 赵孟頫《洛神赋卷》(局部) 1300 年	79
图 17	明 仇英《美人春思图》(局部) 卷	81
图 18	明 仇英《远眺图》(局部) 轴	82
图 19	东晋 顾恺之《洛神赋图卷》(局部) "灼若芙蕖出渌波"	83
图 20	明 仇英《汉宫春晓》(局部) "卧读"	84
图 21	东晋 顾恺之《洛神赋图卷》拖尾 "乾隆临王献之十三行"	85
图 22	清 丁观鹏《摹顾恺之洛神卷》(局部) "冯夷、女娲" 1754 年	87
图 23	清 丁观鹏《摹顾恺之洛神卷》(局部) "云车"	87

I-4　风格、画意与画史重建

图 24　五代 董源《溪岸图》轴	92
图 25　五代 董源《潇湘图卷》(局部)	94
图 26　南宋 米友仁《云山图》卷	95
图 27　五代 董源《寒林重汀》轴	96
图 28　明 董其昌《云藏雨散》轴	97
图 29　五代 董源《溪岸图》(局部)	99
图 30　北宋 郭熙《早春图》(局部) 1072 年 轴	100
图 31　北宋 许道宁《渔父图》(局部) 卷	100
图 32　五代《深山棋会》轴	101
图 33　五代 王处直墓 前室北壁中央壁画 924 年	102
图 34　五代 卫贤《高士图》轴	103
图 35　五代 卫贤《高士图》(局部)	104
图 36　五代 董源《溪岸图》(局部)	104
图 37　北宋 郭熙《早春图》(局部)	105
图 38　五代 赵幹《江行初雪图》(局部) 卷	105
图 39　五代 董源《溪岸图》(局部)	106
图 40　五代《深山棋会》(局部)	108
图 41　北宋 郭熙《早春图》(局部)	108
图 42　五代 董源《溪岸图》(局部)	108
图 43　北宋 郭熙《早春图》(局部)	108
图 44　唐《骑象奏乐图》(局部)	109
图 45　五代 董源《溪岸图》(局部)	110
图 46　五代 董源《溪岸图》(局部)	112
图 47　北宋 白沙宋墓第一号墓 前室西壁壁画 1099 年	113
图 48　五代 王处直墓 东耳室东壁壁画 924 年	115
图 49　元 钱选《浮玉山居图》(局部) 卷	116
图 50　元 盛懋《山居纳凉》轴	117
图 51　元 王蒙《夏山隐居》1354 年 轴	118
图 52　元 王蒙《青卞隐居》1366 年 轴	119

II-1　冲突与交融

图 53　元 郑思肖《墨兰图卷》1306 年 卷	127
图 54　元 郑思肖《跋叶鼎隶书抄本金刚经》册	128
图 55　元 钱选《秋瓜图》轴	129
图 56　元 钱选《烟江待渡图》卷	130—131
图 57　元 赵孟頫《鹊华秋色》1296 年 卷	131
图 58　元 管道昇《烟雨丛竹》1308 年 卷	132—133

图 59	元 鲜于枢《书透光古镜歌》(局部)册	134
图 60	元 鲜于枢《论草书帖》	135
图 61	元 赵孟頫《赵孟頫鲜于枢墨迹合册》第三幅	135
图 62	元 赵孟頫《双松平远》卷	136—137
图 63	元 唐棣《霜浦归渔》1338 年 轴	138
图 64	元 王渊《松亭会友》1347 年 轴	140
图 65	元 柯九思《晚香高节》轴	141
图 66	元 曹知白《双松图》1329 年 轴	143
图 67	元 曹知白《群峰雪霁》1351 年 轴	144
图 68	元 赵雍《骏马图》1352 年 轴	145
图 69	元 赵雍《春郊游骑图》轴	147
图 70	元 王冕《南枝春早》1353 年 轴	149
图 71	元 高克恭《春山晴雨》1299 年 轴	151
图 72	元 高克恭《云横秀岭》1309 年 轴	152
图 73	元 萨都剌《严陵钓台》1339 年 轴	155
图 74	严陵钓台实景照	155
图 75	元 张彦辅《棘竹幽禽》1343 年 轴	156
图 76	元 张中《桃花幽鸟》1365 年 轴	157
图 77	元 伯颜不花《古壑云松》轴	158
图 78	元 冷谦《白岳图》1343 年 轴	160
图 79	元 康里巎巎《草书秋夜感怀诗》1344 年 卷	161
图 80	元 余阙《致太朴内翰尺牍》1349 年 册	161
图 81	元 贯云石《跋赵孟頫双骏图》卷	162
图 82	元 盛熙明撰《法书考》	163
图 83	元 居庸关过街塔门洞内壁的石刻"六体经文"	163
图 84	元 吴镇《双松图》1328 年 轴	165
图 85	元 吴镇《竹石图》1347 年 轴	166
图 86	元 黄公望《富春山居图》(局部) 1347—1350 年 卷	168—169
图 87	元 王蒙《谷口春耕》轴	170
图 88	元 王蒙《花溪渔隐》轴	171
图 89	元 倪瓒《松林亭子》1354 年 轴	172
图 90	元 倪瓒《江亭山色》1372 年 轴	173
图 91	元 方从义《神岳琼林》1365 年 轴	175
图 92	元 方从义《武夷放棹》1359 年 轴	175
图 93	元 方从义《高高亭图》轴	175
图 94	元 张雨《书七言律诗》轴	175

Ⅱ-2　元代文人画的正宗系统

图 95	元 唐棣款 临王维《辋川图》(局部) 1342 年 卷	180—181

图 96	元 赵孟頫《幼舆丘壑》卷	180—181
图 97	元 罗稚川《雪江图》卷	183
图 98	元 朱德润《秀野轩图》1364 年 卷	184—185
图 99	元 赵孟頫《水村图》1302 年 卷	186—187
图 100	元 黄公望《溪山雨意》1344 年 卷	186—187
图 101	元 倪瓒《疏林图》轴	188
图 102	元 吴镇《洞庭渔隐》1341 年 轴	190
图 103	元 倪瓒《容膝斋图》1372 年 轴	191

II-3　隐逸文士的内在世界

图 104	元 黄公望《九珠峰翠》轴	196
图 105	元 黄公望《天池石壁图》1341 年 轴	197
图 106	元 黄公望《九峰雪霁》1349 年 轴	197
图 107	元 黄公望《快雪时晴》卷	198—199
图 108	元 黄公望《富春山居图》(局部)卷	200
图 109	元 吴镇《秋山图》轴	201
图 110	元 吴镇《渔父图》(局部)卷	202
图 111	元 吴镇《芦滩钓艇》卷	203
图 112	元 吴镇《渔父图》1342 年 轴	204
图 113	元 吴镇《中山图》1336 年 卷	205
图 114	元 吴镇《草亭诗意》1347 年 卷	205
图 115	元《倪瓒像》(张雨题)卷	206
图 116	元 倪瓒《水竹居图》1343 年 轴	207
图 117	元 倪瓒《六君子图》1345 年 轴	208
图 118	元 倪瓒《幽涧寒松》轴	210
图 119	元 倪瓒《筠石乔柯》轴	211
图 120	元 王蒙《青卞隐居》(局部)	212
图 121	元 王蒙《葛稚川移居》轴	213
图 122	元 王蒙《具区林屋》轴	214
图 123	元 王蒙《惠麓小隐》卷	215
图 124	元 王蒙《太白山图》卷	216—217

III-1　隐居生活中的绘画

图 125	明 沈遇《南山瑞雪》1458 年 轴	225
图 126	明 刘珏《清白轩图》1458 年 轴	225
图 127	明 戴进《春冬山水图》之《冬景》轴	226
图 128	明 戴进《渭滨垂钓》轴	227
图 129	明《四季山水图》轴	228
图 130	明 李在《山庄高逸》轴	230

| 图 131 | 明 杜琼《山水图轴》1454 年 轴 | 233 |
| 图 132 | 明 刘珏《烟水微茫》1466 年 轴 | 236 |

III-2　沈周的应酬画及其观众

图 133	明 沈周《庐山高》1467 年 轴	245
图 134	明 沈周《松下芙蓉》1489 年 卷	246
图 135	明 沈周《参天特秀》1479 年 轴	249
图 136	明 沈周《松石图》1480 年 轴	250
图 137	元 吴伯理《松石图》轴	250
图 138	明 沈周《红杏图》1502 年 轴	251
图 139	明 沈周《折桂图》1489 年 轴	253
图 140	明 沈周《荔柿图》1480 年 轴	253
图 141	明 沈周《写生册》"贝" 1494 年	255
图 142	明 沈周《写生册》"猫" 1494 年	255
图 143	南宋 毛益《蜀葵游猫图》轴	256
图 144	明 沈周《写生册》"自题" 1494 年	257
图 145	明 沈周《写生册》"鸡" 1494 年	257
图 146	明 沈周《菊花文禽》1509 年 轴	258
图 147	北宋 赵佶（徽宗）《芙蓉锦鸡》轴	259

III-3　雅俗的焦虑

图 148	明 文征明《寒林钟馗》1535 年 轴	264
图 149	明 文征明《湘君湘夫人》(局部) 1517 年 轴	265
图 150	明 文征明《仿李成寒林图》1542 年 轴	266
图 151	明 文征明《影翠轩》(局部) 轴	267
图 152	明 文征明《绝壑高闲》(局部) 1519 年 轴	267
图 153	明 仇英《春夜宴桃李园》(局部) 轴	268
图 154	明 仇英《天降麟儿》取自《钟馗百图》	268
图 155	明 仇英《双骏图》(局部) 约 1540 年 轴	268
图 156	元《钟馗图》轴	271
图 157	明《执剑来福图》取自《三教源流搜神大全》	271
图 158	明 朱见深《柏柿如意图》	272
图 159	元 颜辉《钟馗出行图》(局部) 卷	273
图 160	元 颜庚《钟馗出行图》(局部) 卷	273
图 161	元 龚开《中山出游图》卷	274—275
图 162	明 戴进《钟馗夜游图》轴	275
图 163	明 殷善《五鬼闹判》卷	276
图 164	明 戴进《钟馗出行图》取自《顾氏画谱》	277
图 165	明 文征明《空林觅句》1545 年 轴	279

图166	明 文嘉《寒林钟馗》1548年	279
图167	琵琶记版画 取自《元明戏曲叶子》	283
图168	明 文徵明《关山积雪》1528—1532年 卷	284
图169	明 李士达《寒林钟馗》1611年 轴	289

Ⅲ-4 董其昌《婉娈草堂图》及其革新画风

图170	明 董其昌《婉娈草堂图》1597年 轴	292
图171	明 文伯仁《天目山图》1574年 轴	298
图172	明 顾正谊《溪山秋爽》1575年 轴	298
图173	传唐 王维《江山雪霁》(局部) 卷	299
图174	唐《骑象奏乐图》8世纪	302
图175	宋 李公麟《龙眠山庄图卷》(局部)	303
图176	明 董其昌《王维诗意图》1621年 轴	304
图177	清 王时敏《仿宋元人缩本》册	305
图178	明 董其昌《烟江叠嶂图》(局部) 1605年 卷	306
图179	明 董其昌《江山秋霁》卷	307
图180	传五代 董源《龙宿郊民》轴	308
图181	明 董其昌《葑泾访古》1602年 轴	310
图182	明 董其昌《仿董源山水图》1625年 轴	311

Ⅳ-1 由奇趣到复古

图183	明 吴彬《罗汉图》1601年 轴	323
图184	宋 周季常《天台石桥图》(《五百罗汉图》之一) 1178年 轴	324
图185	明 吴彬《五百罗汉图》(局部) 卷	325
图186	明 吴彬《千岩万壑》1617年 轴	326
图187	明 高阳《竞秀争流》1609年 轴	326
图188	明 魏之璜《千岩竞秀》(局部) 1604年 卷	328
图189	明 吴彬《罗汉图》(局部) 1591年 卷	329
图190	明 吴彬《画佛像图》轴	330
图191	元《摩尼佛像》	331
图192	明 杨文骢《仿吴镇山水》1638年 轴	333
图193	清 张风《山水册》之一《燕子矶》1644年	335
图194	清 张风《山水册》之一《枯树寒鸦》	335
图195	清 张风《山水册》之一《夕阳在山》	335
图196	清 樊圻、吴宏《寇湄像》1651年 轴	337
图197	明 郭存仁《金陵八景》之一 卷	338
图198	清 樊圻《山水图》(局部) 卷	339
图199	清 叶欣《山水册》之一《亭台游春》1663年	340
图200	清 张风《携琴人物图》1648年 卷	342—343

图 201	清 张风《观枫图》1660 年 轴	*344*
图 202	清 龚贤《千岩万壑》轴	*345*
图 203	清 龚贤《列巘攒峰》1655 年 轴	*346*
图 204	清 龚贤《山居图》(局部)轴	*346*
图 205	清 髡残《报恩寺图》1663 年 轴	*349*
图 206	清 程正揆《山水图》(局部)卷	*351*
图 207	清 石涛《探梅诗画图》(局部)1685 年 卷	*351*
图 208	明 魏之璜《梅花图》(局部)1633 年 卷	*352*
图 209	清 石涛《万点恶墨》(局部)1685 年 卷	*352*
图 210	清 龚贤《千岩万壑》(局部)1673 年 卷	*353*
图 211	清 龚贤《千岩万壑》(局部)	*353*
图 212	清 龚贤《木叶丹黄》1685 年 轴	*354*
图 213	清 高岑《秋山万木》轴	*356*
图 214	清 吴宏《江城秋访》轴	*357*

Ⅳ-2　神幻变化

图 215	明 陈子和《吹笛仙人图》轴	*360*
图 216	明 陈子和《山鸟图》轴	*360*
图 217	明 陈子和《苏武牧羊》轴	*362*
图 218	南宋 梁楷《李白行吟》轴	*363*
图 219	明 刘俊《刘海戏蟾》轴	*364*
图 220	元 颜辉《虾蟆仙人》轴	*364*
图 221	明 商喜《四仙献寿》轴	*365*
图 222	明 李在《琴高乘鲤》轴	*366*
图 223	元 张与材《霖雨图》(局部)卷	*368*
图 224	明 吴伟《长江万里》(局部)1505 年 卷	*369*
图 225	明 吴伟《二仙图》轴	*370*
图 226	明 张懋丞《撷兰图》卷	*374*
图 227	明 李政《烟浦渔舟》(局部)卷	*374*
图 228	明 张复《山水图卷》(局部)卷	*375*
图 229	明 谢环《云山小景》(局部)卷	*375*
图 230	明 谢环《杏园雅集》(局部)1437 年 卷	*376*
图 231	明 夏芷《枯木竹石》卷	*376*
图 232	明 郑文林《龙虎图》之一《龙图》对幅	*378*
图 233	明 郑文林《壶中仙人图》(局部)卷	*379*
图 234	明 朱邦《空山独往》轴	*380*
图 235	明 汪肇《起蛟图》卷	*381*

V-1　绘画、观众与国难

图 236　明 谢环《杏园雅集图卷》(局部) 1437 年　　　　　　　　　　　　　　　*390*
图 237　明 张路《读画图》轴　　　　　　　　　　　　　　　　　　　　　　　*391*
图 238　民国 陈衡恪《读画图》1917 年 轴　　　　　　　　　　　　　　　　　　*393*
图 239　清 吴友如《仕女册》之一《鬓影帘波》1890 年　　　　　　　　　　　　*396*
图 240　清 吴友如《天上行舟》取自《点石斋画报》　　　　　　　　　　　　　　*396*
图 241　民国 陶冷月《月照蒹葭图》1935 年　　　　　　　　　　　　　　　　　*397*
图 242　民国 杨渭泉《仿 collage》1941 年 扇　　　　　　　　　　　　　　　　*399*
图 243　民国 郑达甫《锦灰堆》1942 年　　　　　　　　　　　　　　　　　　　*400*
图 244　清 吴昌硕《玉堂富贵图》1918 年 轴　　　　　　　　　　　　　　　　　*401*
图 245　清 吴昌硕《玉堂贵寿》取自《四季花卉屏》第一幅 1911 年 轴　　　　　　*403*
图 246　清 吴昌硕《乾坤清气》取自《四季花卉屏》第二幅　　　　　　　　　　　*403*
图 247　清 吴昌硕《庭院秋光》取自《四季花卉屏》第三幅　　　　　　　　　　　*403*
图 248　民国 高剑父《风暴中的十字架》1941 年　　　　　　　　　　　　　　　*405*
图 249　民国 关山月《从城市撤退》(局部) 1940 年 卷　　　　　　　　　　　　　*406*
图 250　民国 关山月《从城市撤退》(局部)　　　　　　　　　　　　　　　　　　*406*
图 251　民国 徐悲鸿《群狮》1943 年 卷　　　　　　　　　　　　　　　　　　　*406*
图 252　民国 徐悲鸿《洗衣》1938 年 轴　　　　　　　　　　　　　　　　　　　*408*
图 253　民国 徐悲鸿《牧牛图》1941 年 轴　　　　　　　　　　　　　　　　　　*408*
图 254　民国 李桦《怒吼吧！中国》1935 年　　　　　　　　　　　　　　　　　*409*
图 255　民国 丰子恺《空袭》取自 *China Weekly Review* 88.6　　　　　　　　　*409*
图 256　民国 林风眠《秋游》1930 年 轴　　　　　　　　　　　　　　　　　　　*410*
图 257　民国 林风眠《仕女》(局部) 1945 年 轴　　　　　　　　　　　　　　　　*411*
图 258　民国 黄宾虹《玉垒山纪游》1943 年　　　　　　　　　　　　　　　　　*412*
图 259　民国 黄宾虹《拟北宋夜山图意》　　　　　　　　　　　　　　　　　　　*413*
图 260　民国 傅抱石《潇潇暮雨》1945 年 轴　　　　　　　　　　　　　　　　　*414*
图 261　民国 傅抱石《洗手图》1943 年 轴　　　　　　　　　　　　　　　　　　*415*

V-2　中国笔墨的现代困境

图 262　明 董其昌《婉娈草堂图》(局部)　　　　　　　　　　　　　　　　　　　*419*
图 263　民国 溥心畬《夏日村居图》1939 年 轴　　　　　　　　　　　　　　　　*424*
图 264　宋《八十七神仙卷》(局部)　　　　　　　　　　　　　　　　　　　　　*425*
图 265　民国 黄宾虹《用写生稿作山水》1946 年　　　　　　　　　　　　　　　*427*
图 266　民国 傅抱石《石涛上人像》1942 年 轴　　　　　　　　　　　　　　　　*428*

地图 1　董其昌之行程路线图　　　　　　　　　　　　　　　　　　　　　　　　*295*
地图 2　闽北、赣东、皖南简图　　　　　　　　　　　　　　　　　　　　　　　*371*

论文出处

I 观念的反省

《对中国美术史研究中再现论述模式的省思》,《中央大学人文学报》,第 15 期(1997 年 6 月),页 1—29。

《中国文人画究竟是什么》,《美术史论坛》,第 4 期(韩国美术史研究所,1996),页 11—39。

《洛神赋图:一个传统的形塑与发展》,《台湾大学美术史研究集刊》,第 23 期(2007 年 9 月),页 51—80。

《风格、画意与画史重建——以传董元〈溪岸图〉为例的思考》,《国立台湾大学美术史研究集刊》,第 10 期(2001 年 3 月),页 1—36。

II 多元文化与文士的绘画

《冲突与交融:蒙元多族士人圈中的书画艺术》,《大汗的世纪:蒙元时代的多元文化与艺术》(台北故宫博物院,2001),页 202—219。

《元时代文人画の正统的系谱—赵孟頫から王蒙に至る山水画の展开—》,《元时代の绘画》(奈良:大和文华馆,1998),页 7—16。

《隐逸文人の内面世界— 元末四大家の生涯と艺术—》,《世界美术大全集·东洋编·第七卷·元》(东京,小学馆,1999),页 151—161。

III 绘画与文人文化

《隐居生活中的绘画:十五世纪中期文人画在苏州的出现》,《九州学林》,总 18 辑(2007 年冬),页 2—36。

《沈周(一四二七—一五〇九)の应酬画とその鉴赏者たち》,《美术史论丛》,23 号(2007),页 33—58。

《雅俗的焦虑:文征明、钟馗与大众文化》,《台湾大学美术史研究集刊》,第 16 期(2004 年 3 月),页 307—339。

《董其昌〈婉娈草堂图〉及其革新画风》,《中央研究院历史语言研究所集刊》,第 65 本第 2 分(1994 年 6 月),页 307—332。

IV 区域的竞争

《由奇趣到复古——十七世纪金陵绘画的一个切面》,《故宫学术季刊》,第 15 卷第 4 期(1998 年夏),页 33—76。

《神幻变化:由福建画家陈子和看明代道教水墨画之发展》,《台湾大学美术史研究集刊》,第 2 期(1995 年 5 月),页 47—74。

V 近现代变局的因应

《绘画、观众与国难:二十世纪前期中国画家的雅俗抉择》,《台湾大学美术史研究集刊》,第 21 期(2006 年 9 月),页 151—192。

《中国笔墨的现代困境》,《笔墨论辩:现代中国绘画国际研讨会论文集》(香港,香港大学艺术学系,2002),页 5—17。

参考书目

古 籍

《中国书画全书》，全14册，上海书画出版社，1992—1999。

《内务府活计档：造办处各作成做活计清档·乾隆朝》，北京，中国第一历史档案馆，1985。

《文渊阁四库全书》，台北，商务印书馆，1983。

《明实录》，中研院校刊本，台北"中央研究院"历史语言研究所，1967。

《宣和画谱》，收于《中国书画全书》，第2册。

《皇明恩命世录》，收于《正统道藏·续道藏》，第29册，京都，中文出版社，1986。

《黄庭内景经》，收于彭文勤等纂辑，《道藏辑要》，1906年重刊本，台北，新文丰出版公司，1986。

卞永誉，《式古堂书画汇考》，文渊阁四库全书本。

孔尚任，《桃花扇》，台北，里仁书局，1991。

文震亨，《长物志》，美术丛书本，上海，神州国光社，1929。

王士点、商企翁编，高容盛点校，《秘书监志》，杭州，浙江古籍出版社，1992。

王铚，《雪溪集》，文渊阁四库全书本。

王应奎，《柳南续笔》，笔记小说大观本，台北，新兴书局，1977。

王应麟，《玉海》，文渊阁四库全书本。

王鏊，《姑苏志》，文渊阁四库全书本。

田艺蘅，《煮泉小品》，收于阮浩耕等点校注释，《中国古代茶叶全书》，杭州，浙江摄影出版社，1999。

石涛，《画语录》，收于《中国画论类编》，台北，河洛图书出版社，1975。

朱绪曾编，《四朝金陵诗征》，1885年刊本。

朱德润，《存复斋文集》，历代画家诗文集本，台北，台湾学生书局，1973。

朱谋垔，《画史会要》，收于《中国书画全书》，第4册。

米芾，《画史》，收于《中国书画全书》，第1册。

何延之，《兰亭记》，收于张彦远，《法书要录》，见《中国书画全书》，第1册。

余怀，《板桥杂记》，笔记小说大观本，台北，新兴书局，1974。

吴自牧,《梦粱录》,收于孟元老,《东京梦华录》,台北,古亭书屋,1975。

吴宽,《匏翁家藏集》,文渊阁四库全书本。

吕诚,《来鹤亭集》,文渊阁四库全书本。

李日华,《味水轩日记》,嘉业堂丛书本,1863。

李昉等编,《太平广记》,文渊阁四库全书本。

李葆贞修,梅彦驹等纂,《浦城县志》,稀见中国地方志汇刊本,北京,中国书店,1992。

杜光庭,《洞天福地岳渎名山记》,收于《道藏要籍选刊》,第7册,上海古籍出版社,1989。

杜琼,《杜东原集》,明代艺术家集汇刊本,台北,中央图书馆,1968。

——,《东原集》抄本,四库全书存目丛书本,台南,庄严文化事业有限公司,1997。

沈周,《石田先生集》,明代艺术家集汇刊本,台北,中央图书馆,1968。

——,《石田诗选》,文渊阁四库全书本。

沈括,《梦溪笔谈》,四部丛刊续编本,台北,商务印书馆,1966。

——,《梦溪笔谈》,台北,鼎文书局,1977。

沈颢,《画麈》,收于《中国书画全书》,第4册。

周亮工,《读画录》,清代传记丛刊本,台北,明文书局,1986。

周晖,《金陵琐事》,笔记小说大观本,台北,新兴书局,1977。

周瑛,《翠渠摘稿》,文渊阁四库全书本。

孟元老,《东京梦华录》,台北,古亭书屋,1975。

俞弁,《山樵暇语》,四库全书存目丛书本,台南,庄严文化事业有限公司,1995。

洪迈,《容斋续笔》,文渊阁四库全书本。

郎瑛,《七修续稿》,笔记小说大观本,台北,新兴书局,1983。

凌云翰,《柘轩集》,文渊阁四库全书本。

夏文彦,《图绘宝鉴》,收于《中国书画全书》,第2册。

夏完淳,《续幸存录》,明季稗史汇编本,丛书集成三编,台北,新文丰出版公司,1997。

孙星衍等纂,《松江府志》,1817年刊本,台北,成文出版社,1970。

徐沁,《明画录》,美术丛书本,上海,神州国光社,1928。

徐松辑,《宋会要》,续修四库全书本,上海古籍出版社,2003。

徐献忠,《水品》,收于阮浩耕等点校注释,《中国古代茶叶全书》。

徐显,《稗史集传》,丛书集成续编本,台北,新文丰出版公司,1985。

袁表、马荧编,《闽中十子诗》,四库全书珍本,台北,商务印书馆,1971。

袁华,《耕学斋诗集》,文渊阁四库全书本。

高濂著,赵立勋等校注,《遵生八笺校注》,北京,人民卫生出版社,1994。

张又新,《煎茶水记》,收于阮浩耕等点校注释,《中国古代茶叶全书》。

张丑,《清河书画舫》,收于《中国书画全书》,第4册。

张宇初,《岘泉集》,收于《正统道藏》,第27册。

张廷玉等撰,《明史》,新点校本,台北,鼎文书局,1979。

张宣,《青旸集》,丛书集成续编本,台北,新文丰出版公司,1989。

张彦远,《法书要录》,收于《中国书画全书》,第1册。

——，《历代名画记》，收于《中国书画全书》，第 1 册。

张昱，《张光弼诗集》，四部丛刊续编本，台北，商务印书馆，1966。

张怀瓘，《书断》，收于张彦远，《法书要录》，收于《中国书画全书》，第 1 册。

郭思，《林泉高致》，收于《中国书画全书》，第 1 册。

郭若虚，《图画见闻志》，收于《中国书画全书》，第 1 册。

陈元靓，《岁时广记》，笔记小说大观本，台北，新兴书局，1978。

陈元龙等奉敕编，《御定历代赋汇》，文渊阁四库全书本。

陈邦彦等奉敕编，《御定历代题画诗类》，文渊阁四库全书本。

陈济生、顾炎武、归庄等编，《天启崇祯两朝遗诗小传》，台北，世界书局，1965。

陈镒，《午溪集》，文渊阁四库全书本。

陈继儒，《陈眉公先生文集》，台北，中研院傅斯年图书馆藏明刊本。

陆心源，《穰梨馆过眼录》，台北，学海出版社，1975。

陆时化，《吴越所见书画录》，收于《中国书画全书》，第 8 册。

陆深，《俨山集》，文渊阁四库全书本。

陶宗仪，《辍耕录》，文渊阁四库全书本。

曾慥，《类说》，收于《北京图书馆古籍珍本丛刊》，第 62 册，北京，书目文献出版社，1988。

汤垕，《古今画鉴》，收于《中国书画全书》，第 2 册。

冯梦龙，《喻世明言》，台北，桂冠图书股份有限公司，1988。

——，《警世通言》，台北，桂冠图书股份有限公司，1988。

黄休复，《益州名画录》，收于《中国书画全书》，第 1 册。

黄伯思，《东观余论》，收于《中国书画全书》，第 1 册。

黄庭坚，《豫章黄先生文集》，四部丛刊初编本，台北，商务印书馆，1965。

——，《山谷题跋》，收于《中国书画全书》，第 1 册。

杨士奇，《东里续集》，文渊阁四库全书本。

杨循吉，《苏谈》，丛书集成新编本，台北，新文丰出版公司，1985。

葛寅亮，《金陵梵刹志》，台北，明文书局，1980。

董天工，《武夷山志》，台北，成文出版社，1974。

董其昌，《容台集》，台北，中央图书馆，1968。

——，《画禅室随笔》，艺术丛编本，台北，世界书局，1968。

董逌，《广川书跋》，收于《中国书画全书》，第 1 册。

虞集，《道园学古录》，四部丛刊初编本，台北，商务印书馆，1967。

詹景凤，《明弁类函》，东京内阁文库藏，1632 年刊本。

邹一桂，《小山画谱》，美术丛书本，上海，神州国光社，1928。

熊克，《中兴小记》，文渊阁四库全书本。

褚遂良，《晋右军王羲之书目》，收于张彦远，《法书要录》，收于《中国书画全书》，第 1 册。

赵孟頫，《松雪斋集》，四部丛刊初编本，台北，商务印书馆，1979。

刘秉忠，《藏春集》，收于《御定历代赋汇》，文渊阁四库全书本。

刘昫等撰，《旧唐书》，新点校本，台北，鼎文书局，1981。

欧阳修,《新五代史》,台北,鼎文书局,1980。

郑真,《荥阳外史集》,文渊阁四库全书本。

邓椿,《画继》,收于《中国书画全书》,第2册。

钱谷编,《吴都文粹续集》,文渊阁四库全书本。

钱谦益,《列朝诗集小传》,台北,世界书局,1961。

戴本孝纂,《江宁县志》,1683年刊本。

谢肇淛,《五杂俎》,笔记小说大观本,台北,新兴书局,1975。

钟嗣成撰,《重校录鬼簿》,收于杨家骆主编,《历代诗史长编二辑》,第2册,台北,中国学典馆复馆筹备处,1974。

瞿佑,《归田诗话》,笔记小说大观本,台北,新兴书局,1974。

苏轼,《苏东坡集》,万有文库荟要本,台北,商务印书馆,1965。

苏辙,《栾城集》,四部丛刊初编本,台北,商务印书馆,1967。

顾起元,《懒真草堂集》,台北,文海出版社,1970。

——,《客座赘语》,四库全书存目丛书本,台南,庄严文化事业有限公司,1995。

顾璘,《顾华玉集》《凭几集续编》,文渊阁四库全书本。

鹤和堂辑定,《新镌示我周行》,1727年宝善堂藏版本,台北中研院傅斯年图书馆藏。

今人著作

中、日文

《20世纪中国画坛の巨匠·傅抱石·日中美术交流のかけ桥》,东京,涩谷区立松涛美术馆,1999。

《久保惣コレクション.东洋古美术展》,东京,日本经济新闻社,1982。

《大阪市立美术馆藏中国绘画》,大阪市立美术馆,1994。

《文人画粹编·中国篇》,全10册,东京,中央公论社,1975—1979。

《元代道释人物画》,东京国立博物馆,1977。

《元时代の绘画—モンゴル世界帝国の一世纪—》,奈良,大和文华馆,1998。

《中国历代绘画·故宫博物院藏画集》,全8册,北京,人民美术出版社,1978—1983。

《中国古代书画精品录》,第1册,北京,文物出版社,1984。

《中国美术全集·绘画编》,全21册,上海人民美术出版社,1984—1989。

《中国古代书画图目》,全24册,北京,文物出版社,1990—2001。

《仕女画之美》,台北故宫博物院,1988。

《世界美术大全集·东洋编》,全18册,东京,小学馆,1997—2001。

《明代吴门绘画》,北京故宫博物院,1990。

《南京博物院藏画集》,北京,文物出版社,1966。

《故宫名画》,全10辑,台北故宫博物院,1966—1968。

《故宫书画录》,全4册,台北故宫博物院,1965。

《故宫书画图录》,1—27册,台北故宫博物院,1989—2008。

《故宫藏画大系》，全16册，台北故宫博物院，1993—1998。

《傅抱石／历史故实》，香港，翰墨轩，1995。

《景印明董其昌仿宋元人缩本画及跋》，台北故宫博物院，1981。

《董其昌画集》，上海书画出版社，1969。

小川裕充等编，《花鸟画の世界》，第10册，东京，学习研究社，1983。

小川裕充，《中国画家·牧溪》，收于《牧溪——憧憬の水墨画》，东京，五岛美术馆，1996。

中川宪一，《倪瓒早期の作品から"容膝斋图"への展开》，收于《大阪市立美术馆纪要》，第4期，1984。

中田勇次郎，《程氏墨苑の研究》，收于《中田勇次郎著作集》，第7卷，东京，二玄社，1986。

尹吉男，《明代后期鉴藏家关于六朝绘画知识的生成与作用——以"顾恺之"的概念为线索》，收于薛永年、罗世平主编，《中国美术史论文集——金维诺教授八十华诞暨从教六十周年纪念文集》，北京，紫禁城出版社，2006。

户田祯佑，《牧溪·玉涧》，《水墨美术大系》，第3卷，东京，讲谈社，1973。

文人画研究所编，《探幽缩图》，尼崎市，薮本庄五郎，1986。

文史知识编辑部编，《道教与传统文化》，北京，中华书局，1992。

文物出版社编，《兰亭论辨》，北京，文物出版社，1973。

方闻，《董其昌与正宗派绘画理论》，载《故宫季刊》，第2卷第3期，1968。

——，《西方的中国画研究》，载《故宫文物月刊》，第45期，1986。

——，《赵孟頫：书画本同》，收于《赵孟頫研究论文集》，上海书画出版社，1995。

—— 著，李维琨译，《心印——中国书画风格与结构分析研究》，西安，陕西人民美术出版社，2004。

水天中，《中国画名称的产生和变化》，收于《中国现代绘画评论》，太原，山西人民出版社，1990。

——，《中国画革新论争的回顾（下篇）》，收于《中国现代绘画评论》。

王守稼、缪振鹏、王燮程，《松江府在明代的历史地位——明代上海地区研究之一》，收于中国地方史志协会编，《中国地方史志论丛》，北京，中华书局，1984。

王永顺编，《董其昌史料》，上海，华东师范大学出版社，1991。

王伯敏，《中国绘画通史》，台北，东大图书公司，1997。

王壮弘，《晋王献之书洛神赋十三行》，收于《帖学举要》，上海书画出版社，1987。

王连起，《元代少数民族书法家及其书法艺术》，载《故宫博物院院刊》，1989，第2期。

——，《赵孟頫行书〈洛神赋〉真伪鉴考》，载《文物》，2002，第8期。

王鸿泰，《明清士人的生活经营与雅俗的辨证》，发表于 Discourses and Practices of Everyday Life in Imperial China 学术研讨会（Columbia University, 2002.10.25—27）。

北京故宫博物院，《吴门画派研究》，北京，紫禁城出版社，1993。

古原宏伸，《陈子和笔高士观瀑图》，《国华》，第918号，1968。

——，《董其昌の书画》，全2册，东京，二玄社，1981。

——，《董其昌における王维の概念》，收于古原宏伸编，《董其昌の书画·研究篇》。

——，《中国の茶》，收于赤井达郎等编，《茶の汤绘画资料集成》，东京，平凡社，1992。

——，《米芾〈画史〉札记》，《台湾大学美术史研究集刊》，第4期，1997。

——，《中国画卷の研究》，东京，中央公论美术出版，2005。

古原宏伸、张连编，《文人画与南北宗论文汇编》，上海书画出版社，1989。

史岩，《五代两宋雕塑概说》，《中国美术全集·雕塑编5·五代宋雕塑》，北京，人民美术出版社，1988。

田卫疆，《论元代畏兀儿人对发展中华文化的历史贡献》，载《西北民族研究》，1993，第1期。

白坚，《杨文骢传论》，上海人民出版社，1990。

石守谦著，林丽江译，《钱选：元代最后的南宋画家》，载《故宫文物月刊》，总第96期，1991。

石守谦，《略论董其昌之〈云藏雨散〉》，载《名家翰墨》，第32期，1992。

——，《明代绘画中的帝王品味》，载《台大文史哲学报》，第40期，1993。

——，《浪荡之风——明代中期南京的白描人物画》，载《台湾大学美术史研究集刊》，第1期，1994。

——，《董其昌〈婉娈草堂图〉及其革新画风》，载《中央研究院历史语言研究所集刊》，第65本第2分，1994。

——，《风格与世变：中国绘画史论集》，台北，允晨文化实业股份有限公司，1996。

——，《失意文士的避居山水——论十六世纪山水画中的文派风格》，同上书。

——，《有关唐棣（1287—1355）及元代李郭风格发展之若干问题》，同上书。

——，《〈雨余春树〉与明代中期苏州之送别图》，同上书。

——，《"幹惟画肉不画骨"别解——兼论"感神通灵"观在中国画史上的没落》，同上书。

——，《嘉靖新政与文征明画风之转变》，同上书。

——，《浙派画风与贵族品味》，同上书。

——，《元时代文人画の正统的系谱》，收于《元时代の绘画——モンゴル世界帝国の一世纪—》。

——，《隐逸文人の内面世界——元末四大家の生涯と艺术》，《世界美术大全集·东洋编·第7卷·元》，东京：小学馆，1999。

任道斌，《赵孟頫系年》，郑州，河南人民出版社，1984。

——，《董其昌系年》，北京，文物出版社，1988。

向达，《明清之际中国美术所受西洋之影响》，载《东方杂志》，第27卷第1期，1930。

朱维干，《福建史稿》，福州，福建教育出版社，1984。

江兆申，《从画家构图意念来看中国山水画的旧有发展》，载《故宫季刊》，第4卷第4期，1970。

——，《吴派画九十年展》，台北故宫博物院，1975。

——，《关于唐寅之研究》，台北故宫博物院，1976。

——，《山鹧棘雀、早春与文会（谈故宫三张宋画）》，载《故宫季刊》，第11卷第4期，1977。

——，《文征明与苏州画坛》，台北故宫博物院，1977。

——，《从唐寅的际遇来看他的诗书画》，载《故宫学术季刊》，第3卷第1期，1985。

——，《谈中国文人画》，载《故宫文物月刊》，第40期，1986。

江苏省淮安县博物馆，《淮安县明代王镇夫妇合葬墓清理简报》，载《文物》，1987，第3期。

衣若芬，《苏轼题画文学研究》，台北，文津出版社，1999。

西上实，《朱德润と沈王》，《美术史》，第104号，1978。

——，《丁云鹏の衣褶表现にみる唐宋回归》，《大和文华》，第86号，1993。

何惠鉴，《元代文人画序说》，《文人画粹编·中国篇3·黄公望、吴镇、王蒙、倪瓒》，东京，中央公论社，1979。

何传馨，《石溪行实考》，载《史原》，第 12 期，1982。

——，《明清之际的南京画坛》，载《东吴大学中国艺术史集刊》，第 15 卷，1987。

何怀硕编，《近代中国美术论集》，台北，艺术家出版社，1991。

余辉，《元代宫廷绘画研究》，收于《画史解疑》，台北，东大图书公司，2000。

——，《吴镇家世及其思想形成和艺术特色——也谈〈义门吴氏谱〉》，收于《画史解疑》。

利玛窦、金尼阁著，何高济、王遵仲、李申译，《利玛窦中国札记》，北京，中华书局，1983。

吴冠中，《笔墨等于零》，载《明报月刊》，1992，第 4 期。

巫佩蓉，《龚贤雄伟山水的理论与实践》，台北，台湾大学艺术史研究所硕士论文，1993。

李玉珉，《罗汉画特展图录》，台北故宫博物院，1990。

李孝悌，《恋恋红尘：中国的城市、欲望与生活》，台北，一方出版，2002。

李慧闻，《董其昌政治交游与艺术活动的关系》，载《朵云》，1989，第 4 期。

李欧梵，《上海摩登》，香港，牛津大学出版社，2000。

李霖灿，《中国山水画中的"皴法"研究》，载《故宫季刊》，第 8 卷第 2 期，1973。

——，《中国山水画上苔点之研究》，载《故宫季刊》，第 9 卷第 4 期，1975。

——，《中国美术史稿》，台北，雄狮图书股份有限公司，1987。

——，《我的老师林风眠》，《林风眠画集》，台北历史博物馆，1989。

李铸晋、万青力，《中国现代绘画史·民初之部 1912—1949》，台北，石头出版股份有限公司，2001。

汪己文编，《宾虹书简》，上海人民美术出版社，1988。

汪世清，《龚贤的草香堂集》，载《文物》，1978，第 5 期。

汪亚尘，《国画上题诗问题》，收于何怀硕编，《近代中国美术论集》，台北，艺术家出版社，1991。

阮荣春、胡光华，《中华民国美术史》，成都，四川美术出版社，1992。

阮荣春，《难"金陵八家说"，唱"金陵六大家"——兼谈戴本孝在金陵画坛的活动》，载《故宫文物月刊》，第 131 期，1994。

周道振，《文征明书画简表》，北京，人民美术出版社，1985。

——编，《文征明集》，上海古籍出版社，1987。

周双利，《萨都剌》，北京，中华书局，1993。

宗白华，《中西画法所表现的空间意识》，收于《美学与意境》，北京，人民出版社，1987。

——，《中国艺术的写实精神》，收于《美学与意境》。

——，《论中西画法的渊源与基础》，收于《美学与意境》。

林文明，《摩尼教和草庵遗迹》，载《海交史研究》，1978，第 1 期。

林风眠，《致全国艺术界书》，收于《中国绘画新论》，香港，富壤书房，1974。

林悟殊，《福建发现的波斯摩尼教遗物》，载《故宫文物月刊》，第 133 期，1994。

林树中著，远藤光一、沈伟译，《新発见の沈周史料——出土墓志等から沈周の家柄、家学及びその他を论ず》，载《国华》，第 1114、1115 号，1988。

板仓圣哲，《传毛益笔蜀葵游猫图、萱草游狗图をめぐる诸问题》，载《大和文华》，第 100 号，1998。

——，《张雨题倪瓒像》，载《国华》，第 1255 号，2000。

河北省文物研究所、保定市文物管理处，《五代王处直墓》，北京，文物出版社，1998。

近藤秀实，《郑颠仙资料》，Museum，第 428 号，1986。

金维诺，《搜山图的内容与艺术表现》，载《故宫博物院院刊》，1980，第 3 期。

——编，《永乐宫壁画全集》，天津人民美术出版社，2007。

青木正儿，《题画文学の发展》，载《支那学》，第 9 卷第 1 期，1937。

俞剑华，《中国山水画的南北宗论》，上海人民美术出版社，1963。

姚从吾，《铁函心史中的南人与北人的问题》，载《食货》，第 4 卷第 4 期，1974。

洪再新，《元季蒙古道士张彦辅〈棘竹幽禽图〉研究》，载《新美术》，1997，第 3 期。

——，《从盛熙明看元末宫廷的多元艺术倾向》，载《故宫博物院院刊》，1998，第 1 期。

胡万川，《钟馗神话与小说之研究》，台北，文史哲出版社，1980。

郎绍君，《论中国现代美术》，南京，江苏美术出版社，1988。

——，《廿世纪中国画面对的情境和问题》，载《艺术家》，第 296 期，2000。

唐一帆，《抗战与绘画》，载《东方杂志》，第 37 卷第 10 号，1939。

唐圭璋编，《全宋词》，北京，中华书局，1965。

韦正，《从考古资料看传顾恺之〈洛神赋图〉的创作年代》，载《艺术史研究》，第 7 辑，2005。

翁同文，《艺林丛考》，台北，联经出版事业公司，1977。

孙纪元，《敦煌彩塑与制作》，《中国石窟·敦煌莫高窟》，第 3 卷，东京，平凡社，1986。

——，《麦积山石窟雕塑艺术》，《中国美术全集·雕塑编 8·麦积山石窟》，北京，人民美术出版社，1988。

孙康宜，《陈子龙柳如是诗词情缘》，台北，允晨文化实业股份有限公司，1993。

宫崎市定，《明代苏松地方の士大夫と民众》，《アジア史研究》，第 4 册，京都大学东洋史研究会，1964。

宫崎法子，《西湖をめぐる绘画：南宋绘画史初探》，收于梅原郁编，《中国近世の都市と文化》，京都大学人文科学研究所，1984。

岛田修二郎，《逸品画风について》，载《美术研究》，第 161 号，1951。

席德进，《改革中国画的先驱者——林风眠》，台北，雄狮图书公司，1979。

徐邦达，《古书画伪讹考辨》，上、下卷，南京，江苏古籍出版社，1984。

——，《淮安明墓出土书画简析》，载《文物》，1987，第 3 期。

徐复观，《中国艺术精神》，台中，东海大学，1966。

徐悲鸿著，徐伯阳、金山合编，《徐悲鸿艺术文集》，台北，艺术家出版社，1987。

徐悲鸿，《〈八十七神仙卷〉跋一》，收于《徐悲鸿艺术文集》，台北，艺术家出版社，1987。

——，《新艺术运动之回顾与前瞻》，收于《徐悲鸿艺术文集》，台北，艺术家出版社，1987。

——，《世界艺术之没落与中国艺术之复兴》，收于《徐悲鸿艺术文集》，银川，宁夏人民出版社，1994。

徐苹芳，《宋元墓中的杂剧雕砖》，收于《中国历史考古学论丛》，台北，允晨文化实业股份有限公司，1995。

海老根聪郎，《宁波の文人と日本人——十五世纪における》，《东京国立博物馆纪要》，第 11 号，1976。

秦公，《洛神赋（十三行）解说》，《中国美术全集·书法篆刻编 2·魏晋南北朝书法》，北京，人民美术出版社，1986。

陕西省文物管理委员会编，《陕西省出土唐俑选集》，北京，文物出版社，1958。

高居翰（James Cahill）著，宋伟航等译，《隔江山色：元代绘画（1279—1368）》，台北，石头出版股份有限公司，1994。

——著，李佩桦等译，《气势撼人：十七世纪中国绘画中的自然与风格》，台北，石头出版股份有限公司，1994。

高剑父，《我的现代国画观》，台北，德华出版社，1975。

张子宁，《清石涛古木垂阴图轴——兼略析其画论演进之所以》，载《艺术学》，第 2 期，1988。

张仃，《守住中国画的底线》，载《美术》，1999，第 1 期。

张光宾编，《元四大家》，台北故宫博物院，1975。

张光宾，《郑思肖墨迹孤本——跋叶鼎隶书金刚经册》，载《故宫文物月刊》，总第 4 期，1983。

——，《元四大家年表》，载《台湾大学美术史研究集刊》，第 9—11 期，2000—2001。

张旭光，《萨都剌生平仕履考辨》，载《中华文史论丛》，1979，第 2 辑。

启功，《启功丛稿·题跋卷》，北京，中华书局，1999。

许志浩，《中国美术社团漫录》，上海书画出版社，1994。

郭立诚，《赠礼画研究》，收于台北故宫博物院编辑委员会编，《中国艺术文物讨论会论文集·书画（下）》，台北故宫博物院，1992。

陈仁涛，《中国画坛的南宗三祖》，香港，统营公司，1955。

陈正宏，《沈周年谱》，上海，复旦大学出版社，1993。

陈定山，《春申旧闻》，台北，世界文物出版社，1971 再版。

陈芳妹，《追三代于鼎彝之间——宋代从"考古"到"玩古"的转变》，载《故宫学术季刊》，第 23 卷第 1 期，2005。

陈振濂，《近代中日绘画交流史比较研究》，合肥，安徽美术出版社，2000。

陈高华，《元代画家史料》，上海人民出版社，1980。

——，《元代诗人乃贤生平事迹考》，载《文史》，第 32 辑，1990。

——，《略论杨琏真加和杨暗普父子》，收于《元史研究论稿》，北京，中华书局，1991。

陈寅恪，《柳如是别传》，台北，里仁书局，1981。

陈葆真，《管道昇和他的竹石图》，载《故宫季刊》，第 11 卷第 4 期，1977。

——，《南唐中主的政绩与文化建设》，载《台湾大学美术史研究集刊》，第 3 期，1996。

——，《传世〈洛神赋〉故事画的表现类型与风格系谱》，载《故宫学术季刊》，第 23 卷第 1 期，2005。

陈万鼐编，《全明杂剧》，台北，鼎文书局，1979。

陈德馨，《从赵雍〈骏马图〉看画马图在元代社会网络中的运作》，载《台湾大学美术史研究集刊》，第 15 期，2003。

陈学文，《明代中叶民情风尚习俗及一些社会意识的变化》，《山根幸夫教授退休纪念：明代史论丛》，东京，汲古书院，1990。

陈衡恪，《文人画的价值》，收于何怀硕编，《近代中国美术论集》。

陈韵如，《蒙元皇室的书画艺术风尚与收藏》，收于《大汗的世纪：蒙元时代的多元文化与艺术》，台北故宫博物院，2001。

——，《时间的形状——〈清院画十二月令图〉研究》，载《故宫学术季刊》，第 22 卷第 4 期，2005。

——,《制作清明上河图》,未刊稿,发表于北京故宫博物院研讨会(2005.10)。

——,《〈雪霁江行〉解说》,收于《大观——北宋书画特展》,台北故宫博物院,2006。

傅申,《巨然存世画迹之比较研究》,载《故宫季刊》,第 2 卷第 2 期,1967。

傅立萃,《谢时臣的名胜古迹四景图——兼论明代中期的壮游》,载《台湾大学美术史研究集刊》,第 4 期,1997。

傅抱石,《中国绘画"山水""写意""水墨"之史的考察》,收于叶宗镐选编,《傅抱石美术文集》,南京,江苏文艺出版社,1986。

——,《中国绘画在大时代》,收于叶宗镐选编,《傅抱石美术文集》。

——,《中华民族美术之展望与建设》,收于叶宗镐选编,《傅抱石美术文集》。

——,《俗到家时自入神》,收于叶宗镐选编,《傅抱石美术文集》。

——,《从中国美术的精神上来看抗战必胜》,收于叶宗镐选编,《傅抱石美术文集》。

傅熹年,《关于展子虔〈游春图〉年代的探讨》,载《文物》,1978,第 11 期。

单国强,《试析金陵八家合称的原因》,载《故宫博物院院刊》,1989,第 3 期。

——,《戴进生平事迹考》,载《故宫博物院院刊》,1992,第 1 期。

单国霖,《吴门画派综述》,《中国美术全集·绘画编 7·明代绘画·中》,上海人民美术出版社,1989。

凑信幸,《陈子和について》,*Museum*,第 353 号,1980。

童书业,《唐宋绘画谈丛》,北京,朝花美术出版社,1962。

华德荣,《龚贤研究》,上海人民美术出版社,1988。

费正清、刘广京编,《剑桥中国晚清史》,北京,中国社会科学出版社,1993。

黄仁宇,《万历十五年》,台北,食货出版社,1985。

黄宗智,《中国研究的规范认识危机》,香港,牛津大学出版社,1994。

黄苗子,《读倪云林传札记》,《中华文史论丛》,第 3 辑,1963。

黄逸芬,《沈遇南山瑞雪图轴》图版解说,《悦目——石头书屋所藏中国晚期书画(解说篇)》,台北,石头出版股份有限公司,2001。

恽茹辛,《民国书画家汇传》,台北,商务印书馆,1986。

杨仁恺,《叶茂台辽墓出土古画的时代及其它》,收于《辽宁省博物馆藏宝录》,香港,三联书店,1994。

杨启樵,《明代诸帝之崇尚方术及其影响》,收于《明代宗教》,台北,学生书局,1968。

杨新,《石溪卒年再考》,收于《杨新美术论文集》,北京,紫禁城出版社,1994。

——,《为因泉石在膏肓——略论石溪的艺术》,收于《杨新美术论文集》。

——,《程正揆及其江山卧游图》,收于《杨新美术论文集》。

杨义著,郭晓鸿辑图,《京派海派综论(图志本)》,北京,中国社会科学出版社,2003。

温肇桐,《黄公望史料》,上海人民美术出版社,1963。

万青力,《无笔无墨等于零——虚白斋明清绘画论稿》,《画家与画史:近代美术丛稿》,杭州,中国美术学院出版社,1997。

——,《蔡元培和毕加索》,《万青力美术文集》,北京,人民美术出版社,2004。

叶晓青,《点石斋画报中的上海平民文化》,载《二十一世纪》,创刊号,1990。

裘柱常,《黄宾虹传记年谱合编》,北京,人民美术出版社,1985。

詹石窗，《道教与文学艺术》，收于卿希泰主编，《道教与中国传统文化》，福州，福建人民出版社，1990。

铃木正，《明代山人考》，收于中山八郎等编，《青水博士追悼纪念·明代史论丛》，东京，大安株式会社，1962。

铃木敬，《明代绘画史研究·浙派》，东京，木耳社，1968。

——，《李唐·马远·夏圭》，《水墨美术大系》，第2卷，东京，讲谈社，1973。

——，《中国绘画史》，全8册，东京，吉川弘文馆，1981–1995。

熊月之，《上海租界与上海社会思想变迁》，《上海研究论丛》，第2辑，上海社会科学院出版社，1989。

熊谷宣夫，《戊子入明と雪舟（上、下）》，见《美术史》，第23、24号，1957。

福本雅一，《杨文骢传》、《杨文骢の死》，见《明末清初：才粗集》，京都，同朋社，1984。

刘巧楣，《晚明苏州绘画中的诗画关系》，载《艺术学》，第6期，1991。

刘骁纯，《对现代水墨画的回顾与思考》，载《雄狮美术》，第277期，1994。

滕固，《唐宋绘画史》，北京，中国古典艺术出版社，1958。

——，《关于院体画和文人画之史的考察》，收于何怀硕编，《近代中国美术论集》。

蔡元培，《文化运动不要忘了美育》，收于孙德中编，《蔡元培先生遗文类钞》，台北，复兴书局，1956。

——，《我之欧战观》，《蔡元培全集》，台北，商务印书馆，1968。

蔡鸿茹，《明代制墨名家程君房及〈墨苑〉》，载《文物》，1985，第3期。

郑威，《董其昌年谱》，上海书画出版社，1989。

郑逸梅，《郑逸梅选集》，哈尔滨，黑龙江人民出版社，1991。

——，《艺林散叶荟编》，北京，中华书局，1995。

郑锡珍，《弘仁·髡残》，《历代画家评传·明》，香港，中华书局，1986。

鲁道夫·瓦格纳，《进入全球想象图景：上海的〈点石斋画报〉》，载《中国学术》，第8辑，2001。

穆益勤，《明代院体浙派史料》，上海人民美术出版社，1985。

萧平、刘宇甲编，《龚贤研究集》，南京，江苏美术出版社，1988。

萧启庆，《元代蒙古人的汉学》，收于《蒙元史新研》，台北，允晨文化实业股份有限公司，1994。

——，《元朝多族士人的雅集》，收于《香港中文大学中国文化研究所学报》，新第6期，1997。

——，《元代科举与菁英流动：以元统元年进士为中心》，收于《元朝史新论》，台北，允晨文化实业股份有限公司，1999。

——，《元朝多族士人圈的形成初探》，收于《元朝史新论》。

——，《宋元之际的遗民与贰臣》，收于《元朝史新论》。

——，《内北国而外中国》，全2册，北京，中华书局，2007。

钱锺书，《中国诗与中国画》，收于何怀硕编，《近代中国美术论集》。

饶宗颐，《张大风及其家世》，收于《画𩒹——国画史论集》，台北，时报文化出版企业有限公司，1993。

——，《淮安明墓出土的张天师画》，收于《画𩒹——国画史论集》。

鹤田武良，《陶冷月について——近百年来中国绘画史研究·三》，载《美术研究》，第358号，1993。

——，《图版解说　杨渭泉の仿パピエ·コレ作品——民国期绘画资料》，载《美术研究》，第359

号，1994。

──，《留欧美术学生──近百年来中国绘画史研究之一》，载《美术研究》，第369号，1998。

西文

Barnhart, Richard M. *Marriage of the Lord of the River: A Lost Landscape by Tung Yüan*. Ascona: Artibus Asiae Supplementum, 27, 1970.

──. *Along the Border of Heaven: Sung and Yuan Paintings from the C. C. Wang Family Collection*. New York: The Metropolitan Museum of Art, 1983.

Barnhart, Richard M. et al. *Painters of the Great Ming: The Imperial Court and the Che School*. Dallas: The Dallas Museum of Art, 1993.

──. *Three Thousand Years of Chinese Painting*. New Haven: Yale University Press, 1997.

Berger, Patricia. *Empire of Emptiness: Buddhist Art and Political Authority in Qing China*. Honolulu: University of Hawai'i Press, 2003.

Bickford, Maggie. "Emperor Huizong and the Aesthetic of Agency." *Archives of Asian Art*, vol. 53 (2002–2003).

Bourdieu, Pierre. trans. Richard Nice. *Distinction: A Social Critique of the Judgment of Taste*. Cambridge: Harvard University Press, 1984.

Bryson, Norman. *Vision and Painting*. New Haven: Yale University Press, 1985.

Bush, Susan. *The Chinese Literati on Painting: Su Shih (1037–1101) to Tung Ch'i-ch'ang (1555–1636)*. Cambridge: Harvard University Press, 1971.

──. "Tsung Ping's Essay on Painting Landscape and the 'Landscape Buddhism' of Mount Lu." In Susan Bush and Christian Murck eds. *Theories of the Arts in China*. Princeton, N.J.: Princeton University Press, 1983.

Cahill, James. *Hills Beyond a River: Chinese Painting of the Yüan Dynasty, 1279–1368*. New York and Tokyo: Weatherhill, 1976.

──. *Parting at the Shore: Chinese Painting of the Early and Middle Ming Dynasty, 1368–1580*. New York and Tokyo: Weatherhill, 1978.

──. *An Index of Early Chinese Painters and Paintings: T'ang, Sung, and Yüan*. Berkeley, C.A.: University of California Press, 1980.

──. *The Distant Mountains: Chinese Painting of the Late Ming Dynasty, 1570–1644*. New York and Tokyo: Weatherhill, 1982.

──. *The Compelling Image: Nature and Style in Seventeenth-Century Chinese Painting*. Cambridge: Harvard University Press, 1982.

──. "*Hsieh-I* as A Cause of Decline in Later Chinese Painting." In *Three Alternative Histories of Chinese Painting*. Lawrence, Kansas: Spencer Museum of Art, University of Kansas, 1988.

──. "The Shanghai School in Later Chinese Painting." In Mayching Kao ed. *Twentieth-Century Chinese Painting*. Hong Kong: Oxford University Press, 1988.

──. *The Painter's Practice: How Artists Lived and Worked in Traditional China*. New York: Columbia University Press, 1994.

Chang, Hao. *Chinese Intellectuals in Crisis: Search for Order and Meaning, 1890–1987*. Berkeley: University of California Press, 1987.

Chen, Pao-chen. "*The Goddess of the Lo River*: A Study of Early Chinese Narrative Handscrolls." Ph.D. dissertation, Princeton, N.J.: Princeton University, 1987.

Chou, Ju-hsi. "In Quest of the Primordial Line: The Genesis and Content of Tao-chi's *Hua-yu-lu*." Ph.D. dissertation, Princeton, N.J.: Princeton University, 1970.

———. *Scent of Ink: The Roy and Marilyn Papp Collection of Chinese Painting*. Pheonix: Pheonix Art Museum, 1994.

Chou, Ju-hsi et al. *The Elegant Brush: Chinese Painting under the Qianlong Emperor, 1735–1795*. Phoenix: Phoenix Art Museum, 1985.

Clapp, Anne. *Wen Cheng-ming: The Ming Artist and Antiquity*. Ascona: Artibus Asiae Supplementum, 34, 1975.

———. *The Painting of T'ang Yin*. Chicago: The University of Chicago Press, 1991.

Clarke, David. "Raining, Drowning and Swimming: Fu Baoshi and Water." *Art History*, vol. 29, no. 1 (2006).

Clunas, Craig. *Art in China*. Oxford and New York: Oxford University Press, 1997.

———. *Elegant Debts: The Social Art of Wen Zhengming 1470–1559*. Honolulu: University of Hawai'i Press, 2004.

Croizier, Ralph. *Art and Revolution in Modern China: The Lingnan (Cantonese) School of Painting, 1906–1951*. Berkeley, Los Angeles, London: University of California Press, 1988.

Cura, Nixi. "A 'Cultural Biography' of the Admonitions Scroll: The Qianlong Reign (1736–1795)." In Shane McCausland ed. *Gu Kaizhi and the Admonitions Scroll*. London: The British Museum Press, 2003.

Eastman, Lloyd E. *Family, Fields and Ancestors: Constancy and Change in China's Social and Economic History, 1550–1949*. New York and Oxford: Oxford University Press, 1988.

Edwards, Richard. *The Field of Stones: A Study of the Art of Shen Chou (1427–1509)*. Washington D.C.: Freer Gallery of Art, 1962.

———. *The Painting of Tao-chi, 1641– ca. 1720: catalogue of an exhibition, August 13–September 17, 1967, held at the Museum of Art, University of Michigan, in conjunction with the International Congress of Orientalists and the Sesquicentennial Celebration of the University of Michigan, 1817–1967*. Ann Arbor: University of Michigan Museum of Art, 1967.

———. *The World Around the Chinese Artist: Aspects of Realism in Chinese Painting*. Ann Arbor: University of Michigan, 1989.

Fong, Wen C. "Toward a Structural Analysis of Chinese Landscape Painting." *Art Journal*, vol. 28 (1969).

———. *Summer Mountains: The Timeless Landscape*. New York: The Metropolitan Museum of Art, 1975.

———. "Rivers and Mountains after Snow (*Chiang-shan hsüeh-chi*) Attributed to Wang Wei (A.D. 699–759)." *Archives of Asian Art*, vol. 30 (1976–1977).

———. "Reviewed Work: The Compelling Image: Nature and Style in Seventeenth-Century Chinese Painting (The Charles Eliot Norton Lectures, 1979) by James Cahill." *Art Bulletin*, vol. 68, no. 3 (1986).

———. *Beyond Representation: Chinese Painting and Calligraphy 8th–14th Century*. New York: The Metropolitan Museum of Art, 1992.

———. "Riverbank." In Maxwell K. Hearn and Wen C. Fong eds. *Along the Riverbank: Chinese Paintings from the C. C. Wang Family Collection*. New York: The Metropolitan Museum of Art, 1999.

Fong, Wen C. and Marilyn Fu. *Sung and Yuan Paintings*. New York: The Metropolitan Museum of Art, 1973.

Fong, Wen C. and Maxwell Hearn. *Silent Poetry*. New York: The Metropolitan Museum of Art, 1982.

Fong, Wen C. et al. *Images of the Mind: Selections from the Edward Elliott Family and John B. Elliott Collection of Chinese Calligraphy and Painting at the Art Museum, Princeton University*. Princeton, N.J.: The Art Museum, Princeton University, 1984.

———. *Mandate of Heaven: Emperors and Artists in China*. Zurich: Museum Rietberg, 1996.

Fong, Wen C. and James Watt. *Possessing the Past: Treasures from the National Palace Museum, Taipei*. New York: The Metropolitan Museum of Art, 1996.

Fry, Roger. *Last Lectures*. Boston: Beacon Press, 1962.

Fu, Marilyn Wong. "The Impact of the Re-unification: Northern Elements in the Life and Art of Hsien-yu Shu (1257?–1302) and Their Relation to Early Yüan Literati Culture." In John D. Langlois, Jr. ed. *China under Mongol Rule*. Princeton, N.J.: Princeton University Press, 1981.

Fu, Marilyn and Shen, *Studies in Connoisseurship: Chinese Paintings from the Arthur M. Sackler Collection in New York and Princeton*. Princeton, N.J.: The Art Museum, Princeton University, 1973.

Fu, Shen C. Y. *Challenging the Past: The Paintings of Chang Dai-chien*. Seattle and London: University of Washington Press, 1991.

Harrist, Robert. *Painting and Private Life in Eleventh-Century China: Mountain Villa by Li Gonglin*. Princeton, N.J.: Princeton University Press, 1998.

Hartman, Charles. "Literary and Visual Interactions in Lo Chih-ch'uan's Crows in Old Trees." *Metropolitan Museum Journal*, vol. 28 (1998).

Hay, A. John. "Huang Kung-wang's Dwelling in the Fu-ch'un Mountains: The Dimensions of a Landscape." Ph.D. dissertation, Princeton, N.J.: Princeton University, 1978.

Hearn, Maxwell K. "The Artist as Hero." In Wen C. Fong and James C. Y. Watt, *Possessing the Past*.

Hironobu, Kohara. "Tung Ch'i-ch'ang's Connoisseurship in T'ang and Sung Painting." In Wai-kam Ho ed. *The Century of Tung Ch'i-ch'ang, 1555–1636*. Kansas City and Seattle: The Nelson-Atkins Museum of Art and University of Washington Press, 1992.

Ho, Ping ti. *The Ladder of Success in Imperial China: Aspects of Social Mobility, 1368–1911*. New York: Columbia University Press, 1962.

Ho, Wai-kam. "Tung Ch'i-ch'ang's New Orthodoxy and the Southern School Theory." In Christian F. Murck ed. *Artists and Traditions: Use of the Past in Chinese Culture*. Princeton, N.J.: The Art Museum, Princeton University, 1976.

——— ed. *The Century of Tung Ch'i-ch'ang, 1555–1636*. 2 vols. Kansas City and Seattle: The Nelson-Atkins Museum of Art and University of Washington Press, 1992.

Ho, Wai-kam et al. *Eight Dynasties of Chinese Painting: The Collections of the Nelson Gallery-Atkins Museum, Kansas City, and the Cleveland Museum of Art*. Cleveland: The Cleveland Museum of Art, 1980.

Hsu, Ginger Cheng-chi. "The Drunken Demon Queller: Chung K'uei in Eighteenth-Century Chinese Painting." *Taida Journal of Art History*, no.3 (1996).

Hung, Chang-tai. "War and Peace in Feng Zikai's Wartime Cartoons." *Modern China*, vol. 16, no. 1 (1990).

———. *War and Popular Culture: Resistance in Modern China, 1937–1945*. Berkeley, Los Angeles, London: University of California Press, 1994.

Kahn, Harold. "Drawing Conclusions: Illustration and Pre-history of Mass Culture." 收于康无为（Harold Kahn），《读史偶得：学术演讲三篇》，台北，中研院近代史研究所，1993。

Kim, Hongnam. *The Life of a Patron: Zhou Lianggong (1612–1672) and the Painters of Seventeenth-Century China*. New York: China Institute in America, 1996.

Laing, Ellen Johnston. "Notes on Qiu Ying's Figure Paintings." Papers from the Symposium on Painting of the Ming Dynasty, Hong Kong (1988.11.30–12.2).

———. "Erotic Themes and Romantic Heroines Depicted by Ch'iu Ying." *Archives of Asian Art*, vol. 49 (1996).

Lawton, Thomas. *Chinese Figure Painting*. Washington D.C.: The Smithsonian Institution, 1973.

Lee, Sherman E. *Chinese Landscape Painting*. New York: Harper & Row, 1960.

———. "Yan Hui, Zhong Kui, Demons and the New Year." *Artibus Asiae*, vol. 53, no. 1/2 (1993).

Li, Chu-tsing. "Rocks and Trees and the Art of Ts'ao Chih-Po." *Artibus Asiae*, vol. 23, no. 3/4 (1960).

———. *The Autumn Colors on the Ch'ao and Hua Mountains: A Landscape by Chao Meng-fu*. Ascona: Artibus Asiae Supplementum, 21, 1965.

Lin, Li-chiang. "The Proliferation of Images: The Ink-stick Designs and The Printing of the *Fang-shih mo-p'u* and the *ch'eng-shih mo-yuan*." Ph.D. dissertation, Princeton, N.J.: Princeton University, 1998.

Lippe, Aschwin. "Kung Hsien and the Nanking School." *Oriental Art*, vol. 13, no. 2 (1967).

Liscomb, Kathlyn. "The Eight Views of Beijing: Politics in Literati Art." *Artibus Asiae*, vol. 49, no. 1/2 (1988–89).

———. "Before Orthodoxy: Du Qiong's (1397–1474) Art-Historical Poem." *Oriental Art*, vol. 38, no. 2 (1991).

Little, Stephen. "The Demon Queller and the Art of Qiu Ying." *Artibus Asiae*, vol. 46, no. 1/2 (1985).

Loehr, Max. *The Great Painters of China*. Oxford: Phaidon Press, 1980.

McDermott, Joseph. "The Art of Making a Living in Sixteenth Century China." *Kaikodo Journal*, vol. 5 (1997).

Mote, Frederick W. "Confucian Eremitism in the Yüan Period." In Arthur F. Wright ed. *The Confucian Persuasion*. Stanford, California: Stanford University Press, 1960.

Muller, Deborah Del Gais. "Chang Wu: Study of a Fourteenth-Century Figure Painter." *Artibus Asiae*, vol. 47, no. 1 (1986).

Munakata, Kiyohiko. *Ching Hao's "Pi-fa-chi": A Note on the Art of the Brush*. Ascona: Artibus Asiae Supplementum, 31, 1974.

Murase, Miyeko. "Farewell Paintings of China: Chinese Gifts to Japanese Visitors." *Artibus Asiae*, vol. 32, no. 2/3 (1970).

Murck, Christian F. ed. *Artists and Traditions: Use of the Past in Chinese Culture*. Princeton, N.J.: The Art Museum, Princeton University, 1976.

Murray, Julia. *Ma Hezhi and the Illustration of the Book of Odes*. Cambridge: Cambridge University Press, 1993.

Neill, Mary Gardner. "Mountains of the Immortals: The Life and Painting of Fang Ts'ung-i." Ph.D. dissertation, New Haven: Yale University, 1981.

Rawski, Evelyn S. "Economic and Social Foundations of Late Imperial Culture." In David Johnson et al. *Popular Culture in Late Imperial China*. Berkeley: University of California Press, 1985.

Rogers, Howard. "Second Thoughts on Multiple Recensions." *Kaikodo Journal*, vol. 5 (1997).

Shih, Shou-chien. "Eremitism in Landscape Paintings by Ch'ien Hsüan (ca. 1235–before 1307)." Ph.D. dissertation, Princeton, N.J.: Princeton University, 1984.

———. "The Mind Landscape of Hsieh Yu-yü by Chao Meng-fu." In Wen C. Fong et al. *Images of the Mind*.

———. "The Landscape Painting of Frustrated Literati: The Wen Cheng-ming Style in the Sixteenth Century." In Willard J. Peterson et al. *The Power of Culture: Studies in Chinese Culture History*. Hong Kong: The Chinese University Press, 1994.

———. "Calligraphy as Gift: Wen Cheng-ming's (1470–1559) Calligraphy and the Formation of Soochow Literati Culture." In Wen C. Fong et al. *Character and Context in Chinese Calligraphy*. Princeton, N.J.: The Art Museum, Princeton University, 1999.

Silbergeld, Jerome. "The Political Landscapes of Kung Hsien, in Painting and Poetry."《明遗民书画研讨会记录》，香港，香港中文大学中国文化研究所文物馆，1976。

———. "In Praise of Government: Chao Yung's Painting 'Noble Steeds' and Late Yüan Politics." *Artibus Asiae*, vol. 46, no. 3 (1985).

Sirén, Osvald. *Chinese Painting: Leading Masters and Principles*. 7 vols. New York: The Ronald Press, 1956–58.

Sullivan, Michael. *Chinese Art in the Twentieth Century*. Berkeley: University of California Press, 1959.

———. *The Birth of Landscape Painting in China*. Berkeley and Los Angeles: University of California Press, 1962.

———. *Symbols of Eternity: The Art of Landscape Painting in China*. Stanford, California: Stanford University Press, 1979.

———. *The Meeting of Eastern and Western Art*. Berkeley: University of California Press, 1989.

———. *Art and Artists of Twentieth-Century China*. Berkeley and London: University of California Press, 1996.

Summers, David. "Representation." In R. S. Nelson and R. Shiff eds. *Critical Terms for Art History*. Chicago: The University of Chicago Press, 1996.

The National Palace Museum ed. *Proceedings of the International Symposium on Chinese Painting*. Taipei: National Palace Museum, 1970.

Thorp, Robert and Richard Vinograd. *Chinese Art and Culture*. New York: Harry N. Abrams Inc., 2001.

Vinograd, Richard. "Reminiscences of Ch'in-huai: Tao-chi and the Nanking School." *Archives of Asian Art*, vol. 31 (1977–78).

———. "New Light on Tenth-Century Sources for Landscape Painting Styles of the Late Yüan Period."《铃木敬先生还历记念中国绘画史论集》，东京，吉川弘文馆，1981。

———. "Family Properties: Personal Context and Cultural Pattern in Wang Meng's Pien Mountains of 1366." *Ars Orientalis*, vol. 13 (1982).

Watt, James C. Y. et al. *When Silk Was Gold: Central Asian and Chinese Textiles*. New York: The

Metropolitan Museum of Art, 1997.

Weng, T. W. "Tu Ch'iung." In Carrington L. Goodrich and Chaoying Fang eds. *Dictionary of Ming Biography*. New York and London: Columbia University Press, 1976.

Whitfield, Roderick. "Che School Paintings in the British Museum." *The Burlington Magazine*, vol. 114, No. 830 (1972).

Wong, Aida Yuan. *Parting the Mists: Discovering Japan and the Rise of National-Style Painting in Modern China*. Honolulu: University of Hawai'i Press, 2006.

Wu, Hung. *The Double Screen: Medium and Representation in Chinese Painting*. Chicago: The University of Chicago Press, 1996.

Wu, Marshall P. S. *The Orchid Pavilion Gathering*. Ann Arbor: University of Michigan, 2000.

Wu, Nelson I. "Tung Ch'i-ch'ang (1555–1636): Apathy in Government and Fervor in Art." In Arthur F. Wright and Denis Twitchett eds. *Confucian Personalities*. Stanford, California: Stanford University Press, 1962.

Yuhas, Louis. "Wang Shih-chen as Patron." In Chu-tsing Li ed. *Artists and Patrons: Some Social and Economic Aspects of Chinese Painting*. Seattle: University of Washington Press, 1989.